153

153

전병욱 지음

규장

하나님나라는 어떻게 오는가?

80년대의 화두는 민주화였다. 그래서 청년들에게 '민주화' 라는 말만 하면 가슴이 설레이고, 민주화란 말을 들으면 흥분이 되고, 민주화를 상상하면 눈물이 흘러나오곤 하였다. 일제 시대에는 '독립' 이라는 말이 사람들의 가슴을 움직이는 중요한 주제였다. 그래서 당시에는 국민들이 독립 이야기만 나와도 심장이 뛰고, 독립을 상상할 때면 피가 솟구쳐 오르곤 했던 것이다.

그러면 예수님 시대의 이스라엘 사람들의 마음을 움직이는 단어는 무엇이었는가? 그것은 '나라' 라는 단어였다. 예수님 당시 이스라엘은 나라를 잃은 상태였다. 나라 잃은 백성에게 나라에 대한 선언은 일종의 혁명 선언과도 같은 것이었다. 예수께서는 바로 하나님나라를 선포하셨다.

"이 후에 예수께서 각 성과 촌에 두루 다니시며 하나님의 나라를 반포하시며 그 복음을 전하실새 열두 제자가 함께하였고"(눅 8:1).

예수님의 하나님나라에 대한 선언을 들은 유대인의 충격과 전율을 한번 상상해보라! 예수님이 선포한 '하나님나라' 라는 단어에는 당시 모든 유대 민중의 마음속에 품고 있던 영광과 꿈이 다 녹아 있었다. 유대의 모든 민중은 예수님의 하나님나라 선언에 모두 다 열광하고 있었다.

그런데 문제는 '어떻게 하나님나라를 오게 하느냐?' 하는 방법론에서 예수님과의 결별과 충돌이 일어나게 된다. 당시의 열심당은 민중봉기나 무장투쟁이라는 방법을 통해서 하나님나라가 온다고 확신했다. 바리새인들은 이념의 확산이라는 방법을 통해서 하나님나라가 온다고 생각했다. 사두개인들은 종교조직이라는 방법을 통해서 하나님나라가 온다고 생각했다. 헤롯당은 로마와의 정치적 타협이라는 방법을 통해서 하나님나라가 온다고 생각했다. 이렇게 방법론은 모두 다 달랐지만, 하나의 공통점은 '방법'을 통한 하나님나라의 도래를 생각하고 있었다는 점이다.

그러나 예수님은 이 하나님나라가 어떻게 오는가 하는 코드를 푸는 열쇠로 '씨'(seed)라는 개념을 주신다. 하나님나라는 씨가 심겨지는 것처럼 온다는 것이다(눅 8:1-15). 그러므로 씨뿌리는 비유는 비유 이전에 하나님나라가 오는 방법을 우리에게 가르쳐주는 중요한 구절이라고 할 수 있겠다. 하나님나라는 다음의 세 단계를 거쳐서 오게 된다.

첫째, '씨의 심김의 단계'이다. 아무도 모르게 변장하고 온 메시아가 선택받은 소수의 제자들의 마음속에 하나님나라의 씨를 심는 단계이다.

둘째, '씨의 확산의 단계'이다. 그 씨가 제자들의 증언을 통해서 여러 개로 늘어나는 단계를 말한다. 예루살렘에서 시작된 말씀운동이 온 유대로, 사마리아로, 그리고 땅끝까지 퍼지는 성장의 단계를 말하는 것이다.

셋째, '씨의 추수의 단계'이다. 이제 메시아께서 다시 오셔서 익은 곡식을 추수하는 것을 의미한다. 즉, 재림 이후의 심판을 의미한다.

그러므로 우리가 놓쳐서는 안 될 중요한 핵심은 하나님나라의 확장 도구는 '씨'에 있다는 점이다. 누가복음 8장 11절을 보면 "씨는 하나님의 말씀"이라고 분명히 못박는다. 즉, 하나님나라는 운동(movement)으로 오는 것도 아니고, 세속의 힘을 빌려서 오는 것도 아니다. 여러 인간적인 방법론을 통해 오는 것이 아니라 하나님나라는 '말씀의 씨'를 심는 것에서 온다는 강조이다. 그러므로 기독교 최고의 자리는 말씀의 자리이다.

때때로 말씀이 아니라 교권이 교회의 중앙에 자리잡은 적이 있었다. 때때로 말씀이 아니라 사회참여가 교회의 중앙에 위치한 적이 있었다. 심지어 찬양이 말씀을 도외시하고 교회의 중앙에 온 적이 있었다. 다 잘못된 접근이다. 진정으로 교회의 부흥을 위하는 길, 애국하는 길이 무엇인가? 그것은 열심히 "말씀, 말씀, 오직 말씀만"을 심는 것이다. 이렇게 순수한 말씀만을 심으면, 말씀이 일을 하고, 말씀이 교회의 부흥을 가져다주고, 말씀이 상상도 못할 풍성한 열매를 거두는 모습을 보게 될 것이다.

씨는 겉으로 볼 때에는 아름답지 않다. 겉으로 보기에는 무력해보인다. 성공의 가능성이 전혀 없어보인다. 마찬가지로 말씀 자체만을 놓고 볼 때 우리는 "이 단순한 말씀이 무슨 일을 할 수 있을 것인가?"라고 하는 의심을 품을 수도 있다. 그러나 말씀은 생명이다. 말씀에는 능력이 있다. 말씀은 죽은 영혼을 살리는 힘이 있다. 하나님의 말씀에 생명을 걸고, 성실하게 증거하고 심어보라. 반드시 영적 혁명이 일어나게 될 것이다.

하나님나라는 말씀의 씨를 통해서 온다는 것을 확신하고 난 다음에 증거하게 된 말씀이 요한복음이다. 요한복음을 삼일교회에서 증거한 때는 교회에 부임한 지 3년째 되는 해였다. 당시는 초반의 어려움과 난관을 극복하고, 작은 안정감을 갖게 된 때였다. 그러나 나에게는 작은 부흥에 안주하고 있는 교회의 상황을 깨고, 하나님이 일하시는 그 역동적인 부흥을 맛보고자 하는 열망이 있었다. 이런 마음으로 요한복음을 붙들고 영적인 씨름을 하기 시작했다.

요한복음과 함께한 1년 동안의 영적 씨름은 엄청난 축복과 은혜를 누리는 특권을 가져다주었다. 로마서가 신앙의 기초를 닦게 만들었다면, 요한복음은 그 기초 위에 믿음을 통한 하나님의 영광이 임하게 되는 통로가 되었다. 요한복음 이후에 하나님의 영광이 무엇인지 알게 되었다. 그래서 모든 성도의 입술에서 영광을 추구하는 외침이 흘러나오기 시작했다.

"주여, 길지 않은 인생입니다. 영광이 아닌 일에 나의 인생을 낭비하지 않게 하옵소서."

이후 모든 결정의 중요한 시금석이 된 것이 '영광'이었다. 지금의 삼일교회의 컬러를 결정짓게 된 것도 바로 이 요한복음을 통해 선포된 말씀 때문이 아니었는가 하는 생각이 든다. 요한복음은 교회를 영광스럽게 만들었다. 요한복음은 성도들을 영광의 자리로 초대했다. 요한복음은 영광이 아닌 일에 인생을 낭비하는 것을 죄악으로까지 바라보는 눈을 열어주었다. 나는 이것을 "말씀으로 인한 부흥"이라고 부른다. 긴 말은 사족에 불과할 것이다.

이 책을 읽는 독자들도 요한복음을 통해서 하나님의 영광을 맛보고, 영광이 아닌 일에 인생을 낭비하지 않는 축복된 인생이 되기 바란다.

삼일교회 **전병욱** 목사

차례

5부. 죄에서 해방되는 믿음

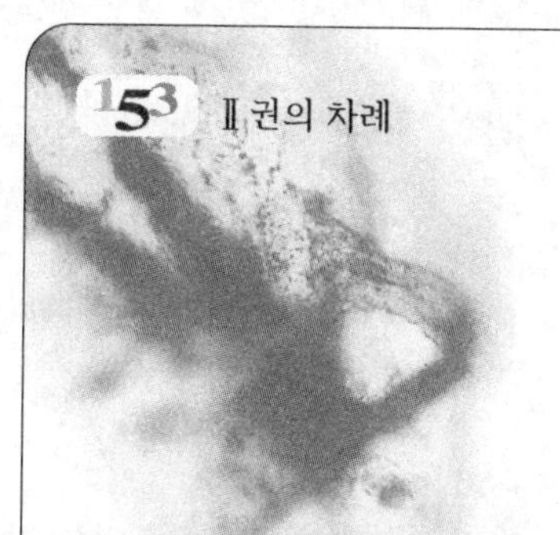

153 Ⅱ권의 차례

6부 솔라 그라티아의 믿음

7부 현실에 안주하지 않는 믿음

8부 승리를 확신하는 믿음

9부 나를 십자가에 못박는 믿음

10부 순종하는 믿음의 기적

1부 어둠을 제압하는 빛의 믿음

 영적으로 죽어 있는 사람이 있습니까? 주님의 빛으로 비췸을 받지 못했기 때문입니다. 하나님 말씀 앞에 우리들의 영혼을 내어놓고 빛을 받으면 영혼이 살아납니다. 아무리 예수 잘 믿던 사람들도 몇 주 동안 하나님의 말씀을 듣지 못하고 주님의 은혜를 떠나서 살면 얼굴이 어두워집니다. 왜 그렇습니까? 영이 죽었기 때문입니다. 우리는 날마다 주님의 빛 되신 말씀 앞에 나아옴으로 우리 영혼을 소생시키는 그런 은혜의 백성들이 되어야 합니다.

요 1:1-5

우리들에게 생명력이 가장 왕성할 때가 언제입니까? 치열한 싸움이 있을 때입니다. 언제 교회가 싱싱해집니까? 악한 마귀하고 싸움을 벌일 때 힘있는 교회가 되고, 능력있는 성도들로 변화받게 됩니다. 왜 하나님께서 우리들에게 생명력을 주셨습니까? 싸우라고 주신 것입니다. 우리가 싸움을 포기하는 순간 우리는 휴전한 것이 아니라 죽은 것입니다.

인생 승전가를 부르려면

요한복음을 우리에게 주신 목적이 무엇입니까? 요한복음은 목적 없이 예수님의 신변잡기를 기록한 성경이 아닙니다. 뚜렷한 목적성을 가지고 기록했는데, 이는 20장 31절을 보면 확연히 드러납니다.

"오직 이것을 기록함은 너희로 예수께서 하나님의 아들 그리스도이심을 '믿게' 하려 함이요 또 너희로 '믿고' 그 이름을 힘입어 생명을 얻게 하려 함이니라."

요한복음의 기록 목적은 바로 '믿음' 때문이었습니다.

요한복음 1장부터 21장까지의 말씀을 통해서 주님이 원하시는 것은 단 한 가지, "믿음이 심겨지기를 원한다", "믿음이 자라기를 원한다"는 사실입니다. 그러므로 요한복음은 인간의 호기심을 만족시켜주고, 지적(知的)인 욕구를 충족시키는 성경이 아닙니다. 그렇다고 부자가 되는 방법을 가르쳐주거나 교회 부흥의 비결을 가르쳐주는 성경은 더더욱 아닙니다. 요한복음의 목적은 오직 우리에게 믿음을 주는 데 있습니다.

믿음이 전혀 없는 사람에게는 적은 믿음이나마 '구원받는 믿음'으로 심겨지기를 원하고, 적은 믿음이 있는 사람들은 적은 믿음에 머물러 있는 것이 아니라 산을 옮길 만한 큰 믿음으로 변하기를 원하는 것이 요한복음의 핵심입니다. 이렇게 고백하는 사람들이 많을 것입니다.

"지금까지 내가 예수님을 오래 믿었지만, 진짜 믿음이 아니라 가짜 믿음이었습니다. 성경이 말하는 믿음이 아니라, 내가 만들어낸 믿음이었습니다."

이런 가짜 믿음이 진짜 믿음으로 바뀌게 하는 것이 요한복음입니다. 요한복음을 통해서 우리의 믿음이 자라고 변질된 믿음이 순수한 믿음으로 돌아갔으면 합니다.

그럼, 왜 믿음이 필요합니까? 요한복음 20장 31절 하반절을 보니까 "또 너희로 믿고 그 이름을 힘입어 생명을 얻게 하려 함이니라"고 말씀합니다. 믿음이 필요한 이유는 바로 우리에게 생명을 주기 때문입니다. 그러므로 믿음이 있을 때 생명으로 나아갈 수 있습니다. 사망의 냄새가 나는 곳에 믿음이 심겨지면 그 안에서 사랑하는 일들이 일어납니다. 그래서 요한복음 3장 16절을 보면 "하나님이 세상을 이처럼 사랑하사 독생자를 주셨으니 이는 저를 믿는 자마다 멸망치 않고 영생을 얻게 하려 하심이니라"고 말씀하셨습니다. 예수님을 믿는 믿음이 생기면 비로소 영원히 사는, 영생을 얻는 싸움에서 이길 수 있습니다. 또한 믿음은 한 곳에 머무르는 것이 아니라 역사하는 힘이 있습니다. 그래서 한 교회에 믿음이 들어가고, 한 심령에 믿음이 들어가면 만날 패배하는 인생, 만날 깨어지는 인생이 변화를 받아서 승리하는 인생이 됩니다. 그리고 거센 물결을 거슬러 올라가는 능력있는 인생으로 변화받게 됩니다.

우리를 능력있게 만드는 것

인생을 허망하게 사는 어떤 사람이 있습니다. 만날 낙심하고, 아무런 능력도 발휘하지 못하는 사람입니다. 그 사람에게 다른 것이 필요한 게 아닙니다. 환경이 변화되는 것이 필요한 게 아닙니다. 그 사람에게 필요한 것은 믿음입니다. 심령 가운데 믿음이 들어가면, 능력이 있는 사람으로 변화될 수 있기 때문입니다.

영국에 존 월터라는 사업가가 있었습니다. 그의 인생은 26세까지 참으로 망가진 인생이었습니다. 순간마다 실패하는 인생이었습니다. 허랑방탕하게 살아가던 중 어느 날 교회에 가서 말씀을 듣게 되었는데, 그 당시 목사님이 들려주신 말씀이 '겨자씨만한 믿음'이라는 제목의 말씀이었습니다. "너희 심령 가운데 겨자씨만한 믿음만 있다면, 산을 들어 옮기리라"는 말씀을 듣는 순간 큰 은혜를 받았고, 이상하게 그 말씀이 존 월터의 마음속에 깊이 새겨졌습니다.

'내 방황하는 인생의 해답은 믿음이구나…믿음을 붙들면 승리할 수 있구나.'

그래서 그 사람이 그 말씀을 잊지 않으려고 주머니 속에 겨자씨를 넣고 다녔다고 합니다. 좌절이 올 때마다 겨자씨를 보고, 낙심이 될 때마다 겨자씨를 보면서 기도하는 사람이 되었습니다. 그후로 존 월터는 19세기 이후에 영국 경제를 움직이는 중요한 사람이 되었습니다. 그러므로 보잘것없는 사람이 강력한 사람으로 변화되는 비결이 무엇입니까? 바로 믿음입니다.

반면에 우리 주변을 둘러보면, 이전에 하나님 앞에서 크게 쓰임받던 목사님, 장로님, 그리고 하나님의 종들이 믿음이 싹 빠져버리니까 아무것도 아닌 존재가 되어버린 경우를 볼 수 있습니다. 참 불쌍한 존재가 되어버립니다. 과거에 '내가 얼마나 많은 일을 했나, 안 했나'가 중요한 것이 아닙니다. 그 속에 믿음이 무너져버리니까 초신자보다 더 못한, 날마다 불평과 원망만 가득한 쓸모없는 인생으로 전락하고 맙니다. 우리를 가치 있게 만드는 것이 무엇입니까? 바로 믿음입니다. 우리를 능력있게 만드는 것이 믿음이라는 것을 꼭 기억하시고, 악한 마귀가 우리의 믿음을 빼앗아 가려고 할 때마다 이 믿음을 지킬 수 있는 은혜의 사람이 되기 바랍니다.

우리 앞에 산이 가로막고 있고, 여러 가지 문제가 가로막고 있습니다. 산은 더 이상 커지지 않습니다. 문제도 더 이상 커지지 않습니다. 그러나 우리의 믿음은 자랄 수 있습니다. 산은 커질 수 없지만, 우리의 믿음은 커질 수 있습니다. 그러므로 우리는 소망을 잃지 않습니다. 요한복음을 21장을 마쳤을 때, 당신의 믿음이 지금보다 몇 배 이상 성장된 믿음이기를 진심으로 바랍니다.

제2의 창조 사역

요한복음 1장 1절을 보면 "태초에 말씀이 계시니라 이 말씀이 하나님과 함께 계셨으니 이 말씀은 곧 하나님이시니라"고 했습니다. 태초에 말씀이 있었습니다. 그런데 그 말씀 자체가 하나님이시고, 천지를 창조했다고 합니다. 그리고 그 말씀이 곧 예수님이라고 합니다. 무슨 이야기입니까? "예수님 자체가 말씀이요 예수님은 말씀으로 일하시는 분이다"라고 말할 수 있는 것입니다. 요한복음 1장 1절, "태초에 말씀이 계시니라"는 말씀을 들을 때 연상되는 본문이 있습니다. 창세기 1장 1절입니다.

"태초에 하나님이 천지를 창조하시니라."

마치 창세기 1장 1절 같은 느낌으로 요한복음 1장 1절을 시작하는 이유가 무엇입니까? 두 성경은 연관성이 있다는 것입니다.

창세기 1장 1절에서 말씀의 창조는 '온 우주 만물, 이 물질 세계를 창조하는 것'이라고 한다면, 이 요한복음 1장 1절의 창조는 '예수님의 창조'라는 것입니다. 그러므로 예수 그리스도의 사역은 제2의 창세기라고 보면 무난합니다.

"예수님의 사역은 제2의 창조요, 재창조의 역사다."

이것이 바로 요한복음이 말하고자 하는 내용입니다.

그러므로 예수님이 이 땅에 오셔서 하신 모든 일들은 개선이 아니라 창조입니다. 과거와 어떤 연속성을 가지고 그것을 조금 낫게 만드는 것이 아니라 역사의 단절을 통해서 완전히 새로운 일들이 벌어지는 새 출발이라는 뜻입니다. 그래서 역사에서도 BC(Before Christ)와 AD(Anno Domini)로 갈라집니다. 예수님 이전과 예수님 이후가 완전히 달라졌기 때문입니다. 그래서 예수님과 예수님의 말씀이 들어가는 곳마다 하나님의 나라와 하나님의 백성들이 새롭게 창조됩니다.

그러므로 우리 예수 믿는 사람들은 없는 것 때문에 낙심하지 않습니다. 왜 그런 줄 아십니까? 없는 것도 있게 만드시는(창조하시는) 분이 예수님이시고, 또 하나님의 말씀이 선포되는 곳마다 없는 것이 있게 되는 창조의 역사가 나타나기 때문입니다.

이 '말씀'이 '로고스'라고 하는 것인데, 이 로고스라고 하는 한 단어를 설명하기 위해서도 너댓 시간이 필요합니다. 간단히 말하자면 '로고스'는 생명력을 가지고 있는 실체를 말합니다. 즉, 독립적인 실체, 그러니까 말만을 말하는 것이 아니라는 겁니다. 말씀! 그렇게 이야기했을 경우에 말씀 자체만이 아니라 어떤 실체를 가지고 있는 생명체를 말하는 것입니다. 이런 의미로 '예수님'을 말씀이라고 하는 것입니다.

좀더 이해를 쉽게 하자면 이렇습니다. 로고스가 머리 속에 있을 때를 무엇이라고 부릅니까? 바로 '사상'이라고 합니다. 그 다음에 로고스가 말로 나오면 그것을 '언어'라고 합니다. 그리고 로고스가 말대로 움직이면 그것을 '행동'이라고 합니다. 그러니까 생각과 말, 심지어 행동을 포함해서 로고스라고 합니다. 그래서 한국말로 말하는 것과는 다른 개념입니다. 완전히 하나의 생각에서부터 시작되어 말로 연결이 되고 행동까지 모든 것을 포함하는 것, 그것이 바로 로고스이며 하나님의 말씀이라는 사실입니다.

구속의 3단계

어떤 한 사람이 구원을 받는 것은 창조의 사역인데, 예수께서 십자가에 못박혀 죽으심으로 말미암아 이미 인간을 구원할 말씀은 완성이 되었습니다. 구속(救贖)이 완성된 것입니다. 예수님이 십자가에서 죽으심으로 말미암아 어떤 의미에서는 인간을 구원시킬 수 있는 기반은 이미 완성이 된 것입니다. 그럼, 그것으로 모든 백성이 다 구원을 받습니까? 그것은 아닙니다. 구속은 다 완성되었지만, 이 구속을 적용시켜야 할 필요가 있습니다. 이것을 다시 3단계로 나누어 말할 수 있습니다. 우리가 암에 걸려 죽을 수밖에 없는 상황에 처하게 되었습니다. 그런데 어떤 뛰어난 발명가가 암 치료약을 발명했습니다. 이 약을 먹기만 하면 100퍼센트 다 낫습니다. 이 치료약에 해당되는 것이 바로 예수님의 십자가입니다. 이를 십자가의 구속이라고 합니다. 그런데 이 십자가 치료약이 있어도 암 걸린 사람이 낫기 위해서는 두 가지가 더 필요합니다. 하나는 그 약을 가져다 줄 사람이고, 또 하나는 그 약을 받은 사람이 먹어야 된다는 사실입니다.

우리의 구원도 마찬가지입니다. 말씀 되신 예수께서 우리 삶 가운데서 역사하기 위해서는 이 단계가 필요합니다. 치료약, 이것은 승리의 능력이 십자가에서 이미 완성되었다는 것을 말합니다. 완성된 이 십자가 치료약이 역사하기 위해서는 누가 필요합니까? 바로 전달자가 필요합니다. 그러므로 우리에게 이 능력의 치료약 곧 말씀을 전달해주는 것이 전도입니다.

그러면 그 다음으로 필요한 것이 무엇입니까? 전달받은 말씀을 받아들이는 것, 다시 말해 영접하고 수용하는 것입니다. 그렇게 될 때 모든 백성들이 변화받게 됩니다. 요한복음에서 강조되는 말씀은 '예수님의 십자가 사역의 완전성', 곧 '예수님의 충족성' 입니다. 예수님이 우리의 유일한 구원이 되신다는 것을 설명하기 위해 요한복음 절반이 할애되었습니다. 그리고 나머지 절반에는 이 능력의 말씀, 즉 예수 그리스도를 전달하는 사람이 되어야 한다는 것을 말하고 있습니다. 그래서 요한복음 10장 앞부분에 보면 전도하는 부분이 굉장히 많이 나옵니다.

그리고 마지막에 강조된 말씀이 무엇입니까? 이 말씀을 영접해야 된다는 것입니다.

세상이 알지 못하는 4차원의 빛

이 전달의 의미가 중요하기 때문에 요한복음 1장 1-5절에서 예수님을 빛이라고 묘사합니다. 여기서 빛이라는 것은 전달 요소로서의 빛입니다.

"너희는 세상의 빛이다."

무슨 뜻입니까? '세상에 능력을 전달한다' 라는 의미에서 빛이라는 뜻입니다.

예수님은 빛이십니다.

"그 안에 생명이 있었으니 이 생명은 사람들의 빛이라"(요 1:4).

하나님은 제일 먼저 빛을 창조하시고, 그 빛에 의해서 새로운 생명을 창조하셨습니다. 빛이 없이는 아무것도 할 수 없습니다. 생명의 근원이 빛이라는 것입니다. 예수님이 우리에게 빛이라는 생명을 주신다는 것입니다.

과학의 발달로 말미암아 빛에는 네 종류가 있다고 분석합니다. 첫번째로 1차원적인 빛은 무엇입니까? 우리가 보통 생각하는 불입니다. 가스불이라든지, 모닥불을 말합니다. 2차원의 빛을 무엇이라고 합니까? 인간이 발명해낸 전깃불입니다. 전깃불이 있기 때문에 어떤 일들이 가능합니까? 밤에도 예배를 드릴 수가 있고, 전깃불로 말미암아 우리가 따뜻해질 수 있지 않습니까? 제3의 빛이 무엇입니까? 바로 원자력입니다. 원자력의 개발로 비로소 우주 시대를 맞이하게 되었습니다. 그리고 제4의 빛을 이야기합니다. 이것이 바로 영적인 빛입니다.

요한복음이 말하는 빛은 바로 영적인 빛이요 생명의 빛입니다. 우리가 영적인 빛을 어떻게 표현합니까? "주 안에서 은혜를 받았더니 가슴이 뜨거워졌다", "밝은 빛 가운데 놓이게 되었다"라는 표현을 합니다. 전깃불에도 밝음이 있습니다. 그래서 저녁에도 예배를 드릴 수가 있습니다. 전깃불에도 뜨거움이 있습니다. 그래서 전기 보일러나 전기 히터라는 게 가능합니다. 그러나 결정적으로 전깃불에는 생명이 없습니다. 식물이 광합성 작용을 일으킬 수 없는 것입니다. 생명을 자라게 하는 오묘한 빛은 오직 태양 빛에만 있습니다.

세상의 지혜나 사상에도 빛이 있고 밝음이 있고 뜨거움이 있을 수 있습니다. 그래서 서양의 계몽주의를 영어로 'enlightenment'(빛을 비춤)라고 합니다. 그것을 통해서 우리의 지성이 어느 정도 깰 수 있고, 우리의 생각이 열릴 수가 있습니다. 그렇지만 생명을 살리지는 못합니다. 오직 주님의 얼굴로부터 나오는 생명의 빛만이 우리에게 생명을 줄 수 있습니다.

그러므로 예수님이 주시는 빛에는 뜨거움과 밝음뿐만이 아닌 생명이 있다는 것을 강조하고 있습니다. 고린도후서 4장 4절입니다.

"그 중에 이 세상 신(神)이 믿지 아니하는 자들의 마음을 혼미케 하여 그리스도의 영광의 복음의 광채가 비취지 못하게 함이니 그리스도는 하나님의 형상이니라."

이것은 "예수님의 빛이 있는데, 이 빛을 비취지 못하게 함으로 말미암아 생명을 얻지 못한다"는 뜻입니다. 그러므로 빛에서 강조하는 첫번째 내용은 무엇입니까? 바로 생명입니다.

혹시 영적으로 죽어 있는 사람이 있습니까? 주님의 빛으로 비췸을 받지 못했기 때문입니다. 하나님의 말씀 앞에 우리들의 영혼을 내어놓고 빛을 받으면 영혼이 살아납니다. 아무리 예수 잘 믿던 사람들도 몇 주 동안 하나님의 말씀을 듣지 못하고 주님의 은혜를 떠나서 살면 얼굴이 어두워집니다. 왜 그렇습니까? 영이 죽었기 때문입니다. 우리는 날마다 주님의 빛 되신 말씀 앞에 나아옴으로 우리 영혼을 소생시키는 그런 은혜의 백성들이 되어야 합니다.

초대교회의 교인들이 그렇게 모이기를 힘썼던 이유가 무엇입니까? 그건 바로 빛 되신 주님을 만나기 위해서입니다. 햇빛을 쬐어야만 질병 없이 인생을 힘차게 살아갈 수 있습니다. 날마다 빛 되신 주님께 나와서 우리 영혼을 살리는 은혜의 백성들이 되기 바랍니다.

세계에서 제일 좋은 과일이 캘리포니아산(産) 과일이라고 합니다. 캘리포니아산 과일이 왜 좋습니까? 땅이 좋기 때문에, 비료가 좋기 때문에 그렇습니까? 아닙니다. 햇빛을 많이 쬐기 때문에 좋은 것입니다. 가장 일조량이 많은 과일이 캘리포니아산 과일이라고 합니다. 햇빛을 많이 쬐니까 싱싱한 것입니다. 햇빛이 없고 날씨가 흐리고 비가 많이 내리면 농작물도 도열병이라든지 병충해에 걸린다고 하지 않습니까? 그런데 햇빛이 내리쬐면 병이 사라져버립니다. 그래서 열매를 많이 맺는 것입니다. 우리 영혼도 주님의 빛을 많이 받으면 건강해질 수 있습니다. 우리 영혼도 빛 되신 주님 앞에 나아가 그 영혼이 소생해야 할 것입니다.

싸움아비

또한 빛이라는 것은 생명이 있는데, 이 생명에는 싸움이 있습니다. 우리가 알다시피 존재한다는 것과 산다는 것은 전혀 다릅니다. 생명이 들어가는 순간부터 싸움이 벌어집니다. 우리들은 음식을 먹습니다. 음식에는 몸에 이로운 양분도 있지만, 독도 있습니다. 음식을 먹으면 계속 어떤 일이 벌어집니까? 우리 내부에서 싸움이 벌어집니다. 그 싸움이 벌어지는 곳이 어디입니까? 간입니다. 간에서 독성을 죽이는 싸움이 벌어집니다. 그리고 우리 몸 속에 어떤 병균이 들어가면 백혈구가 나와서 싸웁니다. 혈액암이라고 하는 백혈병이 무엇입니까? '우리 몸 속에 있는 백혈구가 없어진다' 는 뜻도 있지만, 몸 안에 있는 백혈구가 갑자기 이상한 마음을 먹고서 싸우지 않으려고 하는 것입니다. 병이 들어와도 휴전을 하자고 합니다. 그렇게 되면 그것이 백혈병입니다. 죽는 것입니다. 싸움이 사라지니까 바로 죽는 것입니다.

한국교회의 유명한 원로목사님 한 분이 교회 예식에 관해 쓰신 책이 있습니다. 교회에서 장례식이 있을 때, 또 결혼식을 할 때 이러이러한 순서대로 하라는 교본책입니다. 그 책에 보면 이런 내용이 나옵니다. 사람이 죽게 되면 최초 5분 내로 온 몸에서 독이 나온다고 합니다. 사람이 죽은 후 최초의 5분 동안에는 조심해서 다루지 않으면 시신을 대하는 목사가 병에 걸린다는 것입니다. 시신에서 나오는 독 때문에 말입니다.

이것은 무엇을 말합니까? 내가 살아있을 때에는 아무리 심한 병이 들었다고 할지라도 병마가 밖으로 나오지 않습니다. 왜 그렇습니까? 내 몸과 싸워야 하기 때문입니다. 그런데 싸움을 해서 병이 이기면 '이겼다' 하고 만세를 부르면서 시신에서 빠져나온다는 뜻입니다.

'싸움이 있다'는 것은 '살아있다'는 뜻입니다. 그런데 어리석게도 우리 성도들 가운데는 예수를 믿으면서도 싸우지 않는 사람들이 있습니다.

'평탄하게 신앙생활하고 싶다, 덤덤하게 신앙생활하고 싶다.'

이것은 무슨 뜻입니까? '죽겠다' 하는 뜻과 같습니다. 살아있는 자는 끝까지 싸워야 합니다.

우리들에게 생명력이 가장 왕성할 때가 언제입니까? 치열한 싸움이 있을 때입니다. 언제 교회가 싱싱해집니까? 악한 마귀하고 싸움을 벌일 때 힘있는 교회가 되고, 능력있는 성도들로 변화받게 됩니다. 왜 하나님께서 우리들에게 생명력을 주셨습니까? 싸우라고 주신 것입니다. 우리가 싸움을 포기하는 순간 우리는 휴전한 것이 아니라 죽은 것입니다. 우리의 생명이 싸움이라는 것을 명심하고, 날마다 이 싸움에서 승리할 수 있는 하나님의 백성이 되기 바랍니다.

패배할 걱정하지 않는 싸움

그런데 우리는 싸움을 하는데, 지느냐 이기느냐에 대해서 걱정할 필요가 없습니다. 5절입니다.

"빛이 어두움에 비취되 어두움이 깨닫지 못하더라."

영어성경(RSV)에서 "어두움이 깨닫지 못한다"는 것은 "the darkness has not overcome it"으로 되어 있습니다. 어두움이 이기지 못한다는 것입니다. 무슨 뜻입니까? 빛이 들어가면 어두움이 싹 사라지는 것이 아니라 빛과 어두움이 어느 정도로 공생한다는 것입니다. 참 묘하지요. 공생합니다.

우리에게 빛이 비취면 반드시 어두움이 생깁니다. 그것을 무엇이라고 합니까? 그림자라고 합니다. 그래서 괴테는 빛이 강렬할수록 그림자도 더 짙다고 했습니다. 그렇습니다. 강렬한 빛이 비취면 짙은 그림자가 생깁니다. 마찬가지로 우리가 이 세상을 살아갈 때에 빛과 어두움이 공생합니다. 그러니까 교회가 있는데도 악이 존재하고 있지 않습니까? 마귀가 지금 활개를 치고 있습니다. 그러나 공생하고 있지만, 나중에 어떻게 된다고 합니까? 어두움이 결코 빛을 이기지 못한다고 말씀합니다.

예수님도 마태복음 16장 18절에서 사도 베드로에게 무엇이라고 말씀하십니까?

"너는 베드로라 내가 이 반석 위에 내 교회를 세우리니 음부(陰府)의 권세가 이기지 못하리라."

이것은 하나님의 백성, 빛 된 자들은 생명력을 소유하는데, 그들이 싸우러 나가는 곳에는 패배가 없다는 뜻입니다.

"어두움이 이기지 못하리라."

이 약속을 붙들고 나가는 것이 하나님의 교회의 모습입니다. 그러므로 휴전하자는 교회는 무너지고 죽게 되지만, 싸우자고 나가는 교회와 성도들은 결코 무너지지 않습니다. 날마다 승리하게 될 것이고, 날마다 이 어두움을 정복하는 은혜의 역사가 있을 것입니다. 그동안도 많은 싸움을 싸웠지만, 앞으로 살아있는 동안에도 더 많은 싸움에 나아가서 이기는 성도가 되기 바랍니다.

스폰지 같은 믿음

빛의 속성 중의 하나는 생명을 줄 뿐 아니라 성장을 준다는 것입니다. 그래서 묘한 것은 살아있는 것에 빛을 비취면 열매를 맺습니다. 살아있는 나무에 빛을 계속 비취면 맛 좋은 사과, 아몬드, 그리고 포도와 같은 열매가 열립니다. 그것은 무엇을 말합니까? 생명의 빛은 열매를 거둡니다. 반면에 죽은 나무에 계속 빛을 비취면 어떤 일이 벌어집니까? 바짝바짝 말라서 타 죽습니다. 하나님의 백성들도 마찬가지입니다. 주님의 백성들에게 은혜의 말씀이 들어가면 더욱더 성령의 은혜가 충만하게 됩니다. 반면에 죽어 있는 사람들에게는 이 생명의 말씀이 심판의 말씀이 될 수 있습니다. 완전히 죽이는 말씀이 될 수 있습니다.

그럼 믿음이라는 것이 무엇입니까? 믿음이라는 것은 수용성입니다. 잘 받아들이는 것입니다. 그래서 12절을 보면 "영접하는 자 곧 그 이름을 믿는 자들에게는 하나님의 자녀가 되는 권세를 주셨으니"라고 했습니다. '영접하는 자'와 '믿는 자'가 동의어로 쓰였습니다. 믿음이라는 것이 무엇입니까? 영접하는 것입니다. 받아들이는 것이 믿음이라는 것입니다. 주님께서는 우리에게 계속해서 말씀을 주십니다. 설교자를 통해서, 성경을 통해서, 또 주변 사람을 통해서 말씀을 많이 주십니다. 이것은 귀한 복입니다. 평생토록 한 번도 그리스도의 이름을 듣지 못하는 사람도 있는데, 우리는 엄청나게 많은 권면의 말씀을 받습니다. 그러면 말씀을 받아들여야 하는데 계속 거부합니다. '안 된다', '못한다' 하고 말입니다. 이것이 바로 하나님의 은혜를 저버리는 불신앙입니다. 말씀에 귀를 막는 것이 바로 죄입니다.

하나님의 말씀을 거절하고 수용하지 않는 것이 바로 하나님 앞에서 최고로 완악한 모습입니다. 그러므로 우리는 하나님 말씀이 선포될 때 받아들이고 "아멘"으로 인정해야 합니다. 그것이 바로 우리를 성장하게 만듭니다. 그러므로 사람이 하나님 말씀을 듣고 "아멘!" 하고 받아들이고, 그 말씀대로 변화받으면 부쩍부쩍 자라기 시작합니다. 반면에 거절하게 되면 점점 바짝 마른 썩은 나무처럼 되고 나중에는 멸망의 길로 가게 된다는 것을 꼭 기억하십시오.

태양열 발전을 할 때 집열판이 많이 있지 않습니까? 태양열로 만든 집을 보면 지붕 꼭대기에 태양열을 받아들이기 위해서 집열판을 많이 세워 놓습니다. 빛을 조금이라도 더 받아들이겠다는 것입니다. 우리도 태양열 집열판같이 하나님의 말씀을 한 말씀도 놓치지 않고 받아들이려는 태도를 취하면 놀라운 능력의 역사가 일어나게 될 것입니다. 하나님 말씀으로 말미암아 영혼이 자라나고 생명이 자라나는 은혜가 임하게 될 것입니다.

지정 좌석

어떤 사람의 삶에 빛이 있으면 미래의 약속이 있기 때문에 삶이 초조하지 않게 됩니다. 그 사람이 믿음이 있는지 없는지는 그의 삶이 여유가 있는 삶이냐, 아니면 초조한 삶이냐 하는 것을 보면 알 수 있습니다. 예수를 잘 믿으면 주변에 어떤 환경과 어려움이 온다 할지라도 여유가 있습니다. 왜 그렇습니까? 미래가 보장되어 있기 때문입니다. 사도행전 12장을 보면 감옥에 갇혀서 내일 당장 죽을지도 모르는 사도 베드로가 편히 잠을 자고 있는 것을 봅니다. 여유 아닙니까? 세상에 이런 여유가 어디에 있습니까?

"사망의 음침한 골짜기로 다닐지라도 해를 두려워하지 않는다."

이것이 성도의 여유입니다.

한번 예를 들어보겠습니다. 서울역에 가서 대합실에 앉아 있는 사람들의 모습을 보면 새마을호를 타는 사람과 비둘기호를 타는 사람들이 서로 다릅니다. 새마을호를 타는 사람들은 옷도 말쑥하게 차려 입고 가방 하나 들고 여유있게 걸어나갑니다. 반면에 비둘기호를 타려는 사람은 어떻습니까? 눈이 충혈돼 있고 앞사람보다 먼저 가겠다고 몸 싸움을 하느라 단추가 떨어지고 난리법석입니다.

새마을호를 타는 사람과 비둘기호를 타는 사람이 왜 이렇게 다릅니까? 새마을호를 타는 사람들은 교양이 있기 때문에 그렇습니까? 새마을호를 타는 사람들은 학벌이 좋기 때문입니까? 인품이 있기 때문에 그렇습니까? 아닙니다. 그들의 차이점은 딱 한 가지입니다. 새마을호에는 무엇이 있습니까? 지정 좌석이 있습니다. 뛰어가나 걸어가나 그 자리는 내 자리입니다. 그러나 비둘기호 승객은 왜 뜁니까? 빨리 가야 자리를 확보할 수 있기 때문에 그렇습니다.

거룩한 여유

믿는 사람과 믿지 않는 사람의 차이가 바로 이겁니다. 예수 믿는 사람들은 여유있게 가도, 몸 싸움을 하지 않아도 확실한 보장이 있습니다. 하나님께서 나에게 구원을 주시고, 나에게 은혜를 주시고, 나에게 마지막 승리를 주신다는 확신이 있습니다. 그러므로 뛰지 않습니다. 여유를 가지고 살아갑니다. 잠시 어려움이 있다 할지라도 저 자리는 내 자리라는 보장이 있습니다.

반면에 세상 사람들은 어떻습니까? 하나님에 대한 신뢰가 없기 때문에 조금만 어려운 일이 있어도 깜짝 놀랍니다. 갑자기 벽에 걸려 있던 그림 하나가 떨어져도 '이거 재수 없구나! 우리 가정에 크나큰 재앙이 임할 징조인가보다' 하고 생각합니다. 그것 때문에 부들부들 떱니다. 이사도 아무 때나 못 가고 날을 잡아 갑니다. 또 문턱을 밟으면 호되게 경을 칩니다. 심지어 몽둥이로 패려고 합니다. 그래서 저는 일부러 날마다 문턱에 서 있습니다. 재수 없는 일만 골라서 해보려고 말입니다. 그런데 보세요. 이렇게 잘 살고 있지 않습니까?

예수 믿는 사람과 믿지 않는 사람들의 차이는 하늘과 땅 차이입니다. 그래서 우리는 초조하지 않습니다. 약간 어려운 문제가 있다고 할지라도 그것은 극복할 수 있습니다. 우리에게 약속이 있기 때문에 흔들리지 않습니다. 좌석표가 있기 때문에 제일 마지막에 타도 내 자리는 비어 있습니다. 내 자리라고 하나님께서 이미 예비해두신 것입니다.

세상 사람들처럼 내 힘으로 다른 사람들을 밟아 누르면서 앞서려고 아등바등하지 않습니다. 이것이 바로 빛을 소유한 사람들의 모습입니다. 그래서 로마서 8장 28절은 '좌석표를 예약한 사람들의 외침'이라고 할 수 있습니다.

"우리가 알거니와 하나님을 사랑하는 자 곧 그 뜻대로 부르심을 입은 자들에게는 모든 것이 합력하여 선(善)을 이루느니라."

기차표의 예는 무엇을 말해줍니까? 맨 나중에 들어가도 내 자리는 예약되어 있다는 뜻입니다. 삶속에서 초조하거나 또 마귀가 주는 환경의 어려움 때문에 불신 가운데 빠져 있거나 원망하는 모습이 아니라 항상 확신 가운데서 승리하는 은혜의 백성이 되도록 힘써야 합니다.

초대교회의 성도들은 형장으로 끌려가면서도 여유가 있었습니다. 찬송하며 갔습니다. 마지막 인사가 천국에서 보자는 것이었습니다. 우리도 바로 이런 확신을 가진 성도가 되어야 합니다.

ID 153 패스워드

패스워드1. 로고스의 사역은 창조의 사역이다.

로고스(말씀)이신 예수님의 사역은 제2의 창세기요 재창조의 역사다. 말씀에는 단순한 개선이 아닌 창조의 능력이 있다. 예수님의 말씀을 받아들여 믿음을 심어라. 겨자씨만한 믿음도 하나님 앞에 쓰이면 큰 능력과 역사를 이룬다.

패스워드2. 빛이 있어야 생명이 자란다.

생명을 키우는 햇빛은 모닥불이나 전깃불과는 다르다. 과일도 빛을 많이 쬐야 튼실하고 맛있다. 빛은 살아있는 나무에게는 생명과 성장을 가져다준다. 그러나 죽은 나무에게는 말라비틀어지게 만드는 살상무기로 변한다. 생명을 왕성히 누리려면 말씀의 빛을 많이 쬐라.

패스워드3. 생명 있는 모든 것에는 싸움이 있다.

살아있다는 것은 싸움이 있다는 뜻이다. 치열한 싸움이 있을 때 가장 싱싱한 생명력을 지닌다. 안이하고 덤덤하게 신앙생활하고 싶다는 자세는 이미 싸움을 포기한 것이다. 우리가 싸움을 포기하는 순간 우리는 휴전한 것이 아니라 죽은 것임을 명심하라.

코람데오(Coram Deo) 자기점검

1. 칼빈은 "성삼위(聖三位)는 서로의 '안에서' 거하시고, 서로를 '통하여' 거하시고, 서로를 '향하여' 거하신다"고 말했다. 당신은 참으로 예수님을 천지만물의 창조자요 인간의 영혼을 구원하는 전능하신 하나님으로 믿고 있는가?

2. 빛이 없으면 눈이 있어도 보지 못한다. 보게 하는 것은 눈이 아니라 빛이다. 만물은 빛으로 말미암아 존재한다. 당신의 삶에 그 빛이 찾아온 때는 언제인가?

3. 영성(靈性)은 '깨어 있는 의식'이다. 당신은 영적으로 살아 있는가? 그렇다면 산 사람의 표증을 보이기 위해 어떤 싸움을 치르고 있는가?

2장

빛의 증인

요 1:6-14

복음을 들고 현장에 들어가 증거할 때에 하나님의 영이 임재합니다. 먼저는 증거하는 사람을 변화시키고, 그 다음 말씀을 듣는 모든 사람을 변화시키고, 마지막으로 그 주변 어두움 가운데 있는 사람에게 빛을 비추게 됩니다. 그러므로 우리는 교회의 울타리 안에만 머물러 있을 것이 아니라 복음을 들고 현장으로 나가야 합니다.

영적 소경

사도 요한의 별명은 보아너게입니다. 그 별명의 뜻은 '우레의 아들' 입니다. 즉, '천둥과 번개가 치는 듯한 사람' 이라는 뜻입니다. 요한복음은 그 별명과 마찬가지로 천둥과 번개가 치는 것같이 시작됩니다. 마치 '콰과과광' 하는 베토벤의 운명교향곡의 서두처럼 우리를 깜짝 놀라게 만들면서 시작됩니다.

"태초에 말씀이 계시니라 이 말씀이 하나님과 함께 계셨으니 이 말씀은 곧 하나님이시니라."

이 말씀을 듣고 사람들은 깜짝 놀랍니다. 우리의 모든 관심과 초점을 '태초에' 라는 말씀에 맞추어놓고 있습니다. 하나님 되신 '말씀' 에 주목하게 만들고 있습니다. 그리고 그 말씀이 온 천하 만물을 창조하셨다는 사실에 우리의 마음을 붙들어 매어놓습니다. 다른 것은 전혀 생각하지 못하게, 오직 '태초의 말씀' 에만 집중하게 만들고 있습니다.

"그 안에 생명이 있었으니 이 생명은 사람들의 빛이라 빛이 어두움에 비취되 어두움이 깨닫지 못하더라"(4, 5절).

그 말씀 속에 생명이 있었습니다. 그리고 그 말씀 속에 있었던 생명의 빛이 우리에게 비취게 되었습니다. 그래서 어두움이 깨뜨려지고 우리 가운데 생명이 주입되었습니다. 마치 폭풍이 몰아치는 칠흑 같은 어두움의 바다 가운데 등대의 빛 한 점을 발견한 사람의 모습을 깨달을 수 있습니다. '아, 이제는 살았구나' 하는 소망감과 생명감을 느낄 수 있는 장면입니다.

그런데 6절 이하를 보면 우리를 당혹스럽게 만드는 일이 있습니다. 이렇게 우리에게 소망을 주는 빛이 있었는데, 이 빛이 증거가 필요했다는 사실입니다. 우리가 생각할 때 어두움 가운데 빛이 비취기만 하면, 많은 사람들이 환호하고 많은 사람들이 벌떼같이 그 빛으로 모여들어 얼싸안고 기뻐할 줄 알았는데, 본문을 보니까 전혀 그렇지 않았습니다. 그래서 이 빛에 대해 무관심한 사람들에게 이 빛을 설명하고, 이 빛을 알리고, 또 이 빛을 증거해야 할 필요성이 생겨난 것입니다.

왜 이런 일이 벌어지는 겁니까? 그것이 우리의 관심사입니다.

'어두움 가운데 빛이 왔는데, 왜 사람들은 관심을 안 갖는가?'

이것이 우리의 질문이 되어야 합니다. 왜 그렇습니까? 인간은 소경이기 때문입니다. 소경이기 때문에 빛을 볼 수가 없습니다. 빛이 왔음에도 불구하고 그것이 빛인 줄을 모른다는 사실입니다. 다시 말해서 하나님의 은혜를 떠난 모든 백성들은 영적인 소경인 것입니다.

하나님을 떠난 자들은 소경입니다. 앞이 깜깜한 사람입니다. 보지도 못하고, 깨닫지도 못하는 그러한 인생입니다. 고린도전서 2장 14절입니다.

"육(肉)에 속한 사람은 하나님의 성령의 일을 받지 아니하나니 저희에게는 미련하게 보임이요 또 깨닫지도 못하나니 이런 일은 영적으로라야 분변함이니라."

영적인 일은 영적인 눈이 열려야만 깨달을 수 있다고 분명히 말씀하고 있습니다. 그러므로 구원의 문제를 다루는 첫걸음은 바로 눈뜨게 만드는 사역입니다. 우리도 눈뜨기 이전에는 하나님과 하나님의 은혜를 전혀 체험할 수 없었습니다. 듣기는 들어도 알지 못하고, 보기는 보아도 깨닫지 못하는 것은 그 때문입니다. 그래서 영적으로 거듭나기 이전에 성경을 읽으면 성경이 수면제 같습니다.

영국의 대문호 토마스 카알라일이 「행복론」이라는 책을 썼습니다. 짧은 수필집인데, 쭉 읽어보면 좋은 이야기들이 많습니다. 그런데 어느 한 구절에 이런 말이 나옵니다.

"잠이 오지 않으면 성경을 읽어라. 10분도 채 되지 않아서 당신의 불면증이 해소되리라."

왜 이런 소리를 합니까? 그가 아무리 세계적인 문호라고 할지라도 영적으로는 소경이니까, 영적 소경인 자기에게는 성경이 수면제가 된다는 것입니다.

영적인 소경이 눈을 뜨려면

영적인 소경이 보는 성경은 수면제가 될 수밖에 없으므로 구원 사역의 첫걸음은 눈을 뜨게 하는 데 있습니다. 그래야 말씀이 우리의 영(靈)에 호소할 수 있게 되고, 우리를 살리는 말씀이 될 수 있습니다. 그러면 어떻게 눈뜨는 사역이 가능할 수 있습니까? 두 가지를 살펴봐야 합니다.

첫째로, 빛을 증거하는 사람이 있어야 합니다.

빛 된 말씀을 증거하는 자가 있어야만 믿음이 생깁니다. 당연한 것 아닙니까? 로마서 10장 14절을 보니까 "그런즉 저희가 믿지 아니하는 이를 어찌 부르리요 듣지도 못한 이를 어찌 믿으리요 전파하는 자가 없이 어찌 들으리요"라고 했습니다. 전파하는 자가 있어야만 들을 수 있습니다. 그러므로 전파하는 증거자가 있어야 합니다. 세례 요한과 같은 사역자가 있어야 합니다. 그런데 그것만 있으면 됩니까? 전파 자체가 목적이라면 우리가 특별히 전도하러 다닐 필요가 없습니다. 왜 그렇습니까? 돈을 많이 들여서라도 방송국에 광고하면 될 것입니다. 광고하듯이 계속해서 들려주기만 하면 많은 사람이 믿게 될 것이기 때문입니다. 그러나 그렇지 않습니다.

둘째로, 그 말씀을 사용할 수 있는 생명의 역사, 성령의 역사가 있어야 합니다.

하나님이 우리 가운데 믿음을 주셔야만 믿음이 생깁니다. 그래서 에베소서 2장 8절을 보니까 "너희가 그 은혜를 인하여 믿음으로 말미암아 구원을 얻었나니 이것이 너희에게서 난 것이 아니요 하나님의 선물이라"고 하였습니다. 증거가 되는 말씀을 성령이 사용하셔서 구원의 믿음이 생기게 해야 믿음이 생기는 것입니다. 에베소서 6장의 표현에 따르면, 하나님의 말씀은 성령의 검(劍)입니다. 우리가 각처에 가서 하나님의 말씀, 생명의 말씀을 증거할 때 그 말씀을 성령이 붙들어서 검과 같이 사용하셔야 비로소 영혼들이 구원받게 되고, 하나님의 말씀을 깨닫게 되는 것입니다.

이러한 일의 예증을 사도행전 8장에서 살펴봅시다. 에디오피아의 국고를 맡은 큰 권세 있는 내시가 있었습니다. 어느 날 예루살렘에 왔다가 돌아가는 길에 마차에서 이사야서를 읽고 있었습니다. 그때에 성령께서 강권적으로 빌립을 남방으로 보냈습니다. 그래서 빌립이 성령의 인도를 받아 마차에 가까이 가서 묻습니다.

"읽고 있는 것을 깨달을 수 있습니까?"

그랬더니 이 내시의 말이 이렇습니다.

"지도하는 자가 없는데, 어찌 깨달을 수 있겠습니까?"

빌립을 마차 위로 청하여 함께 마차를 타고 가면서 이야기를 나눕니다.

"지금 당신이 읽고 있는 것이 이사야서 53장이지요. 이 말씀은 바로 우리 죄를 위해 십자가 위에서 죽으신 예수 그리스도를 가리키는 것입니다."

그랬더니 에디오피아 내시가 그 말씀을 받아들이고 길가에 있는 물로 내려가 세례를 받음으로써 구원받는 역사가 일어납니다. 이것은 역사적으로 굉장히 중요한 사건입니다. 왜 그렇습니까? 에디오피아 내시 한 사람을 통해서 에디오피아 전체가 복음화되었기 때문입니다. 그래서 2천년 넘게 예수를 믿는 나라가 된 것입니다. 아프리카 기독교의 뿌리는 바로 에디오피아에 있습니다.

중요한 일 아닙니까? 이 사건을 한번 잘 살펴보기 바랍니다.

첫째, 생명의 빛 된 말씀이 있었습니다. 그 말씀 자체가 역사한 것이 아니라 전달자가 필요했습니다. 빌립이라는 전달자가 필요했습니다.

둘째, 빌립이 전한 것으로 끝난 것이 아니라 빌립이 전달하는 그 말씀 가운데 역사하는 성령의 인도함이 있었습니다. 그러므로 우리를 살리는 생명의 말씀은 성령과 함께 역사할 때만 비로소 영혼을 구원할 수 있는 능력이 나타납니다. 날마다 기도함으로 하나님의 말씀을 성령의 능력 가운데 사용할 줄 아는 지혜가 우리에게 있어야 합니다.

길이가 아니라 깊이로

성경에서 제일 불쌍한 사람을 말하라고 하면 저는 가룟 유다를 꼽습니다. 가룟 유다는 예수님의 말씀을 3년 반이나 들었으면서도 예수님을 배신한 사람이었습니다. 우리는 여기서 무엇을 알 수 있습니까? 교회를 오래 다닌 경력이 우리의 구원을 보장하지 못한다는 것을 알 수 있습니다. 오랫동안 예수 믿고도 구원받지 못하는 사람이 있습니다. 오랫동안 교회를 들락날락하면서도 전혀 예수 그리스도를 알지 못하는 사람이 있을 수 있습니다. 성경 지식이 많아도 구원받지 못하는 사람이 있습니다. 서기관들이 그렇지 않습니까? 또 선행을 많이 해도 구원받지 못하는 사람이 있습니다. 바리새인들이 그랬습니다.

이런 이야기를 들은 적이 있습니다. 어느 교회의 집사님 한 분이 계십니다. 어느 날 이 분이 장로 선거에서 장로로 선출되었습니다. 그런데 이 분이 장로가 안 되겠다고 거절하시는 것입니다. 제가 하도 이상해서 물어 보았습니다. "왜 그러십니까?" 그랬더니 그 분 이야기가 이렇습니다.

"과거에 저는 공부를 참 잘했습니다. 그래서 좋은 대학도 나오고 사회적으로도 굉장히 출세한 공인회계사가 되었습니다. 많은 것을 갖추고 있어서 '이 정도로 사회적인 안정을 얻었으면 이제 마흔이 되기 전에 종교 하나쯤은 가지는 것이 좋겠다' 하는 생각을 했습니다."

그래서 이 분이 근처 교회에 나가게 되었다고 합니다. 교회를 한 3년 다니니까 교회에서 집사를 시키겠다고 하더랍니다.

"저는 '집사고 무엇이고 안 하겠습니다' 그랬더니 교회에서 자꾸만 적당히 부를 호칭도 없고 하니 부르기 좋게 집사를 하라고 해서 마지 못해 집사가 되었습니다."

이 분이 공인회계사인 터라 교회에 일꾼이 부족하니까 교회 재정부 일을 맡기더랍니다. 재정부 일을 맡아서 깔끔하게 잘 해냈습니다. 그런데 교회의 재정 일을 맡다보니까, 교회가 하는 일은 많은데 재정이 많이 부족하다는 것을 알게 됐습니다. 자기에게 돈도 좀 있고 해서 좋은 일을 한다는 뜻으로 헌금을 좀 많이 했다고 합니다. 그러다보니 서리집사도 되고 안수집사도 되었습니다. 그러다가 이제는 장로로 선출되기에 이르렀습니다. 그런데 문제가 생긴 것입니다. 더 이상은 도무지 양심이 괴로워서 안 되겠다는 것입니다. 자기는 예수를 안 믿는다는 것입니다. 예수를 못 믿겠다는 것입니다. 전혀 예수를 안 믿는 사람으로, 어떻게 안수집사까지는 했지만, 장로만은 양심상 도저히 못하겠다고 했습니다.

이것이 무슨 이야기입니까? 이 분은 10년 가까이 예수를 믿는 사람으로 여겨진 분이었습니다. 교회를 다닌 분이었습니다. 겉으로 볼 때는 교회의 중직을 맡은 사람이었습니다. 그런데 예수를 모르는 그런 사람이었습니다. 무슨 이야기입니까? 교회 안에도 '불신자'가 있다는 말입니다.

신앙은 길이로 잴 것이 아니라 깊이로 재어야 합니다. 예수님을 만나는 것이 신앙입니다. 그리스도를 영접하기 이전에는 절대로 하나님의 사람이 아닙니다.

하나님을 믿는다는 것은 무엇입니까? 우리가 죄인임을 인정하는 것입니다. '내가 예수님 없으면 지옥의 백성이 될 수밖에 없고, 전혀 구원받지 못할 죽을 죄인입니다' 하는 이것을 우리가 인정해야 됩니다. 예수님이 내 죄 때문에 나 대신 십자가에서 죽으시고, 나를 위해서 보혈을 흘리시고, 나를 구원해주셨다는 것을 붙드는 것입니다. 예수님만이 나의 구원의 유일한 길입니다. 예수님은 나의 유일한 소망입니다. 그것을 붙들고 믿는 것을 무엇이라고 이야기합니까? '구원받았다' 고 하는 것입니다. 내 발버둥이 아니라 '주님이 나를 구원하셨다' 고 인정하는 것이 복음입니다.

수용성이 생긴다

예수 없이는 절대로 우리에게 생명이 없습니다. 요한복음 1장 12절을 보면 "영접하는 자 곧 그 이름을 믿는 자들에게는 하나님의 자녀가 되는 권세를 주셨으니"라고 했습니다. 믿는다는 것은 무엇입니까? 받아들이는 것입니다. 하나님의 말씀이 그렇다고 하면 그대로 수용하는 것이 믿음입니다. 그래서 믿음이 자라면 사람이 어떻게 변화되는 줄 아십니까? 수용성 있게 변합니다. 가끔 저한테 와서 총각들이 이렇게 묻습니다.

"어떤 아내를 얻어야 좋습니까?"

제가 이렇게 이야기합니다.

"다른 것은 보지 마라. 얼굴이야 2년만 지나면 그 얼굴이 그 얼굴이다. '뚱뚱하다, 말랐다' 그것이 중요한 게 아니다. 어떤 여자를 골라야 되느냐? 바로 수용성 있는 여자를 고르면 된다."

행복한 남자가 되고 싶습니까? 잘 받아들이는 여자와 결혼하세요. 만날 안 된다고 퉁기는 여자들은 피곤해서 못 삽니다. 믿음이 좋다는 것은,

하나님의 말씀을 잘 품는 것을 말합니다. 스폰지가 물을 빨아들이듯이 말씀을 그렇게 흡입합니다.

시카고에 있는 3천 명의 회사 사장들을 대상으로 리서치를 한 일이 있었습니다. "성공한 이유가 무엇이냐?"는 질문에 대한 대답이 바로 수용성이었습니다. 이 사장들이 성공한 이유는 바로 잘 수용한다는 것 때문이었습니다. 무슨 이야기를 하든지 다 수용해주는 것입니다. 우리나라에서 제일 존경받는 목사님이 고(故) 한경직 목사님 아닙니까? 그 분은 무슨 말을 해도 다 수용해줍니다. "예, 맞습니다", "그렇습니다", "그렇고 말고요" 하고 맞장구를 칩니다. 이 목사님과 다른 의견을 말하면 그때는 아니라고 말하지 않고, "예, 그 말도 참 일리가 있군요" 하고 말씀하셨다고 합니다. 영락교회에 오래 다닌 사람들은 그 목사님이 "일리가 있군요" 하고 이야기하면 뜻이 다르다는 것을 금방 눈치챘다고 합니다. 그 분은 그 정도로 수용성이 있었습니다.

무슨 이야기입니까? 될 수 있는 대로 부딪치지 않는다는 것입니다. 반면에 믿음이 없고 자라지 않는 사람, 그리고 수용성이 없는 사람은 어떻습니까? 만날 갈등이 있고, 무슨 말 한마디만 하면 콤플렉스가 있어서 '날 염두에 두고 그런 이야기를 했다'고 생각하거나 아니면 '나를 찍었다'고 생각합니다. 여유가 없고 각박합니다. 믿음이라는 것은 다른 것이 아닙니다. 다 품어주는 것입니다. 믿음 좋은 사람이 어떤 사람입니까? 하나님의 어떤 말씀을 증거하든지간에 그것이 나에게 주시는 말씀인 줄 알고 다 품는 사람입니다.

그래서 그 말씀에 역사가 나타나게 만드는 것입니다. 이것이 믿음입니다. 그래서 우리들에게 제일 중요한 것은 하나님 앞에서 나의 자존심과 나의 고집을 다 꺾어버리는 것입니다. 하나님이 가라고 하면 가고, 하라고 하면 하고, 하나님이 그렇다고 하면 그렇다고 끄덕끄떡 하는 것이 믿음입니다.

무조건적인 신뢰

무디 이후에 크게 쓰임 받았던 전도자는 윌버 체프먼이라는 분입니다. 이 분이 무디 집회에 참석했습니다. 무디가 복음을 증거하고 난 다음에 이 체프먼이라는 젊은이에게 물었습니다.

"예수 믿습니까?"

그런데 이 젊은이가 이렇게 대답했다고 합니다.

"믿기는 하는데 자신이 없습니다."

그래서 무디 선생님이 성경 한 구절을 보여주었습니다. "내가 진실로 진실로 너희에게 이르노니 내 말을 듣고 또 나 보내신 이를 믿는 자는 영생을 얻었고 심판에 이르지 아니하나니 사망에서 생명으로 옮겼느니라"는 요한복음 5장 24절 말씀을 들려주면서 "이 말씀을 믿느냐?"고 물었더니 "믿습니다"라고 대답했습니다. "그럼 너에게 영생이 있느냐?" 그랬더니 "글쎄요"라고 말했습니다.

"여기 성경에 보니까 '믿는 자는 영생을 얻었고' 그랬는데 믿느냐?"고 했더니 "잘 모르겠습니다"라고 대답했습니다. 그러자 무디가 버럭 화를 내었다고 합니다.

"네가 도대체 무엇인데 하나님을 무시하느냐? 하나님이 믿는 자에게 영생이 있다고 하면 있는 것이지 웬 말이 많으냐?"

그러자 윌버 체프먼이 "잘못했습니다" 하면서 무릎 꿇고 주님을 영접했다고 합니다.

우리가 '구원받았다', '안 받았다'라는 것은 내 마음의 무슨 자세가 아닙니다. 예수 믿으면 영생이 있다고 주님이 말씀하시면 있는 것이지 무슨 딴소리가 있습니까? 예수 믿으면 구원이 있다고 합니다. 그러면 있는 것입니다. '내 마음 가운데 있는 것 같다', '없는 것 같다' 하는 그 의심이 문제가 아닙니다. 믿음은 말씀이 구원이 있다고 하면 구원이 있다고 믿는 것입니다. 하나님이 그렇다고 그러면 그런 것이지 인간의 감정을 가지고 도전할 문제가 아닙니다.

예수 잘 믿는 사람은 어떤 사람입니까? 하나님의 말씀을 철석같이 믿고 순종하는 사람입니다. 가라고 하면 가는 것이고, 주께서 역사한다고 하시면 역사한다고 믿고 나아가는 것이 바로 하나님의 백성들의 모습입니다. 이렇게 하나님의 말씀을 영접하고 믿는 자들을 통해서 하나님의 능력은 폭발적으로 역사합니다. 그러니까 실질적으로 하나님 앞에 쓰임받는 사람들을 보면, 그렇게 공부를 많이 한 사람도 아니고 똑똑한 사람도 아닙니다. 그냥 믿는 사람입니다.

하나님은 지금도 이 땅에 있는 많은 사람들 가운데서 믿는 자를 찾습니다.

"누가 내 말을 믿느냐?"

말씀을 믿고 순종하는 사람을 통해서 하나님께서는 놀라운 일들을 이루십니다. 하나님은 믿는 자를 통해서 일하십니다. 그리고 하나님은 믿는 사람을 가장 기뻐하십니다. 하나님은 지금도 믿는 자를 찾고 계십니다. 믿음을 통해서 하나님의 능력을 드러내고, 믿음을 통해서 열매를 거둘 수 있는 귀중한 하나님의 사람이 되기 바랍니다.

증인의 조건

이렇게 믿음의 말씀, 빛의 말씀을 증거하기 위해서 증인이 되어야 합니다. 그러면 우리 한 사람 한 사람이 증인이 될 수 있는 요건들이 무엇인지 본문을 통해서 살펴보겠습니다.

첫째로, 증인은 체험이 있어야 합니다.

체험이 있어야만 증인이 될 수 있습니다. 요한일서 1장 1절을 보면 "태초부터 있는 생명의 말씀에 관하여는 우리가 들은 바요 눈으로 본 바요 주목하고 우리 손으로 만진 바라"고 하였습니다. 이런 체험이 있을 때 증인이 될 수 있습니다. 그러므로 증인은 똑똑해야 되는 것도, 많이 배워야 되는 것도 아닙니다. 본 바가 있고 들은 바만 있으면 됩니다. 그러니까 세상에서 제일 쉬운 게 무엇입니까? 증인 되는 것입니다. 왜 그렇습니까? 보고 들은 바만 있으면 다 되기 때문입니다.

재판을 할 때에 재판관이 증인에게 묻는 것이 무엇입니까? "네가 들었느냐?" "네가 보았느냐?" "네가 그곳에 있었느냐?"를 묻는 것 아닙니까? 그런데 증인이라는 사람이 나와서 이렇게 말했다고 합시다.

"사실 나는 그곳에 없었는데 내 견해는 이렇습니다."

그러면 어떻게 합니까? 쫓아내버립니다. 증인은 자기 견해를 가지고 나오는 사람이 아닙니다. 자기 주장을 갖고 나오는 사람이 아니라 본 것 가지고 나오는 사람, 들은 것 갖고 나오는 사람입니다. 증인은 주장하는 사람이 아니라 증거하는 사람입니다.

하나님의 교회가 왜 자꾸만 약해집니까? 본 것이 없고 자꾸 자기 주장만 나오기 때문입니다. 하나님께서 우리를 증거하는 자로 부르셨는데, 우리는 자꾸만 주장하는 자로 나갑니다. 교회가 책상에 앉아서 연구만 하면 자꾸 주장만 하게 됩니다. '이것이 옳다, 저것이 옳다' 그러면 반드시 바리새 종교가 되어버립니다. 주장하는 종교가 되니까 말입니다. 하지만 기독교는 그런 종교가 아닙니다. 현장에 들어가서 영적인 싸움을 싸우고 그 싸움에서 보고 체험했던 것들을 증거하는 교회가 살아있는 교회입니다. 우리들도 우리의 삶 가운데 하나님께서 보여주셨던 은혜를 증거하고, 하나님께서 보여주셨던 은혜를 보여줄 수 있는 사람이 되어야 할 것입니다.

저희 교회는 성탄절이 되면 구제 사업을 합니다. 매년 성탄절에 가난한 사람들에게 쌀을 나누어주었습니다. 사실상 구제 사업을 할 때 우리는 단순히 구제 사업으로만 생각하고 시작했습니다. 그런데 어떤 형제가 저한테 와서 이런 이야기를 하였습니다. 사실 자기는 교회를 몇 년 동안 왔다 갔다 했지만 예수를 안 믿었다고 합니다. 그런데 쌀을 나눠주러 쌀을 들고 어느 집에 들어갔을 때, 같이 간 사람이 사영리를 가지고 복음을 증거하더라는 것입니다. 증거를 쭉 하고 있는데 자기 눈에서 그렇게 눈물이 나더라는 것입니다.

다른 사람은 그 집 사람들이 불쌍해서 눈물을 흘리는 줄로 생각하였지만, 사실은 그것이 아니라 그가 그때 예수님을 영접했다는 것입니다. 그 구제의 현장에서 자기가 죄인임을 깨닫게 되고, 자기 죄를 사해주시고 자기를 구원해주신 분이 예수님임을 깨닫게 되었다고 합니다. 그래서 그때 그리스도를 영접하고 지금도 하나님 앞에서 충성스럽게 교회에 봉사하고 있습니다.

무슨 이야기입니까? 복음을 들고 현장에 들어가 증거할 때에 하나님의 영이 임재합니다. 먼저는 증거하는 사람을 변화시키고, 그 다음 말씀을 듣는 모든 사람을 변화시키고, 마지막으로 그 주변 어두움 가운데 있는 사람에게 빛을 비추게 됩니다. 이것이 바로 무엇입니까? 체험입니다. 그러므로 우리는 교회 울타리 안에만 머물러 있을 것이 아니라 복음을 들고 현장으로 나가야 합니다. 그래서 복음의 능력으로 어두움 가운데 빛이 얼마만큼 큰 생명력을 발휘하는지 체험하는 사람이 되어야 합니다.

둘째로, 용기가 있어야 합니다.

세상에서 제일 중요한 것은 '알고 있느냐? 모르고 있느냐?' 가 아닙니다. 알고 있는 것을 전할 용기가 있느냐 하는 것입니다. 전할 용기가 없으면 아무 소용이 없습니다. 우리는 부흥회를 참 좋아합니다. 수련회 같은 것을 좋아합니다. 왜 그렇습니까? 수련회에 간다든지 기도원에 올라가 있으면 이런 마음이 들지 않습니까?

'여기서 살다가 죽으면 참 좋겠다.'

이런 마음이 들지요. 날마다 찬송하고 날마다 기도하고 날마다 주님과 교제하고 성도들과 교제하면, 여기가 천국이 아닌가 하는 것이 우리 성도들의 솔직한 고백입니다. 왜 그렇습니까? 그 기도원에서, 수련회에서 내려와 다시 세상으로 들어가면 또다시 하나님이 없다고 하는 사람들과 싸워야 하기 때문입니다.

내가 진리를 알고 있습니다. 그런데 그 진리를 진리가 아니라고 우기는 사람들이 있습니다. 그럴 때 우리는 피곤함을 느낍니다. 하나님이 살아계심을 믿습니까? 하나님께서 우리에게 영생을 주심을 믿습니까? 그런데 세상에 들어가면 어떻게 됩니까? 당장 직장에만 가도 "그렇지 않다"고 주장하는 사람이 많이 있습니다. 진리인 줄 뻔히 알면서도 우기는 사람 앞에서 우리는 두려움에 빠집니다.

제가 한 가지 질문을 하겠습니다. 미국의 수도가 워싱톤이지요. 미국의 지도를 보면, 워싱톤과 뉴욕 중에 어느 것이 더 북쪽에 있습니까? 뉴욕이 북쪽에 있습니다. 그렇습니다. 우리가 상식적으로 뉴욕이 북쪽에 있다고 생각하는데, 미국에 갔다온 아이가 있습니다. 이 아이가 워싱톤이 북쪽에 있다고 우깁니다. 말도 안 되는 것을 가지고 자꾸 우기는 것입니다. 그런데 제가 할 말이 있어야지요. 저는 미국을 못 가봤거든요. 뉴욕을 가본 적이 없거든요. 그런데 제가 배운 지도에서는 뉴욕이 북쪽에 있었습니다. 그런데 그 아이는 끝까지 우기는 것입니다. 그래서 제가 졌습니다. 하나님의 진리의 말씀을 가지고 있는데, 가보지 않아서 용기가 없어서 제가 졌습니다. 바로 이것입니다.

세상에서 우리가 분명히 진리를 알고 있습니다. 그런데 하도 엉터리들이 많아서 아니라고 우기니까 우리가 위축이 되어서 '이것이 아닌가보다', '겁이 난다', '내가 무서워서 피하냐 더러워서 피하지', '나 혼자 피하면 된다'라고 하면서 자꾸 움츠러듭니다. 이것이 바로 우리의 크나큰 문제입니다. 우리는 천만 명이 우리를 대적한다 할지라도 두려워하지 않는, 이것이 진리의 말씀이라면 비진리를 들고 나와서 누가 뭐라고 해도 이것이 진리의 말씀이라고 외칠 수 있는 그런 사람이 되어야 합니다. 그것이 바로 하나님의 백성의 자세이기 때문입니다.

왜 이 사회에서 하나님의 백성들의 힘이 약해졌습니까? 예수를 안 믿기 때문이라고는 생각지 않습니다. 예수는 다 믿습니다. 하나님이 진리라고 믿습니다. 그런데 세상에서 엉터리를 외치는 사람들 앞에서 하나님의 백성들이 굴복당하고 있기 때문에 세상에 이렇게 점쟁이들과 무당들이 설치게 된 것입니다.

하나님의 말씀을 왕성하게 증거합시다. "예수가 진리입니다. 우리가 죽고 난 다음에는 천국과 지옥이 있습니다. 부활이 있습니다. 예수 외에는 살 길이 전혀 없습니다. 부처 앞에 절한다고 구원이 있는 것이 아니고, 마호메트에게 절한다고 해서 구원이 있는 것이 아니고, 오직 예수 그리스도의 이름 외에는 구원이 없습니다"라고 외치는 사람이 바로 하나님의 백성입니다. 그러므로 우리는 본 것과 아울러 이 믿음의 말씀을 증거할 수 있는 용기 있는 사람이 되어야 합니다.

셋째로, 자기를 부인해야 합니다.

요한복음 1장 8절을 보면 "그는 이 빛이 아니요 이 빛에 대하여 증거하러 온 자라"고 하였습니다. 세례 요한은 자기 자신을 증거하지 않았습니다. 오직 예수 그리스도만을 증거했습니다. 증인은 주목받을 필요가 없습니다. 진실하면 됩니다. 우리는 주인공이 아닙니다. 오직 증거할 뿐입니다. 세례 요한에게 많은 사람들이 와서 그를 추종했습니다. 그럴 때 세례 요한이 무엇이라고 합니까?

"나는 아니다. 나는 다만 증거자에 불과하다. 오시는 메시아의 신 매듭을 풀기도 부족한 사람이다."

그러면서 자기에게 주목하는 모든 관점들을 주님께 돌려버립니다. 이것이 바로 하나님의 말씀을 증거하는 사람의 자세입니다.

결혼식장에 갈 때 참 민망한 경우가 더러 있습니다. 무엇이냐 하면 결혼식에서 보통 신부 옆에는 그의 친구가 들러리를 서게 되는데, 한번은 이런 일이 있었습니다. 신부는 못생긴 사람이었고, 그 신부의 친구는 늘씬하고, 얼굴도 예쁜 자매였습니다. 제가 보기에도 결혼하는 신부보다 들러리를 서는 자매가 더 예뻤습니다. 사람들이 저마다 한마디씩 하는데, "그 자매 참 예쁘다", "그 자매 참 좋다" 그러니까 참 민망스러웠습니다. 그 날의 주인공은 신부인데, 엉뚱한 사람이 주인공이 되어서 그 사람만 높아지는 것입니다. 그래서 제가 가서 이렇게 이야기했습니다.

"너 화장 좀 지워라."

그리고 이렇게 책망했습니다.

"네가 도대체 양심이 있는 사람이냐? 오늘 주인공은 너의 친구가 아니냐? 저 친구가 예쁘게 보여야 하는데, 왜 네가 예쁘게 하고 왔냐? 너 다음부터 결혼식장에 예쁘게 입고 오면 혼날 줄 알아라."

자매들은 친구 결혼식장에 갈 때 수수하게 차리고 가면 됩니다. 그렇게 하면 친구에 대한 최고의 선물이 될 수 있습니다. 왜 그렇습니까? 그 날의 주인공은 바로 신부이기 때문입니다.

그런데 똑같은 일들이 교회 안에서도, 복음을 전하는 일에서도 벌어집니다. 복음을 증거할 때 증거자가 너무 화려하면 예수가 죽습니다. 참 묘한 일이 벌어집니다. 어떤 대단한 사람이 자기를 드러내고서는 "이만큼 대단한 내가 예수를 믿는다고 증거하는데 …" 하며 폼을 잡는다면 하나님 앞에서 크게 잘못된 것입니다. 하나님께서는 복음증거자로 보잘것없는 사람을 들어 쓰십니다(고전 1:26-29 참조). 왜 그렇습니까? 그런 사람들은 주목할 것이 없기 때문입니다.

하나님 앞에서 우리도 자기를 내세우지 않는 사람이 되어야 합니다. 요한계시록을 보면, 24장로들에게 면류관을 하나씩 다 씌워줄 때 그들이 어떻게 합니까? 면류관을 벗어서 보좌에 앉으신 어린양을 향해서 다 던집니다. 모든 찬송과 영광을 받으시기에 합당하신 분은 오직 주님밖에 없습니다. 바로 이런 모습들이 우리의 모습이 되어야 할 줄로 믿습니다. 그러므로 우리는 하나님의 말씀을 증거하고 하나님의 일을 하면서 날마다 자기 자신을 부인하고 예수 그리스도의 이름만을 드높이는 성도가 되어야 합니다.

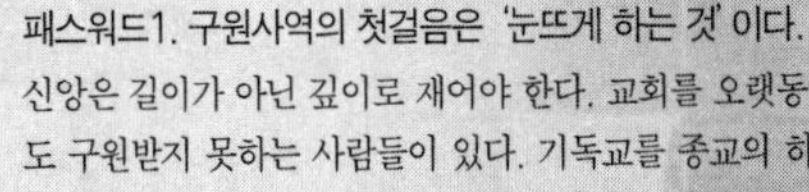

패스워드1. 구원사역의 첫걸음은 '눈뜨게 하는 것' 이다.

신앙은 길이가 아닌 깊이로 재어야 한다. 교회를 오랫동안 다니고 성경 지식이 많아도 구원받지 못하는 사람들이 있다. 기독교를 종교의 하나로 여기는 종교인도 마찬가지다. 그들에게 복음을 전하려면 증거자가 필요하다. 생명을 구하려면 성령의 역사를 구하라.

패스워드2. 스폰지 같은 믿음으로 말씀을 흡입하라.

믿음이 좋다는 것은 하나님의 말씀을 잘 품는 것이다. 그때 그 말씀에 역사가 나타난다. 그것이 믿음이다. 하나님 앞에서 당신의 자존심과 고집을 다 꺾어버리는 것이 믿음이다. 하나님이 가라고 하시면 가고, 하라고 하시면 그대로 하라.

패스워드3. 복음의 증인이 되는 것이 세상에서 가장 쉽다.

증인은 본 바가 있고 들은 바가 있는 산 체험의 사람이다. 그래서 증인이 되는 것이 세상에서 제일 쉽다. 증거하는 자는 주장하는 자가 아니다. 자기를 주장하지 말고, 자기를 부인하고, 본 대로 들은 대로 용기있게 증거하라.

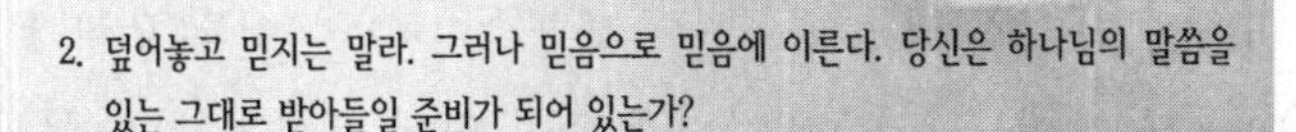

1. 기독교는 종교의 하나가 아니라 오직 유일하게 온전한 진리다. 당신은 진정한 그리스도인인가?

2. 덮어놓고 믿지는 말라. 그러나 믿음으로 믿음에 이른다. 당신은 하나님의 말씀을 있는 그대로 받아들일 준비가 되어 있는가?

3. 자기 부인이 믿음의 관건이다. 당신은 매일의 일상 속에서 늘 '증거자 의식'을 품고 사는가?

3장

증거자의 영광과 능력

요 1:14-18

은혜는 진리와 함께 서 있어야만 온전해집니다. 진리는 거부하고 은혜만을 추구하다보면 본회퍼가 언급했던 것과 마찬가지로 '값싼 은혜'가 되어버리고 기복신앙이 되어버립니다. 다시 말해서 목적 없는 은혜가 되어버립니다. 하나님께서 우리에게 일하라고 주신 도구들을 장난감으로 사용하는 엉터리 신자가 될 수 있습니다.

기독교는 낮아지는 운동

14절에 "말씀이 육신이 되어 우리 가운데 거하시매"라고 하는 말씀의 명백한 의미는 '하나님이 인간이 되셨다'는 의미입니다. 즉, 태초부터 계셨고, 태초에 온 우주를 창조하셨던 그 말씀 되신 하나님께서 인간의 육체를 입고 이 땅에 오셨다는 것입니다. 그분이 바로 예수님이십니다. 이것을 신학적인 용어로 성육신(成肉身)이라고 합니다. 그러면 도대체 왜 하나님께서 인간이 되셨습니까? 무엇 때문에 하나님의 성육신이 필요했습니까? 하나님께서 이 땅에 오신 이유가 무엇입니까? 그것은 바로 인간을 구원하기 위함이었습니다. 인간 대신 죽기 위해서 인간이 되신 것입니다. 그런 의미에서 성육신의 목적은 죽음입니다. 또한 성육신의 목적은 구원입니다. 하나님께서 죽기 위해 사람이 되셨고, 죄인을 구원하기 위해 사람이 되셨습니다. 하나님께서 친히 인간이 되어 인간의 연약함을 다 체험하셨습니다.

"우리에게 있는 대제사장은 우리 연약함을 체휼하지 아니하는 자가 아니요 모든 일에 우리와 한결같이 시험을 받은 자로되 죄는 없으시니라"
(히 4:15).

우리의 연약함과 시험을 예수께서도 다 겪으셨다는 뜻입니다. 죄 없으신 몸으로 우리들의 죄를 대신 짊어지시고, 제물인 어린양으로서 피를 쏟으시고 죽으신 것입니다. 그러므로 모든 인간 구원의 출발은 이 성육신에서부터 시작됩니다.

성육신이 무엇입니까? 전능하신 하나님께서 낮아지셔서 인간이 되셨다는 것입니다. 그런 의미에서 기독교는 낮아지는 운동입니다. 그러기에 우리는 다른 영혼을 살리기 위해서 현장으로 들어가는 운동을 펼쳐야 합니다. 우리가 현장으로 들어가고 우리가 낮아질 때 비로소 영혼 구원의 역사가 시작되기 때문입니다. 그래서 예수님은 요한복음 17장 18절에서 이렇게 말씀하십니다.

"아버지께서 나를 세상에 보내신 것같이 나도 저희를 세상에 보내었고."

이것은 '내가 너희를 계속해서 세상에 보낸다'는 뜻입니다.

이 말씀은 우리가 교회 안에서만 거룩하다고 이야기할 것이 아니라 세상에 나가서 빛이 되어야 한다는 촉구인 것입니다. 교회 울타리를 깨고 나가라고 하는 것입니다. 마르틴 루터의 말을 빌리자면, "하나님으로 하나님 되게 하라"는 것입니다. 교회 안에서만 하나님이 아니요, 교회 밖에서도 하나님이요, 사회에서도 하나님이요, 학교에서도 하나님이요, 우리의 직장에서도 하나님 되게 하라는 것이 바로 주님의 명령입니다. 그래서 마태복음 5장에서 우리를 '세상의 빛'이라고 했습니다. 등불을 켜서 말 아래에 두는 사람은 없습니다. 왜 그렇습니까? 빛이라는 것은 어둠을 전제하기 때문입니다. "어둠 가운데 들어가야만 비로소 빛이 의미가 있기 때문에 빛은 등경 위에 두는 것이다"라고 말씀하시는 것입니다.

몇 해 전 뉴스를 통해 맨홀에 빠진 사람의 이야기를 전해들은 적이 있습니다. 12월 28일, 방배동에 사는 모씨가 송년회에서 술을 엄청나게 많이 마셨습니다. 그런데 그만 방배중학교 앞에 있는 대형 맨홀에 빠져 거기서 기절하고 말았답니다. 그래서 8일 3시간, 우리 식 계산법으로 하자면 2년 동안 하수도에 갇혀 있었던 것입니다. 맨홀에서 왜 9일 동안 나오지 못했습니까? 깨어났더니 사방에 칠흑 같은 어둠이 깔려 출구를 찾지 못했기 때문입니다. 그래서 반경 500미터를 계속 왔다갔다 하며 헤매다가 9일째가 되어서야 겨우 출구를 찾게 되었다고 합니다.

왜 그런 일이 일어났습니까? 왜 그 사람이 새해를 하수도에서 맞이하게 되었습니까? 빛이 없었기 때문입니다. 그 사람 아들의 이야기가 재미있습니다.

"우리 아버지는 담배를 피우시는 분인데, 호주머니에 라이터 하나가 없어서 못 나왔어요."

한 줄기 빛만 있었다면 당장 나올 수 있었는데, 빛이 없었기 때문에 칠흑 같은 어둠 속에서 9일 동안이나 갇혀 있게 된 것입니다. 어디가 어딘줄 몰랐기 때문에 나올 수 없었던 것입니다.

어둠 가운데 있는 빛

"너희는 세상의 빛이라."

무슨 뜻입니까? 세상이 어둠이라는 것을 전제합니다. 예수께서는 "어둠 가운데 너희가 들어가 빛을 비춰라. 빛을 비춰 사람들을 살리라"고 말씀하십니다. 이것이 바로 성도의 사명이기 때문입니다. 그러므로 우리 한 성도 한 성도가 성육신의 사명을 잘 감당하고 있는지 내 주변을 살펴보면 됩니다. 내 주변에 나를 귀찮게 만드는 사람이 있습니다. 나를 괴롭게 하는 사람이 있습니다. 나를 날마다 피곤하게 만드는 사람이 있습니다. 내 주변에 완전히 문제투성이의 사람이 있다고 한다면 우리는 성육신을 온전히 행하는 사람입니다. 왜 그렇습니까? 문제투성이의 사람을 온전히 부둥켜안고 가기를 원하는 것이 하나님의 뜻이기 때문입니다. 반면에 "항상 나를 밝고 편한 곳으로, 그리고 마음에 드는 사람들 사이에서만 나를 살게 해주시옵소서"라고 기도하는 것은 성도의 기도가 아닙니다. 성도는 빛 가운데 거하는 것이 아니라 어둠 가운데 있는 빛이기 때문입니다.

예수님의 주변을 한번 살펴보시기 바랍니다. 온전한 사람이 아무도 없었습니다. 세리, 창녀, 중풍병자, 귀신들린 사람 아니면 앉은뱅이였습니다. 예수님 주변에는 항상 그런 사람들이 들끓었습니다. 왜 그렇습니까? 예수께서는 어둠 속의 빛이셨기 때문입니다. 그러므로 우리 주변에 있는 어려운 문제들을 사명으로 여기고, 낙망치 않고 고통 가운데 있는 사람들을 건져내는 하나님의 백성이 되기 바랍니다.

교회는 문제 해우소

참교회의 표지는 무엇입니까? 문제아가 많은 것이 참된 교회의 표지입니다. 세상에서 상처받고 쓰러진 사람이 많이 모여드는 그러한 교회를 하나님께서는 가장 기쁘게 받으십니다. 그들을 건지고 치유하고, 그들을 하나님의 자녀로 만드시기 위해서 우리가 부름받았다는 것을 명심하고, 성육신의 사명을 감당해야 합니다.

그럼 이런 문제아들만 있다고 해서 온전한 교회가 되는 것입니까? 아닙니다. 이런 문제아를 치유하는 일은 하나님의 영광이 있어야 가능합니다. 하나님의 영광이 우리의 모든 것을 치유하기 때문입니다. 요한복음 1장 14절은 무엇이라고 말씀합니까?

"우리가 그 영광을 보니 아버지의 독생자의 영광이요."

이런 문제투성이, 죄투성이의 사람들과 사망의 백성들이 하나님의 영광 안에 놓이게 되면 치유함을 얻게 됩니다. 이 하나님의 영광이라는 것은 교회 밖에서는 전혀 발견할 수 없으며, 세상 사람들이 전혀 알지 못하는 것입니다. 그래서 우리들은 '영광'이라고 하지만, 그 말뜻이 도대체 무엇인지 세상 사람들은 알지 못합니다. 영광은 다만 체험할 뿐입니다.

이 영광이 무엇인지 알기 위해서 고린도후서 3장 17, 18절을 살펴보아야 합니다.

"주(主)는 영이시니 주의 영이 계신 곳에는 자유함이 있느니라 우리가 다 수건을 벗은 얼굴로 거울을 보는 것같이 주의 영광을 보매 저와 같은 형상으로 화하여 영광으로 영광에 이르니 곧 주의 영으로 말미암음이니라."

주의 영이 있는 곳에, 성령이 임재하는 곳에 자유함이 있다고 합니다. 그런데 그 성령이 임하는데, 주의 영으로 말미암아 수건을 벗은 얼굴로 거울을 보는 것과 같이 뚜렷하게 무엇을 본다고 합니까? 하나님의 영광을 본다고 합니다. 주의 영이 임하면 우리가 무엇을 봅니까? 주의 영광을 볼 수 있다고 합니다. 그런데 주의 영광을 보는 것에서 그치는 것이 아니라 우리가 주님과 같은 형상으로 화한다고 합니다. 하나님의 영광을 바라보는 사람이 어떻게 된다고 합니까? 영광스러운 존재로 변화받게 된다는 것입니다. 그래서 영광으로 영광에 이른다고 말씀하고 있는 것입니다.

정리하면 이렇습니다. 하나님의 성령이 임재했습니다. 하나님께서 임재한 사람은 주의 영광을 볼 수 있습니다. 주의 영광을 본 사람은 자기도 그 영광과 똑같이 변화하게 됩니다. 그래서 영광과 영광이 계속 확대 재생산된다는 것이 바로 성경의 외침입니다.

영광을 돌리세

그러므로 성도에게 임한 영광은 무엇입니까? 원초적인 영광이 아니라 반사되는 영광입니다. 하나님의 영광을 맛보아야만 우리 삶 가운데 영광이 드러날 수 있습니다. 그러므로 성도 한 사람 한 사람이 바로 영광이 있는 존재라는 것을 알아야 됩니다. 출애굽기 34장 29절을 보면 모세가 시내산에 올라갔습니다. 40일 동안 하나님과 교제하면서 십계명의 두 돌판을 받아가지고 내려옵니다. 그럴 때 29절을 보니까 이렇게 증거하고 있습니다.

"모세가 그 증거의 두 판을 자기 손에 들고 시내산에서 내려오니 그 산에서 내려올 때에 모세는 자기가 여호와와 말씀하였음을 인하여 얼굴 꺼풀에 광채가 나나 깨닫지 못하였더라."

모세의 얼굴에서 광채가 났습니다. 하나님의 영광을 40일 동안 맛본 사람이니까 그 얼굴에서 하나님의 영광이 나타난 것입니다. 이스라엘 백성들이 모세의 얼굴을 쳐다볼 수가 없었습니다. 그래서 수건으로 그 얼굴을 가리게 되었다는 이야기가 나오지 않습니까? 하나님의 영광을 맛본 사람의 얼굴을 통해서도 영광이 드러납니다. 똑같은 예가 사도행전에 나옵니다. 스데반 집사님이 순교하는 장면입니다. 6장 15절을 보니까 그 모습을 이렇게 묘사합니다.

"공회 중에 앉은 사람들이 다 스데반을 주목하여 보니 그 얼굴이 천사의 얼굴과 같더라."

보좌 우편에 서 계시는 예수 그리스도를 바라보니까 그 영광이 스데반 얼굴에 반사되어서 스데반이 어떻게 되었다고 합니까?

"천사의 얼굴과 같더라."

이것이 바로 성도의 영광입니다. 목사는 설교 시간에 여러 차례 이것을 느낍니다. 교인들은 앞 사람의 뒷모습만 보지만, 저는 설교를 하면서 교인들의 얼굴을 봅니다. 처음에는 가물어 시든 그 얼굴들이 하나님의 말씀을 듣고 찬양하는 가운데 영광스럽게 변화되는 것을 봅니다. 하나님의 영광이 우리의 얼굴에 비취게 되는데, 이것이 바로 성도의 영광인 것입니다. 성령의 임재로 말미암아 성도의 얼굴이 변하게 되고, 성령의 임재로 말미암아 성도의 삶이 변하게 됩니다. 이것이 바로 교회의 영광입니다.

그러므로 세상에서 제일 무서운 일이 무엇이냐 하면, 세상에서 하나님의 영광이 사라지는 것입니다. 하나님 앞에 진정으로 드리는 예배가 사라지면 독생자의 영광이 사라집니다. 강대상에서 예수 그리스도를 증거하는 일이 사라지면, 교회에서 하나님의 영광이 떠납니다. 마치 구약에 나오는 '이가봇의 저주'처럼, 하나님의 영광이 이스라엘을 떠났다고 하는 이가봇의 저주가 교회에 임할 수도 있습니다. 기회가 되면 하나님의 영광이 떠난 교회에 가서 예배를 한번 드려보기 바랍니다. 그럴 때 아마도 답답함을 느끼게 될 것입니다. 하나님의 영광이 없기 때문에 사망의 냄새를 느끼게 될 것입니다.

한국교회의 최대 목표는 무엇입니까? 하나님의 영광이 회복되는 것입니다. 우리가 하나님 앞에 신령과 진정으로 예배함으로 말미암아 독생자의 영광을 회복해야 합니다. 과거에는 우리 캠퍼스에 하나님의 영광이 있었습니다. 캠퍼스에 하나님의 백성들, 하나님의 젊은이들이 가서 찬양하고 복음을 증거하는 곳마다 하나님의 영광이 임재했습니다. 그곳에 찬양이 있었고, 그곳에 하나님의 이적의 역사들이 있었습니다. 그러나 지금은 어떻습니까? 영광이 사라졌습니다. 이것이 우리의 가장 큰 문제입니다. 우리는 하나님 앞에 신령과 진정으로 예배를 드림으로 말미암아 독생자의 영광을 회복해야 합니다. 그 영광을 가지고 세상을 정복함으로 그 영광을 다시 회복해야 합니다.

요한계시록에 보면 24장로가 면류관을 벗어서 어린양의 보좌 앞에 던집니다. 그런데 우리는 지금 영광을 돌려드릴 수가 없습니다. 받은 영광이 있어야지요. 받은 영광이 없기 때문에 돌려드릴 것이 없는 것입니다. 말로는 이렇게 이야기를 합니다.

"영광을 돌려드리세. 영광을 돌려드리세."

영광이 없는데 무슨 영광을 돌려드립니까? 그러므로 누가 진정으로 하나님께 경배할 수 있습니까? 영광을 회복한 자들이 할 수 있습니다. 경배는 아무나 할 수 있는 것이 아닙니다. 하나님의 보좌로부터 흘러나오는 영광을 체험한 사람들, 그 영혼 속에서 하나님의 영광이 빛나는 사람들이 그 영광을 주께 돌려드릴 수 있습니다. 우리의 매일의 삶 가운데 영혼이 소생케 되는 하나님의 영광이 임하기 바랍니다.

삼일교회는 이 영광을 가지고 제주도와 대만과 중국으로 나아가 많은 영혼들을 살렸습니다. 예전에 저희 교회에서는 예배를 드릴 때마다 이런 기도를 했습니다.

"여호와의 영광을 우리에게 보여주옵소서."

하나님 앞에 예배드리는 자로 나갔더니 하나님께서 저희 삼일교회에 하나님의 영광을 보여주셨습니다. 그러므로 우리들은 하나님의 영광을 가지고 교회와 가정과 캠퍼스와 직장을 변화시켜야 합니다. 이것이 우리의 사명이기 때문입니다.

능력을 소멸시키는 죄

그러면 하나님의 영광과 충돌하는 대적이 무엇인가를 살펴보겠습니다. 우리의 삶 가운데 무엇이 이 영광을 사라지게 만듭니까? 가장 치명적인 것은 죄입니다. 이사야서 6장을 보면 이사야 선지자가 성전에서 하나님의 영광을 보았습니다. 스랍들이 다 찬양을 합니다. 3절을 보니까 "서로 창화하여 가로되 거룩하다 거룩하다 거룩하다 만군의 여호와여 그 영광이 온 땅에 충만하도다"라고 하였습니다. 하나님의 영광을 찬미합니다. 하나님의 영광 앞에 이사야가 서 있습니다. 그럴 때 이사야가 제일 먼저 느꼈던 것이 무엇입니까? 자기의 죄 때문에 하나님의 영광에 동참할 수 없다는 사실을 깨달았던 것입니다. 그래서 6장 5절에서 무엇이라고 말합니까?

"그때에 내가 말하되 화로다 나여 망하게 되었도다 나는 입술이 부정한 사람이요 입술이 부정한 백성 중에 거하면서 만군의 여호와이신 왕을 뵈었음이로다."

하나님의 영광이 사라지게 만드는 것이 무엇입니까? 죄입니다. 제단에서 취한 핀 숯으로 말미암아 죄를 제거하고 난 다음에 사명을 감당하는 모습으로 변화받게 되었습니다. 누가 하나님의 일을 할 수 있습니까? 하나님의 영광을 본 자입니다. 누가 하나님의 일을 할 수 있습니까? 하나님의 능력으로 말미암아 모든 죄악을 사함받은 자만이 하나님의 일을 할 수 있습니다. 그러므로 어떤 교회가 강력한 교회냐 하면 하나님의 영광이 떠나지 아니하고, 하나님 앞에서 어린양의 보혈의 피로 말미암아 깨끗하게 죄 사함을 받은 교회가 가장 강력한 교회입니다.

악한 마귀는 교회가 영광을 잃고 무능하게 되도록 하기 위해서 범죄케 만듭니다. 로마서 3장 23절을 보니까 "모든 사람이 죄를 범하였으매 하나님의 영광에 이르지 못하더니"라고 하였습니다. 그러므로 우리가 이 영광을 회복하기 위해서는 예배의 회복이 있어야 되고, 또 철저한 회개가 이루어져야 됩니다. 욥의 위대성이 어디에 있습니까? 욥은 자녀들이 범죄하지 않도록 매일매일 번제를 드렸습니다. 날마다 자녀의 수효대로 제사를 드렸습니다. 그리고 무엇이라고 합니까?

"혹시 내 아들들이 죄를 범하여 마음으로 하나님을 배반하였을까 함이라"(욥 1:5).

그런 마음으로 계속해서 번제와 속죄제를 드린 것입니다. 죄는 우리의 모든 것을 파괴해버립니다. 능력을 파괴하고, 우리의 하나님의 아들됨을 파괴해버리고, 에덴동산을 파괴했고, 예루살렘성을 파괴했고, 소돔과 고모라를 파괴했고, 지금 대한민국을 파괴하고 있습니다. 그러므로 우리는 고백함으로 말미암아 이 죄를 뽑아내어야 합니다. 토하듯이 이 죄악을 뽑아내어야만 비로소 능력있는 교회가 될 수 있습니다. 그러므로 하나님의 교회가 강력해지는 비결은 철저한 회개밖에 없습니다.

시편 32편 4, 5절입니다.

"주의 손이 주야로 나를 누르시오니 내 진액이 화하여 여름 가물에 마름같이 되었나이다 내가 이르기를 내 허물을 여호와께 자복하리라 하고 주께 내 죄를 아뢰고 내 죄악을 숨기지 아니하였더니 곧 주께서 내 죄의 악을 사하셨나이다."

하나님 앞에서 철저히 회개함으로써 하나님의 영광이 임하고, 하나님의 능력이 다시 임하는 거룩한 백성이 되기 바랍니다.

충만의 원천

요한복음 1장 16절입니다.

"우리가 다 그의 충만한 데서 받으니 은혜 위에 은혜러라."

16절은 이 독생자 되신 예수님이 어떤 분인가를 말씀합니다. 그분은 충만한 분입니다. 다시 말해서 예수 안에 세상의 모든 충만함이 다 있습니다.

"아버지께서는 모든 충만으로 예수 안에 거하게 하시고"(골 1:19).

"그(그리스도) 안에는 지혜와 지식의 모든 보화가 감취어 있느니라." (골 2:3).

"그(그리스도) 안에는 신성의 모든 충만이 육체로 거하시고"(골 2:9).

다시 말해서 예수 안에 무엇이 있다고 하는 것입니까? 세상에 필요한 모든 것이 다 있다고 말하고 있습니다. 고갈되지 않는 충만함이 예수 안에 있다는 것입니다. 그러니까 예수 앞으로만 나아가면 우리가 얻을 수 있는 모든 것들을 다 얻을 수가 있습니다.

요한복음 10장 28절을 보니까 "내가 저희에게 영생을 주노니 영원히 멸망치 아니할 터이요 또 저희를 내 손에서 빼앗을 자가 없느니라"고 하였습니다. 생명 없는 사람이 있습니까? 예수께 나아가면 생명이 있습니다. 예수 안에 영생이 충만하게 있습니다. 요한복음 14장 27절을 보니까 "평안을 너희에게 끼치노니 곧 나의 평안을 너희에게 주노라 내가 너희에게 주는 것은 세상이 주는 것 같지 아니하니라 너희는 마음에 근심도 말고 두려워하지도 말라"고 하였습니다. 근심이 있습니까? 두려움이 있습니까? 예수께 나아가면 진정한 평화가 기름 붓듯이 부어지게 될 것입니다. 예수 안에 평안의 충만함이 있습니다. 그리고 예수 안에 기쁨이 있습니다. 요한복음 15장 11절입니다.

"내가 이것을 너희에게 이름은 내 기쁨이 너희 안에 있어 너희 기쁨을 충만하게 하려 함이니라."

예수 안에 들어가면 기쁨이 충만해집니다. 견딜 수 없는 기쁨이 충만히 임합니다. 왜 그렇습니까? 하나님이 주시는 기쁨이요, 예수가 주시는 기쁨이기 때문입니다. 또한 요한복음 20장 22절을 보니까 성령을 주십니다.

"이 말씀을 하시고 저희를 향하사 숨을 내쉬며 가라사대 성령을 받으라."

예수 안에 성령충만함이 있습니다.

그러므로 물질적인 것이나, 영원한 것이나, 성도가 필요로 하는 모든 것이 예수 그리스도 안에 있습니다. 하나님께서는 우리 성도들이 가난한 가운데 살아가기를 원치 않습니다. 하나님 앞에 구함으로 말미암아 모든 것을 다 갖기를 원하십니다. 누리기를 원하십니다. 승리하기를 원하십니다. 우리 가운데 온갖 좋은 것이 철철 넘치기를 원하십니다. 예수 안에 거하면서 부족하다고 고백하는 것은 엉터리 신자입니다. 왜 그렇습니까? 예수 안에 충만이 있기 때문입니다. 예수 안에 구하는 모든 것이 다 있기 때문입니다. 그래서 시편 23편 1절에서 무엇이라고 합니까?

"여호와는 나의 목자시니 내가 부족함이 없으리로다."

모든 성도는 다 이 고백이 나와야 합니다.

"주께서 내 원수의 목전에서 내게 상을 베푸시고 기름으로 내 머리에 바르셨으니 내 잔이 넘치나이다."

"나는 부족함이 없습니다. 내 잔이 넘칩니다. 은혜가 족합니다" 하는 고백이 있어서 진정한 성도라고 말할 수 있습니다.

구함이 능력이라

그런데 우리가 왜 이것을 누리지 못합니까? 구하지 않기 때문입니다. 예수 안에 충만이 있는데, 헛된 곳에서 충만을 찾기 때문입니다. 야고보서 4장 2절입니다.

"너희가 욕심을 내어도 얻지 못하고 살인하며 시기하여도 능히 취하지 못하나니 너희가 다투고 싸우는도다 너희가 얻지 못함은 구하지 아니함이요."

사람들은 얻겠다고 욕심을 부립니다. 사람들은 얻겠다고 살인을 합니다. 사람들은 얻겠다고 시기를 합니다. 그러나 욕심이나 살인이나 시기에서 얻는 것이 아닙니다. 얻지 못하는 까닭이 무엇이라고 합니까?

"구하지 아니함이라."

모든 충만한 것의 원천이 되시는 예수께 구하지 아니하기 때문에 얻지 못한다고 말씀하십니다. 지금 이 필요를 느끼십니까? 전능하시고 충만하신 예수님 앞에 나아가서 구하십시오. 그러면 많은 것을 받게 될 것이고, 많은 것을 누리게 될 것입니다. 그 받는 것을 무엇이라고 합니까? 선물이라고도 하고 은혜라고도 합니다. 은혜라고 하는 말 자체가 선물입니다. 은사라는 것입니다. 하나님이 우리에게 주시는 선물은 구하는 자에게 부어주시는 충만함에서 흘러나오는 은혜인 것입니다. 그래서 '은혜 위에 은혜'인 것입니다. 구하는 백성에게는 은혜 정도가 아니라 은혜 위에 은혜가 넘치도록 쌓이게 된다는 것이 바로 하나님의 약속입니다. 하나님 앞에 이 은혜의 충만함을 누리는 사람이 되어야 합니다.

우리 한국교회는 앞으로 할 일이 많습니다. 일꾼이 부족합니까? 달라고 하면 하나님께서 주십니다. 능력이 부족합니까? 구하는 자에게 하나님이 능력을 주십니다. 지혜가 부족합니까? 구하는 자에게 하나님이 넘치도록 채워주십니다. 일꾼과 능력과 지혜와 부족한 모든 것들을 채워주십니다. 구함으로 말미암아 얻는 복이 임하기 바랍니다.

진리 없는 은혜는

그 다음 요한복음 1장 14절과 17절을 보니까 은혜는 은혜 혼자 일하는 것이 아니라 은혜와 아울러 진리가 역사한다고 합니다. 그래서 14절 하반절을 보니까 "은혜와 진리가 충만하더라"고 하였습니다. 17절도 "율법은 모세로 말미암아 주신 것이요 은혜와 진리는 예수 그리스도로 말미암아 온 것이라"고 했습니다. 이 은혜하고 진리는 따로따로 노는 것이 아니라 같이 임하는 것입니다.

하나님께로부터 선물을 받으면 좋습니다. 이 선물이 은혜입니다. 평안을 누리고 기쁨을 누리고 성령충만함을 누리고 물질적인 복을 누리면, 모든 사람들이 다 '아멘' 합니다. 특별히 한국교회는 은혜 지향적인 교회입니다. 은혜를 참 사모합니다. 은혜만큼 중요한 것이 없습니다. 은혜로 말미암아 구원함을 얻고, 은혜로 인하여 지금까지 서 있을 수 있었기 때문입니다. 그런데 이 은혜는 진리와 함께 서 있어야만 온전해집니다. 진리는 거부하고 은혜만을 추구하다보면, 본회퍼가 언급했던 것과 마찬가지로 '값싼 은혜'가 되어버리고 기복신앙이 되어버립니다. 다시 말해서 목적 없는 은혜가 되어버립니다. 하나님께서 우리에게 일하라고 주신 도구들을 장난감으로 사용하는 엉터리 신자가 될 수 있습니다.

은혜만을 추구하고 진리를 거부했던 예를 들어보겠습니다. 요한복음 6장에 보면 오병이어의 기적이 나옵니다. 예수께서 보리떡 다섯 개와 물고기 두 마리로 장정만 5천 명을 먹이는 큰 이적을 행하셨습니다. 많은 사람들이 열광하며 따랐습니다. 예수님을 임금으로 삼으려고 했습니다. 왜 그랬습니까? 은혜가 임했기 때문입니다. 그런 큰 기적을 본 적이 없었기 때문에 많은 사람들이 그 은혜에 감격해서 예수님을 따라다녔습니다.

그런 다음에 예수님이 무슨 말씀을 하셨습니까? 자기 자신이 생명의 떡이라고 하셨습니다. 그리고 "내가 장차 십자가를 져야 된다"고 예언하시며 "인자(人子)의 피를 마시지 아니하고 인자의 살을 먹지 아니하는 자는 진정 그 속에 생명이 없다"고 말씀하셨습니다. 또한 "진리의 말씀으로 하나님 앞에 십자가를 지고 헌신하며 회개해야 된다"라고 말씀하셨을 때 이스라엘 백성들이 어떻게 했습니까? 많은 사람들이 수군거리면서 그분 곁을 떠나갔습니다.

성경은 이렇게 말씀합니다.

"이러므로 제자 중에 많이 물러가고 다시 그와 함께 다니지 아니하더라"(요 6:66).

진리 없는 은혜는 이렇게 헛된 것임을 보여줍니다. 우리 교회 안에도 그렇지 않습니까? "은혜를 받으십시오" 하면 수백 명의 사람들이 와서 "아멘, 아멘" 합니다. 그런데 "이제는 받은 은혜를 가지고 주(主)를 위해서 십자가의 길을 걸어가십시오. 그리고 회개해야 합니다. 현재의 모습이 하나님의 뜻이 아니고, 이제는 주님의 험한 십자가를 붙들고 세상의 모든 정욕을 버려야 합니다. 세상에서는 많은 환난이 있으나 하나님께서 우리와 함께해주시면 우리에게 승리가 있습니다" 하고 메시지를 증거하면 사람들은 귀를 막고 돌이키더라는 것입니다. 결국 진리 없는 은혜는 헛된 은혜인 것입니다. 그러므로 은혜와 진리는 병행해야 합니다.

로마서 5장 21절에 보면 이 말씀과 아주 유사한 말씀이 나옵니다.

"이는 죄가 사망 안에서 왕 노릇 한 것같이 은혜도 또한 의(義)로 말미암아 왕 노릇 하여 우리 주 예수 그리스도로 말미암아 영생에 이르게 하려 함이니라."

은혜가 무엇과 함께 왕 노릇 합니까? 의와 함께 왕 노릇 한다고 합니다. 여기 로마서에서 말하는 은혜는 성경이 말하는 은혜이고, 의라는 말은 진리에 가깝습니다. 그러므로 하나님의 말씀은 어떻게 역사합니까? 은혜와 동시에 진리로 역사하는 것입니다. 다시 말해서 성도란 하나님께 은혜를 받아야 하는 존재입니다. 은혜를 받으니까 믿음이 생긴 것이고,

우리가 지금까지 살아오게 된 것입니다.

우리가 받은 은혜를 가지고 무엇을 해야겠습니까? 진리를 증거하는 데 사용해야 합니다. 진리를 지키는 데까지 나아가야 합니다. 은혜를 진리의 도구로 사용하는 것, 이것이 성도의 마땅한 모습입니다. 사도 바울은 그러한 인생을 살았습니다. 얼마나 은혜를 많이 받았습니까? 과거에는 훼방자요 포행자요 핍박자이었지만 하나님의 은혜로 말미암아 하나님의 사도가 되었습니다. 하나님의 많은 은혜를 받았습니다. 체험이 있었습니다. 지식이 있었습니다. 인간 관계의 폭이 넓었습니다. 그 많은 은혜를 가지고 무엇을 했습니까? 진리의 말씀증거하는 일에 다 바쳤습니다. 이것이 바로 무엇입니까? 진리와 은혜가 충만한 것입니다.

삼일교회는 하나님 앞에 받은 바 은혜 곧 부흥의 은혜, 축복의 은혜, 많은 젊은이들이 모이는 은혜, 재물의 복을 받은 은혜, 건강의 은혜로 진리를 증거했습니다. 진리 증거하는 일에 사용하지 않는 은혜를 '헛된 은혜'라고 합니다. 고린도후서 6장 1절에 보니까 "하나님의 은혜를 헛되이 받지 말라"고 합니다. 우리가 하나님 앞에 받은 바 은혜를 가지고, 주의 말씀을 증거하고 하나님의 진리와 함께 동행해야 할 것입니다. 이것이 바로 성도의 모습입니다. 이러한 성도들이 세상으로 나아가게 될 때 날마다 승리가 임하게 됩니다. 하나님은 그러한 사람들을 역사의 주역으로 삼으셔서 큰 일들을 이루실 것입니다.

ID153 패스워드

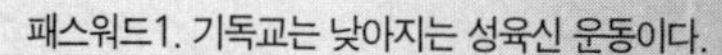

패스워드1. 기독교는 낮아지는 성육신 운동이다.

그리스도인은 빛 가운데 거하는 존재가 아니라 어둠 가운데 있는 빛이다. 항상 밝은 곳, 편한 곳에 있기를 구하는 것은 올바른 그리스도인의 자세가 아니다. 당신 주변의 어려운 문제들을 사명으로 여겨라. 그리고 낙망치 말고 고통 가운데 있는 사람들을 건져내라.

패스워드2. 하나님의 영광을 회복하는 것이 최선이다.

세상에서 제일 무서운 일은 하나님의 영광이 떠나는 것이다. 하나님 앞에 진정으로 드리는 예배가 사라지면, 독생자의 영광이 사라진다. 그러한 교회의 예배에는 사망의 냄새가 난다. 받은 영광이 없으면 돌려드릴 영광도 없다. 죄를 벗고 하나님의 온전한 영광을 구하라.

패스워드3. 하나님의 말씀은 은혜와 동시에 진리로 역사한다.

성도란 하나님께 은혜를 받아야 하는 존재다. 은혜를 받아야 믿음이 생긴다. 진리의 말씀을 증거하는 것, 그것이 진리와 은혜가 충만한 것이다. 진리를 증거하는 일에 사용하지 않는 은혜는 헛된 은혜다. 삶으로, 전도로 진리를 증거하라.

코람데오 (Coram Deo) 자기점검

1. 하나님이 당신의 남편이 되신 것보다 더 큰 복은 없다. 당신이 늘 구하는 기도의 제목은 무엇인가? 당신은 혹 덤에 불과한 세상의 복들을 구하고 있지는 않는가? 다시 없는 귀한 연단을 위한 재난을 두려워하고 있지는 않는가?

2. 예수님은 사람들이 서로서로 영광을 취하고 유일하신 하나님께로부터 오는 영광은 구하지 않는다고 말씀하셨다. 당신은 어디로부터 오는 영광을 먼저 구하고 있는가?

3. 나태하고 타성에 젖은 신앙생활에 불꽃을 지펴줄 성냥개비가 바로 복음증거다. 당신은 실제로 지금 당신의 몸과 시간을 진리를 증거하는 일에 쓰고 있는가?

4장 속죄의 우선성

요 1:19-34

우리가 예수를 믿으면 제일 먼저 해야 될 일이 무엇입니까? 어린양의 피를 나의 심령에 뿌리는 작업이 필요합니다. 이 작업이 없으면 엘리야로서의 그리스도도, 선지자로서의 그리스도도 다 쓸데없습니다. 지금 어린양 그리스도의 피가 당신의 심령 가운데 뿌려져서 확실한 구원에 이르는 하나님의 백성이 되어야 합니다.

내가 영적 소경이라고요?

세례 요한은 그리스도의 선구자였습니다. 예수님보다 6개월 먼저 태어나 예수님의 사역의 시작을 알리는 신호탄 역할을 한 사람이었습니다. 구약의 제일 마지막 성경인 말라기서 4장 5,6절을 보면 메시아가 오시기 전에 선지자 엘리야가 먼저 올 것을 예언하고 있습니다.

"보라 여호와의 크고 두려운 날이 이르기 전에 내가 선지 엘리야를 너희에게 보내리니 그가 아비의 마음을 자녀에게로 돌이키게 하고 자녀들의 마음을 그들의 아비에게로 돌이키게 하리라 돌이키지 아니하면 두렵건대 내가 와서 저주로 그 땅을 칠까 하노라 하시니라."

명확한 예언이기에 모든 이스라엘 백성은 메시아가 오시기 전에 엘리야와 같은 선지자가 올 것임을 알고 있었습니다. 그리고 이 예언의 성취로 말미암아 세례 요한이 메시아의 선구자로 이 땅에 온 것입니다. 그러면 이 모든 성경의 예언과 예언의 성취를 제일 잘 알고 있어야 할 사람이 누구였습니까? 바로 당시 이스라엘의 영적 지도자들인 제사장과 레위인이었습니다.

그런데 본문은 이 제사장과 레위인이 요한을 찾아와서 "네가 누구냐?"고 묻는 장면에서 시작되고 있습니다. 도대체 이들이 요한에게 와서 그가 누군지를 묻는 이유가 무엇입니까? 영적 지도자라는 사람들이 영적인 세계가 어떻게 흘러가는지 전혀 모르고 있었던 것입니다. 이 사건은 우리에게 당시 유대의 영적 지도자들이 얼마나 영적으로 무지했는가를 보여주고 있습니다. 실체가 왔는데, 예언이 성취되었는데 영적 지도자들이 이 사실을 전혀 모르고 있었다는 것입니다. 이것이 바로 성경이 우리에게 보여주고자 하는 귀중한 사실입니다.

빛이 왔음에도 빛을 깨닫지 못하는 것과 마찬가지로, 예수님의 선구자가 왔음에도 불구하고 선구자임을 깨닫지 못하는 영적으로 무지한 그들이 지도자로 대접받고 있었습니다.

"그들은 영적인 소경이었다."

이것이 바로 본문이 말하고자 하는 핵심입니다. 그러므로 혹시라도 이러한 제사장이나 레위인들처럼 우리도 영적인 소경이라면, 영적인 눈을 떠서 영적인 사건을 깨달을 수 있는 은혜가 임하기 바랍니다.

당시에 서기관들은 구약의 모든 말씀을 거의 다 외우고 있었습니다. 그래서 어떤 성경 본문에 점 하나, 획 하나가 있는지 없는지까지 정확하게 끄집어내고 판단하는 사람들이었습니다. 성경에 대해서는 도통한 사람들입니다. 쪽집게 도사들인 것입니다.

그래서 마태복음 2장을 보면, 동방박사들이 예루살렘에 와서는 "유대인으로 나신 왕께 경배하러 왔노라"고 했더니 온 예루살렘이 발칵 뒤집어져 소동이 일어났습니다. 이 소리를 들은 헤롯이 허겁지겁 놀라서 제사장과 서기관에게 자문을 구했습니다. "성경에는 그리스도가 어디에서 난다고 하더냐?" 그랬더니 서기관이 이렇게 이야기했습니다. "유대 베들레헴입니다." "왜 그러냐?"고 헤롯이 다시 물으니 서기관이 성경 구절을 들어 이야기했습니다.

"미가서 5장 2절을 보면 '베들레헴 에브라다야 너는 유다 족속 중에 작을지라도 이스라엘을 다스릴 자가 네게서 내게로 나올 것이라 그의 근본은 상고에, 태초에니라' 고 씌어 있기 때문에 분명히 베들레헴에서 메시아가 태어나는 것이 맞습니다."

서기관의 말이 정확한 것이었습니까? 틀린 것이었습니까? 정확한 것이었습니다. 그들은 정확한 성경 지식을 가지고 있었습니다. 동방박사가 가지고 있는 지식은 별을 보고 오는 지식이었지만, 서기관이 가지고 있는 지식은 성경에 있는 명확한 예언의 지식이었습니다. 별을 보고서 예수님을 찾아왔다고 하는 이야기는 어떻게 보면 뜬구름을 잡는 이야기처럼 들리지 않습니까? 참 흐릿한 것입니다. 그런 반면에 이 서기관들이 가지고 있는 지식은 예언에 대한 명확한 지식으로 누구나 이해할 수 있고, 문자로 기록된 확실한 말씀이었던 것입니다. 그런데 어떤 일이 일어났습니까? 어렴풋하게 인도를 받았던 동방박사는 예수께 경배를 했습니다. 하지만 확실한 인도를 받았던 서기관과 제사장들이 경배하는 모습은 전혀 보이지 않습니다.

지식은 686 신세대, 행동은 286 구세대

지금 마태복음 2장에 나오는 성경의 고발이 무엇입니까?

"서기관들에게 내가 정확한 지도를 주었는데, 그들은 그 지도를 헛된 곳에 사용해버렸다. 그러나 내가 흐릿한 별을 주었던 동방박사들은 그 어렴풋한 별의 인도를 받고 와서 나에게 경배했다."

우리 교회 안에도 이런 사람이 있지 않습니까? 수십 년 동안 주옥과도 같은 성경의 지식을 들은 사람들이 있습니다. 명확한 지식이 그들에게 있습니다. 그럼에도 불구하고 불순종의 길로 갑니다. 반면에, 어떻게 교회에 나와서 한두 번 말씀을 듣고 난 뒤에 그 말씀 앞에 무릎꿇어 순종하고 헌신하는 사람들이 있습니다. 이것이 우리에 대한 고발이 아니겠습니까? 예수를 처음 믿는 사람들이 열심을 가지고 헌신하고 선교하는 모습을 보면 교회에 오래 다닌 사람들은 아파해야 됩니다. '이것이 바로 하나님께서 내게 주시는 메시지구나', '나를 향한 고발이구나', '저 한 사람의 행동을 통해서 나를 찌르는 말씀이구나' 하고 깨달아야 되는 것입니다.

하나님께서는 서기관들에게 말씀을 주셨습니다. 지도를 주셨습니다. 그런데 어리석게도 이 사람들은 자기의 목적지로 가는 지도를 그냥 둘둘 말아서 지팡이로 쓰고 있는 것입니다. 왜 그렇습니까? 소경이기 때문입니다. 막대기로 사용하고 있습니다. 남을 패는 데 쓰고 있습니다. 하나님께서는 우리에게 하나님의 말씀을 보고 난 다음에 그 말씀대로 순종하면서 가라고 말씀이라는 지도를 주셨습니다. 그런데 우리는 그 지도를 둘둘 말아서 막대기로 쓰고, 소경의 지팡이 정도로 사용하고 있습니다.

그러므로 별을 보고 찾아오는 사람들보다 더 진리의 말씀을 깨닫지 못해 영적인 무지에 빠지게 되는 것입니다. 예수를 오래 믿은 성도가 빠지기 쉬운 제일 큰 함정이 바로 율법주의입니다. 바리새 신앙인 것입니다. 바리새 신앙의 특징이 무엇입니까? 지식적으로는 알고 있습니다. 그리고 결코 움직이지 않습니다.

기도에 관한 설교를 합니다. 기도를 하기만 하면 하나님께서 응답해 주신다는 것을 다 알고 있습니다. 마태복음 7장 7절 말씀, "구하라 그러면 너희에게 주실 것이요 찾으라 그러면 찾을 것이요 문을 두드리라 그러면 너희에게 열릴 것이니"는 제가 초등학교 때부터 외운 말씀입니다. 다 알고 있는 내용입니다. 예레미야서 33장 3절의 "너는 내게 부르짖으라 내가 네게 응답하겠고 네가 알지 못하는 크고 비밀한 일을 네게 보이리라"는 말씀은 제가 중학교 1학년 때부터 외운 말씀입니다. 다 알고 있습니다. 그런데 기도회를 하자고 하면서 기도하는 자리에 제가 나오지 않는다면 제가 바로 바리새 신앙을 가진 것입니다.

선교가 예수님의 지상명령이라는 사실은 누구나 다 압니다. 제가 그 말씀을 열 번도 더 넘게 들었습니다. 제가 제자훈련만 열 번도 더 받았습니다. 마태복음 28장 18-20절 말씀을 다 외웠고, 또 디모데후서 2장 2절 말씀도 다 외웠습니다. 성경에 나오는 선교에 관한 말씀을 다 외웠습니다. 다 압니다. 그리고 저는 그 이야기를 수십 번 들었습니다. 그럼에도 불구하고 주께서 선교의 장(場)으로 저를 부르실 때 귀를 막고 있거나 눈을 가리고 있다면 바로 바리새 신앙인 것입니다. 바리새 신앙은 알면서도 실천하지 않는 것입니다.

귀신의 믿음

야고보 사도는 이런 신앙을 귀신의 믿음이라고 합니다. 야고보서 2장 19절을 보니까 "네가 하나님은 한 분이신 줄을 믿느냐 잘하는도다 귀신들도 믿고 떠느니라"고 했습니다. 귀신들도 예수님이 누구인지, 믿음이 무엇인지 알고 있습니다. 귀신의 믿음은 행하는 믿음이 아니라 떠는 믿음입니다. 귀신의 믿음은 도피하는 믿음이요, 거절하는 믿음입니다. 귀신도 다 압니다. 그러나 알면서도 못하겠다고 하는 이것이 바로 귀신의 믿음인 것입니다.

지금도 주님께서 우리에게 고발하고 있습니다. 히브리서 11장을 보면 믿음의 경주자들의 모습으로 나오는 이들에게는 공통점이 있습니다. 바로 그들의 믿음의 특징은 행동하는 믿음이었다는 것입니다. 머리로만 인정하는 믿음이 아니라 몸으로 움직이는 믿음, 하나님의 말씀에 대한 순종으로 드러나는 믿음이었습니다. 그래서 히브리서 11장에 나오는 믿음의 경주자들의 '믿음'은 다 동사로 표현되어 있습니다.

"믿음으로 아벨은 희생의 제물을 드렸습니다", "믿음으로 노아는 방주를 준비했습니다", "믿음으로 아브라함은 아들을 바쳤습니다", "믿음으로 모세는 애굽을 떠났습니다."

여기에서의 믿음은 모두 동사입니다. 그리고 믿음은 행동이라는 뜻을 담고 있습니다. 드리는 것, 준비하는 것, 바치는 것, 떠나는 것이 모두 동사로 표현되어 믿음을 나타냅니다. 그러므로 믿는다고 하면서도 행동하지 않는다면 우리의 믿음은 귀신의 믿음이요 바리새인의 믿음이라는 것을 깨닫고, 하나님 말씀대로 순종하는 사람이 되어야 합니다.

Change me

바리새인들이 세례 요한과 예수님의 설교에 대해서 펄펄 뛰며 반대하는 이유가 무엇이었습니까? 성경을 알면서도 왜 그렇게 예수님과 세례 요한의 설교에 대해서 분을 품었습니까? 그 메시지가 바로 "회개하라 천국이 가까웠느니라"는 것이었기 때문입니다. 왜 그렇습니까? 세리와 창기를 향해서 "회개하라 천국이 가까웠다"고 하면 그 말씀에 대해서는 고개를 끄덕끄덕 합니다.

'그렇지, 맞는 이야기야. 저런 자들은 회개해야 해.'

그런데 잘 들어보니까 그들을 향한 메시지가 아니라 오히려 자기들을 향한 말씀인 것입니다. "너희들이나 회개하라"고 말하고 있는 것입니다. 그래서 화가 난 것입니다. 펄펄 뜁니다. "내가 회개할 것이 어디에 있느냐?"고 하면서 말입니다. "나는 정당하다"는 것입니다.

'내가 십일조 생활 철저히 했지, 그리고 일주일에 이틀씩 금식했지, 그리고 성경에 나오는 모든 규례를 다 지켰는데, 나를 보고 회개하라고? 이런 죽일 놈이 다 있나?'

이것이 바로 바리새인들의 모습이었습니다.

무슨 이야기입니까? 잘 믿겠다고 하고, 좀 똑똑한 사람들이 영적인 교만에 빠지면 하나님의 원수가 됩니다. 하나님의 말씀이 선포되면 변화받을 생각을 하십시오. 하나님의 말씀을 받으면 움직일 생각을 해야 합니다. 우리가 변화되어야 합니다. 왜냐하면 우리들은 변화되어야 할 필요성이 있는 죄인들이기 때문입니다. 하나님 말씀 앞에서 정당하다고 이야기할 수 있는 사람은 아무도 없습니다. 목사를 비롯해서 모든 성도가 하나님의 말씀 앞에서 다 변화되어야 합니다. 그것이 예배입니다.

로마서 12장 1절을 보니까 "그러므로 형제들아 내가 하나님의 모든 자비하심으로 너희를 권하노니 너희 몸을 하나님이 기뻐하시는 거룩한 산 제사로 드리라 이는 너희의 드릴 영적 예배니라"고 하였습니다. 예배드려야 된다는 것을 강조하고 있습니다. 2절을 보면 예배 내용이 나와 있습니다.

"너희는 이 세대를 본받지 말고 오직 마음을 새롭게 함으로 변화를 받아 하나님의 선하시고 기뻐하시고 온전하신 뜻이 무엇인지 분별하도록 하라."

예배가 무엇이라고 말하고 있습니까? 변화받는 것이 예배라고 말하고 있습니다. 있는 모습 그대로가 아니라, 설교 말씀을 듣고 지식이 늘어나는 것이 예배가 아니라, 내가 변화받는 것이 예배입니다. 자신의 현재 모습을 깨고, '네, 그렇습니다. 주님, 내가 변화를 받겠습니다. 이제는 달라지겠습니다. 이제는 다른 모습으로 나아가겠습니다' 하는 것이 예배입니다.

'이제까지는 내 마음의 주인이 예수님이 아니었습니다. 이제 주님이 나의 마음의 주인입니다', '이제까지는 내가 하나님 말씀 앞에 순종하지 않았습니다. 그러나 이제부터는 내가 순종하겠습니다', '이전에는 내가 하나님의 말씀을 거절했습니다. 이것이 범죄인 줄 알고 주님 앞에 자복하고 헌신하는 모습으로 나아가겠습니다.'

이것이 바로 예배라는 사실입니다.

그러므로 우리들이 하나님의 말씀을 들음에도 불구하고 계속해서 내 고집을 가지고 있다면, 그건 지금까지 올바른 예배를 드리지 않았다는 뜻입니다. 하나님께서는 그런 예배를 받지 않으십니다. 성경은 그러한 자들을 향해서 '반(反)예배자'라고 합니다. 목이 곧은 백성들이 예배드리지 못하는 백성인 것입니다. 그러므로 하나님의 말씀 앞에 변화받는 모습이 있어야 합니다.

그런데 우리에게는 변화받지 못한 모습들이 많이 있습니다. 어떤 사람을 보면 감동을 받지 않으려고 애를 씁니다.

'내가 감동을 받나 봐라', '내가 은혜를 받는가 봐라', '내가 변화를 받는지 봐라.'

하나님 말씀 앞에 변화받을까 두려워하는 자들이 있습니다. 하나님께서는 그러한 자를 '강퍅한 자'라고 말씀하십니다. 변화받지 않는 모습이 바로 버림받은 자의 마음입니다. 하나님 말씀 앞에 지금이라도 눈물을 흘리는 모습으로 나의 고집을 꺾고, 내 잘못된 태도를 버리는 것이 바로 진정한 예배요 하나님께서 받으시는 영광입니다.

영적인 눈을 뜬다는 것은 무엇입니까? 내가 변화받아야 할 죄인이라는 사실을 깨닫는 것입니다. 그러므로 이 순간부터 내가 변화를 받는 것이 바로 예배의 참된 회복이라는 것을 기억하고, 참된 예배자가 되어야 할 것입니다.

주연 배우는 예수님!

사람들이 세례 요한에게 와서 물었습니다.

"네가 그리스도냐?", "네가 엘리야냐?", "네가 하나님의 선지자냐?"

세례 요한이 무엇이라고 대답을 했습니까?

"나는 탁월한 성도이다", "나는 너희들과 비교도 할 수 없는 그런 존재다", "나는 엄마 뱃속에서부터 성령충만한 사람이다", "우리 집이 얼마나 뼈대 있는 가문인지 아느냐?"라고 대답을 했습니까? 아닙니다. 세례 요한의 대답은 요한복음 1장 23절에 나와 있습니다.

"가로되 나는 선지자 이사야의 말과 같이 주(主)의 길을 곧게 하라고 광야에서 외치는 자의 소리로라 하니라."

세례 요한은 자기를 단지 '소리'에 불과하다고 말합니다. 요한복음 1장을 보면 말씀과 소리를 비교해놓은 것을 알 수 있습니다. 말씀은 무엇입니까? 소리가 있기 이전에 말씀은 존재했습니다. '나는 다만 그 말씀을 증거하는 소리에 불과하다', '도구에 불과하다' 하면서 자기 자신을 감추는 모습이 보입니다. 요한의 외침이 무엇입니까? 자꾸만 사람들이 자기를 주목하니까 나를 주목하지 말라고 하는 것입니다.

"보라 세상 죄를 지고 가는 하나님의 어린양이로다."

"나를 주목할 것이 아니라 예수께 주목하라"는 것입니다. 자꾸만 와서 "네가 왜 세례를 주느냐?"고 하니까 이렇게 대답했습니다.

"나는 물로 세례를 주지만, 내 뒤에 오시는 분이 있다. 나는 그의 신들메를 풀기도 감당치 못할 존재이다."

이것이 바로 세례 요한의 모습이었습니다.

능력의 이름 예수

사도행전 3장을 보면 베드로가 성전 미문(美門)에 앉아 있는 앉은뱅이를 고쳤습니다. 그랬더니 많은 사람들이 베드로를 주목합니다.

"역시 대단한 사람이야", "훌륭한 사람이야", "능력있는 사람이야."

자꾸만 베드로를 칭송하고 베드로를 주목합니다. 그랬더니 베드로가 사도행전 3장 12절에서 이렇게 고백합니다.

"베드로가 이것을 보고 백성에게 말하되 이스라엘 사람들아 이 일을 왜 기이히 여기느냐 우리 개인의 권능과 경건으로 이 사람을 걷게 한 것처럼 왜 우리를 주목하느냐."

모든 이목을 자기에게서 예수께로 돌립니다. 그러고 난 다음 16절에서 이렇게 선언합니다.

"그 이름을 믿으므로 그 이름이 너희 보고 아는 이 사람을 성하게 하였나니 예수로 말미암아 난 믿음이 너희 모든 사람 앞에서 이같이 완전히 낫게 하였느니라"(행 3:16).

예수님이 고치셨다는 것입니다. 내가 한 것이 아니고 예수님의 이름의 능력이 나타나 고쳤다는 것을 선포하고 있습니다.

우리가 사도행전을 볼 때마다 성령의 능력이 뜨겁게 역사하고, 하나님의 능력이 펄떡펄떡 역사하는 것처럼 느껴지는 것은 무엇 때문입니까? 인간은 사라지고 예수 이름의 능력만이 나타나기 때문입니다. 예수 이름을 부를 때마다 예수님의 능력이 나타납니다. 그러므로 우리가 우리 자신을 부인해야 될 이유가 여기에 있습니다. 우리가 우리의 이름을 드러내면 능력이 사라져버립니다. 우리는 뒤로 감추고 예수 그리스도의 이름만 내세우면 그 이름의 능력이 사람을 성하게 만들고, 사람을 살리기도 하며, 마귀를 멸하는 데까지 이를 수 있습니다.

그러므로 어떤 교회가 강한 교회입니까? 예수 이름을 높이는 교회가 강한 교회입니다. 예수 이름을 높이는 교회만이 예수 이름의 능력이 나타나서 권능으로 역사하는 강한 교회가 될 수 있습니다. 그러므로 교회의 모든 사역 가운데 항상 예수님의 이름만을 나타내고, 우리 인간의 이름은 사라지는 능력있는 교회가 되기 바랍니다.

교회의 권세의 비밀이 예수 이름에 있습니다. 예수 이름을 드러내어야 합니다. 피아노를 예로 들면 이렇습니다. 반주하는 어떤 자매가 독주회를 가졌다고 합시다. 독주회에서 연주를 아주 잘했습니다. 그곳에 있는 사람들이 다 기립 박수를 칩니다. 그리고 그녀를 만나서 이렇게 인사를 했다고 합시다.

"역시 영창 피아노가 최고야!"

이것은 욕입니다. 연주회가 끝나고 난 다음에 "이 피아니스트는 최고입니다" 하면서 그 피아노를 친 사람에 대한 칭송이 나와야지, 기껏 한다는 이야기가 "영창 피아노는 최고야"라고 한다면 어떻게 되겠습니까? 그 피아노에 관심이 있는 사람은 조율사밖에 없습니다. 대부분의 사람들은 어떤 것에 관심이 있습니까? 누가 그것을 연주했느냐에 관심이 있습니다.

교회도 마찬가지입니다. 우리는 도구에 불과합니다. 피아노에 주목해서는 안 됩니다. 누가 그것을 연주하고 있느냐? 누가 그것을 주관하고 있느냐? 그 주님에 초점을 맞출 때 교회는 권능이 나타납니다. 그러므로 교회는 항상 예수께 주목하고, 예수 이름으로 나아가서 예수 이름으로 마귀를 멸하는 전투에 임해야 합니다.

예수는 도깨비방망이?

세례 요한은 요한복음 1장 29절에서 예수님을 향해 "보라 세상 죄를 지고 가는 하나님의 어린양이로다"라고 외쳤습니다. 이 외침은 당시의 상황에 비추어볼 때 의미있는 외침이었습니다. 저들의 질문은 그들의 속내를 무심결에 드러내는 것이었습니다. 그들이 세례 요한에게 무엇을 묻습니까? "네가 혹시 그리스도냐?" "네가 혹시 엘리야냐? 그것도 아니면 선지자냐?"라는 것입니다. 질문은 모두 그들에게 승리를 가져다주는 칭호에 대한 것입니다.

무슨 이야기입니까? 엘리야처럼 갈멜산에서와 같은 큰 승리를 안겨다 줄 선지자, 모세와 같이 만나와 메추라기를 주고 반석에서 터져나오는 물을 줄 그런 승리자만을 찾고 있는 것입니다. 그런데 요한이 소개하는 예수님은 어떤 분입니까? 세상 죄를 지고 가는 하나님의 어린양입니다.

"너희들에게 필요한 것은 엘리야로서의 그리스도, 선지자로서의 그리스도, 그리고 승리자로서의 그리스도가 아니라 어린양으로서의 그리스도다."

이것을 강조하고 있습니다.

"너희들의 상태가 어떠한 줄 아느냐? 너희들에게는 대속자(代贖者)가 필요한 것이지, 승리는 그 다음 문제다."

이것을 우리에게 강조하고 있습니다. 요즘은 어떻습니까? 이 당시와 별로 다르지 않습니다. 많은 사람들은 엘리야로서의 그리스도에 열광합니다. 오늘날도 갈멜산에서의 승리의 모습에 사람들이 열광합니다. 교회에 승리가 있고, 예수를 믿으면 무엇이든지 다 잘된다고 하면 잘 모입니다. 사람들은 선지자로서의 그리스도를 좋아합니다.

"우리의 필요를 채워주십시오", "모세가 광야에서 만나와 메추라기를 주고 반석에서 물을 주었던 것과 마찬가지로 우리의 필요를 채워주는 그리스도를 원합니다", "금년에는 시집 보내주는 그런 그리스도를 원합니다", "금년에는 아들 대학 붙여주는 그리스도를 기대합니다", "금년에는 취직시켜주는 그리스도, 만원짜리 돈 뭉치에 깔려 죽게 만드는 그리스도를 원합니다."

당시의 이스라엘 백성들이 원했던 그리스도와 전혀 다르지 않습니다. 똑같습니다. 무엇이 문제입니까? 속죄의 필요성을 전혀 모르고 있습니다. 암(癌) 말기 환자가 있습니다. 지금 다 죽게 되었습니다. 만약에 그것을 안다면 시집가는 것이 문제겠습니까? 취직이 문제입니까? 돈이 문제입니까? 문제는 딱 한 가지입니다. 병의 회복입니다. 사는 것이 문제입니다. 그런데 시집, 취직, 돈이 문제라고 하는 이유가 무엇입니까? 우리 죄의 심각성, 우리 상태의 심각성을 깨닫지 못하기 때문입니다. 그러므로 그리스도의 십자가를 붙들 필요성을 느끼지 못하는 것입니다.

요한이 강조하는 것이 무엇입니까?

"너희에게 예수님이 오셨는데, 그분이 오신 제일 첫째 목적이 무엇인 줄 아느냐? 세상 죄를 지고 가는 어린양으로 왔다."

세상 죄를 지고 가는 어린양을 붙들어야 우리가 살 수 있다는 것을 강조하고 있습니다. 여기서 '어린양'이라고 하는 것은 유월절의 어린양을 가리킵니다.

피 묻은 복음

출애굽기 12장을 보면 유월절에 대해서 자세히 나와 있습니다. 애굽의 열 가지 재앙 중에 마지막 재앙이 각 집의 장자를 죽이는 재앙입니다. 이 재앙을 벗어나는 길은 딱 한 가지입니다. 어린양의 피를 문설주에 바르는 것입니다. 그렇게 하면 재앙을 내리는 천사가 그 집을 그냥 '지나갔습니다' (pass over). 재앙을 면죄받는 유일한 길이 무엇입니까? 생명을 얻는 유일한 길이 무엇입니까? 어린양의 피를 바르는 것입니다. 그 사람이 가난뱅이인가, 부자인가? 그 사람이 유대인인가, 이방인인가? 그 사람이 죄를 많이 지었는가, 적게 지었는가? 이것을 보는 것이 아닙니다. 천사는 오직 무엇만을 보았습니까? 그 집 문설주에 어린양의 피가 묻어 있는지, 없는지를 보았습니다.

이러므로 우리 각 심령들이 항상 깨달아야 할 것들이 무엇입니까? 예수의 피가 우리 마음의 문설주에, 우리 가정의 문설주에 발려 있는가 그렇지 않는가 하는 것입니다. 어린양의 피가 우리 마음의 문설주에 발려 있으면 사망과 저주와 불행의 씨앗이 우리를 넘어갑니다. 피를 보고 넘어가는 것입니다. 심판에 이르지 않는 길은 오직 예수 그리스도의 보혈의 피밖에 없습니다. 우리는 먼저 이 사실을 깨달아야 합니다.

우리가 예수를 믿으면 제일 먼저 해야 할 일이 무엇입니까? 어린양의 피를 나의 심령에 뿌리는 작업이 필요합니다. 이 작업이 없으면 엘리야로서의 그리스도도, 선지자로서의 그리스도도 다 쓸데없습니다. 지금 어린양 그리스도의 피가 당신의 심령 가운데 뿌려져서 확실한 구원에 이르는 하나님의 백성이 되어야 합니다. 그리고 또 어린양의 피가 없는 자들에게 어린양의 피를 증거하여 그 영혼들을 살리는 은혜의 백성이 되어야 합니다.

그런데 살다보면 예수님의 피를 잊어버리기 쉽습니다. 예수님의 피를 경홀히 여기고 내 힘으로 살겠다고 발버둥칠 때가 있습니다. 그때마다 주님께서 예수의 피를 우리에게 강조하십니다. 찬송가 가사 중에도 "나의 죄를 씻기는 예수의 피밖에 없네. 나의 의(義)는 이것뿐 예수의 피밖에 없네"라는 가사가 있습니다. 그러므로 오직 예수님의 피 안으로 들어가서 보혈의 능력으로 승리를 맛보고, 보혈의 능력으로 성장하는 복된 자리로 나아가는 하나님의 백성이 되기 바랍니다.

세례의 의미

마지막으로 우리가 살필 문제는 세례의 문제입니다. 요한복음 1장 26절을 보면, 세례 요한 자신은 "물로 세례를 준다"고 하고 33절에서는 예수님이 "성령으로 세례를 주시는 분이다"라고 말하고 있습니다. 다시 말해서 물세례와 성령세례를 대비시키고 있습니다. 그러면 물세례의 목적은 무엇입니까? 31절을 보니까 "나도 그를 알지 못하였으나 내가 와서 물로 세례를 주는 것은 그를 이스라엘에게 나타내려 함이라"고 하였습니다. 물세례의 목적은 이스라엘에 예수님을 나타내기 위한 것입니다.

물세례라고 하는 것은 사람들을 준비시키는 것입니다. 물세례의 의미 자체가 '내가 하나님 앞에서 죄인임을 깨닫는다' 입니다. 그래서 물세례를 받을 때의 목적은 죄에 대한 자각입니다.

"세례 요한이 이르러 광야에서 죄 사함을 받게 하는 회개의 세례를 전파하니 온 유대 지방과 예루살렘 사람이 다 나아가 자기 죄를 자복하고 요단강에서 그에게 세례를 받더라"(막 1:4, 5).

요한의 세례, 즉 물세례의 특징은 마치 율법의 역할과 똑같습니다. 몽학선생인 것입니다. 예수 그리스도의 필요성을 느끼도록 이끄는 몽학선생의 역할이 바로 물세례입니다.

또한 죄를 깨닫게 하는 회개의 세례가 물세례입니다. 우리가 이 물세례를 받으면서 깨닫게 되는 것이 무엇입니까? 내 죄악을 자각합니다. 그런데 죄악은 물로 씻을 수 없습니다. 불로도 씻을 수 없습니다. 사도 바울도 이것을 깨달았습니다. 그래서 로마서 7장에서 자기 자신의 절박한 모습을 고백하고 있지 않습니까? "내가 죄를 안다", "하나님의 뜻대로 사는 것이 무엇인지를 안다"는 것입니다. 그런데 내 안에 그렇게 살 수 있는 능력이 없다는 것입니다.

"오호라 나는 곤고한 사람이로다 이 사망의 몸에서 누가 나를 건져내랴"(롬 7:24).

이것이 물세례가 우리에게 주는 내용입니다.

그런데 물세례는 반드시 예수님의 세례에 대한 기대감을 가지게 만듭니다.

'예수님, 내가 죄는 깨닫겠습니다. 그런데 물로 씻겨지지 않는 것을 예수님이 아시지요? 나의 모든 죄가 씻기는 성령세례를 주시옵소서. 나를 진정으로 살리는 성령세례를 주시옵소서.'

이것이 바로 예수님이 주시는 성령세례의 본질입니다. 그래서 이 성령세례의 본질을 깨달았던 사도 바울은 로마서 8장 1,2절에서 이렇게 선언합니다.

"그러므로 이제 그리스도 예수 안에 있는 자에게는 결코 정죄함이 없나니 이는 그리스도 예수 안에 있는 생명의 성령의 법이 죄와 사망의 법에서 너를 해방하였음이라."

예수님의 성령세례가 필요한 이유가 여기에 있습니다. 성령세례를 통해 죄의 세력을 이길 수 있는 힘이 생깁니다. 내 힘으로는 할 수 없는데, 하나님의 능력으로는 할 수 있는 힘이 생기게 되는 것입니다. 나의 힘으로는 마귀와 대적할 수 없는데, 성령의 힘으로 말미암아 이길 수 있는 힘이 생기게 되었습니다. 그러므로 예수님의 성령세례를 받은 자만이 세상에서 이길 수가 있습니다. 예수님의 성령세례를 받은 자만이 이 세상에서 마귀의 모든 일을 멸할 수 있는 권능 가운데 나아갈 수 있음을 꼭 기억하시고, 예수 그리스도를 믿음으로 말미암아 성령을 선물로 받는 복이 임하기 바랍니다.

ID 153 패스워드

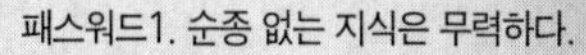

패스워드1. 순종 없는 지식은 무력하다.

별을 보고 찾아와 메시아를 경배한 동방박사들은 예언의 지식만 가진 서기관들보다 낫다. 주옥 같은 성경 지식을 익히고도 여전히 순종치 않는 신앙은 귀신의 믿음이나 다름없다. 순종의 길을 제시하는 말씀의 지도를 둘둘 말아 소경의 지팡이로 쓰지 않도록 조심하라.

패스워드2. 변화받는 것이 예배다.

올바른 예배를 드려야 순종할 수 있다. 하나님의 말씀 앞에 변화받을까 두려워하는 사가 되지 말라. 변화받지 않는 모습은 버림받은 자의 마음이다. 말씀 앞에 무릎꿇고 나아가 자신의 고집을 꺾고 잘못된 태도를 버리는 것이 예배요, 하나님께 영광돌리는 일이다.

패스워드3. 교회 권세의 비밀은 예수 이름에 있다.

예수님의 이름을 높이는 교회가 강한 교회다. 사람은 도구에 불과하다. 예수께 초점을 맞출 때 교회에 권능이 나타나게 된다. 인간은 사라지고 예수 이름의 능력만이 나타나야 한다. 사람의 이름을 드러내면 하나님께로부터 받을 영광이 사라진다.

코람데오 (Coram Deo) 자기점검

1. 지식이 많으면 책임도 크다. 순종 없는 지식 추구는 탐심이요 우상숭배나 다름없다. 당신은 운동 부족의 지식비만증에 걸려 있지는 않은가?

2. 모든 살아 있는 것은 변화한다. 그리고 그 변화는 성장이나 퇴보 가운데 하나의 과정을 밟는다. 무변화나 정체는 곧 퇴보다. 당신의 오늘은 어제보다 더 나은가?

3. 스타가 적을수록 좋은 교회다. 사람의 이름이 커질수록 예수님의 이름은 작아진다. 당신은 자신의 이름보다 예수님의 이름을 더 사랑하는가? 그분의 이름을 더 드러내고 싶어하는가?

5장

예수 제자의 브랜드

요 1:35-51

목사가 어떤 사람을 제일 사랑하는 줄 아십니까? 어느 날 갑자기 혜성처럼 교회에 나타나서 헌금을 많이 내고, 굉장히 많은 일을 하는 이런 사람을 좋아할 것 같지요? 아닙니다. 아무것도 없어도 괜찮습니다. 힘이 없어도 괜찮습니다. 무슨 일을 하든지 하나님의 일을 하는 곳에 꼬박꼬박 참석해서 그 자리에 앉아 있는 그 사람을 귀중하게 여깁니다.

예수의 흔적

본문에서 발견하게 되는 중요한 사실이 한 가지 있습니다. 바로 세례 요한이 무대에서 점점 사라지고 예수님이 서서히 무대 중앙으로 나오고 계시다는 사실입니다. 우리는 여기서 "그(그리스도)는 흥하여야 하겠고, 나는 쇠하여야 하리라"고 했던 세례 요한의 말을 기억해야 합니다. 세례 요한은 사람들이 예수님만 주목하기를 원했지 자기 자신이 주목받는 것은 원하지 않았습니다. 그래서 날마다 "예수님만 바라보라"고 하는 것이 세례 요한의 메시지였습니다.

"그는 흥하여야 하겠고 나는 쇠하여야 하리라."

이 말은 우리가 예수 그리스도를 믿는 그 순간부터 우리 삶의 목표가 되어야 합니다. 믿음생활이 무엇입니까? 우리는 날마다 쇠하기를 계속하고 예수님은 날마다 흥하기를 계속하는 것, 그리고 우리의 말이나 행동은 생활 속에서 점점 적어지고, 예수님이 점점 커지는 것이 바로 성도의 목표요, 교회의 목표입니다.

참된 설교가 무엇인지 보여주는 이야기가 있습니다. 백 년 전쯤에 어떤 여행객이 런던의 한 유명한 목사님의 설교를 들었다고 합니다. 굉장한 설교였습니다. 그 설교를 듣고 난 다음에 감탄을 하면서 이렇게 이야기를 했습니다.

"오! 참으로 놀라운 설교로다."

그날 저녁에 또 아주 유명하다고 하는 스펄전 목사의 설교를 들었다고 합니다. 역시 나오면서 감탄을 합니다. 그런데 그 감탄이 다릅니다.

"오! 놀라운 구세주, 예수 내 주여!"

차이점이 무엇인 줄 아시겠습니까? 첫 번째 설교자의 설교는 설교자가 기억나는, 다시 말해 설교자가 남는 설교이었지만, 두 번째 스펄전의 설교는 예수님만이 남는 설교였다는 사실입니다. 이것이 바로 진정한 설교의 모습입니다. 그러므로 우리의 설교는 예수님만을 증거해야 합니다. 우리의 예배는 예수님만을 높여야 합니다. 우리의 승리는 예수님의 은혜만을 찬미해야 합니다. 또한 어려울 때 우리는 예수님의 소망을 붙들어야 합니다. 모든 일마다 예수님이 드러나고, 예수님을 붙드는 것이 바로 성도의 삶이기 때문입니다. 그래서 믿지 않는 사람들은 대학에 붙으면 "역시 실력이 어디를 가나?" 그런 이야기를 하지만, 예수 믿는 사람들은 "하나님의 은혜다"라고 말합니다. 확실히 믿는 사람들은 뭐가 달라도 다르다는 이야기입니다.

삼일교회는 여름과 겨울에 선교를 떠납니다. 올 여름에도 제주도로 가서 천여 명이나 되는 성도들이 복음증거하는 일을 은혜중에 잘 마치고 돌아왔습니다. 우리가 믿음이 없을 때는 무엇이라고 합니까? "역시 계획이 치밀해서 선교가 잘되었다"고 합니다. 그러나 믿음 가운데 하나님과 동행하는 사람은 그렇게 말하지 않습니다.

"하나님의 도우심으로 말미암아 열매를 거두게 되었습니다. 날씨도 좋았고, 여러 가지 어려운 가운데서도 하나님께서 지켜주셨습니다. 그 모든 것들이 다 하나님의 은혜입니다."

이렇게 고백하는 것이 진정한 하나님의 백성들의 모습입니다. 그러므로 우리들은 모두 다 세례 요한과 마찬가지로 예수님만 높이고 자기 자신은 사라지는 겸손한 사람이 되어야 할 것입니다.

바위를 뚫는 물방울

예수님이 세례를 받은 뒤, 첫날 예수님이 지나가시는 모습을 보고 세례 요한이 이렇게 외칩니다.

"보라 세상 죄를 지고 가는 하나님의 어린양이로다."

그 다음날도 세례 요한은 예수님을 보고 "보라 하나님의 어린양이로다"라고 외칩니다. 날짜는 바뀌어도 메시지는 동일했습니다. 희생에 의한 구속(救贖)의 필요성을 강조하는 것입니다. 그러니까 첫날에는 아무런 반응도 없었던 제자들이 둘째날 똑같은 말씀을 증거했을 때, 37절에 보니까 "두 제자가 그의 말을 듣고 예수를 좇거늘" 하면서 반응을 보이고 있습니다.

계속 떨어지는 물방울이 바위를 뚫습니다. 하나님께서는 "사람들이 복음을 듣는 순간 바로 회심(回心)할 것이다"라고 약속하시지 않았습니다. 다만 "말씀이 헛되이 돌아오지 않는다"라고 말씀하셨습니다. 무슨 말입니까? 바위를 뚫는 물방울 하나하나가 헛되지 않을 것이라는 말입니다. 물방울 하나가 떨어진다고 해서 바위가 뚫어지는 것은 아닙니다. 그러나 계속해서 떨어지는 그 물방울이 바위를 뚫는 것과 마찬가지로 우리가 증거하는 말씀들이 사람들을 구원하게 되리라는 것입니다.

그러므로 우리는 계속해서 복음을 증거해야 합니다. 삼일교회는 앞으로 계속해서 10년이고 20년이고 제주도에 가서 영혼을 변화시킬 것입니다. 그리고 통영에도, 대만에도 계속 찾아갈 것입니다. 대만선교도 벌써 몇 차례씩 가게 되니까 뿌리를 내리는 것을 봅니다. 대만에 있는 교회들이 변화되는 것을 느낍니다. 이것이 바로 하나님 말씀의 약속입니다.

어느 기독교 조사기관에서 복음을 받아들인 사람들을 대상으로 통계조사를 했다고 합니다. 조사 결과, 한 사람이 예수를 믿기까지, 평균 네 명 이상에게서 복음을 전해들었다고 합니다. 평균적으로 네 명 이상으로부터 복음을 들었고, 주변에 열네 명 이상이 기도해주었기 때문에 열매가 맺힐 수 있었다는 사실입니다. 그러므로 우리들이 복음을 전할 때, 우리가 첫번째로 전하는 사람이라고 한다면 열매는 없습니다. 그러나 헛된 것이 아닙니다. 그것이 기반이 되어 언젠가는 열매를 맺을 수 있기 때문입니다. 그리고 만약에 우리가 네 번째 증거자가 되었다고 한다면 우리는 영혼을 얻게 될 것입니다. 그렇지만 이것은 우리 혼자의 공로가 아닙니다. 이미 앞서 세 사람이 먼저 씨를 뿌렸고, 기도하는 많은 사람들이 있었기에 가능했던 것입니다.

그러므로 하나님의 일을 하는 많은 사람들, 주님의 복음을 증거하는 사람들은 열심히 씨를 뿌리고, 열심히 말씀을 증거해야 합니다. 그래서 갈라디아서 6장 9절에서는 복음을 증거하는 사람들이 놓쳐서는 안 될 것, 하나님의 일을 하는 사람들이 놓쳐서는 안 될 것에 대해서 말하고 있습니다.

"우리가 선을 행하되 낙심하지 말지니 피곤하지 아니하면 때가 이르매 거두리라."

낙심치 말고 열심히 하라는 것입니다.

이 말씀을 붙들고 날마다 날마다 세례 요한과 마찬가지로 동일한 어린 양을 바라보고 십자가의 외침이 있는 하나님의 백성들이 되어야 할 것입니다.

동행이 바로 사랑

예수님이 자신을 따르는 두 제자에게 물었습니다.

"무엇을 구하느냐"(요 1:38).

이 말은 꾸짖는 것이 아니라 동기를 묻는 것입니다. 어떤 사람은 빵과 고기를 얻기 위해 예수님을 따랐습니다. 어떤 사람은 명예를 얻기 위해서 따랐습니다. 또 어떤 사람은 병을 고치기 위해서 예수님을 따랐습니다.

그렇다면 우리는 무엇 때문에 예수님을 따르고 있습니까? 돈 때문입니까? 명예 때문입니까? 안락과 향락 또는 우리의 평안을 얻기 위해서 예수님을 따르는 것입니까? 예수께서는 우리가 예수를 따라야 하는 첫째 목적이 하나님나라와 그분의 의(義)를 구하는 것이 되어야 한다고 말씀하고 계십니다. 주님께서는 이러한 목적으로 묻고 계시는 겁니다.

그때 안드레와 요한이 예수님의 물음에 대답합니다.

"랍비여 어디 계시오니이까?"

동문서답 같지 않습니까? 무엇을 원하느냐고 물었는데, 어디에 있느냐고 묻습니다. 얼른 보면 말도 안 되는 것 같습니다. 그러나 이것을 곰곰이 생각해보면 여기에는 굉장한 의미가 담겨져 있는 것을 알 수 있습니다. 왜 이런 식으로 이야기를 했습니까? 아마도 이들은 예수께 완전히 마음을 빼앗겼던 모양입니다. 그래서 그 마음 가운데 '내가 원하는 것은 주님과 동행하는 것입니다', '주님과 함께 있고 싶습니다' 하는 생각이 들었던 것 같습니다. 또 무엇을 원하느냐는 질문에 '주님 계신 곳을 가르쳐 주십시오. 우리가 주님과 함께 교제하고 싶습니다'라고 하는 것이 바로 안드레와 요한의 심정이었습니다.

최고의 사랑의 표현이 무엇입니까? 같이 있는 것입니다. 교제하는 것입니다. 동행(同行)하는 것입니다. 젊은 남녀가 사랑에 빠졌습니다. 헤어지면서 남자가 여자에게 무엇이라고 합니까?

"내일 또 만나자", "오늘 저녁에 가면 전화할게", "헤어지기 싫어", "정말 네가 좋아."

이것이 정말로 사랑하는 사람들의 고백이 아니겠습니까? 사랑한다고 하면서 남자가 헤어질 때 "내년에 봅시다"라고 말하는 사람이 어디 있습니까? 무슨 전국체전 합니까? 진짜로 사랑한다면 또 만나고 싶습니다. 지금 헤어진다 할지라도 또 만나고 싶은 게 사랑입니다. 만나고 만나도 지루하지 않은 것이 사랑입니다. 그래서 마지막에는 "평생 같이 살고 싶다", "나 너랑 같이 살고 싶어" 하는 것입니다. 사랑의 마지막 결정은 같이 사는 것입니다.

저희 삼일교회는 많은 젊은 남녀들이 있습니다. 그래서 제가 선교를 갈 때마다 기도하는 것이 있습니다. "커플들이 많이 이루어졌으면 좋겠다" 하는 것입니다. 제가 이번에 제주선교를 떠나기 전에도 "하나님, 꼭 스무 커플이 탄생되기 원합니다"라고 기도했는데, 제가 보기에 한 열 쌍 정도가 눈이 맞은 것 같습니다.

그런데 그것을 어떻게 아느냐고요? 아무리 말을 안 해도, 아무리 숨기려고 해도 사랑을 하면 서로 같이 있고 싶어합니다. 어느 자매가 저하고 한참을 이야기하다가도 제가 잠시 한눈을 팔면 벌써 안 보입니다. 어느새 어떤 청년에게 가서 "오빠, 밥 먹었어? 오빠, 화장실 다녀왔어?" 하고 시시콜콜한 것까지 다 물어봅니다. 무슨 뜻입니까? 자기 자신이 사랑하고 좋아하면 자꾸만 같이 있고 싶고, 같이 대화를 나누고 싶은 것입니다. 이것이 바로 사랑입니다.

마음에서 시작되는 헌신

안드레와 요한이 가지고 있는 마음이 무엇입니까? 바로 예수님에 대한 마음이 있었기 때문에, 예수님에 대한 사랑이 있었기 때문에 동행하기 원했습니다. "내가 너희에게 무엇을 해주기 원하느냐?"고 주님이 물으시면 "주님 계신 곳이 어디입니까? 같이 동행하고 싶습니다"라고 말하는 믿음

있는 사람들이었던 것입니다. 믿음이라는 것은 계명을 지키는 것, 마음으로 동의하는 것 이상입니다. 주님과 함께 있고자 하는 마음, 그것이 믿음입니다.

그래서 요한복음 12장 26절을 보니까 "사람이 나를 섬기려면 나를 따르라 나 있는 곳에 나를 섬기는 자도 거기 있으리니 사람이 나를 섬기면 내 아버지께서 저를 귀히 여기시리라"고 했습니다. 주님께서 분명히 말씀하셨습니다.

"나를 따르는 자가, 나를 섬기는 자가 나 있는 곳에 같이 있을 것이다."

이것이 믿음이라는 것입니다.

주님과 함께라면 어디든지 같이 갈 수 있는 주님의 백성이 되기 바랍니다. 주님의 제자는 주님께서 역사하시는 현장에 있는 사람입니다. 그것이 제자입니다. 예수님이 바다로 가면 바다로 가고, 예수님이 겟세마네 동산으로 가면 겟세마네 동산으로 좇아가는 것, 예수님이 골고다로 가면 골고다까지 가는 이것이 바로 제자의 모습입니다. 항상 하나님 앞에 나아가고 선교 현장으로 나갈 수 있는 움직이는 사람이 되기 바랍니다.

우리는 어떤 사람들에게 이런 비난을 합니다.

"예배에 참석하면 무엇하느냐? 헌신을 하면 무슨 소용이 있느냐?"

그러나 그것은 주님과의 동행이라는 본질이 무엇인지 잘 모르고 떠드는 사람들입니다. 우리가 꼬박꼬박 예배에 참석하고, 또 주일저녁에, 수요일, 그리고 금요일에 교회를 나오는 것은 사실 굉장한 믿음입니다. 아마도 주님께서 이것보다 더 기뻐하시는 일은 없을 것입니다.

목사가 어떤 사람을 제일 사랑하는 줄 아십니까? 어느 날 갑자기 혜성처럼 교회에 나타나서 헌금을 많이 내고, 굉장히 많은 일을 하는 이런 사람을 좋아할 것 같지요? 아닙니다. 아무것도 없어도 괜찮습니다. 힘이 없어도 괜찮습니다. 무슨 일을 하든지 하나님의 일을 하는 곳에 꼬박꼬박 참석해서 그 자리에 앉아 있는 그 사람을 귀중하게 여깁니다. 이것은 목사뿐만이 아니라 하나님께서도 가장 귀중하게 여기는 신앙이라는 사실입니다. 왜 그렇습니까? 하나님과 동행하는 신앙이기 때문입니다.

그러므로 하나님 앞에 헛된 것 내세우려 하지 말고 주님이 가는 곳에 '내가 가겠습니다', '내 몸이 가겠습니다'라고 하십시오. 몸이 갈 때 마음도 갈 수 있고, 재물도 갈 수 있고, 자기 인생 전체가 다 갈 수 있다는 것을 꼭 깨달으시고, 안드레와 요한과 마찬가지로 주님과 동행하기를 소망하는 사람이 되어야 합니다.

하나님은 쉽고 마귀는 어렵다?

안드레와 요한이 예수님을 따라다녔습니다. 그래서 예수님과 하룻밤을 보냈습니다. 예수님과 하룻밤을 보내고 난 다음에 어떤 일이 일어났습니까? 본문에서는 특별히 안드레에게 주목을 합니다. 안드레의 가슴이 벅차올랐습니다. 그리고 가슴이 터질 것만 같았습니다. 그렇게도 고대하던 메시아를 만났기 때문입니다. 그래서 무엇을 했습니까? 그 날 아침에 곧장 뛰어가서 자기 형 시몬에게 복음을 증거합니다.

"내가 메시아를 만났다."

우리는 여기서 중요한 것을 깨닫습니다. 예수님을 믿는다고 하면서, 예수님을 믿는 감격이 있다고 하면서도 전하지 않는 사람은 거짓말쟁이라는 사실입니다. 예수님에 대한 감격이 있다면 전하지 않고는 견딜 수가 없습니다. 누가 전도할 수 있습니까? 예수님에 대한 감격이 있는 사람이면 누구나 다 할 수 있습니다. 안드레는 전도를 위해 특별한 교육을 받은 적이 없습니다. 신학교에 가본 적도 없습니다. 그렇다고 개인적으로 전도에 관한 책을 읽은 적도 없었습니다. 그는 단지 예수님을 만났고, 그래서 그의 형제도 예수님을 알기 원했을 뿐입니다. 그렇기에 복음을 증거할 수 있었던 것입니다. 전도는 쉬운 것입니다. 그런데 악한 마귀는 우리를 넘어뜨릴 때 항상 무엇이든지 어렵게 만듭니다. 어렵다고 말하게 합니다.

전도를 어렵게 만드니까 전도를 못합니다. 설교를 어렵게 만드니까 설교를 통해서 영혼을 얻지 못하는 것입니다.

마귀가 계속해서 교회의 능력을 빼앗는 방법이 무엇이었습니까? 중세 동안에는 교회에서 라틴어로만 설교를 했습니다. 라틴어로 설교를 하다 보니까 유식한 몇 사람만 설교를 알아듣고 나머지 사람들은 알아듣지 못했습니다. 교회에 와서 그냥 꾸벅꾸벅 졸다가 갑니다. 만약 한국에서 중국어로 설교를 한다면 알아듣는 사람이 몇이나 되겠습니까? 아니면 여기서 아프리카어로 설교를 한다면 몇 명이나 그 설교를 알아들을 수 있겠습니까? 전부 다 벙어리와 귀머거리가 될 것입니다. 그런 모습이 당시 중세의 모습이었습니다. 그렇게 많은 사람들이 복음을 듣지 못하니까 미신에 빠지게 되었습니다. 그래서 성상(聖像)을 숭배하게 되고, 성물(聖物)을 숭배하게 됩니다. 예수님의 시신을 싼 보자기라고 해서, 예수님의 치아라고 하면서, 예수님의 머리카락이라면서 가져다놓고 절을 하고 이적을 바라는 것이었습니다. 중세 시대에 이런 얼토당토 않은 일들이 행해졌던 것입니다.

그런데 종교개혁자들이 나타나서 무슨 일을 했습니까? 자국어(自國語)로 설교를 하기 시작했습니다. 그랬더니 놀라운 부흥이 일어났습니다. 설교는 들려야 합니다. 믿음은 들음에서 난다고 했습니다. 들리는 설교를 하는 것이 바로 하나님의 역사입니다. 그런데 마귀는 계속해서 들리지도 않는 설교, 들리지도 않는 헛된 말로 복음증거하기를 원했습니다. 교회를 죽이는 것입니다.

그렇게 자국어로 설교를 하게 되어 복음을 전하던 것이 17세기, 18세기로 가면서는 강단에서 점차 학구적인 언어만 나오게 되었습니다. 신학적으로 어려운 설교만 했습니다. 도대체 무슨 뜻인지 알아들을 수 없는 소리를 되풀이하게 되었던 것입니다.

그럴 때 "이것이 아니다" 하고 들고 나온 사람이 있습니다. 누구입니까?

바로 감리교의 창시자였던 존 웨슬리였습니다. 웨슬리는 광부들에게 일상용어를 가지고 설교했습니다. 평상시 쓰는 말로 설교를 했습니다. 그랬더니 광부들이 이제는 설교가 들린다고 말했습니다.

'우리가 쓰고 우리가 알 수 있는 말로 설명을 하고, 설교를 하는구나. 이것이 하나님의 말씀이구나.'

폭발적인 부흥이 일어났습니다. 무슨 이야기입니까? 성육신하는 것, 보통사람들이 알아듣게 만드는 것이 하나님의 역사라는 사실입니다.

반면에 마귀는 어렵게 만듭니다. 설교도 어렵게 만들고 전도도 어렵게 만듭니다. 훈련받아야 전도할 수 있다고 자꾸만 헛소리를 합니다. 잘못된 것입니다. 전도는 쉬운 것입니다. 안드레와 마찬가지로 예수님을 보고 그 분께 감격했던 그 내용들을 있는 그대로 증거하는 하나님의 백성이 되길 바랍니다.

따로 설명이 필요없다

삼일교회 성도들은 선교를 참 쉽게 합니다. 왜냐하면 내가 느낀 하나님, 내가 만난 하나님을 증거하는 것이 선교라는 것을 알기 때문입니다. 삼일교회의 선교는 예수 믿은 지 얼마 되지 않는 초신자들도 갑니다. 그들도 능히 복음을 증거할 수 있기 때문입니다. 오히려 준비해야 된다고 골방에 앉아서 공부하는 사람들보다도 예수 믿은 지 2주, 3주 된 사람들이 훨씬 더 강한 증거자가 되는 것을 볼 수 있습니다. 왜 그렇습니까? 그들의 입술을 가지고 증거할 때에 능력이 나타나기 때문입니다. 훈련 때문에 전도하지 못한다는 헛된 미신을 버리고 주님의 말씀 앞에 순종하는 안드레 같은 모습이 우리에게 있기를 바랍니다. 그러므로 전도는 보고 들은 것만 있으면 됩니다. 안드레가 증거한 말이 무엇입니까? "와 보라" 그랬습니다.

"와 보라."

이 말 한마디도 못합니까? 얼마나 쉽습니까? 참말은 따로 설명이 필요 없지만 거짓말일수록 설명이 화려하고 늘어지게 됩니다.

중매를 아주 잘 하시는 분이 있습니다. 그 분이 중매하는 것을 보니까 참 재미있습니다. 조금 모자란 신랑을 소개할 때면 말이 많습니다. 신랑감이 별로 똑똑하지 못하면 말이 많더라고요.

'그 신랑감 힘 하나는 좋다느니, 성격이 좋아서 주는 대로 잘 받아먹는다느니, 앉은키는 그래도 꽤 크다느니, 돈 계산할 능력이 없으니까 벌어온 돈은 몽땅 다 부인 갖다줄 것이라느니' 하며 잡다한 이야기를 늘어놓습니다. 그 이야기를 뒤집어서 말하면 무슨 뜻입니까? '머리 나쁘고 한심하다' 는 뜻 아닙니까? 그런데 진짜 괜찮은 신랑을 소개하는 것을 봤습니다. 그때에는 말이 없습니다. 그냥 간단히 "한번 만나봐"라고만 합니다. 만나보면 푹 빠진다는 것입니다. 왜 그렇습니까? 진짜이기 때문에 그렇습니다.

예수님도 만나보면 말이 필요없습니다. 그러므로 우리도 복음을 증거할 때에 복잡하게 할 필요가 전혀 없습니다. 어떻습니까? 그냥 "한번 와보라", "예수님 한번 만나보라" 하는 이것이 복음을 증거하는 첫번째 단계입니다.

요한복음 4장에 보면 수가성(城) 여인이 사마리아 동네 사람들에게 복음을 증거하는 기사가 나옵니다. 그때 복음증거가 무엇이었습니까? 똑같이 "와 보라"였습니다. 그래서 사마리아 사람들이 예수님을 만났습니다. 그럴 때 사마리아 사람들의 증거가 무엇이었습니까? 요한복음 4장 42절에 보니까 "그 여자에게 말하되 이제 우리가 믿는 것은 네 말을 인함이 아니니 이는 우리가 친히 듣고 그가 참으로 세상의 구주신 줄 앎이니라 하였더라"고 하였습니다.

예수님은 설명이 필요없는 분입니다. 한번 예수님을 만나도록, 예수님의 은혜를 깨닫도록만 하면 그 사람의 말이 아니라 예수님의 능력으로 말미암아 능히 복음을 영접할 수 있게 되는 것입니다. 그러므로 우리도 "와 보라" 하는 이러한 복음증거로 말미암아 불신자들은 예수님과 중매시키는 거룩한 중매자가 되어야 할 것입니다.

예수님은 생명이십니다. "예수님이 나를 변화시키셨고, 예수께로 가기만 하면 너의 모든 문제가 해결되고 무엇보다도 사망에서 생명으로 옮겨질 수 있다"고 증거하는 사람이 되기 바랍니다.

의심하면서 GO!

요한복음 1장 43절 이하를 보면, 빌립도 예수님을 만난 이후의 첫번째 반응이 '증거'였습니다. 빌립은 나다나엘에게 증거했습니다. 이 나다나엘은 다른 성경에 보니까 바돌로매라고 되어 있습니다. 그러니까 이 나다나엘과 바돌로매는 같은 사람입니다.

"모세가 율법에 기록하였고 여러 선지자가 기록한 그이를 우리가 만났으니 요셉의 아들 나사렛 예수니라"(45절).

예수님이 메시아라고 증거한 것입니다. 그럴 때 나다나엘이 어떤 반응을 보였습니까? 의심했습니다. "나사렛에서 무슨 선한 것이 날 수 있겠느냐?" 하면서 말입니다.

나사렛은 갈릴리에서도 아주 북쪽에 있습니다. 이스라엘 사람들은 갈릴리를 굉장히 무시했습니다. 그래서 갈릴리를 '이방의 갈릴리'라고 하면서, 거의 이방 족속처럼 생각했습니다. 그런데 그 갈릴리 중에서도 가장 이방적인 요소가 많은 곳이 바로 나사렛이었습니다. 나사렛은 이방인이 많이 드나드는 교통의 중심지였고, 또 이방 문화가 많이 흡수되어 이방 문화가 판을 치는 그러한 곳이었습니다. 그러다보니까 나다나엘이 무엇이라고 이야기합니까? 그렇게 천시받던 갈릴리 중에서도 가장 갈릴리다운 나사렛에서 무슨 인물이 나겠느냐, 무슨 메시아가 나겠느냐고 말하는 것입니다.

그런데 나다나엘의 믿음의 강점이 여기 있습니다. 나다나엘은 의심을 하면서도 몸은 움직여서 예수께로 갔다는 사실입니다. 의심하고 주저앉으면 넘어질 수밖에 없지만 의심하면서도 계속 주님께 나아가는 것이 중요합니다. 그런 의미에서 믿음의 의미는 확신이 아니라 순종입니다. 다시 말해서 의심하더라도 주님께 나아가는 것을 주님께서는 귀중하게 여기시는 겁니다.

코뿔소 같은 저돌성을 갖자!

두 아들에 관한 비유가 있습니다. 아버지가 큰아들에게 어떤 일을 시킵니다. 그랬더니 "예, 하겠습니다" 했습니다. 그러고는 하지 않았습니다. 반면에 둘째 아들은 아버지가 일을 시키니까 안 하겠다고 합니다. 그러다가 곰곰이 생각해보니까 자기가 잘못했습니다. 회개하고 아버지 말씀대로 순종합니다. 누가 더 옳습니까? 후자입니다. 작은아들이 더 옳습니다. 무슨 뜻입니까? 의심되는 어떤 문제가 있더라도 하나님께 순종하는 마음으로 나아가는 것이 필요합니다. 대답만 잘 했다고 올바른 것이 아닙니다. 마지막까지 순종하는 행동이 있었느냐 없었느냐가 더 중요합니다.

주님께서는 믿음을 향한 이러한 저돌성을 귀하게 보셨습니다. 마태복음 11장 12절에 보니까 "세례 요한의 때부터 지금까지 천국은 침노를 당하나니 침노하는 자는 빼앗느니라"고 하였습니다. 옛날 번역을 보니까 "힘쓰는 자가 빼앗는다"고 되어 있습니다. 천국을 소유하기 위해서는 힘쓰는 자가 되어야 한다는 사실입니다. 앞뒤 재고 머뭇거리는 것이 아니라 다만 명령에 순종해서 온 정열을 기울여 앞으로 전진하는 긍정적이고 적극적인 자세가 필요하다는 것입니다.

열두 해 동안 혈루증으로 고생한 여인이 있었습니다. 군중을 뚫고 나아가서 예수님의 옷자락이라도 잡으면 병이 낫겠다 하는 심정에서 예수님의 옷자락을 잡았습니다. 예수님은 이것을 보고 믿음이라고 평가하셨습니다. 이러한 저돌적인 자세를 주님은 믿음으로 인정해주십니다.

친구가 중풍병을 앓고 있습니다. 사람들이 많아서 예수께 나아갈 수 없었습니다. 그래서 네 친구가 이 중풍병 친구를 메고 지붕을 뜯고 예수님 앞에 환자를 달아내렸습니다. 그럴 때 예수님이 무엇이라고 하셨습니까? "이런 무례한 놈들이 다 있나" 그랬습니까? "이런 몰상식한 사람들이 다 있나" 그랬습니까? 아닙니다. 그들의 믿음을 보시고 병을 고쳤다고 했습니다. 이것이 믿음입니다. 그러므로 우리의 신앙은 움직이는 신앙이 되어야 합니다.

하나님 앞에서 우리가 선교를 하고, 주님의 사역을 감당하고, 또 교회를 개척하는 일들에 날마다 기쁨만 있는 것이 아닙니다. 지칠 때도 있고, 낙심할 때도 있고, 어려움도 있습니다. 우리의 신앙생활이 100퍼센트 평탄한 대로만 달립니까? 어떤 때는 시험이 있습니다. 자녀에게 문제가 생길 때도 있고, 사업에 어려움이 있을 수도 있고, 원치 않는 질병에 걸릴 때도 있습니다. 그런데 진짜 믿음이란 무엇입니까? '그럼에도 불구하고' 주님을 향해서 걸어가는 것입니다. 의심이 있고, 회의가 있고, 낙심이 있더라도 주님께 엎드리는 것이 믿음입니다. 그러므로 주님 앞에 항상 행동이, 순종이 멈추지 않는 그러한 귀중한 믿음의 사람이 되어야 할 것입니다.

인정해주는 신앙

나다나엘이 오는 것을 보고 예수님이 말씀합니다.

"예수께서 나다나엘이 자기에게 오는 것을 보시고 그를 가리켜 가라사대 보라 이는 참이스라엘 사람이라 그 속에 간사한 것이 없도다"(요 1:47).

예수님의 이 평가를 볼 때 이상하다고 생각하지 않습니까? 나다나엘이 지금 막 무엇을 했습니까? 의심을 했습니다. 나사렛에서 무슨 선한 것이 날 수 있겠느냐는 소리를 했습니다.

예수님이 나다나엘을 만나자마자 "네가 의심하였지. 내가 그 나사렛 출신이다. 어디 한번 맛 좀 봐라" 그랬습니까? 그러지 않았습니다. 예수님이 무엇이라고 했습니까? "네가 참이스라엘 사람이다. 네 속에 간사한 것이 없다" 하시며 그를 칭찬해주셨습니다. 그의 장점을 드러내주었다는 사실입니다. 나다나엘이 한평생 살면서 잘못한 일이 없었겠습니까? 실수가 없었겠습니까? 아마도 많이 있었을 것입니다. 술집에 갔던 기억도 있을 것이고, 실수했던 많은 기억들이 있을 것입니다. 그럴 때 예수님이 "너 술집에 있을 때 내가 봤다", "너 실수할 때 그 현장에서 두 눈을 부릅뜨고 내가 봤다" 이렇게 말씀하시지 않고 무엇이라고 하셨습니까? "너는 마음속에 간사한 것이 없는 참이스라엘 사람이다" 라고 하셨습니다.

히브리서 11장 7절을 보니까 노아에 대한 평가가 나옵니다. 노아, 그러면 우리는 무슨 생각이 납니까? 포도주 마시고 자녀들 앞에서 옷 벗고 주책없이 굴었던 일이 생각나지 않습니까? 그런 이야기가 나올 것 같은데 히브리서의 마지막 결론은 무엇입니까? 그런 말이 하나도 없습니다.

"믿음으로 노아는 아직 보지 못하는 일에 경고하심을 받아 경외함으로 방주를 예비하여 그 집을 구원하였으니"(히 11:7).

노아의 허물에 대한 기억이 전혀 없습니다. 저는 히브리서 11장 7절을 보면서 하나님께 감사드렸습니다. 그것이 바로 무엇입니까? 우리가 이 땅을 살아가면서 허물이 있고 낙심됨이 있고 실수가 있었음에도 불구하고, 마지막 날 주님 앞에 섰을 때는 무엇만 보신다고 하십니까? 믿음만 보십니다. 우리의 실수와 허물은 예수님의 십자가의 피로 다 가려주시고 우리의 믿음만 보시는 것입니다. 이것이 얼마나 귀중한 시각입니까?

아브라함도 마찬가지입니다. 부인을 누이라고 속이는 불신앙의 죄를 범하였습니다. 그러나 성경의 평가는 그런 말을 전혀 하지 않고 그는 믿음으로 살았다, 믿음을 바라보았다, 그는 믿음의 조상이었다고 말했다는 사실입니다. 그러므로 우리는 예수님과 마찬가지로 사랑이 충만하여 상대방의 장점을 보는 그러한 사람들인 것입니다.

예수님의 렌즈를 끼자!

지난번에 어떤 기자가 제 프로필을 써주는 것을 봤습니다. 저하고 참 잘 아는 사람이었습니다. 저의 약점도, 장점도 잘 알고 있는 그런 사람입니다. 그래서 내심 걱정을 했습니다. 나를 너무 잘 아는 사람이기 때문에 속속들이 다 써주면 어떻게 하나 걱정이 됐습니다. 그래서 괜히 "밥 먹었니? 뭐, 필요한 것 없어?" 하고 물어보았습니다. 괜히 마음에 꿀리는 것이 있기 때문에 이것저것 물어본 것입니다. 그래도 나중에 보니까 다 좋은 이야기들만 써놓았습니다. 제가 얼마나 감사했는지 모릅니다. 그가 분명히 저의 약점을 다 알고 있었습니다. 그럼에도 불구하고 좋은 이야기만 썼습니다.

반면에 어떤 사람은 제 프로필을 쓰면서 눈 작은 사람, 머리카락이 별로 없는 사람, 대학에 여러 번 떨어졌던 사람 등등 이런 이야기만 합니다. 제가 얼마나 괴로웠는지 모릅니다. 그런 사람만 제 옆에서 쫓아다닌다고 생각하니까 머리가 더 빠지는 것 같습니다. 우리는 그런 인생이 되지 말아야 합니다.

우리 교인 중에서 어떤 청년이 충성스럽게 헌신하기에 제가 칭찬을 좀 해주었습니다. "참 저렇게 신실한 젊은이가 다 있나?" 그랬더니 옆에 있는 청년이 한마디 거듭니다.

"쟤는 4년제 대학 못 나왔어요."

그런 소리를 왜 합니까? 어떤 사람을 또 신실하다고 그러니까 "쟤는 집안이 안 좋고 아버지가 딴살림 차리고 있다"는 이야기를 합니다. 그런 소리를 왜 하는 것입니까? 잘못된 것입니다. 우리는 사람들의 장점, 그 사람만이 가지고 있는 귀한 것들을 보는 자세를 가져야 합니다.

예수님이 시몬 베드로를 만났을 때 무엇이라고 합니까? 42절에 보니까 "네가 요한의 아들 시몬이니 장차 게바라 하리라 하시니라"고 하였습니다. 아마도 이 당시에는 시몬에게 별로 내세울 것이 없었나봅니다. 그랬더니 주님이 무엇을 보십니까? 미래를 말합니다. 현재 내세울 것이 없으니까 미래를 말씀하시는 것입니다.

"지금은 시몬이다. 지금은 흔들리는 모습이요 별 볼일 없는 모습이다. 그러나 너는 장차 게바가 되리라, 베드로가 되리라, 반석이 되리라."

이게 바로 주님의 약속이요, 주님의 시각이었습니다.

지금 우리 주변에 볼 것이 없는 사람이 있습니까? 미래를 보시기 바랍니다. 지금은 형편없는 모습이지만 "장차 이러이러한 하나님의 자녀가 되리라", "하나님의 능력의 종이 되리라"고 말씀하십시오. 이것이 바로 성도의 시각이고 자세입니다.

그러므로 성도는 예수님의 시각을 가지고 있기 때문에 어떤 사람에 대해서도 절망하지 않습니다. 왜 그렇습니까? 장차 변화될 것이기 때문에 그렇습니다. 저희 교회에는 청년들이 많이 모입니다. 그래서인지 별의별 청년들이 다 있습니다. 꽁지머리를 한 청년, 귀를 세 개 네 개씩 뚫고 귀걸이를 한 청년, 머리에 노란 물, 빨간 물을 들이고 다니는 청년 등 하여튼 별 희한한 친구들이 다 있습니다. 그러나 저는 그들을 보고 소망을 품습니다. '지금은 하고 다니는 것이 이상하지만 이제 시간이 지나봐라. 하나님 앞에서 대단한 존재가 될 것이다' 하면서 말입니다.

베드로는 어땠습니까? 계집종 앞에서도 주님을 부인하는 사람이었습니다. 그렇지만 부활 이후에 수천 명의 사람들 앞에서 "너희가 영광의 주(主)를 십자가에 못박았도다"라고 담대히 증거하는 증거자가 되었습니다. 주님이 변화시킵니다. 그러므로 사람만 바라볼 것이 아니라 예수님의 렌즈를 통해서 사람을 바라보고, 그 사람의 장점과 그의 삶의 가능성과 그의 삶의 미래를 보기 바랍니다.

다름에서 같음으로

본문을 보면 다섯 명의 제자가 회심하는 장면을 볼 수 있습니다. 첫번째는 안드레와 요한이 있고, 그 다음에 베드로와 나다나엘, 그리고 빌립이 있습니다. 다섯 명이 변화받는 것이 다 다릅니다.

안드레와 요한은 어떻게 변화되었습니까? 세례 요한의 설교를 듣고 회심했습니다. 설교를 듣고 회심한 사람입니다. 베드로와 나다나엘은 어떤 사람입니까? 개인 전도로 말미암아 회심한 사람입니다. 빌립은 어떻습니까? 빌립은 예수님이 직접 부르심으로 회심했습니다. 아마 이것을 분석한다고 하면 이럴 수 있습니다. 어떤 사람은 개인 전도를 통해서 예수 믿은 사람이고, 어떤 사람은 전도집회에 나왔다가 예수 믿은 사람이고, 어떤 사람은 태어날 때부터 모태신앙으로 예수를 믿은 사람이라는 것입니다. 무엇이 우월합니까? 다 똑같습니다. 그런데 우리 한국교회는 괴상한 생각이 있습니다. 자기의 믿음을 주장하기 위해서 자기의 뿌리를 이야기합니다.

"내가 모태신앙이다", "우리 아버지가 장로다", "나는 목사의 딸이다", "우리 할아버지가 누구다."

전부 다 무슨 이야기입니까? 출생에 대한 이야기만 합니다.

주님께서는 우리를 여러 모양으로 불렀습니다. 모태신앙으로 부른 사람, 중간에 회심하게 된 사람, 또 개인 전도로 부른 사람, 설교를 통해서 부른 사람, 부르심에 있어선 다양하다는 것입니다. 다 똑같지 않다는 말입니다. 나와 똑같은 처지에서 부르는 것이 아닙니다. 전혀 엉뚱하게 부를 수도 있습니다. 교회에 빚 받으러 왔다가 예수 믿는 사람도 있습니다. 점쟁이한테 찾아갔더니 예수 믿으라고 해서 온 사람도 있고, 별의별 사람들이 다 있습니다. 부르심이 문제가 되는 것이 아닙니다. 예배드리는 자리에 온 것이 중요합니다.

이제 그 다음으로 중요한 것이 무엇입니까? 성장입니다. 만약에 제가 어떻게 예수를 믿게 되었는지 그 과거의 일만 되풀이해서 말한다면 다음과 같은 사람에 지나지 않습니다. 어떤 사람은 자나깨나 초등학교 때 이야기만 합니다.

"나 초등학교 다닐 때 일등 했다."

그것이 무슨 이야기입니까? 지금은 꼴등 한다는 소리입니다. 한번은 제가 어떤 집사님이 하는 자녀 자랑을 귀에 못이 박히도록 들은 적이 있습니다. 아들 자랑인데 중학교 때는 공부를 잘했답니다. 고등학교에 들어갈 때 전교 10등으로 들어갔답니다. 그러고는 말이 없어요. 그건 뭘 말하는 것입니까? 지금은 그렇지 못하다는 소리 아닙니까?

부르심에 있어서는 가룟 유다나 베드로나 다를 것이 없습니다. 다를 게 무엇이 있겠습니까? 가룟 유다도, 베드로도 다 부름을 받은 예수님의 제자였습니다. 중요한 것은 무엇입니까? 그 다음입니다. 어떤 모습으로 부르심을 입었든 간에 그 다음에 얼마나 주님 앞에서 충성하고 자라는 믿음이 되었는가 하는 것이 중요합니다. 그러므로 우리 과거의 뿌리를 가지고 믿음을 증명하려 하지 마시고, 현재의 모습이 하나님 앞에서 받은 은혜로 말미암아 얼마만큼 충성하고, 얼마만큼 자라고 있는지 살펴야 할 것입니다.

ID 153 패스워드

패스워드1. 주(主)의 제자는 낙심치 않고 끝까지 복음을 증거하는 자다.

사람들이 복음을 듣는 순간 곧바로 회심(回心)하는 것은 아니다. 그러나 한 번 뿌려진 말씀은 결코 헛되이 되돌아오지 않는다. 이것이 하나님의 약속이다. 계속 떨어지는 물방울이 바위를 뚫는다. 우리의 복음증거도 결코 헛되이 땅에 떨어지지 않고 반드시 구원의 열매를 맺는다.

패스워드2. 주(主)의 제자는 주와 함께 현장에 있는 사람이다.

믿음은 계명을 지키는 것, 말씀에 마음으로 동의하는 것 이상이다. 주님과 함께 있고자 하는 바음, 그것이 믿음이다. 주님과 함께라면 어디든지 같이 갈 수 있는 사람이 그분의 백성이다. 주님이 역사하시는 삶의 현장, 선교의 현장을 떠나지 말라. 당신의 몸으로 거기에 동참하라.

패스워드3. 확신보다 순종이 앞서는 믿음이 필요하다.

의심하고 주저앉으면 넘어질 수밖에 없다. 그러나 의심하고 낙심하면서도 계속 앞으로 주님께 나아가는 것이 중요하다. '그럼에도 불구하고' 주님께 엎드리는 것이 믿음이다. 앞뒤 재며 머뭇거리고 있지 말라. 다만 명령에 순종하여 전진하라.

코람데오(Coram Deo) 자기점검

1. 복음을 증거해도 믿지 않는 것은 당신의 책임이 아니다. 그러나 다만 입을 열지 않아 못 믿게 하는 것은 당신의 책임이다. 당신은 때를 얻든지 못 얻든지 증거하는 자로 사는가?

2. 주님과의 동행이 순종의 전부다. 당신은 주님의 뜻을 받들어 그대로 행하는 바로 그 제자의 삶을 살아가고 있는가?

3. 성도도 낙심할 수 있다. 당신은 낙심을 건강한 신앙의 한 과정으로 보는가, 아니면 하나님이 당신을 외면하시는 증거라고 보는가?

2부 세상을 변화시키는 믿음

153

사람이 살았는지 죽었는지를 알려면 심장이 뛰는 여부를 보면 알 수 있듯이 교회의 생명력도 전도를 하고 있는가에 의해서 알 수 있습니다. 왜 그렇습니까? 생명이 생명을 살릴 수 있기 때문입니다. 산 자만이 영혼을 살릴 수 있기 때문입니다. 너무 많은 사람들이 복음전도를 위한 계획만을 세우고 있습니다. 너무 많은 교회들이 훈련을 받아야만 효과적으로 영혼을 구원할 수 있다고 말합니다. 그러면서도 움직이지 않습니다.

변화의 동력

요 2:1-11

감나무 밑에 앉아서 감이 떨어지기를 바라는 것은 성도의 자세가 아닙니다. 우리의 충성이 있어야 하고 움직임이 있어야만 하나님의 이적이 나타납니다. 그래서 하나님의 이적이 나타날 때 보면 누군가의 희생이 있습니다. 누군가의 고귀한 충성과 순종이 있을 때 그것을 통해서 하나님이 역사하십니다.

미러클

본문은 예수님이 맨 처음 행하신 기적, 곧 가나의 혼인잔치에서 물로 포도주를 만든 기적을 언급하고 있습니다. 사전에 보니까 '기적' 이란 '사람으로서는 할 수 없는 신비한 능력' 이라고 기록되어 있습니다. 즉, 기적이라는 것은 사람의 능력에 뿌리를 둔 것이 아니라 하나님의 능력에 뿌리를 둔다는 뜻입니다. 사람으로서는 할 수 없고, 오직 하나님의 개입하심으로 이루어지는 것을 기적이라 합니다.

그런 의미에서 성경은 기적의 예찬입니다. 인간의 힘으로는 도저히 할 수 없는 구원을 하나님이 이루시기 때문입니다. 인간의 힘으로 나을 수 없는 병을 하나님께서 치유하십니다. 인간의 힘으로 도저히 변화시킬 수 없는 사람을 하나님이 변화시키십니다. 인간의 힘으로 도저히 갈 수 없는 길들을 하나님께서 가도록 만드십니다. 그런 의미에서 성경은 온통 기적에 관한 이야기뿐입니다. 성도란 기적을 체험한 사람입니다. 기적을 귀하게 여기고 기적을 믿고 또 하나님의 기적대로 될 줄로 믿고 살아가는 삶,

그것이 바로 성도의 삶입니다.

세상은 하나님을 믿지 않습니다. 그러므로 하나님의 기적도 믿지 않습니다. 그래서 기적이 일어나지 않는 무력한 삶을 살아갑니다. 반면에 성도는 하나님을 믿습니다. 그리고 하나님의 기적도 믿습니다. 그래서 하나님의 기적의 역사를 이루며 살아갑니다. 그러므로 날마다 하나님의 기적을 이루는 삶, 그것이 바로 우리 그리스도인의 삶이라는 것을 깨닫고 기적을 위해서 기도하고, 기적의 삶을 이루는 하나님의 백성들이 되어야 할 것입니다.

개인적으로 저는 많은 기적들을 체험했습니다. 또한 삼일교회 성도들의 삶을 통해서 날마다 하나님께서 보여주시는 기적의 특권을 얼마나 많이 깨닫게 되는지 모릅니다.

친한 후배가 있었습니다. 공부를 하겠다는 마음은 항상 있는데, 공부할 시기를 놓쳤습니다. 다시 말해서 꼭 공부를 해야 할 시기에 제대로 공부하지 못한 것입니다. 그래서 심지어 고등학교 입시에도 떨어져 야간 고등학교를 갔습니다. 대학입시를 봤는데, 340점 만점에 130점을 맞았습니다. 당시에는 몸만 건강해도 100점을 맞을 수 있었습니다. 필기가 320점 만점이었는데, 다 1번만 찍어도 80점은 나옵니다. 거기다가 체력장 20점을 합치면 100점은 나오는 거죠. 그러니까 130점이 나왔다는 것은 무슨 의미입니까? 아는 것이 아무것도 없었다는 것입니다. 그래서 날마다 그 친구를 놓고 기도했습니다.

"하나님, 지혜를 주십시오, 능력을 주십시오."

기도해도 도저히 믿음이 안 옵니다. 그런데 1년 동안 하나님 앞에서 기도하고 또 하나님 앞에서 말씀대로 순종하면서, 아침과 저녁으로 기도하고 또 밤잠을 줄여가며 열심히 공부를 했습니다. 그런데 정말로 기적이 일어났습니다. 그 다음 번 대학입시가 매우 어렵던 해였습니다. 서울대학교도 커트라인이 낮은 과는 240점이면 붙는 그런 해였습니다. 그런데 이 친구가 무려 230점을 맞았습니다. 그의 속에 믿음이 들어가고 하나님께서 그의 삶 가운데 역사하기 시작하니까 사람을 1년 만에 이렇게 변화시키더란 말입니다.

어떤 분들은 제가 이런 말씀을 증거하면 이렇게 생각할 수도 있을 것입니다.

'어째 하나님 앞에서 영적인 문제를 구해야지, 그렇게 사소한 문제를 구할 수 있느냐?'

본문을 보면 포도주를 만드는 문제가 중요한 문제입니까, 사소한 문제입니까? 죽고 살 문제는 아니었던 것 같습니다. 중요한 문제가 아니었던 것입니다. 어찌 보면 있어도 그만, 없어도 그만인 아주 사소한 문제였습니다. 예수께서는 우리 삶의 이런 사소한 문제까지도 구할 때 들어주십니다. 우리 삶의 작은 부분을 통해서도 하나님의 기적을 맛보게 되길 주님께서도 바라고 계십니다.

제가 알고 있는 어떤 분은 굉장히 경제적으로 안정되게 사시는 분이었습니다. 그런데 갑자기 망했습니다. 친구의 사업을 보증서주다가, 그 보증이 잘못되어서 집까지 날리는 신세가 된 것입니다. 처음에는 대단히 낙심하는 것을 봤습니다. 그런데 이 분이 하나님께 매달리면서 그 위기를 극복합니다. 안 나오던 새벽기도도 한 번도 안 빠지고 나옵니다. 그리고 저녁마다 나와서 부르짖기 시작합니다. 그래서 예수 믿지 않는 사람들도 그 분을 바라보면서 "만약에 저 가정이 일어날 수만 있다면, 진짜 하나님은 살아계신 거야!" 이렇게 말할 정도로 하나님께 모든 삶을 다 걸었습니다. 하나님께 매달리는 인생을 살았던 것입니다.

이렇게 망하고 난 다음, 자기 집의 방 하나를 개조해서 인형가게를 만들었습니다. 보니까 참 답답했습니다. 2평도 안 되는 조그마한 인형가게에서 저 인형 언제 다 팔아서 일어서나 하는 생각이 들었습니다. 그런데 얼마 있다가 보니까 동네에 있는 여자아이들이 다 그 인형가게로 몰려든 것입니다. 다른 동네 아이들까지 그 가게로 간다는 소문이 들립니다.

왜 그런 줄 아십니까? 배추머리라는 당시에 굉장히 못생긴 인형이 있었습니다. 그런데 그 인형이 못생겼음에도 불구하고 서로 좋다고 사갑니다. 그 인형보다 다 잘 생겼으니까 그 인형을 보면 자부심이 생긴다나요. 그 인형의 총판권을 따내게 된 그 집이 금방 일어서게 되었습니다. 그런 다음에 많은 사람들이 "저 가정은 하나님의 은혜로 일어섰다", "아마도 배추머리 인형이 유행된 것은 저 집사님의 기도 때문일 것이다" 이런 식으로 이야기했다는 것입니다.

조르기의 힘?

하나님은 인격체입니다. 인격체라는 것은 무엇입니까? 반응이 있다는 것입니다. 사람에게 가서 사정을 하면 들어줍니다. 울고 부르짖으면 들어줍니다. 그것을 인격체라고 합니다. 그러므로 하나님께서는 매달리면 잘 들어주십니다. 조르면 잘 들어주신다는 말입니다. 우리는 너무 영광의 신앙에 매혹되어 있어서 하나님 앞에서 올바른 것, 너무 큰 것, 합당한 것만 구하려고 생각합니다. 그러나 인간 사회가 어디 그렇습니까? 우리의 아쉬운 것, 부족한 것, 그리고 어떻게 보면 바르지 못한 것일지라도 주님 앞에 부르짖으면 우리 주님께서 그것을 귀중히 여기십니다.

모세가 하나님 앞에서 귀중하게 쓰임받았던 이유가 무엇입니까? 모세가 한평생 한 일이 무엇입니까? 하나님께 조르는 것이었습니다. 이스라엘 백성이 범죄해서 하나님께서 "내가 멸하겠다" 그러면 "하나님, 한 번만 봐주시지요. 한 번만 넘겨주시지요. 내 이름을 생명책에서 지운다 할지라도 이 백성 한 번만 더 용서해주십시오" 그럴 때 하나님께서 마음을 돌이키셨습니다. 하나님의 마음을 돌이키게 만드는 자가 바로 모세였습니다.

누가복음 18장에 보니까 불의한 재판장과 과부 이야기가 나옵니다. 과부가 날마다 가서 부르짖고 외치니까 그 불의한 재판장이 귀찮아서 그것을 들어주더라는 것입니다. 그런데 하물며 하나님께서 안 들어주시겠느냐고 합니다. 좀 조르라는 것입니다. 매달리라는 것입니다.

또 아브라함은 어떤 사람이었습니까? 소돔과 고모라가 망한다고 하니까 "하나님, 의인 50명만 있으면 봐주시겠습니까? 45명, 40명, 30명, 20명, 10명만 있으면 남겨주시겠습니까?" 무엇을 하는 것입니까? 조르는 것입니다. 하나님 앞에서 우리가 간절하게 부르짖고, 살려달라고 외치게 될 때 하나님께서 그 기도를 귀중히 여기십니다. 그러므로 어떤 사람이 기적을 맛볼 수 있습니까? 하나님께 붙들린 바 된 사람, 하나님께 매달리는 사람만이 진정으로 기적을 맛볼 수 있습니다.

그러므로 교회는 야구장에 야구를 보러 가듯이 놀러가는 곳이 아닙니다. 안 되는 사람이 와서 되어가지고 돌아가는 곳, 그것이 바로 교회입니다. 마음이 괴롭던 사람들이 와서 마음의 평안을 얻고 돌아가는 곳, 그것이 바로 교회입니다. 교회는 묵상하러 오는 곳이 아닙니다. 절간이 아니라는 말입니다. 교회는 누구든지 오면 기적을 체험하는 곳입니다. 병든 자가 오면 병이 낫게 되고, 안 되던 가정이 오면 되게 되고, 불순종하던 자녀가 순종하는 자녀로 변화받고 돌아가는 곳이 바로 교회입니다.

요한복음 2장 2절에 보니까 "예수와 그 제자들도 혼인에 청함을 받았더니"라고 기록되어 있습니다. 이 가정은 예수님을 초청했습니다. 예수님을 초청해야만 기적이 나타납니다. 우리들 모두에게 예수님을 초청하는 모습이 있어야 합니다. 기도로 우리 가정 가운데 예수님을 초청하고, 또 믿음으로 우리 교회 가운데 예수님을 초청하고, 우리의 걸어가는 모든 발걸음 가운데 예수님을 초청하면 기적이 나타납니다. 그래서 순간마다, 그리고 발걸음마다 예수님의 초청과 임재로 말미암아 기적을 맛보는 성도가 되기 바랍니다. 그래서 우리의 잔치에, 우리의 사업에, 우리의 가정에, 우리의 자녀 문제에 또 우리의 결혼 문제에, 하루하루 걸어가는 발걸음 가운데 "예수님, 우리를 도와주세요"라고 기도해야 합니다. 그러면 전능하신 하나님께서 임재하셔서, 우리가 어디를 가든지, 무슨 일을 하든지 항상 예수님이 돕는 기적을 맛보게 될 것입니다.

사인(sign)을 보라

요한복음 2장 11절을 보니까 "예수께서 이 처음 표적을 갈릴리 가나에서 행하여 그 영광을 나타내시매"라고 되어 있습니다. 이 기적을 요한은 무엇이라고 표현했느냐 하면 '표적'이라고 했습니다. 다른 복음서는 기적을 이적이라고 했고, 능력이라고 했고, 또 권능이라고 말했습니다. 그런데 유독 요한복음만은 기적을 표적이라고 말했습니다. 영어성경을 보면 알겠지만, 표적이라는 것은 sign입니다. 무슨 뜻입니까? 표증이라는 것입니다. 어떤 표시라는 것입니다. 우리가 결혼을 할 때 무엇을 줍니까? 반지를 끼워줍니다. 반지는 무슨 표시입니까? 검은 머리가 파뿌리 되도록 헤어지지 않겠다고 하는 결혼 약속의 표증입니다.

지금은 그런 사람이 별로 없지만, 과거에는 남녀가 헤어질 때 손수건을 선물해주었습니다. 그래서 잘 사귀다가 여자가 손수건을 선물로 주면, '아, 이제 헤어지자는 이야기구나' 그러면서 눈물 짓고 하는 경우가 있었습니다. 제 친구 중에 손수건을 열 장도 더 받은 친구가 있습니다. 손수건 장사를 해도 되겠다고 생각한 친구가 있었습니다. 그러면 손수건의 의미는 무엇입니까? 헤어지면서 눈물을 닦으라는 의미입니다. 그것이 무엇입니까? 표적(sign)이라는 것입니다.

마찬가지로 여기에 나오는 이적은 그 사건 안에 겉으로 드러난 의미만 있는 것이 아니라 그것이 보여주고자 하는 숨은 의미가 있다는 것입니다. 요한복음에 보면 여러 가지 상징들이 나옵니다. 모든 성경을 상징적으로 해석하는 것은 옳지 않습니다. 그러나 무조건 문법적인 해석을 해야 된다고 해서 모든 성경의 상징을 무시하는 것도 옳은 방법은 아닙니다. 성경에서 상징으로 해석해야 하는 것은 상징으로 볼 수 있는 눈이 열려야 합니다.

예수님에 대한 무지

요한복음과 요한계시록은 분명히 여러 가지 상징들이 등장합니다. 그래서 요한복음을 보면 광야에서 들었던 놋뱀이 누구라고 합니까? "예수님이다", "예수님의 십자가를 상징한다"는 식의 해석이 나옵니다. 요한계시록을 보면 성전에 금촛대가 있습니다. 그것이 무엇을 상징합니까? "교회를 상징한다"는 것입니다. 분명히 상징이 있습니다. 그러므로 이 상징을 통해서 우리에게 보여주고자 하는 메시지를 얻어야 합니다. 분명히 본문 말씀에 있는 이 예언과 이적을 통해서 하나님이 보여주시고자 하는 내용이 있습니다. 그 내용이 무엇입니까? 바로 유대 교회의 실패입니다. 요한복음 1장에서 두드러지게 나타나는 것은 유대 교회의 실패입니다.

우리가 앞에서 살핀 것과 마찬가지로 유대와 예루살렘의 제사장들과 레위인들이 요한에게 와서 "네가 누구냐?"고 물었습니다. 이것은 무엇을 뜻합니까? 유대 교회의 영적 무지를 보여주고 있습니다. 그렇게 하나님께서 여러 번 사인(sign)을 보내주셨음에도 불구하고 유대인들은 알지 못했습니다. 세례 요한이 하나님이 보내신 선지자라는 것을 알지 못했습니다. '무지하다'는 뜻입니다. 1장 26절에 보니까 "너희 가운데 너희가 알지 못하는 한 사람이 섰으니"라고 했습니다. 예수님을 알아보지 못하는 것에 대한 세례 요한의 책망입니다. 또 11절에 보니까 "자기 땅에 오매 자기 백성이 영접지 아니하였으나"라고 합니다. 비통함을 가지고 세례 요한이 고백합니다.

"너희들은 영적으로 전혀 모르고 있구나."

구약의 모든 말씀이 예수님을 가리킴에도 불구하고 제사장들과 서기관은 그 사실을 모르더라는 사실을 우리에게 보여주고 있습니다. 즉, 유대교는 생명이 전혀 없는 유명무실한 빈 껍데기에 불과하다는 사실을 선포하고 있습니다. 사도행전 8장에 보면 에디오피아 내시가 예루살렘에 예배하러 왔습니다. 어떤 마음으로 왔겠습니까? 갈급한 심정으로, '어떻게 하면 흡족한 은혜를 받고 돌아갈 수 있을까?' 하는 그런 마음으로 예루살렘까지 왔습니다. 그런데 만족을 얻었습니까? 얻지 못하고 돌아갑니다. 예배하러 예루살렘에 왔다가 돌아가는데, 그에게 만족이 없었습니다. 유대교는 만족을 주지 못하는 그런 종교였습니다. 영혼의 갈급함을 채워주지 못하는 실패한 종교였습니다. 성경은 에디오피아 내시가 그냥 돌아갔다고 묘사하고 있습니다.

오직 예수만으로 채워짐

본문에서 포도주가 상징하는 것이 무엇입니까? 포도주는 항상 기쁨을 상징하고 있습니다. 시편 104편 15절을 보니까 "사람의 마음을 기쁘게 하는 포도주"라고 했습니다. 유대교는 아직 신앙의 제도로서는 존재하고 있었지만, 더 이상 사람의 마음에 위로를 줄 수 없는 종교가 되었고, 냉랭하고 기계적인 종교로 전락해버렸습니다. 그래서 하나님 안에서 누리는 기쁨을 전혀 누리지 못했습니다.

본문에서 우리가 또 하나 눈여겨볼 것이 무엇입니까? 항아리가 비어 있었다는 것입니다. 이스라엘의 의식(儀式) 중에 정결케 하는 결례 의식이 있었는데, 결례 의식을 위한 항아리가 텅텅 비어 있었습니다. 그 이스라엘의 결례 의식을 가지고는 그들의 죄악을 씻을 가능성이 전혀 없었고, 기쁨도 사라지고 정결케 하는 능력도 사라졌다는 것입니다.

그런데 어떻게 하면 이것을 채울 수 있습니까? 성경이 가르쳐주는 것은 무엇입니까? 항아리가 비어 있는 현장에 계신 그리스도를 주목하게 만든다는 것입니다. 유대교가 할 수 없었던 이 모든 일들을 "그리스도께서 하셨다"는 것입니다. 예수를 증거하면 만족이 있고, 기쁨이 있으며 풍성함이 있다는 것을 보여주고 있습니다.

다시 사도행전 8장을 보면, 실망하고 돌아가는 에디오피아 내시가 있었습니다. 그에게 만족을 주었던 것이 무엇입니까? 빌립 집사가 가서 입을 열어 이사야서로 시작해서 예수를 가르쳐 복음을 전했더니, 그의 마음 가운데 만족이 생겨 구원에 이르렀고, 능력이 임하게 되었습니다. 결국 에디오피아 내시는 그 자리에서 세례까지 받는 놀라운 역사가 일어난 것이 아니겠습니까? "예수께서 우리를 살린다"는 뜻입니다.

경건의 모양만 있고 경건의 능력을 부인하는 이 시대에 우리는 어떻게 하면 됩니까? 예수만 증거하면 됩니다. 예수님에 대한 능력이 사라지는 이유가 무엇입니까? 복음을 증거하지 않으니까 결국은 교회가 바짝바짝 말라가더라는 사실입니다. 1960년대 이후에 미국교회들이 하나 둘씩 문을 닫기 시작했습니다. 그런데 유독 교인수가 더 많이 모이는 교단이 하나 있는데 그것은 침례교입니다. 그들은 모이기만 하면 예수님을 증거합니다. 모이기만 하면 예수님의 십자가를 증거합니다. 그들이 복음에 최우선순위를 두니까 하나님께서 그들에게 부흥을 주셨습니다. 이 마지막 시대에 우리가 살 수 있는 유일한 길은 무엇입니까? 바로 예수님의 복음을 증거하고, 예수님을 붙드는 것입니다.

헌신의 위력

우리는 국민소득이 1만불을 육박하는 시대에 살고 있습니다. 이렇게 소득이 향상되었다는 것은 우리 삶에 근본적인 변화가 있다는 것을 뜻합니다. 이제까지 대학교 들어가려고 코피 터지게 공부했습니다. 그래서 재수생 문제, 삼수생 문제가 있지 않았습니까? 이제 5년 내로 뒤바뀝니다. 학생이 학교를 찾는 시대는 지나고 학교가 학생을 찾아다닐 때가 올 것입니다. 벌써 조짐이 보이지요. 최근 대학 입시의 실질적인 경쟁률은 2대 1이 채 안 된다고 하지 않습니까? 마음만 먹으면 웬만한 학교는 다 갈 수 있습니다. 내년에는 더 쉽고 그 다음 해에는 더 쉽습니다. 아마도 5년쯤 지나고 난 다음에는 한 사람이 5개 대학에 다 붙어서 어디로 갈까 고민하게 될 것입니다. 그리고 학교에 학생들이 없어서 텅텅 비었다는 소리가 나오게 될 것이고, 아마도 폐교하는 학교도 속출하게 될 것입니다. 이것이 소득 1만불 시대 이후에 벌어지는 일들입니다.

토요일은 거의 다 놀게 될 것입니다. 지금 우리가 서울랜드에 놀러간다는 이야기만큼이나 "이번 주말에는 사이판에 간다", "다음 주말에는 하와이!" 하는 이야기를 듣게 될 것입니다. 이제는 편지를 쓰는 대신에 e-mail로 편지를 주고받고 있습니다.

이렇게 급변하는 시대에, 교회가 하나님 앞에서 능력을 유지하는 길이 무엇입니까? 바로 예수님의 능력과 기적을 믿고 주님만을 증거하는 교회가 되어야 합니다. 그러한 교회만이 살아남을 수 있기 때문입니다. 무엇보다도 시대의 정신을 파악하여 그리스도의 피만을 증거하고 왕성하게 외칠 수 있는 하나님 백성이 되어야 할 것입니다. 그래서 우리 마음 가운데 있는 모든 우상들이 무너지고, 실체 없는 유대교에 빠져 있던 이스라엘 백성과 같은 모습에서 벗어나 다시 그리스도의 보혈로 말미암아 살아나는 역사가 일어나야 할 것입니다.

그런데 하나님께서는 이 살리는 일을 하실 때 인간을 도구로 사용하십니다. 물로 포도주를 만드는 기적은 분명히 예수님이 일으키셨습니다. 그런데 겉으로 볼 때는 하인들이 한 것으로 보입니다. 누가 항아리에 물을 채웠습니까? 하인들이었습니다. 누가 그 물을 떴습니까? 하인들이었습니다. 그리고 누가 연회장에 갖다주었습니까? 하인들이었습니다. 예수님이 한 것이 있습니까? 아무것도 없습니다. 예수님은 그냥 앉아서 말씀만 하셨습니다.

"이렇게 하라."

그렇지만 그들의 순종이 하나님의 이적을 드러냈습니다.

하나님께서는 항상 인간을 도구로 사용하셔서 기적을 일으키십니다. 기적이 나타나기 위해선 사람들의 믿음과 순종이 있어야만 합니다. 예수님이 오병이어 기적을 일으킬 때 어떻게 하셨습니까? 우리 생각 같으면 구약에서처럼 하늘에서 만나를 내리시고 먹이면 많은 사람들이 먹고 얼마나 좋아했겠습니까? 그렇게 했으면 좋을 텐데 주님은 그렇게 하지 않으셨습니다. 어린 소년의 보리떡 다섯 개와 물고기 두 마리를 가지고 이적을 행하셨습니다.

헌신이 필요합니다. 희생이 필요합니다. 그러므로 감나무 밑에 앉아서 감이 떨어지기를 바라는 것은 성도의 자세가 아닙니다. 우리의 충성이 있어야 하고 움직임이 있어야만 하나님의 이적이 나타납니다. 그래서 하나님의 이적이 나타날 때 보면 항상 누군가의 희생이 있습니다. 누군가의 고귀한 충성과 순종이 있을 때 그것을 통해서 하나님이 역사하십니다.

의미파악보다는 순종이 먼저

요한복음 11장을 보면 나사로를 살린 사건이 나옵니다. 이 나사로를 살린 사건을 보면 참으로 재미있습니다. 예수께서 죽은 사람을 살리셨으니까 이것은 굉장한 이적입니다. 무덤 앞에 가서 "나사로야 나와라" 그러면 나사로가 "나 수퍼맨" 하고 나오면 참 좋겠는데 어떻게 했습니까? 천둥치고 번개가 번쩍이고 지진이 일어나서 돌문이 다 깨지는 극적인 모습이 아니었습니다.

예수님이 가셔서 제일 먼저 하신 명령이 무엇입니까? 사람들에게 그 무덤을 막아놓았던 돌을 옮기라고 하셨습니다. 그때는 큰 돌로 무덤을 막아놓았습니다. 여러 사람이 끙끙대면서 그 돌을 옮겼습니다. 잘 보세요. 죽은 지 나흘이 다 되어서 몸이 썩기 시작한 나사로였습니다. 냄새가 난다고 했습니다. 그런데 냄새가 나는 나사로의 무덤에 가서 돌을 옮기라는 말씀은 지금 시대로 말하면 무슨 이야기입니까? 사람이 죽어 이미 시체를 관에 넣고 땅에 묻었는데 그 묻었던 것을 다시 파내라는 것입니다. 그러면 웬만해가지고서야 다시 파고 싶겠습니까? 그 관을 다시 열고 싶겠습니까?

여기서 돌을 옮기는 것 자체에 그 사람들의 믿음이 있는 것입니다. 그리고 예수님이 하신 말씀에 대한 순종함이 있는 것입니다. 그랬더니 죽은 나사로가 살아나는 역사가 나타났습니다. 다시 말해 우리에게 예수님의 말씀대로 행하는 작은 순종이 있어야만 하나님께서 능력으로 역사하십니다. 보다시피 이 사람들의 순종이 나사로를 살렸고, 어린 소년의 순종이 장정만 5천 명을 먹이고 열두 광주리가 남는 오병이어의 이적을 일으킬 수 있었던 것입니다.

우리가 강원도 오지에 가서 사영리를 가지고 복음증거하는 것, 어떻게 보면 굉장히 어리석게 보이지 않습니까? 한 심령이 열다섯 장 분량밖에 안 되는 그 소책자로 변화를 받는다는 것이 도대체 가당키나 한 일입니까? 그렇지만 사영리를 들었기 때문에 변화되는 것이 아니라 그 작은 것을 통하여 하나님이 일하시기 때문에 변화가 가능한 것입니다. 그래서 무엇이라고 합니까? 하나님은 전도의 미련한 것으로 믿지 않는 자들을 구원하기 원하신다고 했습니다. 지금도 그렇습니다.

"너는 죄인이다."

"예수님이 우리 죄를 위해서 십자가에서 죽으셨다."

"예수님을 믿으면 산다."

단순한 이야기지 않습니까? 그런데 그 말씀을 누가 사용합니까? 예수님이 사용하시니까 그 심령이 변화되더라는 것입니다.

우리는 물만 떠다주었을 뿐입니다. 그 물을 포도주로 변화시킨 것은 예수님이셨습니다. 우리는 물을 떠다주는 행동을 하찮게 생각할 수 있습니다. 그러나 우리는 그런 순종의 행동 속에서 역사하시는 그 숨은 손길을 바라볼 수 있어야 합니다. 그것이 바로 하나님의 백성들의 기적의 역사입니다. 기적은 누구에게 있습니까? 순종하는 자에게 있습니다.

어렸을 적에 할아버지께서 많이 들려주시던 이야기가 있습니다. 지독한 구두쇠 부자 영감 이야기입니다. 이 영감님은 지독한 구두쇠로 소문났습니다. 그런데 그 구두쇠 영감님이 회갑을 맞게 되었습니다. 그래서 그 종들이 '회갑 날이니까 오늘 하루는 잘 먹고 잘 쉴 수 있겠지' 하고 다들 기대를 잔뜩 했더랍니다. 그런데 이 지독한 영감님은 그 날조차 쉬지 못하게 하면서 종들에게 새끼를 꼬라고 합니다. 그것도 가늘고 길게 말입니다. 그러자 종들이 투덜댑니다.

"오늘 같은 날 무슨 새끼를 꼬냐."

그런데 유독 한 사람만은 그 새끼를 가늘고 길게 꼬라는 말에 순종했다고 합니다. 잔치가 다 끝난 그날 저녁에 이 구두쇠 영감님이 뭐라고 한 줄 아십니까?

"너희들이 꼰 새끼를 가지고 오너라. 그리고 거기다가 너희가 끼울 수 있을 만큼 엽전을 가득 끼워 가지고 가서 독립하여 자유롭게 살아라."

새끼를 제대로 안 꼰 사람들은 엽전을 열 개나 끼웠겠습니까? 그리고 새끼줄을 허리통만큼 굵게 꼰 사람들은 엽전이 들어갔겠습니까? 겨우 엽전 하나 올리고 나왔겠지요. 그런데 이유는 모르지만 그대로 순종하여 가늘고 길게 꼬았던 그 사람은 많은 엽전을 끼워가지고 나가서 자유롭게 잘 살았다는 이야기입니다. 그러니까 "할아버지 말씀에 잘 순종하거라" 하는 그런 이야기였습니다.

그런데 이런 이야기에서 우리가 배우는 것이 있습니다. 하나님도 마찬가지라는 것입니다. 뜻은 나중에 알면 됩니다. 순종하면 뜻은 나중에 알게 된다는 것입니다. 주님께서도 우리에게 똑같은 것을 원하십니다. 무엇 때문에 그런 일이 벌어지는지는 모릅니다. 그러나 그대로 순종할 때에 나중에 깨닫게 되는 것입니다. 나중에 우리에게 유익한 것이 임하게 되더라는 사실입니다.

항아리에는 지금 물이 가득 들어 있습니다. 그 물이 있어도 많은 사람들의 갈증을 풀어줄 수 없습니다. 어떻게 해야 풀어줄 수 있습니까? 목마른 사람들에게 퍼서 나누어주어야 합니다. 이미 예수께서는 항아리 가득, 물을 포도주로 변화시켜놓았습니다. 이제 우리에게 무엇을 원하십니까? "너희들이 퍼서 나누어줘라. 너희들이 나누어주게 될 때 그 말씀이 속에 들어가서 생명을 변화시키는 역사가 나타나게 될 것이다"라고 말씀하고 계십니다.

그러므로 우리 모든 성도, 믿음의 종들은 무엇을 해야 합니까? 주님이 이미 이루어놓으신 이 이적의 역사를 가지고 나누어주는 자들이 되어야 합니다. 이 하인처럼 순종할 때 우리를 통해서 많은 사람들의 심령을 변화시키는 은혜의 역사가 나타나게 될 것입니다.

많은 영혼을 살리고 또 많은 자들에게 물로 포도주를 만드는 역사를 보여줄 수 있는 기적의 도구가 되기 바랍니다.

씨앗이 잘 자라야

요한복음 2장 10절을 보겠습니다.

"말하되 사람마다 먼저 좋은 포도주를 내고 취한 후에 낮은 것을 내거늘 그대는 지금까지 좋은 포도주를 두었도다 하니라."

하나님은 언제나 마지막을 위해서 가장 좋은 것을 남겨두십니다. 이것이 하나님나라와 세상나라의 차이점입니다. 세상나라는 좋은 것으로 시작해서 나쁜 것으로 끝이 납니다. 반면에 하나님나라는 좋은 것으로 시작해서 마지막에는 그 좋은 것에서 더 좋은 것으로 끝이 난다는 사실입니다.

죄와 관련된 것이 얼른 보기에는 좋게 보입니다. 예를 들어 술 마시는 것을 한번 생각해봅시다. 저는 목사인데도 술잔에 담긴 술이 그렇게 아름다워보일 수가 없습니다. 그런데 아름다운 여자가 그 아름답게 보이는 술을 한 잔 두 잔 마시다보면 취하게 되고 완전히 다른 모습을 하게 됩니다. 머리가 헝클어지고 결국 자세가 흐트러져 추한 모습을 보이고 맙니다. 남자들도 처음에는 넥타이 매고 점잖게 마시지 않습니까? 그런데 나중에는 어떻게 됩니까? 코가 삐뚤어지게 마시고는 토하여 옷에 다 묻고 나중에는 난지도에 갖다버리고 싶은 인생으로까지 전락하기도 합니다.

> "재앙이 뉘게 있느뇨 근심이 뉘게 있느뇨 분쟁이 뉘게 있느뇨 원망이 뉘게 있느뇨 까닭 없는 창상이 뉘게 있느뇨 붉은 눈이 뉘게 있느뇨 술에 잠긴 자에게 있고 혼합한 술을 구하러 다니는 자에게 있느니라 포도주는 붉고 잔에서 번쩍이며 순하게 내려가나니 너는 그것을 보지도 말지어다 이것이 마침내 뱀같이 물 것이요 독사같이 쏠 것이며"(잠 23:29-32).

처음에는 술이 아름답다고 합니다. 번쩍번쩍하다는 것입니다. 그런데 그것이 나중에 무엇이 된다고 합니까? 뱀이 되고 독사가 될 거라고 합니다. 죄는 언제나 마지막까지 가장 나쁜 것을 남겨둡니다. 혹시나 하나님의 말씀을 떠나서 죄에 빠져 있습니까? 그렇다면 그 사람의 미래는 지금보다 훨씬 더 고통스러울 것입니다. 지금이 그 사람 인생의 전성기입니다. 범죄한 백성은 지금이 전성기입니다. 그러나 시간이 가면 갈수록 비참한 인생이 될 것입니다. 마지막은 멸망이요 사망이 될 것입니다.

지금 하나님과 동행하고 계십니까? 어려운 위치에 놓였다 할지라도 하나님 앞에서 무릎꿇고 하나님의 능력을 구하고 계십니까? 그렇다면 그 사람의 미래는 영광스러울 것입니다. 더 좋은 것은 아직 오지 않았습니다. 시간이 가면 갈수록 더 많은 것들을 누리게 될 것입니다. 이것이 하나님의 백성들의 모습입니다. 우리에겐 소망이 있습니다. 미래에 대한 꿈이 있고 능력이 있습니다. 소망은 씨앗과 같습니다. 씨앗을 보고 "야, 참 아름답다" 하고 감탄하는 사람이 있습니까? 씨앗은 보아봤자 별 것 아닙니다. 그래서 과일은 먹고 씨는 버리잖아요. 씨는 아름답지 않습니다. 씨를 처음에 땅에 뿌리면 곧 뿌리가 납니다. 뿌리도 아름답지 않습니다. 뿌리를 보고 아름답다고 말하는 사람은 드뭅니다.

그러나 우리는 작고 연약한 씨나 흙이 더덕더덕 붙은 뿌리 정도로 판단해서는 안 됩니다. 씨앗 속에서 우리는 무엇을 보아야 합니까? 아직 피지 않은 아름다운 꽃을 봐야 합니다. 꽃을 바라보는 마음, 이것이 성도의 마음입니다. 씨를 뿌리면서 우리의 마음은 어디로 향해야 합니까? 이제 꽃을 바라보아야 합니다. 그리고 열매를 바라보아야 합니다. 뿌린 것들이 아름다운 꽃을 피우고, 열매를 맺게 되는 모습이 바로 성도의 모습입니다. 그러므로 예수 잘 믿는 사람들, 예수 앞에 무릎꿇고 나가는 사람들은 마지막에 가서 다 역전됩니다.

역전의 신앙

얼마 전에 대구에 가서 복음을 증거할 기회가 있었습니다. 대구에 가서 하룻밤을 잤는데, 제가 잘 아는 목사님 댁에 가서 잤습니다. 목사님의 사모님이 저하고 같이 자란 교회의 누님이셨습니다. 지금 그 목사님이 열심히 사역하셔서 500명 정도 되던 교회를 1,000명으로 부흥시켜 놓았습니다. 인근 지역에서 영향력을 많이 미치는 그런 교회가 되었습니다.

그런데 그 사모님을 보니까 옛날 생각이 났습니다. 이 분은 미인이 아니었습니다. 평범한 얼굴보다 어쩌면 못한 편에 속한 얼굴이었습니다. 목사님은 그 대신 무척 잘 생긴 분이었습니다. 굉장히 미남이고 아주 쾌활한 분이었습니다. 이 사모님은 어떤 분이셨는가 하면, 교회의 일이라면 솔선하여 봉사하는 성실한 분이셨습니다. 그런데 이 분이 서른둘이 될 때까지 결혼을 못했습니다. 결혼을 못하여 낙심한 가운데서도 날마다 교회에 와서 기도했습니다. 그러던 중 서른두 살이 되던 해에 이 목사님이 누님께 청혼을 했습니다. 그래서 이 누님과 결혼을 하게 되었는데, 우리 교회 사람들은 모두 깜짝 놀랐습니다. 왜냐하면 이 목사님은 모든 자매들에게 굉장히 인기 있던 분이었기 때문입니다. 많은 처녀들이 좋아하던 목사님이셨는데, 왜 하필 이 누님에게 청혼을 하셨는지 그 당시에는 의문이었습니다.

어쨌든 두 분은 결혼하고 미국으로 이민을 가서 8년간 살다가, 그곳으로 부임해오면서 놀라운 부흥을 일으킨 것입니다. 그런데 제가 이 누님을 보니까 지금은 그렇게 아름다울 수가 없습니다. 제가 지금까지 본 사모님들 중에 그렇게 교양미가 넘치고 고귀한 분이 없었던 것 같습니다. 정말 학처럼 우아하게 보였습니다.

같은 동년배의 또 다른 자매도 기억납니다. 그 사모님이 미국에 갔이 있다 왔기 때문에 이야기를 전해 들을 수 있었습니다. 그 자매는 몸만 가꾸는 자매였습니다. 시집도 스물 여섯에 갔습니다. 남편은 박사 학위를 받은 사람이었습니다. 그런데 얼마 전에 소식을 들었는데, 그 남편이 미국에서 도박을 하다가 가산을 탕진하고, 지금은 감옥에 들어가 있다고 합니다. 그래서 이혼을 할까말까 하며 이혼 직전까지 갔다고 합니다.

한 사람은 화려한 결혼식으로 시작했고 한 사람은 간신히 수렁에서 건진 딸처럼 시작했는데, 시간이 지나니까 어떤 일이 벌어집니까? 역전이 되어버립니다. 지금은 비교할 수가 없습니다. 완전히 다른 모습이 되었습니다. 겉사람으로 보면 화려하고 대단히 똑똑한 사람이 있습니다. 그러나 10년만 지나보십시오. 모든 것이 뒤바뀝니다. 우리 믿는 사람들은 그것을 볼 줄 알아야 합니다.

저는 지금도 한나의 기도를 참 좋아합니다.

"여호와는 죽이기도 하시고 살리기도 하시며 음부에 내리게도 하시고 올리기도 하시는도다 여호와는 가난하게도 하시고 부하게도 하시며 낮추기도 하시고 높이기도 하시는도다 가난한 자를 진토에서 일으키시며 빈핍한 자를 거름더미에서 드사 귀족들과 함께 앉게 하시며 영광의 위를 차지하게 하시는도다"(삼상 2:6-8).

한나가 아들을 낳고 난 다음에 했던 찬양이 무엇입니까? 다 뒤바뀐다는 것입니다. 주님 앞에 나아가면 다 뒤바뀐다는 것입니다. 천국은 다 뒤바뀌는 곳입니다. 키 작은 사람들 걱정하지 마십시오. 천국에 가면 키꺽다리가 됩니다. 여기서 가난한 사람들은 다 부자가 됩니다. 그리고 저처럼 눈 작다고 설움당하던 사람들은 천국에 가면 왕눈이가 되고, 저처럼 머리카락 없다고 대머리 소리 듣던 사람들은 천국 가면 머리가 무성해져서 머리 감기 바쁜 사람이 됩니다. 그리고 나사로 같은 거지는 무엇이 됩니까? 아브라함 품에 안겨서 부자를 동정하는 위치에 있게 되는 것입니다.

그러므로 예수 믿는 사람들은 절망할 수 없습니다. 모든 것을 뒤집으시는 하나님의 능력을 바라보시고, 하나님의 은혜 가운데 나아가는 하나님의 백성이 되기 바랍니다.

ID 153 패스워드

패스워드1. 사소한 간구에도 크게 응답하시는 하나님의 기적을 맛보라.

하나님 앞에 올바른 것, 너무 큰 것, 합당한 것만 구하려는 것이 좋은 믿음은 아니다. 영적인 것만 구해야 응답하시는 것도 아니다. 우리의 아쉬운 것, 부족한 것을 있는 그대로 내어놓고 소박하게 간구하라. 하나님은 삶의 작은 부분들을 통해서도 믿음의 기적을 맛보게 하신다.

패스워드2. 하나님의 기적의 재료는 사람의 순종과 희생이다.

기적을 일으키시는 분은 오직 하나님 한 분이시다. 그러나 그분은 항상 인간을 도구로 사용하여 기적을 일으키신다. 기적이 나타나기 위해서는 사람의 믿음과 순종, 희생이 있어야 한다. 감나무 밑에 앉아 감이 떨어지기만 기다리는 것은 성도의 자세가 아니다.

패스워드3. 하나님의 뜻은 순종하고 나면 나중에 알게 된다.

먼저 이것저것 다 따져서는 순종할 수 없다. 뜻은 나중에 알게 된다. 하나님의 뜻은 우리에게 유익을 주고 평안을 주는 것이다. 성도에게는 소망이 있고 미래에 대한 꿈이 있다. 시간이 지나고 나면 찬양이 절로 나는 역전의 삶이 펼쳐질 것이다.

코람데오(Coram Deo) 자기점검

1. 기복과 기복주의는 다르다. 하나님 앞에 복을 구하는 것은 부끄러운 일이 아니다. 당신은 일상의 삶에서 부대끼는 모든 걱정, 근심거리들을 하나님 앞에 토하듯 다 내어놓고 있는가? "백성들아 시시로 저를 의지하고 그 앞에 마음을 토하라"(시 62:8).

2. 하나님은 공간을 초월하여 기적을 일으키시고, 시간을 초월하여 예언하신다. 그리스도인은 그 전지전능하신 하나님을 친아버지로 모신 사람들이다. 당신은 참으로 그분의 자녀인가? 그렇다면 참으로 그분의 기적을 맛보고 사는가?

3. 무정란에서 병아리의 탄생을 기대할 수는 없다. 당신은 진실한 기도와 함께 순종과 헌신의 씨앗을 부지런히 심고 있는가?

7장

근본적인 변화가 필요한 곳

2부 세상을 변화시키는 믿음

요 2:12-25

우리 교회가 이 사회에 줄 수 있는 최고의 선물은 무엇입니까? 교회의 능력을 회복하는 일입니다. 교회가 교회다워지는 일입니다. 예수께서 우리에게 말씀하셨던 그대로 순종하고 선포하게 될 때, 비로소 성령의 능력을 회복하고 다시금 많은 영혼들을 살릴 수 있는 모습으로 변화받게 될 것입니다.

영적 119

모든 연장에는 각각의 역할이 있습니다. 망치로 나무를 자를 수 없고 톱으로 못을 박을 수 없습니다. 시계는 시간을 가리키고 자동차는 사람을 태웁니다. 아무리 작은 연장이라고 할지라도 특별한 역할이 있습니다. 마찬가지로 하나님께서는 특별한 목적을 위하여 교회를 세우셨습니다. 즉, 교회의 역할과 목적이 있습니다. 그렇다면 교회의 역할과 목적이 무엇입니까? 성도를 양육하고 훈련하며 성도가 모여서 예배하는 것이 목적이 될 수 있습니다. 그러나 하나님께서 교회를 세우신 가장 근본적인 목적은 영혼 구원의 센터가 되라는 것입니다. 그러므로 영혼 구원을 잘하는 것이 올바른 교회의 모습입니다.

사도행전 2장을 보면, 오순절에 성령의 충만함을 입은 베드로가 예루살렘 사람들에게 말씀을 증거했습니다. 말씀을 듣고 3천 명이 회개를 했습니다. 이것이 예루살렘교회의 시작입니다. 영혼 구원으로부터 교회가 시작되었습니다. 이렇게 변화받았던 사람들이 어떻게 했습니까?

나가서 전도하기 시작했습니다. 그럴 때마다 교회가 확장됩니다. 핍박받던 성도들이 안디옥에 모여서 교회를 세웠습니다. 이 안디옥 교회가 제일 먼저 한 일이 무엇입니까? 바울과 바나바를 선교사로 세워서 복음을 전하게 한 것입니다. 영혼을 구하도록 만들었습니다. 이것이 바로 교회의 사명입니다.

그러므로 복음전도는 교회의 가장 중요한 사명입니다. 참된 교회의 모습을 보여줄 수 있는 지표가 되기 때문입니다. 사람이 살았는지 죽었는지를 알려면 심장이 뛰는 여부를 보면 알 수 있듯이 교회의 생명력도 전도를 하고 있는가에 의해서 알 수 있습니다. 왜 그렇습니까? 생명이 생명을 살릴 수 있기 때문입니다. 산 자만이 영혼을 살릴 수 있기 때문입니다. 그런데 이 복음전도는 한가하게 할 수 있는 것이 아닙니다. 너무 많은 사람들이 복음전도를 위한 계획만을 세우고 있습니다. 너무 많은 교회들이 훈련을 받아야만 효과적으로 영혼을 구원할 수 있다고 말합니다. 그러면서도 움직이지 않습니다. 그들의 말 가운데 틀린 것은 아무것도 없습니다.

그런데 결정적인 것은 무엇이냐 하면, 긴급을 요하는 일들에 대해서는 너무 신중하게 처리한다는 것입니다. 생명을 살리는 문제를 너무 한가하게 대처해서는 안 됩니다. 왜 그렇습니까? 생명이 걸려 있기 때문입니다. 물에 빠져 죽어가는 사람이 있는데, 그 사람에게 "이틀 후에 봅시다"라고 한다면, 그건 죽으라는 이야기입니다. 빨리 들어가서 건져내는 시급성, 긴급성이 바로 복음증거의 핵심입니다.

도로가 아무리 복잡하고 자동차가 많아도 소방차가 지나가면 길을 비켜줍니다. 아무리 교통 체증이 심해도 구급차가 지나가면 다 비켜줍니다. 왜 그렇습니까? 부딪쳐봐야 승산이 없기 때문에 그렇습니까? 사이렌 소리가 시끄러워서 그렇습니까? 아닙니다. 생명이 걸린 일이기 때문에 비켜주는 것입니다. 생명 앞에서 나머지 문제를 가지고 시비걸 수 없다는 뜻입니다.

교회가 하는 복음전도 사역은 생명이 걸린 문제입니다. 우리 모든 사람들은 소방차 운전사의 심정, 구급차 운전사의 심정을 가지고 영혼을 구원하는 일에 매달려야 할 줄로 확신합니다. 하나님 앞에 이러한 긴급성을 가지고 나아가는 교회를 하나님께서는 귀중하게 사용하십니다. 하나님 앞에서 복음의 긴급성을 깨닫고, 힘을 다해 일하는 교회에 하나님이 복 주십니다.

잠재 크리스천을 위해

1975년 미국 시카고에 윌로우크릭 커뮤니티라고 하는 교회가 처음 설립되었습니다. 그 교회의 담임 목사님이 바로 우리가 잘 알고 있는 빌 하이벨즈 목사님이십니다. 이 목사님이 미국교회의 문제점이 무엇인지 곰곰이 생각하면서 내린 결론이 있었다고 합니다.

"예수 오래 믿은 사람들이 교회에 모여서 날마다 반복적인 예배를 드리고 자기 자신의 문제에만 매달려 있기 때문에 교회가 부흥하지 못한다."

이것이 바로 교회를 무너뜨린다는 것이었습니다. 그래서 교회의 체제를 바꾸었습니다.

"우리 교회는 전도하는 교회요, 영혼 살리는 교회다."

그러고 나서 막연하게 앉아 있는 성도를 대상으로 설교를 하는 것이 아니라 초신자만을 위해서 매주 설교를 합니다. 그리고 교회 뒤쪽에다 초신자의 이름을 적어놓았습니다. '교회 다니지 않는 해리' (unchurched Harry)라고 이름을 적어놓습니다. 미국 사람 이름 중에서 가장 흔한 이름이 '해리' 라고 합니다. 우리식으로 이야기하면 '교회 다니지 않는 철수, 영희' 이렇게 이름을 정해놓고, 성도들이 그 사람을 데려오도록 힘쓰는 것입니다. 목사는 믿지 않는 그 사람을 대상으로 날마다 말씀을 증거합니다. 그랬더니 어떤 일이 벌어졌는지 아십니까? 그 교회가 급격하게 부흥해서 일만 명이 모이는 교회가 되었다고 합니다.

한국교회도 이러한 모습이 있어야 합니다. 오래 믿은 사람들이 들을 만한 말씀을 들려줄 것이 아니라, 날마다 불순종하고 깨지고 돌아오는 그 사람들만 싸매줄 것이 아니라, 죽어가는 영혼을 살리는 것이 바로 교회의 일차적인 사명이 되어야 할 것입니다. 복음증거가 시급합니다.

그러므로 교회는 안에서 자신들만의 잔치를 벌이는 것이 아니라 죽어가는 영혼들을 위해 교회의 모든 영향력을 총동원하여 생명을 살리는 일에 힘을 쏟아야 합니다. 그런 교회가 될 때 주님께서 복을 주시고, 귀하게 쓰임받습니다. 교회가 항상 복음의 긴급성을 깨달아야 합니다. 죽어가는 영혼들이 있으면 소방차와 같이, 구급차와 같이 제일 먼저 달려가는 교회가 되어야 할 것입니다.

환영받는 돌팔이의사

영혼 구원은 긴급성과 아울러 생명을 줄 수 있는 능력의 회복이 중요합니다. 소방차가 화재가 일어난 곳에 신속히 도착했습니다. 물을 뿌리려는데 물이 한 방울도 없습니다. 낭패가 아닙니까? 사고 전화를 받고 구급차가 굉장히 빨리 출발했습니다. 그런데 너무 서두르다가 의사를 태운다는 것이 그만 청소부 아줌마를 태우고 갔습니다. 그러면 아무런 소용이 없습니다. 빠르다고 하는 긴급성도 중요하지만, 실질적으로 그 문제를 해결할 수 있는 사람이 타고 있어야 합니다. 무슨 뜻입니까? 무엇보다 먼저 교회가 경건의 능력을 회복해야 한다는 것입니다. 교회가 세상에 나아가서 죽어가는 영혼들을 만나 그들에게 부흥을 주고, 그 영혼을 살릴 수 있는 능력을 먼저 회복해야 한다는 것입니다.

사도행전 3장 6절을 보니까 사도 베드로가 앉은뱅이를 향하여 이렇게 외칩니다.

"은과 금은 내게 없거니와 내게 있는 것으로 네게 주노니 곧 나사렛 예수 그리스도의 이름으로 걸으라."

이것이 바로 교회의 모습입니다. 세상 사람들 가운데 앉은뱅이 같은 모습, 전혀 능력이 없는 모습을 만났을 때 "내게 있는 것으로 네게 주노니 예수의 이름으로 일어나 걸으라" 할 수 있는 능력이 있어야 합니다.

몇 년 전에 한 돌팔이의사가 화제가 되었습니다. 한의대도 나오지 않았습니다. 무면허 의사입니다. 그런데 허가도 없이 암 치료제를 만들었습니다. 그 약을 1억 4천만 원 어치를 팔아먹어서 구속되었습니다. 그런데 돌팔이의사가 구속되니까 그 약을 먹고 나았다는 사람들이 몰려와서 탄원서를 냅니다.

"당신들에게는 돌팔이로 보일지 모르지만 그 사람이 지어준 특효약을 먹고 나았다."

그래서 경찰도 할 수 없이 그 사람을 풀어주었습니다. 그런데 문제가 여기서 끝난 것이 아닙니다. 더 큰 문제가 생겼습니다. 전국에 암 걸린 사람들이 전부 다 이 돌팔이의사를 찾아옵니다. 신문사마다 경찰서마다 그 사람의 주소가 어떻게 되는지, 그 사람의 전화번호를 알려달라는 전화로 업무가 마비될 정도라고 했습니다.

이 사실을 보면서 '왜 이런 일이 벌어지게 되었을까?'를 한번 생각해 보셨습니까? 왜 이런 일이 벌어지는 것입니까? 진짜 의사들이 병을 제대로 치료했다고 한다면 이런 일이 일어날 리가 없습니다. 그런데 진짜 의사가 해내지 못하니까, 이런 가짜 의사가 능력을 발휘하는 것입니다. 진짜 의사들이 암을 고치지 못하니까, 면허가 없다 하더라도 암이 나았다는 사례가 알려지자 그 돌팔이의사에게 많은 사람들이 몰려들게 되는 것입니다.

교회가 능력이 없으면

교회도 마찬가지입니다. 진짜가 힘을 발휘하지 못하고 잠들어 있으면 가짜가 판을 칩니다. 교회가 병든 영혼을 치료해주지 못하면 교회를 떠나서 엉뚱한 곳으로 갑니다. 그런 의미에서 '파라처치 운동'(parachurch movement)이나 '기도원 운동'이 일어나는 현상에 대해 교회는 비판만 할 것이 아니라 교회 스스로 반성을 해야 합니다. 교회가 믿는 신앙인들을 위해 할 바를 다하고 있습니까? 교회가 선지자적인 역할을 하지 못하니까 성도들이 미신에 멍드는 것입니다.

교회가 한동안 십자가의 복음을 증거하지 않았습니다. 생명을 살리는 능력을 증거하지 않았습니다. "예수 믿으면 만사 형통"이라고 하면서 무조건 "평강하다, 평강하다" 하고, 범죄인임에도 불구하고 "당신은 훌륭한 그리스도인이오" 하는 소리만 했습니다. 미래를 알아맞추는 예언기도를 한다는 교회도 나왔습니다. 성도에게 안수를 하면서 예언 기도를 해서 미래를 알려준다는 것입니다. "기도만 해주면 대학에 다 붙는다" 이런 식으로 신앙을 변질시켰습니다. 그랬더니 어떤 일이 벌어집니까? 그러니까 많은 그리스도인이 점을 보러 다니게 되었습니다. 목사님의 효험이 맞아떨어졌다고 하면서 점쟁이에게 찾아가는 그런 일들이 벌어졌던 것입니다.

최근에 이렇게 점쟁이가 설치는 이유가 무엇입니까? 교회의 책임입니다. 교회가 경건의 능력을 잃었기 때문에 이런 일들이 벌어지게 되는 것입니다. 용하다는 한 점쟁이가 쓴 책은 무려 백만 권이나 팔렸다고 합니다. 그리고 이 점쟁이가 하는 말이 정치 경제에 막강한 힘을 발휘한다고 합니다.

얼마 전에 교계 잡지에서 본 내용입니다. 어떤 신학생이 교회를 개척하려고 했답니다. 그런데 어디에 개척을 해야 교회가 부흥을 할지 몰라서 점쟁이를 찾아갔다고 합니다. "어디에 교회를 개척하면 교회가 부흥할까요?" 하면서 말입니다. 이것이 사실이 아니기를 바랍니다. 이런 일들이 벌어지고 있는 이유가 무엇입니까? 교회가 경건의 능력을 잃어버렸기 때문입니다. 통탄할 일입니다.

그러므로 우리 교회가 이 사회에 줄 수 있는 최고의 선물은 무엇입니까? 교회의 능력을 회복하는 일입니다. 교회가 교회다워지는 일입니다. 예수께서 우리에게 말씀하셨던 그대로 순종하고 선포하게 될 때, 비로소 성령의 능력을 회복하고 다시금 많은 영혼들을 살릴 수 있는 모습으로 변화받게 될 것입니다.

예수님 당시에 예루살렘 성전은 어떠했습니까? 많은 사람들이 찾아옴에도 불구하고 생명을 살리는 능력이 없었습니다. 그곳에서 사람들이 장사를 했고, 또한 찾아오는 이마다 절망감만 안고 돌아갔다. 사도행전 8장을 보니까 에디오피아 내시가 예배하러 왔다가 실망하고 내려가지 않습니까? 이것이 당시 성전의 영적 실상을 극명하게 고발하고 있는 것입니다. 목마르다고 사람들이 아우성입니다. 그러나 줄 생수가 없습니다. 죽어가고 있습니다. 살릴 능력이 없습니다. 증거할 메시지가 없습니다.

이것이 비단 그 당시 성전만의 모습입니까? 지금의 우리 모습일 수 있습니다. 능력을 잃은 성전, 더럽혀진 성전을 예수님이 정화했던 것과 마찬가지로 우리의 잃은 능력과 더러워진 하나님의 교회가 예수님의 능력으로 정결해지기를 바랍니다.

교회 능력 회복의 관건

교회가 살아나야 사회에 소망이 있고, 우리가 살아나야 비로소 영혼들을 건질 수 있습니다. 이 본문을 통해서 교회가 능력있는 모습으로 회복하기 위해서는 어떻게 해야 할 것인가에 대해 세 가지만 살펴보겠습니다.

첫째로, 교회가 희생의 본질을 회복해야 합니다.

왜 성전에서 소와 양과 비둘기를 팔고 돈 바꾸는 사람들이 있었습니까? 이 사람들도 처음부터 악의를 가지고 이런 일을 한 것은 아닙니다. 이스라엘 사람들은 유월절에 제사를 드립니다. 그런데 이 유월절에 제사를 드리기 위해서 오는 사람들은 예루살렘에서만 오는 것이 아니라 먼 곳에서도 옵니다. 우리식으로 이야기를 한다면, 대전, 춘천, 대구 등지에서 올라오는 사람들이 있었습니다. 그 사람들이 거기서부터 소와 양을 끌고 오려면 얼마나 힘들겠습니까? 시간도 많이 걸리고 고생도 무척 심했을 것입니다. 제사를 드릴 때에는 흠없는 희생제물을 드려야 했는데, 이렇게 먼 거리에서 예루살렘까지 끌고 오다보면 제물로 드릴 소나 양이 병들게 되는 경우가 허다했을 것입니다. 그러니까 사람들은 "번거롭게 이렇게 할 필요가 있겠느냐? 번거로울 뿐만 아니라 이렇게 해서는 짐승들이 병들기도 십상이고 하니 그러지 말고 돈으로 가져오자"고 했던 것입니다. 성전 앞에서 소를 사고 양을 사고 비둘기를 사면 참으로 편리할 뿐더러 흠없는 제물도 드릴 수 있다는 생각에서 성전 앞에 장사꾼이 생기게 되었습니다.

또 하나, 돈 바꾸는 사람들이 있었습니다. 당시 이스라엘에서 통용되던 돈은 드라크마였습니다. 오늘날도 보면 돈에 여러 사람 얼굴이 그려져 있지 않습니까? 이퇴계도 그려져 있고 세종대왕도 그려져 있습니다. 마찬가지로 당시 로마의 돈에도 그렇게 얼굴이 새겨져 있었습니다. 가이사의 얼굴이 새겨져 있었습니다.

그런데 이스라엘 백성들은 하나님께 이런 가이사의 얼굴이 새겨진 돈을 바칠 수 없다고 해서 드라크마와 1대1로 교환할 수 있는 세겔이라는 것을 만들었습니다. 사람들은 드라크마를 가지고 와서 세겔과 바꾸었습니다. 그런데 세겔로 바꾸어줄 때 1, 2퍼센트씩 에누리해서 바꾸어주었습니다. 이런 식으로 돈 장사를 했습니다.

왜 돈을 바꾸었습니까? 하나님 앞에 순수한 돈을 바치려는 마음 때문이었습니다. 순수한 제물을 바치려는 노력 때문이었습니다. 처음에는 이렇게 시작한 일이었지만 결국에 가서는 성전이 돈 바꾸는 사람들, 소 팔고 양 팔고 비둘기 파는 장사꾼들의 소굴처럼 되어버리고 말았습니다.

여기서 우리는 중요한 한 가지 사실을 깨닫게 됩니다. 교회가 편의만을 추구하다보면 예배의 본질을 잃어버릴 수 있다는 것입니다. 성도가 너무 편리한 것, 유익한 것, 간편한 것만 추구하다보면 예배자의 자리를 떠날 수 있습니다. 저는 다른 여러 교회에서 설교할 기회가 있어서 여러 교회를 살펴보게 되는데, 몇 가지 공통적인 특징을 발견할 수 있습니다. 영적으로 살아있는 교회는 주일 저녁 예배를 2시나 3시에 드리는 교회가 없다는 것입니다. 기도가 살아있고 뜨거운 교회는 전부 저녁 예배를 늦은 오후 시간에 드립니다. 그런데 메마른 교회는 저녁 예배를 2, 3시 경에 드리고 전부 집에 돌아가버립니다.

왜 이런 일이 벌어지는 것입니까? 미국교회도 이전에 이런 모습이 있었습니다. 저녁 예배가 오후 예배로 옮겨지고 나중에는 그것도 귀찮다고 해서 없어져버렸습니다. 그러다가 교인들 3분의 2 이상이 다 떠나가버리고 교회가 문을 닫는 지경에까지 이르게 되었던 것입니다. 물론 2시나 3시에 예배를 드리자는 주장도 합리적인 설명이 가능합니다.

"집이 너무 먼데 주일에 두 번씩 올 수 있느냐? 또 가족과 보낼 시간도 필요한 것 아니냐?"

다 합당한 이야기입니다. 그런데 이렇게 하다보니 교회가 죽는다는 것입니다.

제가 이와 비슷한 말씀을 증거했더니 어떤 교회의 목사님이 큰 결단을 내려서 예배를 3시에서 7시 30분으로 옮겼습니다. 그런데 지난 주간에 그 목사님한테서 전화가 왔습니다. 처음에는 큰 문제가 생기지 않을까 염려했었는데, 오히려 더 많은 사람들이 모인다는 것입니다. 보통 때는 기도하지 않았는데, 이제는 예배 끝나고 난 다음에 30분에서 1시간 가량 기도하는 사람들이 많아졌다고 합니다. 그리고 그 여력으로 이번 여름에 일본 선교까지 하게 되었다고 자랑하시는 것이었습니다.

왜 이런 일들이 일어납니까? 하나님 앞에서의 희생이 우리를 살릴 수 있기 때문입니다. 예배라는 것은 그 자체가 희생입니다. 많은 것을 희생할수록 예배는 더욱더 예배다워집니다.

제가 중국에 갔을 때 잊을 수 없는 일이 있습니다. 설교를 듣겠다고 이틀, 사흘 길을 멀다 않고 찾아오는 성도들이 많이 있었습니다. 참 소중한 것 아닙니까? 우리 같으면 두세 시간 거리만 되어도 멀다고 안 올 것인데, 그 사람들은 말씀을 듣겠다고 차를 타고 12시간, 14시간은 족히 걸리는 곳에서도 옵니다. 그리고 어떤 사람은 사흘 걸려서 왔다고 합니다. 그렇게 와서 말씀을 듣고 예배를 드립니다. 어떤 일이 벌어진 줄 아십니까? 제가 지금까지 드린 예배 중에서 그처럼 뜨거운 예배가 없었고, 그처럼 간절한 예배가 없었습니다. 허름한 장소에서 드린 예배인데도 하나님의 영광이 임하는 예배였습니다. 왜 그렇습니까? 희생이 있는 예배였기 때문입니다.

예배가 자정이 다 되어서야 끝이 났습니다. 그런데 다 잘 수가 없어서 집으로 돌아갑니다. "이 시간에 어떻게 돌아갑니까?" 하고 물어보았더니 "지금부터 걸어가면 됩니다"라고 대답했습니다. 저는 한 30분 정도 걷는 줄 알았습니다. 그런데 7시간을 걸어야 집에 간다고 합니다. 초등학교 3학년, 4학년쯤 되는 아이 둘을 데리고 부부가 7시간을 걸어갑니다. 기쁨으로 찬송을 부르면서 가는 것입니다. 이것이 바로 중국교회의 살아있는 모습입니다. 왜 그렇습니까? 희생이 있는 예배이기 때문에 그렇습니다.

주일 예배는 언제부터 시작됩니까? 바로 집에서 출발할 때부터 예배가 시작되는 것입니다.

"내가 지금 주님의 성소를 향해서 나아가고 있구나."

하나님 앞에 예배드릴 것을 기대하면서 나아가는 그 순간부터 예배는 시작됩니다. 요한복음 12장 24절에 보니까 "한 알의 밀이 땅에 떨어져 죽지 아니하면 한 알 그대로 있고 죽으면 많은 열매를 맺느니라"고 하였습니다. 왜 우리 한국교회가 점점 열매를 맺지 못하고 힘이 없어집니까? 희생이 없기 때문입니다. 에디오피아 내시가 에디오피아에서부터 예배를 드리기 위해 예루살렘까지 찾아왔습니다. 하나님은 그것을 귀중하게 보시는 것입니다. 그렇기 때문에 우리의 여건 때문에, 우리의 환경 때문에 하나님 앞에 충성하는 자리를 떠난다거나 하나님 앞에 예배하는 자리를 떠나는 어리석은 백성들은 한 명도 없기 바랍니다.

둘째로, 교회는 돈 소리가 아니라 하나님의 말씀의 소리를 들어야 합니다.

왜 제사장들은 이렇게 사람들이 성전에서 장사하는 것을 묵인했을까요? 돈 때문에 그랬습니다. 아마도 제사장들이 이들에게 장사할 수 있는 기회를 주면서 자릿세를 받았던 것 같습니다. 돈 바꾸러 온 사람에게 이익의 절반 정도를 받아내고, 또 장사하는 사람들에게도 얼마를 받아내는 식이었을 겁니다. 이렇게 돈 때문에 제사장들이 그들을 말리지 않았습니다.

교계에서도 보면 돈의 위력은 참 대단합니다. 다른 문제들은 쉽게 쉽게 개혁이 됩니다. 그런데 어디가 제일 안 되느냐 하면 돈이 걸려 있는 문제는 개혁이 안 됩니다. 절대로 개혁이 안 됩니다. 포기를 못하기 때문입니다. 결국 돈의 소리를 듣고 따라가다보면 주님과 원수 되는 길로 갈 수밖에 없는 것입니다.

교계에서 제일 크게 문제가 되는 것이 무엇입니까? 군소 신학교 문제가 아닙니까? 무인가 신학교 문제 아닙니까? 이 군소 신학교라든지 무인가 신학교가 문제가 된다는 사실을 모르는 사람이 어디 있습니까? 아무도 없습니다. 다 압니다. 목사님들께 물어보면 백이면 백 다 압니다. 평신도들도 다 압니다. 그런데 누구만 모릅니까? 거기에 돈이 걸린 사람만 모릅니다. 돈과 함께 망할 것입니다. 교계가 어떻게 되든지간에, 하나님의 교회가 무너지든 안 무너지든 이런 것에는 관심없이 돈이 걸린 문제는 포기를 못한다는 것입니다.

수년 전에 어떤 신문 기사를 보았습니다. 남대문시장에서 불이 났습니다. 많은 사람들이 급히 빠져나오는데, 같이 빠져나온 한 아주머니가 엉엉 웁니다. 왜 우냐고 하니까 가게에 손금고를 두고 나왔다고 합니다. 거기에 수천만 원이 들었는데, 그것을 두고 나왔다고 하면서 다시 불길 속으로 뛰어들었다고 합니다. 소방관들이 말렸는데도 소용이 없었습니다. 그리고 나오지 않습니다. 화재가 다 진압된 후에 보니까 그 아주머니가 찾던 손금고를 부둥켜안고 타 죽어 있더라는 것입니다. 이것이 바로 우리 교회의 모습이 될 수 있습니다. 돈을 추구하고, 돈 때문에 개혁하지 못할 때 이런 일들이 벌어지게 됩니다.

그러면 우리가 하나님 앞에서 철저하게 순종하며 살고, 마귀의 유혹에서 이길 수 있는 방법이 무엇입니까? 그건 바로 가난하게 살 각오를 하는 것입니다. 불편하게 살 각오를 하십시오. "내가 거지같이 살게 되더라도 하나님 말씀 앞에 순종하겠습니다" 하는 각오가 있을 때, 하나님께서 그러한 자를 통해서 일하십니다. 물질이 우리로 하여금 능력을 잃게 만듭니다.

디모데전서 6장 10절을 보니까 "돈을 사랑함이 일만 악의 뿌리가 되나니 이것을 사모하는 자들이 미혹을 받아 믿음에서 떠나 많은 근심으로써 자기를 찔렀도다"라고 말씀했습니다. 많은 성도들이 왜 능력을 잃어갑니까? 돈을 더 사랑하기 때문에 그렇습니다. 돈 소리 들을 것이 아니라 하나님의 말씀의 소리를 들을 수 있는 영적인 귀가 열리기 바랍니다.

여러 번 들어본 것이 귀에 잘 들립니다. 영어도 그렇지요? 한국 사람들은 번역도 잘하고, 해석도 잘하고, 읽기도 잘합니다. 그런데 듣기는 잘하지 못한다고 합니다. 왜 그렇습니까? 들어볼 기회가 없었기 때문입니다. 영어 청취력을 기르지 않으면 처음에는 영어가 '쎌라쎌라'로밖에 안 들립니다. 그러다가 오래 듣다보면 몇 단어가 들어옵니다. 그리고 또 오래 듣다보면 문장 전체가 다 들리고, 나중에는 이해하게 됩니다. 많이 들으면 이해가 되는 것입니다.

허셀 포드라는 목사님이 계십니다. 이 분이 어떤 친구분과 함께 뉴욕의 번화가인 브로드웨이를 걸어가고 있었다고 합니다. 그런데 이 친구분이 생물학자였다고 합니다. 같이 그 번화가를 걸어가고 있는데, 생물학자인 친구가 이렇게 이야기하더라는 것입니다.

"어, 귀뚜라미 소리가 들리네. 여기 어디서 귀뚜라미 소리가 들린다."

그렇게 말입니다. 그래서 그 목사님은 "무슨 소리야? 도심에 웬 귀뚜라미?" 했다는 것입니다. 그런데 그 사람이 조용히 귀를 기울이더니 그리로 조금씩 다가가기 시작했습니다. 그 근처에 화초를 가꾸는 한 집이 있었습니다. 그런데 그 화초 잎사귀 뒤에 귀뚜라미 한 마리가 울고 있더라는 것입니다. 가까이 가니까 귀뚜라미 소리가 들리더라는 것입니다. 목사님은 참으로 신기했습니다.

"야, 네 귀가 대단하다. 어떻게 이런 소리를 다 듣지."

조금 가다가 목사님이 주머니에서 동전 하나가 떨어졌습니다. 쨍그랑 소리를 냈습니다. 그러자 적어도 주위에 있던 50명 이상의 사람들이 동시에 떨어진 동전을 주시하더랍니다. 무슨 소리입니까? 사람들이 귀뚜라미 소리는 못 들으면서 돈 소리는 잘 듣더라는 것입니다. 돈 소리는 기막히게 잘 듣습니다. 왜 그렇습니까? 평소 사랑하던 소리요, 평소에 늘 듣던 소리요, 평소에 자기가 추구하던 소리이기 때문입니다.

이 땅을 살아가는 우리의 모습이 바로 이런 모습이 아니겠습니까? 진정으로 중요한 하나님의 말씀은 듣지 못하면서 세상이 말하는 소리는 잘 들리고, 세상이 말하는 돈에 대한 외침에 귀기울이는 모습이 바로 우리의 모습입니다.

하나님 말씀을 가까이하고 하나님 말씀을 날마다 듣는 사람들은 하나님께서 세미한 음성으로 말씀하실지라도 그 음성이 들립니다. 열왕기상 19장에 보니까 엘리야 선지자가 그랬습니다. 낙심해서 쓰러져 있는데,

하나님의 세미한 음성이 들렸다고 합니다. 굉장히 작은 소리임에도 불구하고 엘리야는 들었습니다. 왜 그렇습니까? 평소 하나님의 음성을 듣는 훈련이 되어 있었기 때문입니다. 그러므로 믿는 신앙인들이 살아가는 비결은 하나님 말씀을 듣는 것입니다. 하나님의 말씀을 들으면 영혼이 살아나기 때문입니다. 요한복음 5장 25절입니다.

"진실로 진실로 너희에게 이르노니 죽은 자들이 하나님의 아들의 음성을 들을 때가 오나니 곧 이때라 듣는 자는 살아나리라."

그러므로 하나님의 말씀을 들음으로 말미암아 영혼이 살아나고, 하나님의 말씀을 돈 소리보다 더 잘 들음으로 말미암아 경건의 능력을 회복하는 성도가 다 되기 바랍니다.

셋째로, 교회가 기도를 회복해야 합니다.

요한복음 2장 16절 말씀과 병행 구절을 이루는 것이 마태복음 21장 13절 말씀입니다.

"저희에게 이르시되 기록된 바 내 집은 기도하는 집이라 일컬음을 받으리라 하였거늘 너희는 강도의 굴혈을 만드는도다 하시니라."

교회는 어떤 곳입니까? 교회의 별명이 있습니다. 바로 '기도하는 집'이라는 것입니다. 그러므로 교회는 기도 소리가 그치지 않고 기도로 가득 차게 만들어야만 교회다워집니다. 교회를 가치 있게 만드는 길은 기도하는 길밖에 없습니다. 교회에 기도 소리가 그칠 때 주님은 분노하십니다. 그러므로 교회는 기도를 해야 합니다. 교회가 기도하기 시작하면 전성기를 맞이합니다. 교회가 기도를 시작하면 능력이 나타나기 시작합니다.

최근에 모든 것이 급변한다고 합니다. 외국에 나갔다가 돌아오는 사람들은 서울이 이렇게 변한 것을, 한국이 이렇게 변한 것을 보고 깜짝 놀랍니다. 제 친척 되는 분이 일전에 서울에 왔었는데, 서울에 대한 느낌이 '신기하다' 는 것이었습니다. 시내버스에 차장이 없어졌다고 이야기합니다. 저도 어릴 적에 여자 조수가 앞뒤에 타서 사람을 꾸역꾸역 잘도 태우고 "오라이!" 하고 발차 신호를 보내면 버스가 출발하곤 하던 것이 생각납니다. 이제는 그런 것이 사라졌습니다. 옛날 다방에 가면 레지라는 사람이 있었지요? 레지가 다 서비스를 해주지 않았습니까? 그런데 요즘 젊은이들이 가는 카페에 가면 전부 다 셀프서비스입니다. 자기가 갖다가 타먹습니다. 시대가 바뀌고 있습니다. 구멍가게도 점점 없어지고 있습니다. 대형 할인점이 석권을 했습니다. 과거에는 타자수가 여자 사무원의 상징이었는데, 이제는 누구나 다 타자수입니다. 너무나 잘 칩니다. 이제는 칠 것도 없습니다. 말로 이야기만 하면 입력이 되는 그런 시대가 되었습니다. 시대가 엄청나게 변하고 있습니다.

그러면 시대가 변한다고 모든 것이 다 변합니까? 그렇지는 않습니다. 바뀌는 것이 있는 반면에 절대로 바뀌지 않는 것이 있습니다. 무엇이 바뀌지 않습니까? 인간성은 바뀌지 않습니다. 인간의 범죄성, 인간의 죄악, 인간의 악함은 변하지 않습니다. 예수 그리스도의 십자가 외에 우리를 살릴 수 있고, 우리를 변화시킬 수 있는 길은 없습니다. 인간성은 변화되지 않는다는 것을 기억해야 합니다.

또 하나, 구원의 방법은 변하지 않습니다. 다른 종교를 통해서 건강, 심리적인 안정, 사업의 성공으로 천수를 다 누릴 수 있을지 모르지만 우리의 영혼 구원은 오직 예수 그리스도의 십자가를 믿는 것 외에는 없습니다. 교회가 다시금 능력을 회복하는 길도 기도의 방법 외에는 없습니다. 이것은 시간이 지난다고 해도 절대로 변하지 않습니다. 5천 년 전에 교회가 능력을 받는 방법이 기도였던 것과 마찬가지로 지금도 기도요, 앞으로도 기도일 것입니다. 이 사실을 꼭 믿으시기 바랍니다.

성균관대학교를 가보면 여러 기독 서클이 있습니다. 많이 모인다고 하는 IVF가 있고, 역사와 전통을 자랑하는 CCC가 있습니다. 그런데 학원 사역자들과 이야기를 나누다보면, 성대에서 영적으로 강력하고, 가장 많은 목회자를 배출하고 있는 기독교 서클을 들라고 하면 모두 '겟세마네'를 든다고 합니다. 이 겟세마네라고 하는 서클의 특징이 무엇인 줄 아십니까? 다섯 가지 목표가 있는데, 그 중에 첫째가 기도입니다. 중보기도하고 하나님 앞에 철저히 부르짖는 모습이 겟세마네에 있었습니다. 성경공부하고 제자훈련하고 별 난리를 다 해도 이 겟세마네 하나를 당해낼 수가 없는 것입니다.

교회가 강력해지는 비결이 무엇입니까? 우리도 '겟세마네'와 마찬가지로 주님 앞에 나아가서 기름을 짜내듯이 기도하는 길밖에 없습니다. 그리하여 하나님 앞에서 잃었던 능력을 회복하기 바랍니다. 우리 한국교회에 기도의 소리가 끊이지 아니하고, 기도의 불길이 끊이지 아니할 때 하나님 앞에서 큰 능력을 받고 하나님의 많은 일들을 감당할 수 있는 거룩한 백성이 될 줄로 확신합니다.

말씀의 결론을 맺겠습니다. 몸을 치장하는 의복은 중요합니다. 그러나 의복보다 더 중요한 것이 몸입니다. 우리 교회가 의복보다는 몸에 유의하는 좀더 건강한 모습으로 나아가는 하나님의 교회가 되기 바랍니다. 교회 회복은 희생의 회복에 있습니다. 또 돈 소리보다 하나님 말씀의 소리에 귀를 기울이고, 잃었던 기도의 능력을 회복하게 될 때 교회는 회복됩니다.

에스겔서 47장을 보니까 성전 문지방에서 흘러나오는 생수가 흘러가는 곳마다 생명을 다 살렸습니다. 죽음이 있는 곳에 생명을 주었고, 사막과 같은 곳을 수풀이 우거진 곳으로 변화시켰습니다. 우리 한국교회가 회복되어 생명을 살리는 생수가 되어야 합니다. 그리하여 생명의 말씀을 뿌려 많은 영혼들을 살리는 복이 임하기 바랍니다.

ID153 패스워드

패스워드1. 교회는 영혼 구원의 센터이다.

복음전도는 교회의 가장 중요한 사명이다. 참된 교회의 지표는 복음증거 활동의 유무에 달려 있다. 생명이 생명을 살린다. 생명을 살리는 문제에 한가하게 대처해서는 안 된다. 소방차나 구급차가 막힌 도로를 뚫고 달리듯, 긴급성이야말로 복음증거의 핵심이다.

패스워드2. 복음증거는 경건의 능력이 뒷받침되어야 한다.

소방차가 아무리 빨리 화재 현장에 도착해도 물이 없으면 헛일이다. 구급차가 아무리 빨리 달려도 의사 대신 청소부 아줌마를 태우고 갔다면 헛일이다. 진짜가 힘을 발휘하지 못하고 있으면 가짜가 판을 친다. 교회가 이 사회에 줄 수 있는 최고의 선물은 교회의 능력을 회복하는 일이다.

패스워드3. 교회다워지는 길의 첩경은 예배, 말씀, 기도의 회복이다.

교회가 편의만을 추구하다보면 예배의 본질을 잃어버린다. 오후로 옮긴 주일저녁예배를 회복하라. 예배는 그 자체가 희생이다. 많은 것을 희생할수록 예배는 더욱더 예배다워진다. 말씀에 귀를 열고, 참기도를 회복하라. 모이기를 폐하지 말라.

코람데오(Coram Deo) 자기점검

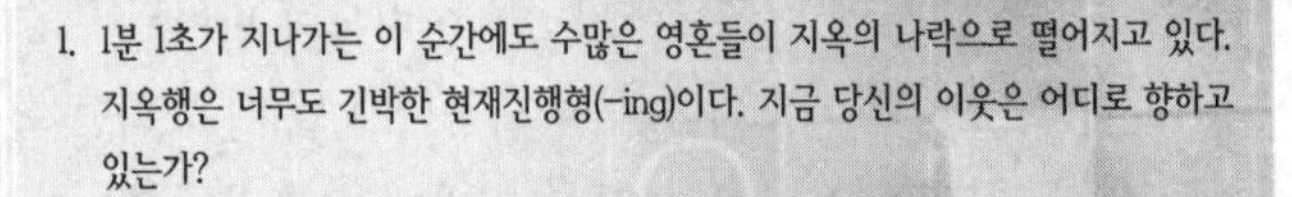

1. 1분 1초가 지나가는 이 순간에도 수많은 영혼들이 지옥의 나락으로 떨어지고 있다. 지옥행은 너무도 긴박한 현재진행형(-ing)이다. 지금 당신의 이웃은 어디로 향하고 있는가?

2. 성령충만의 첩경 가운데 하나가 복음증거다. 성령충만은 전도를 가능케 하고, 전도는 성령충만케 한다. 전도에 막연한 부담감만으로 일관하는 당신은 지금 사탄의 고상한 꾀에 빠져 있는 것은 아닌가?

3. 삶의 예배도 중요하지만, 형식을 갖춘 정규예배도 중요하다. 당신은 이 두 가지 예배를 동일한 비중으로 중시하고 있는가?

요 3:1-15

왜 많은 현대인들이 큰 교회를 좋아합니까? 이유는 간단합니다. 숨어 있기에 안성맞춤이기 때문입니다. 내가 교회에 왔는지 안 왔는지, 내가 이 교회의 교인인지 아닌지 개의치 않고, 자기가 교인의 어떤 타이틀을 가지고 뛰는 것은 싫다는 것입니다. 그렇다고 예수님을 떠나는 것도 아닙니다.

중간은 없다

얼마 전 하나님의 도우심으로 대만선교를 은혜 가운데 잘 마치고 돌아왔습니다. 이번 선교의 특이점이라고 한다면 대만과 삼일교회에서 동시다발적으로 진행되었다는 사실입니다. 대만에서 80명의 선교 대원들이 선교하는 동안에 교회에서도 매일 밤마다 80명 이상의 영혼들이 나와서 기도했습니다. 이것은 마치 르비딤 광야에서 여호수아와 군사들이 전투를 하고 있을 때, 산꼭대기에서는 모세와 아론과 훌이 협력해서 기도했던 것과 같습니다. 이번 대만선교에서도 양쪽에서 영적인 전투를 벌임으로써 우리가 놀라운 승리를 맛보게 된 것입니다.

역시 기도만이 능력입니다. 교회가 부흥을 하고, 선교가 강력해지고, 마귀를 이길 수 있는 길은 기도 외에는 없습니다. 대만에서 여러 교회를 다녀보았습니다. 그런데 교회가 크고 작은 것에 관계없이 기도하는 교회가 강력했습니다. 기도하는 교회가 실질적인 열매를 거둔다는 사실을 보게 되었습니다. 그러므로 다른 것에 우선해서 먼저 하나님 앞에 기도하는 자리로 나아가는 성도가 되기 바랍니다.

존 번연의 「천로역정」 중에 이런 구절이 있습니다.

"말을 많이 하기보다는 기도를 많이 하는 것이 낫다. 기도는 죄를 막아 준다. 기도하지 않으면 죄가 우리를 막는다. 기도하는 마음은 금이나 은보다 더 귀하다. 그러므로 자주 기도하라. 기도는 영혼의 방패요, 하나님께 드리는 아름다운 제사요, 사탄을 내리치는 채찍이다."

마귀를 내리치고 싶습니까? 사탄을 죽이고 싶습니까? 사탄을 내리치는 채찍이 무엇입니까? 그건 바로 기도라는 사실입니다. 성도들이 모여서 기도할 때, 성도들의 손에 들린 채찍이 마귀의 등을 내리치는 것과 똑같은 효과가 나타납니다. 그러므로 기도함으로 말미암아 마귀를 내리치고 채찍질하는 교회가 되기 바랍니다. 그럴 때 우리 가운데 놀라운 승리가 임하게 될 것입니다.

예수님은 공생애 3년 동안 많은 사람들과 접촉하셨습니다. 그런데 예수님을 만난 사람들의 반응은 가지각색이었습니다. 베드로와 요한 같은 사람은 예수 그리스도를 영접하고 예수를 따랐던 헌신자들이었습니다. 가룟 유다와 같은 사람은 예수를 배반한 사람이었습니다. 떡을 먹을 때나 많은 이적을 볼 때는 수많은 군중들이 따랐지만, 예수를 따르는 결단을 내려야 할 때는 비겁하게 다 떠났습니다. 대제사장 문중과 같은 사람들은 적극적으로 예수를 핍박하는 핍박자들이었습니다.

예수님에 대한 이러한 반응은 2천 년 전이나 지금이나 다를 것이 없습니다. 여전히 헌신자, 배반자, 비겁자가 있고 심지어 핍박자도 있을 수 있습니다. 그런데 현대의 많은 사람들은 헌신자나 핍박자나 배신자라기보다는 오히려 니고데모처럼 회색분자입니다. 즉, 차지도 덥지도 아니한 미지근한 신앙, 헌신하지도 않고 그렇다고 배반한 것도 아닌 회색적인 신앙이 우리에게 문제입니다.

니고데모의 특징

요한복음 3장에 등장하는 이 니고데모라고 하는 사람은 어떤 사람이었습니까? 크게 보면 그의 특징을 세 가지로 나눌 수 있습니다.

첫째로, 일정 거리를 두고 예수님을 따랐습니다.

신학자들 가운데 많은 사람들이 니고데모에게 이런 별명을 붙여주었습니다.

"니고데모는 예수 그리스도의 위성이다."

무슨 말입니까? 예수께 가까이 가지도 못하고, 늘 주변만 맴돌며 항상 일정한 거리를 두고 따르는 존재라는 것입니다. 니고데모는 요한복음에 세 번 등장합니다. 3장에서 이 중생 문답을 할 때 한 번 등장하고, 7장에서 예수님을 변호할 때 한 번 나옵니다. 그리고 19장에 예수님의 시신을 장사할 때 또 한 번 등장합니다. 니고데모는 예수님을 한 번도 핍박하거나 증오하지 않았습니다. 그렇다고 완전하게 헌신한 것도 아니고 항상 일정하게 거리를 두고 예수님을 따랐던 사람이었습니다. 현대인들이 바로 이런 모습을 가지고 있습니다.

왜 많은 현대인들이 큰 교회를 좋아합니까? 이유는 간단합니다. 숨어 있기에 안성맞춤이기 때문입니다. 내가 교회에 왔는지 안 왔는지, 내가 이 교회의 교인인지 아닌지 개의치 않기 때문입니다. 자기가 교인의 어떤 타이틀을 가지고 뛰는 것은 싫다는 것입니다. 그렇다고 예수님을 떠나는 것도 아닙니다. 예수님을 믿어야 구원을 얻는다는 것을 알고 있기 때문입니다. 그래서 아침 7시 30분에 예배드리는 교회에 다니면서 교인의 의무와는 담을 쌓고 지냅니다. 그러다가 교회에서 간섭의 손길을 미칠 때쯤 잽싸게 교회를 떠납니다. 이것이 바로 니고데모의 신앙입니다. 하나님께서는 우리가 완전한 신앙, 완전히 헌신하는 신앙을 갖기 원하십니다.

성경을 보면 니고데모와 아주 유사한 배경을 가지고 있는 또 다른 한 사람을 발견할 수 있습니다. 그 사람은 바로 사도 바울입니다. 둘 다 명문 집안 출신이었습니다. 바울도 명문이었고 니고데모도 명문이었습니다. 그리고 둘 다 바리새인 출신이었습니다. 많이 배운 사람이었고, 또 존경받는 위치에 있는 사람이었습니다. 사도 바울은 하나님께 크게 쓰임받아서 유럽 전체를 다 뒤흔들고 선교에 크나큰 교두보 역할을 한 사람이었지만, 니고데모는 하나님의 일을 거의 하지 못하는 불쌍한 사람이 되었습니다.

교회 안에서도 마찬가지입니다. 비슷한 배경에서 비슷한 능력을 가지고 있는 사람이 있을 수 있습니다. 그러나 한 사람은 헌신함으로 말미암아 하나님 앞에서 엄청나게 쓰임을 받고 다른 한 사람은 니고데모와 같이 불쌍하게, 어떤 의미에서는 간신히 자기 자신만 구원받는 어리석은 백성일 수도 있습니다. 그러므로 지금이라도 니고데모의 모습에서 사도 바울의 모습으로 변화받는 은총이 있기를 바랍니다.

그럼 두 사람의 차이점은 어디에 있습니까? 사도행전 20장 24절에 사도 바울의 고백이 있습니다.

"나의 달려갈 길과 주 예수께 받은 사명 곧 하나님의 은혜의 복음증거하는 일을 마치려 함에는 나의 생명을 조금도 귀한 것으로 여기지 아니하노라."

사도 바울은 바로 이 고백이 있었기 때문에 사도 바울이 될 수 있었고, 니고데모는 바로 이 고백이 없었기 때문에 '예수님의 위성'이라는 소리를 들을 수밖에 없었던 것입니다.

예수님을 수십 년 동안 믿었다고 하면서 결코 은혜의 강물에 들어가지 못한 사람이 많이 있습니다. 주워들은 소리는 있어서 "성경의 줄거리가 이렇다, 교회란 이런 것이다"라며 잘 알고 있습니다. 어떤 사람이 진실한지 그렇지 않은지 다 알고 있습니다. 판단을 다 내립니다. 그런데 자기는 전혀 은혜를 체험하지 못하고 있습니다. 얼마나 어리석은 일입니까?

니고데모의 신앙에서 다시금 사도 바울과 같은 뜨거운 신앙으로 변화를 받도록 하나님께 은혜를 구하는 사람이 되기 바랍니다. 이것이 필요합니다. 요한복음 3장의 니고데모에서 머무는 것이 아니라 사도 바울의 모습으로 변화받는 것이 바로 교회의 부흥이요, 우리의 성장이라는 것을 꼭 기억하시고, 위로부터의 은혜로 말미암아 변화받는 은총의 백성이 되기 바랍니다.

둘째로, 자기의 의(義)를 주장하였습니다.

니고데모는 '율법의 의인'이라고 자칭하는 사람이었고, 또 유대인의 관원이었습니다. 니고데모는 명문 출신에 안식일을 준수하는 사람이었습니다. 철저히 십일조를 드렸고 주기적으로 금식을 했습니다. 철저한 신앙생활을 자부하는 바리새인이었습니다. 자기 의에 대한 자부심이 대단했습니다. 그렇지만 하나님 앞에서 나의 의는 아무것도 아닙니다.

교회 안에서도 어떤 사람이 진짜 문제냐 하면 도덕적으로 전혀 문제가 없는 그런 사람입니다. 예배를 빠지는 것도 아닙니다. 헌금을 안 하는 것도 아닙니다. 그렇다고 해서 집안 사람 중에서 망나니 같은 사람이 있는 것도 아닙니다. 성경도 많이 아는 것 같습니다. 그러나 그 안에 불덩이가 없습니다. 하나님을 사랑하는 마음이 없습니다. 주를 위한 헌신이 없습니다. 이런 사람들이 바로 니고데모와 같은 사람입니다. 이 사람들은 세상의 기준으로 보았을 때 OK입니다. 그렇지만 하나님은 "NO" 하실 수 있습니다.

솜 1킬로그램과 돌 1킬로그램 중에 어느 것이 더 무겁습니까? 우리는 보통 돌 1킬로그램이 더 무겁다고 생각합니다. 1킬로그램이란 의미에서는 똑같습니다. 우리 인간들은 이런 면에서 자꾸만 착각을 합니다. 우리는 돌이 더 무겁다고 생각합니다. 우리가 외적으로 무겁게 생긴 것들이 더 많은 무게가 나갈 거라고 생각하는데, 전혀 그렇지 않습니다.

대만선교를 위해 비행기를 타고 가는데, 비행기를 처음 탄 사람이 이런 이야기를 했습니다.

"이 비행기가 추락하면 전 목사님이 제일 먼저 떨어질거야. 무거우니까. 다음에는 그 다음으로 무거운 사람이 떨어지고, 또 그 다음으로 무거운 사람이 떨어질거야. 나는 몸무게가 가벼우니까 그 사람들 위에 싹 떨어지면 되겠지."

무식에도 수준이 있습니다. 무식해도 한참 무식한 것입니다. 비행기에서 추락을 하면 무게와 상관없이 다 떨어집니다. 이것이 중력의 법칙입니다. 공기의 저항이 가늠하는 것이지 몸무게가 무거우냐 가벼우냐로 나누는 것이 아니라는 것입니다. 인간도 마찬가지입니다. 우리가 기껏 자랑하는 것은 "나는 몸무게가 얼마 되지 않기 때문에 늦게 죽는다"는 것입니다.

"나는 너보다 죄를 덜 지었다", "너는 눈에 띄는 완벽한 죄를 지었지만 나는 눈에 띄지 않는 숨은 죄를 지었다."

이렇게 생각하며 자신을 의인인 것처럼 받아들입니다. 전과 10범인 도둑이 전과 5범한테 "내가 너보다 더 큰 죄인이다" 하거나 5범이 10범한테 "내가 너보다 낫다"라고 이야기할 수 없습니다. 똑같은 전과자에 똑같은 도둑입니다. 그런데 인간은 바로 이러한 모습을 가지고 자기 의를 주장하고 있습니다. 그러므로 복음을 증거할 때 제일 큰 문제가 무엇입니까? 바로 자기 의를 드러내는 것입니다. 이것은 십자가의 원수입니다.

대만에서 전도할 때도 복음을 영접하지 않는 사람들의 특징은, 첫째는 먹고살 만한 사람들이었습니다. 그리고 도덕적으로 문제가 없는 사람들입니다. 그 사람들은 "내가 이렇게 살다가도 내 선행으로 구원받을 수 있다"고 주장합니다. 헛된 접근입니다. 하나님 앞에서 제일 큰 원수는 자기의 의입니다. 하나님께서 제일 귀한 마음은 상한 심령이라고 했습니다.

"내가 죄인입니다", "하나님 앞에서 죄지은 부족한 인생입니다", "내가 무슨 일을 하겠습니까? 오직 하나님의 십자가 외에는 구원받을 길이 없습니다."

이 고백이 있는 자들에게만 하나님의 은혜가 임합니다. 매순간 하나님의 의를 구하고, 하나님의 능력으로 말미암아 풍성한 은혜의 영광 가운데 거하는 하나님의 백성이 되기 바랍니다.

셋째로, 영적인 것에는 관심이 없고, 표적에만 관심이 많았습니다.

2절에 보니까 무엇이라고 질문을 합니까?

"그가 밤에 예수께 와서 가로되 랍비여 우리가 당신은 하나님께로서 오신 선생인 줄 아나이다 하나님이 함께하시지 아니하시면 당신의 행하시는 이 표적을 아무라도 할 수 없음이니이다."

니고데모가 왜 예수님을 찾아왔습니까? 표적 때문에 왔습니다. 예수님이 어떤 병자를 고친다, 귀신을 쫓아낸다, 많은 이적을 행한다고 하니까 온 사람이었습니다. 다시 말해서 '보이는 현상'에만 초점을 맞추었습니다. 시대가 악해질수록 마귀는 우리를 눈에 보이는 것만 믿게 만듭니다. 실증 시대로 이끌어가는 것입니다.

"믿음으로 모든 세계가 하나님의 말씀으로 지어진 줄을 우리가 아나니 보이는 것은 나타난 것으로 말미암아 된 것이 아니니라"(히 11:3).

보이는 것이 전부가 아니라는 것입니다. 뿌리가 중요한 것이지 보이는 것이 중요한 것이 아닙니다. 다시 말해서 니고데모에게 중요한 것은 표적을 따라서 가는 것이 아니라, 그 속에 있는 영적인 것이 더 중요하다고 말씀해주고 있는 것입니다.

요한복음 3장 3절에 보니까 예수님이 이 말에 대해서 무엇이라고 대답하십니까?

"예수께서 대답하여 가라사대 진실로 진실로 네게 이르노니 사람이 거듭나지 아니하면 하나님나라를 볼 수 없느니라."

니고데모는 표적에 관심을 보이는데, 예수님은 말을 돌려서 거듭남과 하나님의 나라에 대해서만 말씀하십니다.

"네가 율법의 의인이라고 자부하고 표적에만 관심이 있지만, 진정으로 필요한 것은 그런 것이 아니라 너의 속사람이다."

다시 말해서, 하나님의 말씀과 의(義)로 인하여 거듭남이 필요하다는 것을 보여주고 있습니다.

우리는 어떻습니까? 우리들도 이 땅과 표적과 보이는 것에 관심이 있지 않습니까? 최근에 다녀왔던 대만선교에서는 귀신이 쫓겨나가거나 병자가 낫는 이적은 한 번도 나타나지 않았습니다. 하지만 그런 이적들이 나타났던 이전 선교보다 더 많은 열매를 거두었습니다.

그래서 저는 이번 대만선교가 어떤 때보다 가장 크게 승리한 선교라고 자부합니다. 과거에 병자가 낫고 귀신이 쫓겨나가는 경우도 있었지만, 구원받는 영혼들은 별로 없었습니다. 그런데 이번에는 말씀 선포로 말미암아 많은 영혼들이 주께로 돌아오는 그런 은혜의 역사가 있었습니다. 표적이 중요한 것이 아니라 거듭남이 중요한 것입니다.

영혼의 불치병

누가복음 10장에 보니까 예수님의 제자들이 복음을 증거하고 난 다음에 자랑스럽게 이런 말을 합니다.

"예수님, 귀신들도 예수님의 이름에 항복하는 것을 우리가 보았습니다."

얼마나 대단합니까? 그럴 때 예수님이 무엇이라고 대답하십니까?

> "예수께서 이르시되 사단이 하늘로서 번개같이 떨어지는 것을 내가 보았노라 내가 너희에게 뱀과 전갈을 밟으며 원수의 모든 능력을 제어할 권세를 주었느니 너희를 해할 자가 결단코 없으리라 그러나 귀신들이 너희에게 항복하는 것으로 기뻐하지 말고 너희 이름이 하늘에 기록된 것으로 기뻐하라 하시니라"(눅 10:18-20).

이것이 주님의 말씀입니다. 이적으로 기뻐할 것이 아니라 우리들의 이름이 하늘에 기록된 것으로 인하여 기뻐하라는 것이 바로 주님의 말씀입니다.

우리들은 선교를 통해서 많은 영혼들의 이름이 하나님의 나라에 기록된 것을 기뻐해야 합니다. 이것이 바로 우리의 열매이기 때문입니다. 그러므로 하나님 앞에 항상 이러한 마음으로 감사하며 영적인 것에, 뿌리에 관심을 두고, 뿌리를 살리기 위해서 헌신하는 하나님의 백성들이 되기 바랍니다. 큰 나무가 있습니다. 아무리 아름다운 나무라 할지라도 뿌리가 죽었으면 죽은 것입니다. 반면에 겉으로 볼 때 다 말라 죽은 것처럼 보일지라도 뿌리가 살아있으면 봄에 다시 살아납니다. 뿌리에 관심을 두는 하나님의 백성이 되기 바랍니다.

어떤 사람이 간이 부었습니다. 간에 큰 문제가 있어서 내과 의사를 찾아갔더니 이 내과 의사가 뻔한 진단을 내립니다.

"술 끊고 안정을 취하십시오."

그랬더니 이 사람이 이렇게 말했다고 합니다.

"의사 선생님, 내 병은 선생님이 말씀하지 않아도 내가 다 압니다. 그러나 문제는 내가 이렇게 간이 부어 죽을 지경에 이르도록 술을 마시지 않고는 견딜 수 없는 고민이 있다는 겁니다. 불안이 있습니다. 공허함이 있습니다. 이 영혼의 문제는 누가 해결해줍니까?"

의사가 진단할 수 있는 것은 기껏해야 외적인 증상뿐입니다. 그렇지만 그렇게 술 마시고, 자기 몸을 혹사할 수밖에 없는 영적인 문제가 있을 때, 그 문제는 누가 해결할 수 있습니까? 예수께 나오면 해결받을 수 있습니다. 모든 문제의 뿌리는 영혼에 있습니다. 그러므로 영혼에 말씀을 증거하고 영을 살려낼 수 있는 하나님의 종들이 되어야 합니다.

우리들에게도 생활상, 육신상의 문제들이 많이 있습니다. 주께 나올 때 문제들을 많이 가지고 나오지 않았습니까? 그러나 그런 문제가 문제의 핵심은 아닙니다. 문제의 뿌리는 우리들의 영혼에 있습니다.

어떤 집사님의 가정을 보니까 가정에 날마다 시험이 있습니다. 늘 경제적인 문제가 발생하고, 늘 애들이 말썽을 부립니다. 그 집사님도 자기 집에 문제가 있다는 것을 압니다. 다만 그 문제가 남편의 문제이고, 집안의 경제 문제이고, 또 자녀들의 문제인 줄로만 아는 것입니다. 제가 볼 때 그 집안의 문제는 다른 무엇보다 믿음의 문제입니다. 믿음이 전혀 없습니다. 문제가 있을 때마다 주께 나와서 기도할 줄 모릅니다. 밥 먹듯이 주일을 범합니다. 하나님 앞에 헌신할 줄 모릅니다. 그것이 변화가 되면 나머지 문제는 다 해결되는데 말입니다.

뿌리의 문제

가지의 문제, 잎사귀의 문제를 가지고 헛되이 외치는 어리석은 백성들이 되지 마시고 뿌리를 살리시기 바랍니다. 하나님 앞에 나와서, 믿음의 자리에 나와서 헌신하기만 하면, 우리의 영이 살아나기만 하면 그런 문제는 봄 눈 녹듯이 다 사라지는 문제라는 것을 꼭 기억하십시오. 그리고 다시금 믿음의 기초로 돌아와서 거듭남의 문제를 가지고 씨름해야 할 것입니다. 하나님의 말씀으로 돌아오고, 주의 성령으로 말미암아 거듭나게 될 때에만 비로소 하나님 앞에 바로 설 수 있습니다.

자매들의 경우라면 왜 화장발이 안 받습니까? 왜 밥을 먹어도 소화가 되지 않습니까? 왜 위염에 걸리고, 왜 공부를 많이 해도 머리에 잘 들어오지 않습니까? 뿌리는 영적인 문제에 있습니다.

이전에 대만에 갔을 때 교회들이 뚜렷이 구별되었습니다. 신따이 교회를 갔더니 사람들이 화장을 하지 않았는데도 모두들 달덩이처럼 보였습니다. 얼굴에서 빛이 났습니다. 그렇게 예쁠 수가 없었습니다.

반면에 큰 교회인 화이언땅 교회를 갔더니 그곳에서 놀고 있는 아이들은 얼굴은 예쁜데도 마치 죽은 얼굴 같았습니다. 시체를 보는 것 같았습니다. 이집트의 미라를 바라보는 것 같았습니다. 다 죽어 있었습니다. 그런데 복음이 들어가니까 그들이 살아나는 것이었습니다. 얼굴이 상기되면서 살아나는 것을 보았습니다.

뿌리가 어디에 있습니까? 영적인 문제에 있다는 것입니다. 우리는 우리들의 얼굴을 통해서 전도할 수 있습니다. 우리의 얼굴 자체가 우리의 믿음을 보여주는 것임을 꼭 기억하시고 다시금 뿌리로 돌아갈 수 있기를 바랍니다.

그래서 예수님이 무엇이라고 하십니까?

"진실로 진실로 네게 이르노니 사람이 물과 성령으로 나지 아니하면 하나님나라에 들어갈 수 없느니라"(요 3:5).

물과 성령으로 나야 됩니다.

"니고데모 너에게 딴 것이 필요한 것이 아니다. 네게는 지금 학식도 필요없고 다 필요없다. 오로지 필요한 것은 물과 성령으로 거듭나는 것이다. 이것이 하나님나라로 들어가는 유일한 길이다."

이것을 우리에게 보여주고 있습니다. 하나님의 말씀의 원리는 우리의 외적인 행동이 변하는 것에 있지 않습니다. 존재의 변화입니다. '존재됨'(being)이 변화되어야 '행동'(doing)이 변화되는 것입니다. 우리들의 속사람이 성령의 말씀으로 변화되는 일이 무엇보다도 중요합니다.

드래프트 1순위, 복음증거

그러면 중생의 방법은 무엇입니까? 하나님의 말씀을 들음으로써 중생이 나타나는 것입니다. 사도행전 16장 14절입니다.

"두아디라 성의 자주 장사로서 하나님을 공경하는 루디아라 하는 한 여자가 들었는데 주께서 그 마음을 열어 바울의 말을 청종하게 하신지라."

루디아가 어떻게 변화를 받았습니까? 바울이 말씀을 증거할 때 그 말씀을 청종함으로 변화를 받았습니다. 그러니까 중생은 말씀 듣는 것 외에는 다른 방법이 없습니다. 사도행전 10장 44절입니다.

"베드로가 이 말할 때에 성령이 말씀 듣는 모든 사람에게 내려오시니."

하나님의 말씀을 들을 때 성령의 임재가 나타난다고 말씀하고 있습니다.

왜 이런 일들이 벌어집니까? 하나님의 말씀에는 힘이 있기 때문입니다. 하나님의 말씀은 우리 속을 완전히 수술하는 능력이 있기 때문입니다. 그러므로 우리 속사람을 수술하기 위해서는 하나님의 말씀이 들어가야 합니다. 하나님의 말씀이 들어가면 우리 속심령을 다 뒤집어놓습니다. 히브리서 4장 12절에 보니까 "하나님의 말씀은 살았고 운동력이 있어 좌우에 날선 어떤 검보다도 예리하여 혼과 영과 및 관절과 골수를 찔러 쪼개기까지 하며 또 마음의 생각과 뜻을 감찰하나니"라고 하였습니다. 그러므로 사람의 영혼을 치료하기 위해서는 하나님의 말씀의 수술이 필요합니다. 말씀이 들어가서 우리를 찔러 쪼개면 영이 살아나고 혼이 살아나고 관절과 골수가 다 살아나는 은혜의 역사가 나타납니다. 말씀의 능력으로 말미암아 하나님 앞에서 변화받고 새로운 인생이 되고, 그래서 천국에 들어가는 비자를 얻는 사람이 되기 바랍니다.

그러므로 교회의 사명 1순위가 무엇입니까? 말씀증거입니다. 혹자는 이렇게 이야기합니다. 교회는 빈민을 구제해야 하고, 정치를 개혁해야 하고, 계명을 위해서 열심히 뛰어야 한다고 합니다. 그러나 교회의 첫째 사명은 복음증거입니다. 교회가 정치, 사회, 개혁, 평화주의로 나가면 세상은 절망하게 됩니다. 그런 것들은 교회가 해야 될 우선적 사명이 아닙니다.

사도행전을 보면, 권세자들이 그렇게 막으려고 했던 것이 무엇입니까? 구제하는 것을 막으려고 했습니까? 아닙니다. 정치, 사회개혁하는 것을 막으려고 했습니까? 아닙니다. 바로 전도와 말씀증거를 막으려고 했습니다. 왜 그렇습니까? 전도하고 복음을 증거하는 것이 바로 마귀를 쓰러뜨리고 넘어지게 하는 일이기 때문입니다.

그러므로 사탄은 우리에게 이렇게 유혹합니다.

"너희들 교회가 좀더 친교에 힘을 써라. 더 친해져라. 좀더 사회사업에 힘을 쓰면 좋겠다. 찬양 집회 좀 많이 해라."

이런 것들로 우리를 자꾸 유혹하고서 "말씀은 중단하라"고 합니다. 말씀을 증거하지 않으면 교회가 죽습니다. 설교보다 간증에 우리의 귀가 솔깃해지면 교회가 죽는 것입니다. 사도들은 권세자들이 말씀을 전하지 말라고 할 때 무엇이라고 이야기합니까?

"우리는 보고 들은 것을 말하지 아니할 수 없다."

침묵할 수 없다는 것입니다.

사도행전 6장에 보니까 예루살렘교회에 과부들로 인한 문제가 생겼을 때 사도들이 무엇이라고 했습니까?

"우리는 하나님의 말씀을 제쳐놓고 공궤를 일삼는 것이 마땅치 아니하니 … 우리는 기도하는 것과 말씀 전하는 것을 전무하리라"(3, 4절).

하나님 앞에서 이 말씀을 증거하는 일과 복음을 위해서 기도하는 일에 전념하는 성도가 되기 바랍니다.

만일 삼일교회가 대만선교에서 거리에 돈을 뿌리고 다녔다고 한다면, 아무런 열매도 거두지 못했을 것입니다. 그러나 우리는 돈은 하나도 쓰지 않고 계속해서 복음만을 증거습니다. 그랬더니 오히려 대만의 어떤 성도는 우리를 위해 헌금을 해주셨습니다. 18만 원을 헌금해주셨습니다. 그리고 화이언땅 교회에서는 우리가 사역할 수 있도록 많은 것들을 뒷받침해주었습니다. 왜 이런 일들이 벌어집니까? 복음을 증거하면 나머지 일들은 채워진다는 것입니다. 그러므로 돈이 그들을 살리는 것이 아닙니다. 우리가 말씀에 생명을 걸고 말씀의 힘으로 나아가는 하나님의 백성들이 되어야 하는 것입니다.

디모데후서 4장 2절을 마지막으로 보겠습니다.

"너는 말씀을 전파하라 때를 얻든지 못 얻든지 항상 힘쓰라 범사에 오래 참음과 가르침으로 경책하며 경계하며 권하라."

대만이나 제주도나 강원도나 어느 곳을 가든지 항상 예수 그리스도의 복음을 증거하고 영혼을 얻는 하나님의 백성이 되기 바랍니다.

ID 153 패스워드

패스워드1. 미지근한 신앙은 믿음생활의 암이다.

예수님을 따르는 자들 가운데는 늘 배반자와 비겁자, 핍박자, 그리고 헌신자가 있다. 이들 가운데서 차지도 덥지도 않은 미지근한 신앙, 헌신하지도 않고 그렇다고 배반한 것도 아닌 신앙을 가진 회색분자가 가장 큰 문제다. 헌신하라. 신앙에 중간지대는 없다.

패스워드2. '예수님의 위성'으로 떠돌지 말라.

현대인들이 대형교회를 좋아하는 이유는 숨어 있기에 안성맞춤이기 때문이다. 예수님을 아예 떠나기는 무섭고, 타이틀을 갖고 뛰기는 부담되기 때문이다. 이런 이들은 모든 설교의 내용을 다 이해하고, 시시비비를 가릴 지식을 고루 갖추어도 정작 참은혜를 체험하기는 어렵다.

패스워드3. 뿌리가 살아야 전체가 산다.

가지의 문제, 잎사귀의 문제를 가지고 헛되이 외치는 것은 어리석은 일이다. 믿음의 자리로 나아와 영이 거듭나는 것이 최우선이다. 모든 문제의 뿌리는 영적인 데 있다. 존재됨(being)이 변화되어야 행동(doing)이 변화된다.

코람데오(Coram Deo) 자기점검

1. 온전히 헌신하지 않는 한 온전한 평안은 요원하다. 성도에게는 헌신이 곧 행복이다. 당신은 삶의 이 기막힌 비밀을 아는가? 혹 헌신 없는 자기충족감만으로 거짓 평안, 거짓 기쁨에 익숙해 있지는 않는가?

2. 대형교회 자체를 나쁘다고 할 수는 없다. 그러나 대형교회가 즐겨 은신처로 이용되어 결국 성도의 헌신을 이끌어내지 못하고 각자의 은사를 썩히게 한다면 큰 병폐다. 당신은 대형 교인인가, 대형 그리스도인인가?

3. 악성 구취(口臭)는 입 안의 문제 때문이 아니라 내장 소화계통의 문제 때문이다. 당신의 영적 구취는 어떤 원인 때문인지 아는가?

9장

거듭남의 도구

2부 세상을 변화시키는 믿음

요 3:14, 15

한국교회에 제일 필요한 것이 무엇입니까? 한국교회는 바람이 불지 않아서 답답한 심령과 똑같습니다. 무엇이 필요합니까? 성령의 바람이 불어야 합니다. 먼저 우리 교회 가운데 성령의 바람이 불어야 하고, 이 바람이 시작되어서 각 교회와 각 사회를 뒤집고 나아갈 때 다시금 우리 가운데 소생하는 역사가 나타나게 될 것입니다.

영원한 고통의 지옥

사람들은 70년 내지 80년의 인생을 살다가 죽습니다. 그래서 시편 90편 10절을 보니까 "우리의 연수가 칠십이요 강건하면 팔십이라도 그 연수의 자랑은 수고와 슬픔뿐이요 신속히 가니 우리가 날아가나이다"라고 했습니다. 인생이 칠십이라는 것입니다. 아주 건강하다는 사람도 팔십이라는 것입니다. 그런데 그 인생이 날아갈 정도로 신속하고 짧게 지나갑니다. 그러면 이렇게 짧은 인생이 끝나고 난 다음에 우리를 기다리고 있는 것이 무엇입니까? 죽음입니다. 죽음이라는 터널을 통과하면 우리에게 곧장 천국과 지옥이 기다리고 있습니다. 중간은 없습니다.

누가복음 16장 19-31절을 보면, 예수께서 부자와 나사로 비유를 말씀하십니다. 부자는 세상에서 크게 성공한 사람이었습니다. 복 받은 사람임에 틀림없었습니다. 제일 좋은 옷인 자색 옷을 입었고, 최고급 음식을 먹었습니다. 매일같이 잔치를 벌이면서 즐겁게 보내는 인생이었습니다. 성공과 출세의 인생을 산 사람이었습니다. 그러나 그는 내세와 심판에 대해서는 무관심했습니다. 오직 현실에만 모든 관심을 쏟고 살아가는 그런 사람이었습니다. 그래서 "이 세상에서 육신만 잘 먹고, 잘 입고, 잘 살면 됐지, 무슨 내세가 필요하겠는가? 도대체 천국과 지옥이 어디 있느냐?"고 큰소리 치면서 살았던 인생이었습니다.

히브리서 9장 27절을 보니까 "한 번 죽는 것은 사람에게 정하신 것이요 그후에는 심판이 있으리니"라고 했습니다. 모든 인간은 반드시 죽게 되어 있고, 동시에 예외없이 모두 심판을 받게 되어 있습니다. 그래서 이 부자에게도 죽음이 찾아왔습니다. 죽고보니 이 부자만큼 비참한 패배자가 없습니다. 지옥에 떨어졌습니다. 온 몸이 불에 타고 목이 마르고 입술이 타들어가는데, 손가락 끝에 물 한 방울을 찍어서 서늘하게 할 수도 없는 그런 상황이 되었습니다. 죽고 싶어도 죽을 수 없는 곳이 지옥입니다. 구더기조차도 죽지 않는 영원한 고통이 계속되는 곳이라고 말씀하고 있습니다. 성경은 지옥을 이렇게 묘사합니다.

"불과 유황이 타는 불못이다", "무저의 불이다", "삼키는 불이다", "구더기도 죽지 않는 곳이다", "슬퍼하며 이를 가는 곳이다", "음부의 고통이 있는 곳이다."

그렇기 때문에 존 웨슬리 같은 사람은 지옥의 처절함을 자각하고 설교 중에 지옥을 이렇게 묘사했습니다.

"네 손가락을 뜨거운 불에 한 번 대봐라. 몇 초도 견디기 어려울 것이다. 그러나 그것보다 더 큰 고통이 있다. 그것이 지옥의 고통이다. 온 몸이 불속에 들어가 영원히 있게 될 지옥의 고통이 우리를 기다리고 있다."

부자는 너무 고통스러워서 아브라함의 품에 있는 나사로에게 물 한 방울을 찍어서 서늘케 해달라고 요청합니다. 그러나 그 간단한 요청조차 받아들여지지 않는, 자비라고는 전혀 용납되지 않는 곳, 그곳이 바로 지옥입니다.

전에 있던 교회에서 교역자들과 함께 유성에서 회의를 가진 적이 있었습니다. 그때 유성에 있는 어느 사우나탕에 갔습니다. 사우나실에 들어가서 문을 닫고 땀을 뺐습니다. 사우나를 마친 뒤 나가려는데 무엇이 잘못되었는지 문이 열리지 않는 것이었습니다. 하지만 문이 열리지 않은 시간이 그리 긴 것은 아니었습니다. 한 5분쯤 있다가 나오려는데 출입문이 망가져서 한 3분 정도 더 있었다고 보면 됩니다. 사우나에서 약 8분 정도 있었는데, 저는 그래도 견딜 만했습니다.

'마지막 순간이 되면 유리를 깨고 나와야지.'

이런 생각을 하고 있는데, 옆에 계신 목사님은 아주 참기가 어려웠던가 봅니다. 마침 그 분이 손재주가 뛰어나신 분인지라 어떻게 하더니만 문을 여셨습니다. 그리고 뛰쳐 나오시면서 이렇게 말했습니다.

"야, 내가 여기서는 나올 수 있었는데, 지옥에 한 번 들어가면 영원히 나올 수 없을 거야. 내가 진짜 지옥의 체험을 했다."

그 목사님이 다음 주에 지옥에 관한 설교를 해서 온 성도들이 다 은혜를 받았습니다.

설교를 들으면서 저는 속으로 웃었습니다.

'아, 사우나에서 겪었던 경험을 가지고 메시지를 증거하시는구나.'

하지만 저도 그 말씀을 듣고 은혜를 받았습니다. 우리가 그 사우나에서 8분 동안 겪은 고통도 큰 것이었지만, 지옥의 고통은 그 정도가 아닙니다. 영원한 것입니다. 그런데 누가 이 지옥에 가는 것입니까? 요한계시록 21장 8절입니다

"그러나 두려워하는 자들과 믿지 아니하는 자들과 흉악한 자들과 살인자들과 행음자들과 술객들과 우상숭배자들과 모든 거짓말하는 자들은 불과 유황으로 타는 못에 참예하리니 이것이 둘째 사망이라."

예수 믿지 않는 사람들이 지옥에 갑니다. 우상숭배하는 사람들이 지옥에 갑니다. 그리스도를 영접하지 않는 사람들이 가는 곳이 지옥입니다. 우리 중에 예수 믿지 않는 친척들이 있습니까? 우상숭배하는 사람, 귀신

을 섬기는 사람들이 다 지옥 갈 사람들입니다. 우리는 이것을 알아야 합니다. 그렇기 때문에 우리는 긴장해야 합니다.

영혼 구원의 긴박성

윌리엄 부스라는 사람이 있었습니다. 그는 기도 중에 지옥의 환상을 봤습니다. 개인적으로 이러한 체험을 하는 분들이 가끔 있는 것 같습니다. 윌리엄 부스가 지옥의 환상을 확실히 보고 나서 너무나 큰 충격을 받았습니다. 자기 친척 가운데서도 지옥에 있는 사람이 있었습니다. 깜짝 놀랐습니다. 그래서 '예수 안 믿는 사람들이 저렇게 지옥에 가고 있는데, 내가 이렇게 미지근하게 믿어서는 안 되겠다'는 마음이 생겨서 '영혼을 구원하는 군대'라는 구세군을 창설했습니다. "이제부터는 영혼 살리는 것에만 힘쓰고, 군대같이 복음만 증거하는 그러한 종파를 만들겠다"는 것이 구세군의 출발점이었습니다. 지옥의 환상을 본 사람들은 복음을 증거하지 않고는 견딜 수가 없는 법입니다.

부자에게 어떤 일이 벌어집니까? 고향 마을에 있는 동생들이 생각났습니다.

'그들은 여기에 오면 안 된다.'

언제 깨달았습니까? 지옥에 가서야 깨달았습니다. 존 웨슬리는 영혼 구원의 긴박성을 깨닫고 난 다음에, 후배 목사들을 앉혀놓고 이렇게 설교했다고 합니다.

"영혼 구원 외에 다른 일은 절대 하지 마십시오. 최선을 다해서 영혼 구원하는 일에만 전념하십시오. 할 수 있는 대로 많은 죄인들을 데리고 와서 회개시켜 천국 백성이 되게 하십시오."

교회가 할 일이 바로 이것입니다.

지옥의 백성을 건져내어 천국 백성을 만드는 것이 교회 사명의 최우선 순위요, 우리가 해야 될 가장 중요한 일입니다. 지옥에 대한 모든 말씀을 누가 하셨습니까? 바로 예수님이 하셨습니다. 예수께서는 천국에 관한 복음도 증거하셨을 뿐만 아니라 구원에 관한 말씀도 증거하셨습니다. 그리고 우리 삶의 모든 부분에 대해서도 증거하셨습니다. 그러나 동시에 지옥도 증거하셨습니다. 지옥은 실재합니다. 그러기에 예수를 믿어야 합니다.

요한복음 3장 3절과 5절을 보면 예수님은 "진실로 진실로"라고 말씀하셨는데, 이 말은 "아멘, 아멘"이라는 뜻입니다. 주님께서 아멘을 두 번 강조하면서 말씀하신 것이 무엇입니까? 바로 지옥에 관한 메시지였습니다. "거듭나지 아니하면 하나님나라를 볼 수 없다"는 엄숙하고 중대한 말씀인 것입니다. 예수님의 이 음성을 들을 줄 아는 귀가 열리길 바랍니다.

"사람이 거듭나지 아니하면 하나님나라를 볼 수 없다. 사람이 거듭나지 아니하면 천국에 들어갈 수 없다."

이것이 바로 주님의 메시지입니다. 그러므로 우리가 중생해야지만 천국에 들어갈 수 있는데, 중생의 도구가 무엇인지 다시 한번 살펴봐야 할 것입니다.

하나님의 말씀이 생수

지옥에 가지 않고 천국 백성이 되게 하는 중생의 도구는 무엇입니까? 요한복음 3장 5절입니다.

"사람이 물과 성령으로 나지 아니하면 하나님나라에 들어갈 수 없느니라."

물과 성령으로 거듭나야만 천국 백성이 될 수 있다고 말씀합니다. 그렇다면 물로 거듭나는 것이 무엇인지 먼저 살펴보기로 합시다. '물로'라는 것이 무엇입니까? 많은 사람들이 이 "물로 난다"라는 것을 세례로 이해했습니다. 그래서 세례받아야만 구원받는다고 생각합니다. 특별히 로마 가톨릭에서는 지금도 이렇게 이해합니다. 그래서 "영세받아야만 구원받는다"고 믿습니다. 영세가 구원에 대한 어떤 보증서라도 되는 것처럼 생각합니다. 이것은 옳지 않습니다.

왜 그렇습니까? 만약에 물로 난다는 것이 세례라고 한다면, 아벨로부터 그리스도 당시까지 살다가 죽었던 모든 사람들은 구원받지 못했을 것입니다. 구약성경에는 단 한 차례도 '세례'라는 말이 등장하지 않았고, 세례를 준 사람 또한 아무도 없었기 때문입니다. 그리고 세례가 구원의 필수조건이라면 세례받지 않고 죽은 성도들이 많은데 그들은 어떻게 되는 것입니까? 예수를 믿는 종파들 가운데 퀘이커라든지 구세군은 지금도 세례를 주지 않습니다. 그러면 그들이 다 지옥 갑니까? 말도 안 되지요. 그리고 예수께서 십자가에 달리셨을 때 우편에 있던 강도가 회개했습니다. 천국 갔습니까, 못 갔습니까? 갔지만 세례를 받지는 않았습니다. 세례가 구원의 절대적인 조건이 되었던 건 아닙니다. 구원은 은혜로 말미암아 믿음으로 받기 때문입니다.

사도행전 16장을 보니까 빌립보 감옥의 간수가 사도 바울에게 이렇게 묻습니다.

"내가 어떻게 하여야 구원을 얻으리이까?"

사도 바울이 세례받으라고 그랬습니까?

"주 예수를 믿으라 그리하면 너와 네 집이 구원을 얻으리라."

예수를 믿음으로 구원받는 것이지 세례가 구원의 조건은 아니라는 것입니다. 만약에 세례가 구원의 필수조건이라고 한다면 고린도전서 1장 14절에 나오는 사도 바울의 고백은 좀 이상할 것입니다. 사도 바울이 "그리스보와 가이오 외에는 너희 중 아무에게도 내가 세례를 주지 아니한 것을 감사하노니"라고 합니다. 만약에 세례가 구원의 절대적인 조건이라고 한다면 구원을 증거하는 사도가 "내가 세례를 주지 않은 것에 대해서 감사한다"는 이 말을 할 리가 있겠습니까? 이런 것들을 통해서 알 수 있는 것이 무엇입니까? 구원의 조건은 세례가 아니라는 것입니다. '물로 거듭난다' 는 것은 세례가 아니라는 것을 알 수 있습니다.

그러면 '물로 난다' 라는 것이 무슨 뜻입니까? 요한복음 4장 14절을 보니까 "내가 주는 물을 먹는 자는 영원히 목마르지 아니하리니 나의 주는 물은 그 속에서 영생하도록 솟아나는 샘물이 되리라"고 하였습니다. 여기서 말하는 물이 진짜 물입니까? 아니지요. 상징적인 것입니다. 사마리아 여인이 이 우물가에서 물 마시고 나서 물 한 방울도 안 마시고 살았다는 그런 기사는 없습니다. 주님께서 "내가 주는 물은 영생하도록 솟아나는 샘물이 되리라" 하신 말씀에 나오는 물은 진짜 물이 아니라 상징적인 표현입니다.

여기서 말하는 물이 무엇입니까? 하나님의 말씀입니다.

"이는 곧 물로 씻어 말씀으로 깨끗하게 하사 거룩하게 하시고"(엡 5:26).

물을 말씀으로 비유한 것이 나옵니다. 그리고 또 시편 119편 50절에 보니까 "주의 말씀이 살리셨음이니이다"라고 했습니다. 말씀이 나를 살렸다고 합니다. 고린도전서 4장 15절에 보니까 "그리스도 예수 안에서 복음으로써 내가 너희를 낳았음이라"고 했습니다. 새 생명으로 태어났는데 무엇으로 낳았다고요? 복음으로 낳았다고 합니다. 야고보서 1장 18절에는 "자기의 뜻을 좇아 진리의 말씀으로 우리를 낳으셨느니라"고 했습니다. 하나님의 말씀으로 우리를 새 생명으로 태어나게 만들었다고 합니다. 그것이 물입니다.

결정적인 것은 베드로전서 1장 23절 말씀입니다.

"너희가 거듭난 것이 썩어질 씨로 된 것이 아니요 썩지 아니할 씨로 된 것이니 하나님의 살아있고 항상 있는 말씀으로 되었느니라."

우리가 거듭난 것이 말씀으로 되었다면 요한복음 3장의 물은 무엇을 가리킵니까? 하나님의 말씀입니다. 우리를 거듭나게 만드는 도구가 바로 하나님의 말씀입니다. 하나님의 말씀이 우리에게 새 생명을 심겨줄 때에 우리가 새로운 생명으로 거듭나게 됩니다. 그러므로 내 자신이 거듭나 천국 백성이 되기 위해서는 하나님의 말씀을 듣고 믿어야 합니다. 우리 주변에 있는 많은 사람들을 지옥 백성에서 하나님 백성으로 변화시키기 위해서는 열심히 말씀을 증거하고, 그 말씀을 들음으로 말미암아 믿음이 생기도록 만들어야만 구원시킬 수 있습니다.

마지막 복음

미국의 부흥사요, 청년 지도자인 토리 존슨이라는 목사님이 계십니다. 그 분이 시카고에서 오클라호마주에 있는 털사까지 비행기를 타고 날아가고 있었습니다. 이 목사님은 어디를 가든 틈만 나면 복음을 증거하고 전도하는 분이셨습니다. 비행기 안에서 누구 전도할 사람이 없나 열심히 살피다가 조금 한가해보이지만 얼굴에 수심이 가득한 한 스튜어디스를 보게 됐습니다. 그래서 그 스튜어디스를 불러서 옆자리에 앉으라고 권하고 사영리를 증거했다고 합니다. 말씀을 증거하면서 "그리스도를 영접해야만 살 수 있습니다"라는 짧은 말 한마디에 하나님의 은혜가 임하니까 이 스튜어디스가 그 즉시 예수님을 영접했다고 합니다. 그러자 어두운 얼굴이 사라지고 밝은 얼굴이 되어서 기쁨을 가지고 예수를 믿게 되었다고 합니다. 마지막 영접 기도할 때는 눈물까지 흘렸답니다. 목적지에 도착하자 스튜어디스가 비행기에서 내리는 존슨 목사님에게 마지막 인사를 하면서 이렇게 말했습니다.

"이 비행기에서 다시 목사님을 만나뵙지 못한다면 앞으로 저 천국에서 만나뵙게 되겠지요."

이튿날 존슨 목사님이 호텔에서 조간신문을 폈는데, 전면에 큰 기사가 났습니다. 털사에서 포트워즈로 가는 비행기 한 대가 추락했다는 기사였습니다. 알고 봤더니만 자기가 탔던 그 비행기였습니다. 승무원과 승객 전원이 다 사망했다는 것입니다. 그 사망자 명단을 죽 읽어가노라니까 어제 비행기 안에서 주님을 영접했던, 그 스튜어디스의 이름도 있었다고 합니다.

하나님께서 지옥의 백성이 될 뻔한 한 스튜어디스를 마지막 순간에 천국 백성으로 만드는 역사가 일어나게 하셨던 것입니다. 무엇이 그렇게 만들었습니까? 하나님의 말씀입니다. 말씀을 증거할 때에 복음은 이렇게 한 사람을 지옥 백성에서 천국 백성으로 옮기는 역사가 일어나게 합니다. 그러므로 우리는 어느 때가 전도의 기회다 아니다를 따질 것이 아니라 힘닿는 대로 복음증거해야 합니다. 만나는 사람마다 예수 그리스도의 향기를 발해야 합니다.

"너는 말씀을 전파하라 때를 얻든지 못 얻든지 항상 힘쓰라"(딤후 4:2).

왜 무시로 전도해야 합니까? 말씀을 증거하는 데 힘써야만 영혼들이 살아날 수 있기 때문입니다. 만나는 사람마다 복음이 왕성케 되도록 하는 것이 바로 성도의 본분임을 기억하십시오. 우리의 입술로, 우리의 전도지로, 또 설교 테이프를 통해서 말씀이 들려지게 될 때에 그 영혼을 소생케 하는 믿음이 나타나게 됩니다.

하나님의 말씀을 듣지 않으면 믿을 수가 없습니다. 어떤 사람은 교회 나오지도 않고 하나님의 말씀을 듣지도 않으면서 마음에 하나님을 믿는다고 합니다. 그건 엉터리입니다. 말씀을 들음으로 구원받는 믿음이 된다는 것을 깨닫고, 믿지 않는 친지들이나 친구들을 만날 때마다 하나님 말씀을 증거하시기 바랍니다.

성령의 허리케인

그 다음 중생의 도구가 무엇입니까? 성령입니다. 물과 성령으로, 즉 말씀과 성령으로 거듭나야 됩니다. 하나님의 말씀이 씨라면 그 씨를 자라게 하는 분은 성령이십니다. 우리가 증거한 말씀이 사람들에게서 믿음의 반응을 불러일으키도록 하는 분이 바로 성령입니다. 그러므로 복음증거자는 하나님의 말씀을 증거함과 동시에 성령의 도우심을 구해야 합니다. "하나님, 내가 증거하는 이 말씀이 성령의 손에 붙들린 바 되어, 성령의 검으로 저 영혼들을 변화시키게 하여주옵소서", "하나님의 은혜 가운데 믿음을 심어주시옵소서" 하는 이 기도가 반드시 있어야 합니다. 그래서 중생의 역사에는 우리가 증거하는 말씀과 그 말씀을 사용해서 사람들을 뒤집어놓는 성령의 역사가 동시에 있어야 합니다.

오순절에 베드로가 말씀을 증거할 때 하루 3천 명이 믿었습니다. 그 이유가 무엇입니까?단지 베드로가 말씀을 잘 쪼갰기 때문입니까? 스피커가 좋았기 때문에 그렇습니까? 아닙니다. 성령의 바람이 불었기 때문에 그렇습니다. 베드로가 하나님 말씀을 증거할 때에 성령의 바람이 부니까, 그 자리에 앉아 있던 3천 명이 성령의 바람으로 말미암아 변화받고 믿음이 생겨나게 된 것입니다. 이렇게 성령의 역사는 중요합니다.

요한복음 3장 7,8절을 보니까 "내가 네게 거듭나야 하겠다 하는 말을 기이히 여기지 말라 바람이 임의로 불매 네가 그 소리를 들어도 어디서 오며 어디로 가는지 알지 못하나니 성령으로 난 사람은 다 이러하니라"고 하였습니다. 성령을 바람에 비유했습니다. 성령이 역사하는 것은 마치 바람과 같다는 것입니다.

성령의 역사는 주권적입니다. 바람이 어디로 와서 어디로 가는지 우리 인간이 알지 못합니다. 마찬가지로 성령의 역사도 그렇습니다. 쉽게 말해서, 성령의 역사가 주권적이라는 것은 '성령 마음대로' 라는 것입니다. 우리가 조정할 수 없습니다. 어떤 사람에게는 성령께서 미풍과 같이 역사하십니다. 부드럽게 역사하십니다. 그래서 조용히 찬양하는 가운데 믿음을 주시고, 조용히 기도하는 가운데 하나님 앞에 회개하는 심령이 생기게 만듭니다. 반면에 또 어떤 사람에게는 강력하고 급진적으로 역사하는 경우가 있습니다. 예배하는 가운데, 말씀을 듣는 가운데 데굴데굴 구르면서 깨어지는 역사가 벌어집니다. 성령은 자유롭게 역사합니다. 그렇지만 중요한 것은 무엇입니까? 성령의 바람이 불어야만 살아날 수 있다는 것입니다.

또 하나, 성령의 역사는 저항할 수 없습니다. 미국에 허리케인이 지나가는 것을 TV를 통해 본 적이 있습니다. 남는 것 없이 다 휩쓸고 지나가 버립니다. 폭풍 이후에 지나간 흔적을 살펴보니까 폭풍의 영향력이 얼마나 큰 것인지 한눈에 알아볼 수 있었습니다. 마찬가지로 성령의 역사도 그러합니다. 성령의 강풍이 한 번 지나가버리면 모든 것을 다 깨뜨려버립니다. 우상숭배하는 모든 심령들을 다 깨뜨려버리고, 인간의 편견을 다 깨뜨려버리고, 반항적인 의지를 다 깨뜨려버리고, 모든 반대를 다 깨뜨려버리고, 하나님 앞에 자복하고 은혜 가운데로 나오게 합니다. 이것이 바로 성령의 바람입니다.

우리 한국교회에 제일 필요한 것이 무엇입니까? 한국교회는 바람이 불지 않아서 답답한 심령과 똑같습니다. 공기가 통하지 않아서 숨막힌다고 하는 심령과 똑같습니다. 무엇이 필요합니까? 성령의 바람이 불어야 합니다. 먼저 우리 교회 가운데 성령의 바람이 불어야 하고, 이 바람이 시작되어서 각 교회와 각 사회를 뒤집고 나아갈 때 다시금 우리 가운데 소생하는 역사가 나타나게 될 것입니다.

불어라, 영혼을 살리는 성령 대풍

일전에 저희 교회에서 대만선교를 다녀왔습니다. 대만에 저희 교회와 협력하는 선교사님이 계시는데, 그 분한테서 전화가 왔습니다. 현지 신문에서 이례적으로 사진과 함께 우리의 선교가 대서 특필되었다고 합니다. 그러면서 대만에 영적인 바람이 부는 것 같다고 말씀하십니다. 우리가 지나갔던 곳마다 기도 운동이 벌어지고 또 "우리도 전도하자", "이제는 교회 안에만 머무를 것이 아니라 나가서 복음을 증거해야겠다", "예수는 우리의 왕이요, 십자가만이 우리를 살리는 길임을 외쳐야 되겠다"는 각성이 일어났다고 합니다. 그들 가운데 성령의 바람이 불고 있습니다. 얼마나 감사한 일입니까?

성령의 바람이 불어야만 교회가 살아납니다. 우리 가운데에도 성령의 바람이 지금보다 훨씬 더 강력하게 불어서 우리를 살리게 해달라고 하나님 앞에 간구해야 합니다.

또한 제주도 전도집회를 통해서도 수천 명의 영혼들에게 하나님의 복음이 증거되는 성령의 바람이 일어났습니다. 기도할 때에 하나님께서 우리에게 이러한 성령의 태풍을 허락해주신 것입니다. 7월 첫주가 원래 태풍이 부는 때가 아닙니까? 우리는 태풍은 잠잠해지고 성령의 태풍이 불게 해달라고 하나님 앞에 기도로써 준비했습니다. 그랬더니 하나님께서 역사해주셨습니다. 하나님 앞에 기도하고 순종하며 나아갈 때 우리는 성령의 바람이 무엇이고, 성령의 태풍이 무엇인지 알게 됩니다.

이 바람에는 살리는 힘이 있습니다. 식물도 바람이 없으면 죽는다고 합니다. 바람이 불지 않는 곳에 나무가 있으면 말라죽는다고 합니다. 바람이 불어야만 수분 작용이 생겨서 죽지 않는다고 합니다. 바람이 불지 않으면 신속하게 사람이 약화됩니다. 바람과 생명은 깊은 연관관계가 있습니다. 그래서 연약한 사람들이나 병자들이 산이나 바닷가 등 공기 좋은 데 가서 바람을 쐬면 살아납니다. 우리들도 마찬가지입니다. 날마다 집에만 있으면 우리 정신이 죽습니다. 믿지 않는 사람들도 그걸 알아요. 그래서 "우리 바람이나 쐬러 가자"고 말합니다. 다른 곳에 가서 새로운 공기를 맡으면 영혼이 맑아집니다. 이것은 우리가 육체적으로도 느끼는 것입니다.

교회도 마찬가지입니다. 교회가 항상 정체되어 있고, 교회 울타리 안에서만 머물고, 성령의 바람이 불지 않으면 영혼이 답답함을 느낍니다. 죽음을 느낍니다. 그러나 성령의 바람이 신선하게 불어닥치기 시작하면 영혼들이 살아납니다. 바람이 부는 곳에서 영혼들이 살아나는 것입니다. 우리들의 각 심령에게도 성령의 바람이 일어나야 합니다.

거듭남이 어디에 있습니까? 물과 성령에 있습니다. 하나님의 말씀이 왕성하게 선포되고 하나님의 성령의 바람이 불 때 그것이 우리를 살립니다. 한국교회의 강단이 하나님 앞에서 말씀이 살아있고, 성령의 바람이 그치지 않는 능력의 강단이 될 수 있기를 바랍니다.

무기력한 세상적인 방법

그러면 하나님의 말씀과 성령이 가르치는 것은 무엇입니까? 예수 그리스도의 십자가입니다. 본문은 성령의 바람이 분 후에는 어떻게 해야 한다고 지적합니까? 십자가를 바라보라는 것입니다. 그래서 요한복음 3장 14,15절을 보니까 민수기 21장의 사건을 묘사하고 있습니다. 이스라엘이 광야에서 방황하고 있을 때 여호와께 불평을 했습니다. 그들은 매사에 불평과 불만이 많았습니다. 그래서 하나님께서 그 백성들 가운데 무서운 뱀을 보내어 그들을 물게 합니다. 많은 백성들이 독뱀에 물려서 죽었습니다. 또 심한 상처를 입었습니다. 이스라엘 백성들이 "하나님, 우리를 살려주세요" 그럴 때 하나님께서 뱀에 물린 이스라엘 백성들에게 주신 치유책이 있습니다. 약을 만들라고 그랬습니까? "좋은 약을 만들어라", "좋은 연고를 만들어서 바르라"고 말씀하시지 않았습니다.

왜 그랬습니까? 우리 죄의 문제는 인간인 우리가 해결할 수 없기 때문입니다. 지금 교회 안에도 이상한 일들이 벌어집니다. 영적인 문제를 놓고 함께 이야기해보자고 합니다. 그래서 교회 안에서 매일 상담 운동이 벌어집니다. 착각하는 것입니다. 정신상담을 통해서 영적 문제가 해결되는 것이 아닙니다. 물론 성경 말씀을 통해서 말씀을 듣고 상담하는 경우는 가능하지만, 정신요법만 가지고 해결되는 것은 아닙니다. 어떤 사람은 안정제 먹이면 된다고 생각합니다. 아닙니다. 마가복음 5장 26절에 나오는 어떤 가난한 여인의 모습을 눈여겨봅시다. 여인은 오래 병을 앓고 있었습니다.

"많은 의원에게 많은 괴로움을 받았고 있던 것도 다 허비하였으되 아무 효험이 없고 도리어 더 중하여졌던 차에."

이것이 바로 우리의 모습이 아닙니까? 이런 요법도 써보고, 저런 요법도 써보고, 이런 프로그램에도 기웃거려보고 저런 방법도 해봅니다. 그러나 많은 방법과 의원들을 통해서 얻은 건 괴로움뿐이었습니다. 자기가 바라는 치유는 전혀 받지 못했습니다. 이리 기웃 저리 기웃 했지만 몸만 피곤하더라는 것입니다. 영혼만 계속 죽어가더라는 것입니다. 그래서 있던 것도 다 허비하고 효험도 없이 오히려 병만 더 중해지는 것입니다. 이것을 깨달아야 됩니다. 우리의 인간적인 방법을 가지고 되는 것이 아니라는 사실입니다.

하나님께서 뱀에 물린 이스라엘 백성들에게 뱀과 싸우라고 했습니까? 그래서 그들이 뱀잡이 기구를 만들었습니까? 땅꾼들 모아서 뱀 잡자고 그랬습니까? 설령 천 마리 뱀을 잡았다 할지라도 이미 뱀에 물린 사람은 어떻게 합니까? 뱀만 잡으면 무엇합니까? 이미 물렸는데. 그래서 그것이 아니라는 것입니다. 기독교에서 일부 사람들은 모든 힘을 거기에 쏟았습니다.

"음란외설물을 태워 없애자", "담배를 피우지 말자", "사회개혁하자."

사회개혁이 사회를 치유하는 것이 아닙니다. 왜 그렇습니까? 겉모양을 바꾼다고 속이 변화되는 것이 아니기 때문입니다. 겉만 치유되면 무엇합니까? 범죄는 경찰이 한 번 싹 지나가고 난 다음에 잡초처럼 금방 또 생기고 마는데 말입니다. 사회개혁이 이 사회를 변화시키는 것이 아닙니다. 또 어떤 사람은 이렇게 이야기합니다.

"우리의 상처를 보자", "우리의 부조리가 무엇인지 깨닫자."

그래서 자꾸만 사회의 문제를 들추어내려고 합니다. 누가 모릅니까? 내가 뱀에 물린 줄 알고, 내가 죄인인 줄 알고, 이 사회가 병든 것을 누구나 다 압니다.

어떤 사회 기관에서 몇 년 전에 저에게 원고 의뢰가 왔습니다. 무엇에 대한 원고 의뢰인고 하니, 미국의 어떤 음란 잡지 회사에서 우리 한국에 음란 잡지를 내려고 한다는 것입니다. 그러다가 우리 문화관광부에서 하도 반대를 하니까 원래 이름을 바꿔서 딴 이름으로 음란 잡지를 낸다고 합니다. 그래서 제가 글을 써야겠기는 하는데, 이 잡지를 봤어야 알잖아요. 그래서 대학청년부 간사한테 "가서 문제의 그 잡지를 한 권 사오너라"고 했습니다. 저는 내심 적어도 간사니까 음란 잡지에 대해 문제의식을 느낄 줄 알았어요. 그런데 문제의식은 전혀 못 느끼고 도리어 흥미를 느끼는 것입니다.

"제가 먼저 보고 와도 돼요? 안 돼요?"

이런 소리를 하는 것입니다. 이때 저는 깨달았습니다.

'아, 이것은 음란 잡지가 문제가 아니다. 여기에 대해 백날 글을 써봐야 소용이 없다.'

그런 글을 읽으면서 사람들은 문제의식을 느끼고 회개하기는커녕 도리어 흥미를 느낀다는 것입니다.

'아, 그런 것이 있었구나. 나는 그런 것이 있는 줄도 몰랐는데 그 잡지 한번 사봐야지.'

이렇게 되더라는 말입니다. 그래서 제가 전화를 걸어 그 글을 못 쓰겠다고 한 적이 있습니다. 그런 식으로 해서 되는 것이 아니기 때문입니다.

문제는 무엇입니까? 복음이 그 안에 들어가서 생명의 능력이 나타나면 살 수 있습니다. 하나님께서 뱀에 물린 이스라엘 백성들에게 주신 명령이 무엇입니까? 민수기 21장 8절에 보니까 "물린 자마다"라고 했습니다. 우리는 전부 다 뱀에 물렸다고 했습니다. 우리 모두를 염두에 두고 하는 말입니다. "뱀에 물린 자마다" 어떻게 하라고요?

"장대에 높이 달린 놋뱀을 쳐다보면 살리라."

그 놋뱀이 누구입니까? 예수 그리스도입니다. 예수 그리스도의 십자가입니다.

"십자가를 쳐다보면 살리라."

예수님 쳐다보기 운동

예수를 믿는다는 것이 무엇인 줄 아십니까? 예수님을 쳐다보는 운동입니다. 이사야서 45장 22절을 보니까 "땅끝의 모든 백성아 나를 앙망하라 그리하면 구원을 얻으리라 나는 하나님이라 다른 이가 없음이니라"고 했습니다. 매순간 그리스도만을 바라보시길 바랍니다. 그러면 삽니다. 그것이 기독교입니다. 그리스도를 바라보는 것이 믿음입니다. 히브리서 12장 1,2절입니다.

"인내로써 우리 앞에 당한 경주를 경주하며 믿음의 주(主)요 또 온전케 하시는 이인 예수를 바라보자."

예수가 어떤 주라고 합니까? 믿음의 주라는 것입니다. 주님을 바라보면 믿음이 생깁니다. 또 "병든 자, 뱀에 물린 자, 죽어가는 자마다 예수님을 바라보면 온전케 만들어주신다. 그러니까 그리스도를 바라보자"고 하는 것입니다. 혹시 아직도 죄의 자리에 있는 분들이 계십니까? 지옥의 백성들이 계십니까? 예수님을 바라봅시다. 그리스도의 십자가를 바라봅시다. 그 십자가에서 내 죄가 해결되고 예수님이 나를 위해서 피를 흘리셨다는 것을 바라보기만 하면 구원받습니다.

우리 가운데 낙심한 심령들이 있습니까? 극심한 어려움 가운데 빠져 있는 분들이 계십니까? 인간적인 발버둥이 필요한 것이 아닙니다. 운동이 필요한 것이 아닙니다. 예수를 바라보면 삽니다. 예수님을 바라보는 사람이 되길 바랍니다. 죽을 위치에 놓여 있는 사람들이 있습니까? 사방으로 우겨쌈을 당해서 절망 가운데 있는 사람들이 있습니까? 예수님을 바라보면 삽니다.

그러므로 교회의 메시지는 무엇이 되어야겠습니까? 온 세상에 나가서 모든 만민들에게 외쳐야 합니다.

"예수님을 바라보라."

우리가 사영리를 증거할 때마다 매번 나오는 것이 무엇입니까? 인간을 바라볼 것이 아니라 예수님을 바라봐야 산다는 것 아닙니까? 십자가를 바라보면 삽니다.

"너의 시선을 예수께 맞춰라. 그러면 산다."

이것이 복음이요 생명입니다.

그러므로 우리 모두 예수님을 바라보고 문제가 있을 때마다 그리스도의 십자가를 쳐다봅시다. 그리고 어려운 난관에 부딪칠 때마다 또 힘이 딸리고 지치고 피곤할 때마다 그리스도의 십자가를 바라봄으로 말미암아 구원을 누리고 새 힘을 얻고 승리하는 사람이 되길 바랍니다.

"모세가 광야에서 뱀을 든 것같이 인자(人子)도 들려야 하리니 이는 저를 믿는 자마다 영생을 얻게 하려 하심이니라"(요 3:14, 15).

ID 153 패스워드

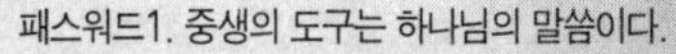

패스워드1. 중생의 도구는 하나님의 말씀이다.

물세례가 구원을 이루는 것이 아니다. 거듭남은 영원히 썩지 않는 하나님의 말씀으로 이뤄진다. 하나님을 믿는다는 것은 하나님의 말씀을 믿는다는 것이다. 믿음은 들음에서 나며 들음은 그리스도의 말씀으로 말미암는다. 그리스도의 말씀이 들려지게 하라.

패스워드2. 성령의 도우심이 없이는 거듭날 수 없다.

성령은 자유롭게 역사하신다. 어떤 사람에게는 부드러운 미풍처럼, 또 어떤 사람에게는 급히고 강한 바람처럼 역사하신다. 어떤 형태로든 성령의 바람이 불어야만 생명이 살아날 수 있다. 바람이 불지 않으면 나무도 말라죽는다. 성령의 도우심의 역사를 간구하라.

패스워드3. 오직 십자가에만 치유의 권능이 있다.

죄의 문제는 인간이 스스로 해결할 수 없다. 정신요법 상담으로도 안 된다. 사회개혁이 사회를 치유하지 못한다. 범죄는 소탕 직후 다시 잡초처럼 번성한다. 속이 변화되어야 겉이 바뀐다. 뱀에 물린 자마다 그리스도의 십자가를 쳐다보면 산다.

코람데오 (Coram Deo) 자기점검

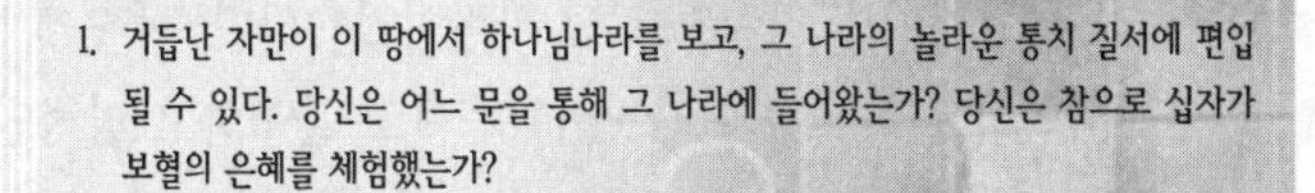

1. 거듭난 자만이 이 땅에서 하나님나라를 보고, 그 나라의 놀라운 통치 질서에 편입될 수 있다. 당신은 어느 문을 통해 그 나라에 들어왔는가? 당신은 참으로 십자가 보혈의 은혜를 체험했는가?

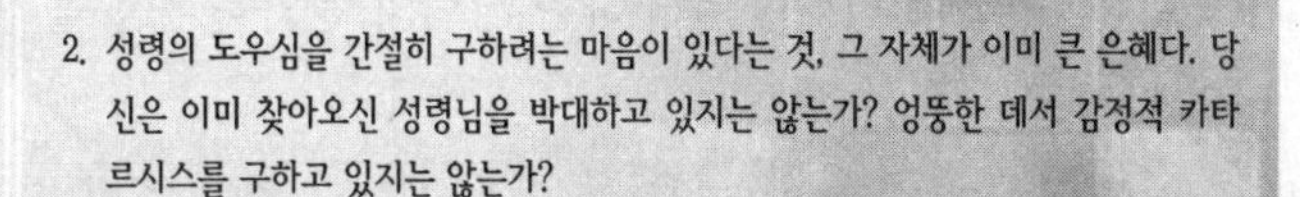

2. 성령의 도우심을 간절히 구하려는 마음이 있다는 것, 그 자체가 이미 큰 은혜다. 당신은 이미 찾아오신 성령님을 박대하고 있지는 않는가? 엉뚱한 데서 감정적 카타르시스를 구하고 있지는 않는가?

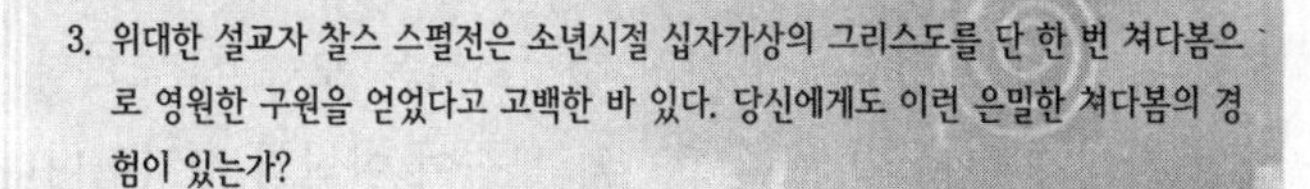

3. 위대한 설교자 찰스 스펄전은 소년시절 십자가상의 그리스도를 단 한 번 쳐다봄으로 영원한 구원을 얻었다고 고백한 바 있다. 당신에게도 이런 은밀한 쳐다봄의 경험이 있는가?

요 3:16-36

정말로 내 속에서의 싸움이 더 큰 싸움이라는 사실을 알아야 합니다. 남들이 잘되고, 남들이 부흥하고, 남들이 성공하는 모습에 대해, 그것을 싫어하는 마음이 겉으로 드러난 원수보다 더 큰 원수라는 것을 깨닫고 그것과 싸워야 합니다. 그것과 싸워 이기지 않으면 세례 요한처럼 충성스러운 길로 가는 하나님의 그릇이 될 수 없습니다.

세례 요한의 강점을 이어받아

요한복음 초반부에는 스포트라이트를 니고데모에게 맞춥니다. 그러다가 이제 서서히 스포라이트를 세례 요한에게 맞추고 있습니다. 니고데모는 어두운 그림자가 드리워져 있던 사람이었습니다. 예수께 밤에 찾아왔고, 바리새인이요 유대인의 관원이었음에도 불구하고 영적인 세계에 대해서는 무지했습니다. 주님을 따르는 일에 있어서도 우유부단한 사람이었습니다. 이론과 지식을 추구하는 사람의 문약한 모습을 엿볼 수 있습니다.

반면에 본문에서 초점을 맞추고 있는 세례 요한은 주변 환경 때문에 그의 믿음과 자세가 흔들리는 것이 아니라 오히려 더 충성하는 모습을 보여줍니다. 아마도 성경에서 가장 충성스러운 모습이요, 가장 본받을 만한 종의 자세가 바로 이 세례 요한의 모습이 아닌가 생각됩니다. 그래서 예수께서도 세례 요한을 향해 "여자가 낳은 자 중에 세례 요한보다 큰 이가 없도다"라고 칭찬해주셨습니다.

요즈음 연륜도 있고 예수를 잘 믿는다고 하는 신앙인들이 참 많아졌습니다. 그런데 사람들이 그런 신앙인들을 향해 무엇이라고 비판하는 줄 아십니까?

"연륜은 있는데, 깊이가 없다", "믿는다고 이야기는 하는데, 신앙의 인격이 자라지 못했다."

우리는 사회에서 이러한 부끄러운 비판을 받으며 살고 있습니다. 그러기에 이제는 세례 요한의 믿음과 인격과 종의 자세를 배워 성숙한 믿음으로 변화받는 충성스러운 성도가 되어야 할 것입니다.

겸손은 신앙의 마지막 열매

사람이 겸손하게 된다는 것은 그리 쉬운 일이 아닙니다. 알량한 일을 이루어놓고도 스스로 너무 대견하게 여겨 도저히 자랑하지 않고는 배길 수 없는 것이 사람들의 심정입니다. 그래서 우리가 좋은 집으로 이사를 가고, 또 자녀가 좋은 대학에 들어가고, 또 다른 사람이 가지고 있지 않은 것을 우리가 가졌을 때, 그것을 드러내고 싶고 뻐기고 싶은 마음이 들지 않습니까? 누구나 다 그렇습니다. 어떤 신학자는 "겸손은 우리 신앙의 마지막 열매다"라고 말했습니다. 그래서 크리스천이 제일 마지막으로 열매 맺는 것이 겸손입니다.

역대하 26장을 보면 이스라엘의 위대한 왕 웃시야가 나옵니다. 16세에 왕이 되어서 52년 동안 이스라엘을 통치했던 왕이었습니다. 스가랴 선지자 옆에서 말씀을 듣고 양육받으며 하나님을 구하는 기도가 끊이지 않을 때는 형통함이 떠나지 않았습니다. 그래서 웃시야의 시대를 유다의 마지막 전성 시대라고 합니다. 그런데 이 웃시야가 점점 더 세력이 강성해지니까 그 마음이 교만해졌습니다. 그래서 제사장만이 드릴 수 있었던 제사를 자기가 스스로 드리겠다고 하다가 하나님의 징계를 받고 문둥병에 걸리고 말았습니다. 결국 말년에 문둥병으로 별궁에 거하다가 부끄러운 모습, 안타까운 모습으로 그 마지막 인생을 마치는 것을 봅니다.

웃시야의 사례에서 겸손이 결코 쉬운 일이 아니라는 것을 배우게 됩니다. "겸손하다, 겸손하다" 하는 말을 들으면서 30년은 겸손할 수 있습니다. 40년은 겸손할 수 있습니다. 그러나 마지막에 가서 자기 자신의 강성한 모습을 바라보고 교만에 빠져 무너질 수 있습니다.

반발심을 꺾는 힘

그런데 이렇게 스스로 겸손해지는 것보다 더 어려운 것이 있습니다. 바로 남들의 평판에 대해 참을 수 있는 힘입니다. 남들이 비웃고 비평하는데도 자기 자리를 지킬 수 있는 것이 가장 어려운 일입니다. 목사도 그렇습니다. 주위에서 아무도 자기를 판단하지 않고, 혼자 있을 때, "나는 부족한 목사입니다, 나는 연약한 목사입니다"라고 말할 수 있습니다. 그런데 남들이 와서 그런 소리를 하면 화가 납니다.

"그래, 너는 부족한 목사야, 그래 너는 연약한 목사야."

그럴 때 반발심이 생깁니다. '그래, 너는 얼마나 잘났냐?' 하는 생각이 들면서 대들게 됩니다. 누구나 그렇지 않습니까?

세례 요한이 당한 상황이 그런 상황이었습니다. 그럼에도 불구하고 세례 요한은 결코 흔들리지 않습니다. 25, 26절을 보니까 세례 요한이 가장 가슴 아픈 질문을 제자들로부터 받습니다. 아마도 제자 중의 한 사람이 유대인과 더불어 결례에 대해서 토론을 벌였던 모양입니다. 그런데 변론하던 와중에 이런 이야기를 했던 것 같습니다.

"너희는 이제 한물 간 그룹이다. 너희들의 결례가 옳지 않다. 요한의 세례는 옳은 것이 아니다."

"무슨 근거로 그렇게 말하지?"

"너희가 진짜라고 한다면 너희들에게 사람들이 다 몰려들어야지, 어떻게 나사렛 예수에게 다 몰려가느냐? 너희는 속은 것이다. 그리고 너희

말대로 너희가 옳다면 어떻게 너희 스승에게 안 몰려오고 오히려 너희 스승이 추천한 저 사람에게 다 몰려간단 말이냐? 뭘 좀 알려면 똑바로 알아라."

이런 식으로 약올리는 소리를 들었던 모양입니다.

이 말을 들은 요한의 제자들이 아마도 화가 나서 그 사람에게 이렇게 말하면서 세례 요한에게 데려왔겠지요.

"네가 몰라서 그렇다. 우리 스승이 한 번 말만 하시면, 우리 스승이 한 번 움직이기만 하시면 더 많은 사람들을 모을 수 있다. 우리 스승은 한 번 뜨기만 하면 사람들을 몽땅 다 몰고 올 수 있는 능력이 있는 분이다. 그리고 사실상 예수도 우리 스승이 세워주어서 저렇게 유명해진 것이지, 우리 스승이 아니었으면 아무것도 아니다. 두고봐라. 네가 사실을 몰라서 그렇다."

주변 환경을 보면 넘어진다

사람들의 삶을 살펴보면, 자기 자신은 주어진 모든 위치를 지킬 수 있다고, 자기 자신은 사명감 때문에 사역할 수 있다고 말합니다. 그런데 문제가 되는 것이 무엇이냐 하면, 자기 처가 자꾸만 충동질하거나 자기 자녀가 와서 무슨 이야기를 하면 사람은 쉽게 무너져버립니다. 자기 밑에 있던 사람들이 무어라고 할 때 자기 자신의 자리를 지킨다는 것은 쉬운 일이 아닙니다.

창세기를 보면 아브라함과 롯은 삼촌과 조카로서 굉장히 친밀한 관계, 거의 아들과 아버지 사이와도 같은 관계를 유지했습니다. 그런데 재산이 점점 늘어나면서 아브라함의 목자들과 롯의 목자들 사이에서 다툼이 일어났습니다. 참 묘합니다. 자기들끼리 아무리 친하다고 하더라도 자기 밑에 있는 사람들이 다투기 시작하면 동거하기가 힘들어집니다. 그래서 할 수 없이 아브라함과 롯이 갈라서게 되지 않았습니까? 그 정도로 아랫사람들의 이야기를 무시하기란 매우 힘든 일입니다.

흔히들 애 싸움이 어른 싸움된다는 말을 하지요. 어른끼리는 양보심이 있고 서로 이해합니다. 그런데 자기 아이가 울면서 집으로 뛰어 들어오고 옆집 아이가 "너네 집은 가난해서 그런 것도 못하지" 하면서 무시합니다. 그러면 정작 자신은 그런 것 때문에 전혀 흔들리지 않다가도 눈에 불꽃이 튑니다. "누가 내 자식 눈에서 눈물나게 만드느냐?"면서 펄쩍 뛰지 않습니까?

제가 아는 참 검소한 분이 계십니다. 돈은 있지만 직장이 집 바로 옆이기도 하고 해서 평소에 차가 필요없다고 생각하시는 분이었습니다. 그 분의 지론이 무엇이냐 하면 "나는 평생 동안 자가용을 안 타고 산다"는 것이었습니다. 그러다가 어느 날 그 분이 자동차를 샀습니다. 왠지 아십니까? 한번은 그 집 자녀들이 자가용이 없다고 난리를 쳤답니다. 그랬더니 그렇게 수십 년 동안 고수해온 지론이 흔들리는 것을 보았습니다. 그러고는 넘어집니다. 이것은 무엇을 말하는 것입니까? 주변의 이야기에 대해서 초연함을 유지할 수 있는 사람들이 드물다는 것입니다. 주변의 충동 때문에, 주변의 환경 변화 때문에 끝까지 자기 자신의 자리를 지키기가 어렵다는 것입니다.

그런데 세례 요한은 어떻습니까? 주위에서 제자들이 무엇이라고 하든지 간에 결코 흔들리지 않았습니다. 우리는 여기서 귀중한 교훈을 얻을 수 있습니다. 악한 마귀는 제일 먼저 우리를 공격합니다. 우리를 공격하는데도 우리가 넘어지지 않고 굳건하게 믿음을 지키면 우리 주변을 움직입니다. 아내를 움직이고, 자녀를 움직이고, 우리 제자들을 움직입니다. 나와 가장 친한 친구들을 움직일 수 있습니다.

욥의 시련을 보시기 바랍니다. 사탄이 욥을 쳤습니다. 꿈쩍도 하지 않으니까 어떤 일이 벌어집니까? 욥의 많은 자녀들을 쳤습니다. 그리고는 그 아내를 부추겼습니다. 아내가 욥에게 무엇이라고 말했습니까?

"하나님을 욕하고 죽으라."

그런 소리를 들을 정도로 여러 가지 어려움 가운데 처하게 됩니다. 그럼에도 불구하고 입술로 범죄치 아니하고 하나님의 말씀을 지켰던 욥과 마찬가지로 주변 환경 때문에 흔들리지 않는 참된 믿음을 소유한 성도가 되기 바랍니다.

하나님께 '충성'

그러면 무엇이 세례 요한으로 하여금 이렇게 충성스러운 자세를 갖게 하였습니까? 그 내용을 세 가지로 살펴보겠습니다.

첫째로, 하나님께 받은 대로 충성하겠다는 자세가 있었습니다.

3장 26절을 보겠습니다.

"저희가 요한에게 와서 가로되 랍비여 선생님과 함께 요단강 저편에 있던 자 곧 선생님이 증거하시던 자가 세례를 주매 사람이 다 그에게로 가더이다."

이에 대해 세례 요한이 무엇이라고 대답합니까?

"요한이 대답하여 가로되 만일 하늘에서 주신 바 아니면 사람이 아무 것도 받을 수 없느니라"(27절).

이것이 요한의 자세였습니다. 하나님께 받은 만큼만 일하면 된다는 뜻입니다. 머리가 되는 것과 일등 되는 것이 우리의 목표가 아니라 하늘로부터 주신 능력을 가지고 충성하는 것이 더 중요하다는 사실입니다.

"받은 바대로만 일하면 되는 것이 아니냐? 왜 딴 것을 생각하느냐?"

이것이 바로 세례 요한의 자세였습니다.

달란트 비유를 보면 다섯 달란트, 두 달란트, 한 달란트를 받은 사람이 있습니다. 주인이 차등 있게 종들에게 달란트를 나누어주었습니다. 아마도 다섯 달란트 받은 사람을 제외한 다른 사람들은 이것에 대해 불만이 생겼을 수 있습니다.

"왜 저 사람만 다섯 달란트를 주고 나는 적게 줍니까?"

그런데 두 달란트 받은 사람은 다섯 달란트 받은 사람과 비교하지 않았습니다. 열심히 나가서 일했습니다. 자기 분량만큼 일했습니다. 그랬더니 두 달란트를 남겼습니다. 다섯 달란트 남긴 사람보다 적게 남겼습니다. 그렇지만 칭찬은 똑같았습니다.

"착하고 충성된 종아 네가 작은 일에 충성하였으니 내가 많은 것을 맡기겠다. 네가 주인의 즐거움에 참여하리라."

이렇게 칭찬을 받았습니다.

무슨 뜻입니까? 하나님 앞에서 받은 바 달란트는 다르지만 받은 것을 가지고 충성하면 하나님께서 그것을 기쁘게 여기신다는 것입니다. 반면에 한 달란트 받은 사람은 어떻습니까? 다른 사람들과 비교하면서 반감이 생겼던 모양입니다. 받은 것을 묻어두고 오히려 주인을 욕합니다.

"당신은 굳은 사람입니다."

그랬더니 하나님 앞에서 징계를 받았습니다. 서울대학교의 이면우 교수가 썼던 「신사고 이론 2000」이라는 책을 보면 재미있는 이론이 하나 나옵니다. '미친 놈 이론' 입니다. 미친 놈 이론이 무엇입니까? 조직이 발전하려면 미친 놈을 찾아야 된다는 것입니다. 요약을 하자면 자기가 제일 잘하는 한 가지 분야에 미쳐 있는 사람이 있으면 그 조직은 성장한다는 것입니다. 성경의 정신과 비슷한 데가 있지 않습니까? 자기가 받은 달란트를 제대로 붙들고 그 달란트에 매진하는 사람이 있다면 그 사람은 성공할 수 있습니다. 그 사람이 실제로 어떤 조직을 이끌어갈 수 있다는 이야기입니다.

웃음의 상술

컴퓨터 안에 들어가는 펜티엄칩이 있습니다. 이 펜티엄칩을 만드는 인텔사의 앤디 그로브 회장도 "미친 놈만이 살아남는다"(Only the paranoids survive!)라는 구호를 만들었습니다. 그러면서 앤디 그로브 회장이 예증을 듭니다. 지금 항공 산업이 불황에 빠져 있습니다. 항공 산업의 이윤이 그렇게 많이 남지 않는다고 합니다. 그런데 전세계적으로 제일 많은 흑자를 내고 있는 항공사가 캐러허 항공사라고 합니다. 이 항공사는 직원을 뽑는 방법이 특이합니다. 비행기를 탈 때 스튜어디스 얼굴이 예뻐야 기분이 좋습니까? 그렇지 않습니다. 늘씬하다고 여행의 피로가 풀립니까? 그런 것이 아니지요. 그래서 이 회사에서 생각해낸 것이 무엇입니까?

"직원들 모두가 승객들을 즐겁게 해주면 될 것 아닌가? 머리 속에 많은 것이 들어 있을 필요도 없고, 좋은 대학을 나올 필요도 없고, 미모여야 할 필요도 없다."

그래서 회사 직원을 뽑을 때 잘 웃기는 사람을 승무원을 뽑았습니다. 가장 잘 웃길 수 있는 사람, 유머 감각이 있는 사람을 뽑은 것입니다. 보통 스튜어디스들이 안전수칙에 대해 이야기할 때 어떻게 합니까? 구명대를 입어보면서 딱딱하게 설명하지 않습니까? 그런데 이 항공사는 그런 식으로 하지 않고 스튜어디스가 나와 유행가 가사를 바꾸어서 안전수칙에 대한 노래를 부릅니다. 보통사람들은 안전수칙을 이야기할 때면 전부 다 다른 곳을 보거나 딴짓을 했는데, 이렇게 하니까 사람들이 깔깔깔 웃으면서 한 번 더 하라고 합니다. 못 알아들었다고 "앵콜"을 연발한다고 합니다.

또 이런 일도 있다고 합니다. 손님들이 짐을 옮겨놓을 때 스튜어디스가 도와주잖아요. 그럴 때 "도와드릴까요?" 하면서 "야옹" 하고 고양이 울음소리를 낸다고 합니다. 얼마나 놀라겠습니까? "야옹" 하면서 자기 얼굴을 막 잡아당기니까 승객들이 웃더라는 것입니다. 그 비행기를 타는 사람이 처음에는 '저 사람 미친 거 아냐?' 하고 생각한답니다. 그런데 묘한 것은, 이 미친 비행기를 타려고 사람들이 줄을 잇는다는 사실입니다.

'오랜 시간의 비행기 여행은 정말 지루한데, 그 캐러허 항공사의 비행

기를 타기만 하면 그렇게 재미있고 웃기더라.'

그래서 날마다 매출액이 늘어간다는 것입니다.

여기에서 우리는 무엇을 배웁니까? 사람은 각자 달란트가 있습니다. 어떤 사람은 공부를 못하고 어떤 사람은 얼굴이 참 못 생겼습니다. 그렇지만 그런 사람들에게 남들을 웃기는 재주가 있을 수 있습니다. 그런 사람이 다 모아서 항공사 직원을 하자, 더 많은 사람들이 그 항공사를 찾게 되었다는 것입니다. 받은 바 달란트만 잘 사용하면 대성할 수 있습니다.

나에게 맞는 달란트가 있다

일전에 약혼식이 있어서 참석했더니 약혼식 비디오를 촬영하고 사진을 찍는 사람이 저의 동창이었습니다. 교회에서 같이 자라면서 본 바로는 그 친구만큼 공부를 안 한 사람도 없습니다. 중고등학교를 다니면서 놀 것 다 놀고, 즐길 것 다 즐기고, 세상의 밑바닥 생활까지 다 해본 친구입니다. 공부하고는 아예 거리가 멀었습니다. 그런 친구인데, 그 친구에게 사진 찍는 재주가 있었습니다. 중1 때부터 비싼 사진기를 들고 다녔습니다. 그러다가 고3 때는 아예 공부는 작파하고 사진만 찍으러 다녔습니다. 그러던 그 친구가 지금은 제 동기 중에서 제일 크게 성공했습니다. 이 분야에서는 굉장히 널리 알려진 사진작가가 되어서 지금은 배우들이 사진 찍어달라고 줄을 섰다고 합니다. 그래서 제가 깨달은 것이 이겁니다.

'아, 저 친구는 처음부터 자기 달란트를 제대로 알고 한 우물을 팠구나. 그래서 결국 성공했구나.'

나이가 40, 50대 되신 분들은 공부만 잘하면 되는 줄로 아시죠. 그런데 이제는 시대가 바뀌었습니다. 공부만 잘하려면 차라리 아주 뛰어나게 잘 하든지 아니면 다른 것으로 전공을 바꾸는 것이 낫습니다. 서태지를 잘 아시지요? 그는 고등학교를 중퇴했습니다. 음악을 잘한다고 아예 그 쪽으로 나간 것입니다. 그런데 지금은 웬만한 정치가보다 더 영향력 있는 사람이 되지 않았습니까? 시대가 바뀌었습니다.

자기에게 주신 달란트를 붙들고 힘을 다해야 합니다. 교회 안에서 제일 어리석은 사람, 하나님 보시기에도 제일 어리석고 불쌍한 사람이 누구냐 하면 받지도 않은 달란트에 매달리는 사람입니다.

교회에서 어떤 사람이 불쌍합니까? 아무리 들어봐도 노래가 안 되는 사람입니다. 돼지 멱따는 소리로 끝까지 성악을 하겠다고 하는 사람입니다. 그것을 어떻게 하겠습니까? 그렇지만 그대로 놔두면 안 됩니다. 놔두면 대학 시험도 떨어질 뿐더러 설령 붙었다고 할지라도 서러움만 당하게 됩니다. 어떤 사람은 도저히 안 되는 얼굴인데 미인 대회에 나가겠다고 합니다. 그래서 기어이 나가고 맙니다. 어떤 사람은 목사의 소질이 전혀 없는데, 신학을 해서 목사가 되겠다고 합니다. 안쓰럽습니다. 가서 고생만 죽도록 하더군요. 안 된다는 것입니다. 하나님께서 각자에게 주신 달란트가 있습니다. 그 달란트를 가지고 충성하는 것이 중요합니다. 세례 요한에게는 이 마음이 있었습니다.

'나는 길 닦는 사역을 할 뿐이다', '예수님의 길을 예비하는 자일 뿐이다', '광야에서 외치는 자의 소리일 뿐이다', '이것을 다 하면 됐지. 그 다음에 무엇이 필요한가?'

바로 그 얘기입니다. 바로 우리에게도 이러한 자세가 있으면 날마다 우리의 모든 삶 가운데 기쁨을 가지고 충성스럽게 일을 수행하게 될 것입니다.

하나님 앞에서 달란트를 받지 못한 사람은 아무도 없습니다. 다 받았습니다. 건강을 받았습니까? 건강을 받았으면 건강을 가지고 열심히 뛰는 성도가 되시기 바랍니다. 재물을 받았습니까? 하나님이 주신 재물을 가지고 열심히 봉사하고 또 헌신하는 백성이 되시기 바랍니다. 또 붙임성이 좋은 성격을 받았습니까? 그렇다면 새신자 반에 들어가서 많은 사람들을 품어줄 수 있는 그런 사역을 하시기 바랍니다. 음식을 잘하는 은사를 받았습니까? 그렇다면 봉사부에 들어가서 열심히 음식을 해주는 것이 바로 하나님 앞에서 받은 달란트대로 충성하는 모습입니다.

이 받은 바 달란트를 가지고 충성하는 성도들은 하나님께서 날마다 더 많은 은사를 부어주십니다. 왜 그렇습니까? 주기만 하면 잘 사용하기 때문입니다. 우리가 받은 모든 달란트를 전부 다 하나님나라 확장을 위해서 사용하며 주님의 나라를 위해서 충성하는 백성이 되기 바랍니다.

둘째로, 예수만을 증거하겠다는 자세가 있었습니다.

3장 28절을 보겠습니다.

"나의 말한 바 나는 그리스도가 아니요 그의 앞에 보내심을 받은 자라고 한 것을 증거할 자는 너희니라."

요약하면 무엇입니까?

"나는 그리스도가 아니다. 단지 그리스도를 증거하는 자이다. 그런데 왜 딴짓을 하겠느냐?"

이것이 바로 세례 요한의 자세였습니다. 자기 삶의 목적이 무엇인지 확실히 알고 있었습니다.

"나는 나를 증거하는 사람이 아니고, 예수를 증거하는 사람이다", "내가 스타가 되는 것이 아니라 예수가 스타가 되도록 만드는 것이 나의 목적이다", "그는 흥하여야 하겠고, 나는 쇠하여야 하리라. 이것이 나의 목적이다."

이것을 보여주고 있습니다. 종종 증거하는 자가 잘못된 모습으로 드러날 때가 많이 있습니다. 예수님을 증거하는 것이 아니라 증거자 자신을 증거해서 목표를 잃어버리고 헤매는 경우가 많이 있습니다.

대만선교를 가보면 우리가 보통 제주선교나 두메선교를 할 때보다 더 많은 회심자가 나옵니다. 그들의 심령이 옥토이기 때문에, 우리보다 심령이 더 곱기 때문에 말씀을 잘 받아들이는 것입니까? 물론 그럴 수도 있습니다. 그렇지만 그들이 복음을 잘 받아들이는 이유는 아무래도 언어 문제 때문에 그런 것이 아닐까 하고 생각해봅니다. 우리는 중국어를 잘 못합니다. 기껏 잘 한다는 사람이 150마디 정도, 보통 50마디 정도 합니다. 또 어떤 목사님은 겨우 3마디밖에 못합니다. 복음을 증거하려고 하는데, 아는 중국어는 4영리에 나와 있는 몇 마디 말뿐입니다. 그래서 오직 그것만을 다 증거하고 오는 것입니다. 그러면 그것이 장애가 됩니까? 아닙니다. 복음만 증거하고 오니까, 오직 예수 그리스도의 십자가의 복음만 증거하니까 더 많은 능력이 나타나고, 그것 때문에 회개하는 일들이 많아지더라는 것입니다.

반면에 그것과 반대의 예를 들어보면 이렇습니다. 어떤 사람은 외국어가 유창합니다. 그런데 정작 전도하는 데는 오히려 약합니다. 많은 사람을 회심시키지 못합니다. 중국어를 제일 못하는 사람이 중국인을 제일 많이 전도합니다. 왜 그렇습니까? 복음에 대한 열정이 있고 십자가만을 증거하기 때문에 그렇습니다.

우리 한국 사람들에게 전도하기 힘든 이유가 무엇입니까? 복음을 증거하기 이전에 말에 자신이 있으니까 자꾸만 딴 이야기를 합니다. 신변잡기, 농담, 장난 등 딴소리를 하다보니까 진정으로 복음을 증거하는 일에서 약점이 드러나는 것입니다. 지난번에 어떤 선교기관에서 한국의 많은 교회를 대상으로 조사를 했습니다.

“당신의 교회에서 가장 큰 불만이 무엇입니까? 목사가 가장 짜증나게 만들 때가 언제입니까?”

1등이 무엇인 줄 아십니까? 바로 “우리 목사님이 설교할 때 예수 증거하지 않고 자신의 신변잡기를 이야기할 때 제일 짜증난다”는 것이었습니다. 그리고 “복음증거하지 아니하고 어디 잡지 구석에나 있을 만한 이야기를 재미있다고 이야기할 때 제일 짜증난다”고 했습니다. 성도들이 교회에 모인 것은 복음을 듣고자 해서입니다. 신변잡기나 잡지에 나올 만한 이야기를 듣자고 앉아 있는 것이 아닙니다. 복음 듣기를 원합니다. 생수를 먹기 원합니다. 그것이 성도들의 모습입니다.

전도자들도 이 사실을 알아야 됩니다. 많은 사람들이 듣기 원하는 것이 무엇인지 알아야 됩니다.

"내가 어떻게 구원을 얻을 수 있습니까? 어떻게 하면 내 이 갈급한 심령을 채울 수 있습니까?"

이런 말에 대한 해답을 듣기 원하는 것입니다. 그러므로 우리는 무엇을 증거해야 합니까? 목마른 사람에게는 물을 퍼다가 갖다주어야 합니다. 그러면 그들의 갈급함이 해갈될 것이고, 그들이 시원하게 될 것입니다. 이것이 바로 세례 요한의 자세였습니다.

스타가 없는 교회

지금 세계에서 가장 빠르게 복음이 증거되는 곳이 중국입니다. 공산화되기 이전에 성도가 60만 명이라고 했습니다. 지금은 6천만 명 이상이라는 보고가 나오고 있습니다. 공산 치하에서 60만 명이던 성도가 어떻게 100배 이상 증가하게 되었습니까? 이유는 간단합니다. 중국교회는 스타가 없기 때문에 그렇습니다. 중국교회에서 유명한 목사님으로 기억나는 목사님이 있습니까? 지금 현재는 없습니다. 물론 어려운 핍박 가운데 있기 때문에 잘 드러나지 않기도 하지만, 거기에는 예수밖에 없기 때문입니다. 사람이 드러날 여유가 전혀 없습니다.

그런 반면에, 대만에 가니까 거기는 예수님은 별로 유명하지 않습니다. 예수님이라고 하면 아는 사람이 별로 없습니다. 그렇지만 예수를 믿는 사람 중에 유명한 사람들은 많이 있습니다. 화이언땅 교회가 왜 유명합니까? 대만의 초대 총통이던 장개석 총통의 아들인 장경국 총통의 장례식을 화이언땅 교회에서 했기 때문입니다. 그래서 화이언땅 교회라고 하면 모든 대만 사람이 다 알고 있습니다. 국장을 치렀던 곳으로 유명해졌습니다. 그리고 얼마 전까지 총통을 지냈던 이등휘 총통도 유명합니다. 왜 그렇습니까? 이등휘 총통도 장로교 교인이거든요. 총통 3명이 전부 다 기독교인입니다. 전부 다 예수를 믿는 사람입니다. 그래서 이들이 유명합니다. 그래서 다 압니다.

"저 사람들은 예수를 믿는 사람들이다."

그렇지만 대만에는 유명한 그리스도인은 있는데, 예수님은 전혀 유명하지 않습니다. 십자가도, 기독교에서 말하는 사랑도, 구원받는 방법도 전혀 모르고 있습니다. 왜 그렇습니까? 사람이 드러나고 예수가 사라졌기 때문입니다. 이런 안타까운 모습이 우리에게서도 반복되지 않기를 바랍니다. 그래서 우리 한국교회에도 유명한 목사님은 없어져버리고, 유명한 교회는 없어져버리고, 예수님만 유명해질 수 있는, 예수님만 드러날 수 있는 그런 복이 임하기 원합니다.

어떤 성도는 옆에만 가도 항상 예수님의 이름이 높아지고, 예수님의 이야기가 흘러나옵니다. 반면에 예수를 믿는다고는 하는데 항상 자기 집 자랑에, 자기 자랑만 하는 사람도 있습니다. 이는 성도의 올바른 모습이 아닙니다. 세례 요한과 마찬가지로 "나는 그리스도가 아니라, 나를 증거하는 것이 아니다. 오직 예수의 이름을 높이는 것이 나의 사명이다" 하는 자세로 예수님의 이름만을 높이기 바랍니다. 그리하면 어떠한 환경 속에서도 흔들리지 않는 귀한 믿음을 갖게 될 줄로 믿습니다.

셋째로, 들러리의 기쁨에 만족하는 자세가 있었습니다.

3장 29절을 보겠습니다.

"신부를 취하는 자는 신랑이나 서서 신랑의 음성을 듣는 친구가 크게 기뻐하나니 나는 이러한 기쁨이 충만하였노라."

들러리의 기쁨을 알았기 때문에 세례 요한은 흔들리지 않았습니다. "나는 신랑은 아니다. 그러나 신랑 옆에서 신랑의 음성을 듣는 친구가 기뻐하는 것과 마찬가지로 내게 신랑 들러리의 기쁨이 있다."

남의 들러리가 되어서 기뻐해주는 일은 쉬운 일이 아닙니다. 저도 여러 차례 경험해보았습니다. 제가 젊은 목사인데 벌써 세속화된 것 같습니다. 가끔 연합 집회 같은 곳을 참석하게 됩니다. 연합 집회 뒷자리에 앉아 있으려고 하면 제자리가 아닌 것 같습니다.

'내가 왜 여기 앉아 있지', '저 사람이 나를 무시하는가봐', '앞자리에 왜 나를 안 불러주지?'

이런 피해의식이 있습니다.

언젠가 여동생 약혼식에서도 이와 똑같은 피해의식을 느낀 적이 있었습니다. 그곳에는 제가 목사로 간 것이 아니라 오빠로 간 게 아닙니까? 그런데 자리를 보니까 한쪽 구석이었습니다.

'내가 저 사람보다 나은 사람인데, 왜 나를 여기에 앉게 할까?'

이런 생각을 하는 나 자신에게 스스로 깜짝 놀랐습니다.

'아, 내가 벌써 이렇게 병들었구나, 완전히 세속화되었구나.'

우리는 들러리로서, 옆에 있는 사람으로서 남 잘되는 모습에 기뻐하는 훈련이 안 되어 있는 게 사실입니다. 그렇지만 이것을 극복해야 합니다. 이것이 진짜 우리의 싸움입니다.

심지어 목회현장에서도 이런 일이 벌어집니다. 어떤 교회가 부흥했다고 하면 참 기쁩니다.

'하나님나라가 확장이 되는구나.'

그런데 제가 잘 아는 목사가 부흥했다고 하면 싫어요.

'그 목사가 별것도 아닌데, 왜 부흥을 하지? 이해할 수가 없네. 왜 하나님이 저런 사람을 쓸까?'

이것이 바로 우리의 연약한 모습이요, 답답한 모습입니다. 이것이 바로 우리가 싸워야 할 우리의 모습입니다. "하나님, 제 주변 사람들이 잘되는 모습, 성공하는 모습을 보고 기뻐하는 은혜를 허락해주시옵소서" 하고 기도할 수 있어야 합니다. 사실 이 싸움이 힘듭니다. 기도가 안 나옵니다. 기도를 하는데, 눈물이 나옵니다. 감격의 눈물인 줄 아십니까? 아닙니다. 억울해서 나오는 눈물입니다.

'왜 내가 이런 기도를 하나?'

너무 억울합니다. 너무 억울해서 기도가 안 나옵니다. 그런데 그 기도가 깊어지고 깊어지니까 은혜의 눈물로 바뀌더라는 것입니다.

"하나님, 감사합니다. 나의 마음을 좁은 마음에서 넓은 마음으로 고쳐주시고 남들을 위해서 축복할 수 있는 마음을 주셔서 감사합니다."

그 싸움을 싸워야 합니다.

선교를 위해서 기도할 때는 어렵지 않았습니다. 우리 교회 부흥을 위해서 기도할 때는 어렵지 않았습니다. 강원도나 제주도 그 땅에 사는 모든 백성들을 살려달라고 기도하는 것은 어렵지 않았습니다. 그런데 내 주변에 있는 원수 같은 사람들을 위해서 기도하는 것은 굉장히 어렵습니다. 이것이 진짜 성도의 싸움입니다.

잘될 때 축복을 더 하자

19세기 영국의 헨리 발리라는 목사님을 제가 참 존경합니다. 이 분의 글들을 보니까 이러한 모습들이 나옵니다. 목사인데도 미움과 질투가 있었습니다. 이 목사님의 기도문에 이런 글이 씌어 있습니다.

"하나님, 나의 이 더러운 질투심이 사라지지 않는다면 나의 목숨을 거두어 가주옵소서."

생명을 건 기도를 했습니다. 우리는 존 낙스의 기도만 유명하다고 알지요.

"하나님, 스코틀랜드를 주시옵소서. 아니면 내 목숨을 거두어 가주시옵소서."

이 정도면 목숨을 걸만 하지요. 그런데 이 헨리 발리 목사님은 무엇을 걸고 기도했습니까? 자기 속에 있는 질투심을 가지고 기도했습니다.

정말로 내 속에서의 싸움이 더 큰 싸움이라는 사실을 알아야 합니다. 우리도 마찬가지입니다. 남들이 잘되고, 남들이 부흥하고, 남들이 성공하는 모습에 대해, 그것을 싫어하는 마음이 겉으로 드러난 원수보다 더 큰 원수라는 것을 깨닫고 그것과 싸워야 합니다. 그것과 싸워 이기지 않으면 세례 요한처럼 충성스러운 길로 가는 하나님의 그릇이 될 수 없습니다.

우리가 아무 달란트를 받지 못했다고 할지라도 할 수 있는 것이 한 가지 있습니다. 남 잘되는 일에 가서 같이 기뻐해주는 것입니다. 누가 장학금을 탔다고 하면 기뻐해주십시오. 우리는 우는 자와 함께 우는 것에만 익숙해 있습니다. 찢어지게 가난해서 등록금도 없는 그런 사람들에게 눈물을 흘리면서 장학금 주는 일에는 익숙해져 있습니다. 그러나 성공한 사람들을 후원해주는 것에 대해서는 질투심이 생깁니다.

'내가 받지 못하는 것을 왜 저 사람이 받지? 나보다 형편도 나은데….'

그러나 그것이 아닙니다. 그런 부분에서 한 단계 성장하지 못하면 교회가 항상 그 자리에 머물 수밖에 없습니다. 전세계를 품을 수가 없습니다. 먼저 우리가 사도 바울의 말씀과 마찬가지로 마음이 넓어지는 사람이 되기 바랍니다. 그래서 항상 즐거워하는 자와 함께 즐거워하고, 우는 자와 함께 울 줄 아는 그런 하나님의 백성이 되기 바랍니다. 그런 자를 통해서 하나님이 더 많은 위대한 일들을 행하시게 될 것입니다.

요한복음 3장 30절입니다.

"그는 흥하여야 하겠고 나는 쇠하여야 하리라 하니라."

이 한마디의 말씀이 우리 마음판에 새겨져서 이 말씀이 역사하는 은혜의 종이 되기 바랍니다.

ID 153 패스워드

패스워드1. 신앙의 최고 열매는 겸손이다.

겸손은 그리스도인으로서 이것저것 구비해야 할 자질들 가운데 하나가 아니다. 겸손의 사람이 되어야 한다. 10년 겸손하고, 20년 겸손하다가도 마지막에 가서 교만해진다면 모두 헛일이다. 남들의 평판에 대해 초연할 수 있을 때, 진정 겸손이 몸에 배인 그리스도의 사람이 된다.

패스워드2. 받은 달란트만 바라보고 충성을 다하자.

남의 달란트 부러워할 여유가 없다. 자신이 가장 잘하는 한 가지 분야에 미친 사람이 되라. 하나님께 받은 대로만 충성하라. 하나님은 각자의 은사로 이룬 업적의 양을 보시지 않고 충성의 질을 보신다. 머리가 되고 일등 되는 것이 우리의 목표가 아님을 명심하라.

패스워드3. 들러리의 기쁨을 아는 자가 충성스런 주(主)의 종이다.

스타가 한 분밖에 없는 교회가 건강한 교회다. 예수님만 드러나고 사람은 숨는 교회가 부흥하는 교회다. 진정한 그리스도인은 스스로 예수 그리스도의 들러리로만 기억되기를 자처한다. 교회사는 충성스런 들러리들이 남긴 예수의 영원한 흔적이다.

코람데오 (Coram Deo) 자기점검

1. 다른 사람에게서 상처를 받고 아파한다는 것은 여전히 교만에 싸여 있다는 증거다. 당신은 예수님의 쉬운 멍에를 메고 그의 겸손을 날마다 배워나가고 있는가?

2. 유교적 직업관이 성경적 달란트관을 해칠 수 있다. 가장 하기 쉽고, 즐겁고, 소중히 여겨지는 일, 그것이 바로 당신의 은사다. 당신은 지금 바로 그 일을 하고 있는가?

3. 들러리가 되는 일도 중요하지만, 누구의 들러리가 되느냐가 더 중요하다. 섣부른 '들러리론'이 조장할 도피주의를 경계하라. 당신은 가장 존귀하신 예수 그리스도의 들러리인가?

3부 장벽을 돌파하는 믿음

153 예수님의 십자가의 의미가 무엇입니까? 우리 가운데 있는 모든 장벽을 무너뜨리는 능력입니다. 십자가로 이 모든 벽들을 무너뜨리십니다. 그러므로 예수 그리스도의 피 묻은 복음이 들어갔는데도 우리 가운데 벽이 있다고 한다면, 그것은 진정한 복음이 들어간 것이 아니고 진정으로 예수 그리스도를 영접한 것이 아닙니다. 교회가 들어가고, 성도가 들어가는 곳에서는 항상 벽들이 무너져내리는 것을 알 수 있습니다. 이것이 성도의 능력이요, 십자가의 능력입니다.

요 4:1-26

배운 자, 못 배운 자 때문에 나누어진 모습이 있습니까? 나이 때문에 나누어진 모습들이 있습니까? 아파트 평수 때문에 나누어진 모습들이 있습니까? 이런 것 때문에 하나가 될 수 없다고 한다면 이것은 교회의 모습이 아닙니다. 아픔이 있다 하더라도 이것이 무너져야만 하나님 앞에 쓰임받는 교회가 될 줄로 확신합니다.

넘어설 수 없는 장벽

평판이라는 것, 명예라는 것은 잃어버리기는 쉬워도 한 번 잃고 난 다음에 다시 회복하려면 대단히 힘듭니다. 우리가 잘 알고 있는 매국노 이완용의 후손들이 지금도 살고 있습니다. 그런데 할아버지 한 분 잘못 만나서 공부를 잘해도 소용이 없고, 열심히 살려고 해도 소용이 없습니다. 모든 사람들이 그 후손들을 나쁘게 봅니다. 이완용의 후손 가운데 한 사람이 공직에 오르게 되었습니다. 그런데 국가 유공자 단체에서 들고 일어났습니다.

"어떻게 매국노의 후손이 국록을 먹을 수 있는가?"

결국 여론에 밀려서 물러나게 되었습니다. 그래서 몇 년 전에 그의 고손자들이 모여서 할아버지의 묘를 파냈습니다. 향나무관을 꺼내서 90년 전의 할아버지 뼈를 가져다가 화장해서 한강에 뿌려버렸습니다. 얼마나 안타까웠으면 이런 행동을 했겠습니까? 그러나 이런다고 할지라도 잃었던 명예가 회복되는 것은 아닙니다.

사마리아는 나쁜 이름의 대명사입니다. 사마리아는 유대인의 피의 순수성을 잃은 지역이었습니다. 앗수르와 유대인의 혼혈로 생긴 민족이 사마리아인이기 때문입니다. 그래서 유대 사람들은 사마리아 사람들을 잡종으로 여겼고, 사생아 취급했습니다. 그러다가 느헤미야와 에스라가 바벨론에 포로 되었던 이스라엘 백성들을 이끌고 예루살렘으로 돌아왔습니다. 그들이 성전을 재건하려고 했습니다. 그런데 사마리아 사람들이 이방인들과 짜고 이 성전 재건하는 일을 방해했습니다. 그러자 유대인들은 사마리아인들을 민족의 배신자로 여겼고, 언약의 파괴자로 여겼습니다. 그래서 유대인들은 이방인들보다도 이 사마리아 사람들을 더 미워했습니다. 이런 식으로 500년 넘게 서로 교류하지 않고, 상종하지 않는 역사가 계속되었습니다.

기록에 따르면, 어떤 유대인이 집안으로 사마리아 사람을 들였다고 합니다. 그랬더니 그 동네 사람들이 그 집안의 자식을 잡아다가 노예로 팔아버린 일이 있었습니다. 그런데 많은 유대인들이 그것을 당연한 일로 묵인해주었습니다. 그래서 이스라엘 백성 가운데는 "사마리아 사람들과 같이 교류하는 자의 자녀들은 노예로 팔아도 무방하다"는 불문율이 생기게 되었습니다. 그래서 이스라엘 사람들이 사마리아 사람들과 상종하는 것은 자기뿐만 아니라 자기 자식의 신세까지 망치는 것으로 생각하게 되었습니다.

유대인들은 사마리아 사람들과 상종하기를 꺼려서 유대에서 갈릴리로 갈 때도 사마리아를 통과하지 않고 요단 동편으로 우회해서 가는 새로운 길을 만들었습니다. 예수님 당시 사마리아에 대한 평판과 인식이 이러했습니다.

유대인들에게는 우리가 상상할 수도 없는 또 하나의 장벽이 존재하고 있었습니다. 이 장벽을 설명하기 위해서는 창세기로 거슬러올라가야 할 것 같습니다. 아담과 하와가 하나님께 반역함으로 에덴동산에서 쫓겨나게 되었습니다. 실낙원을 하고 난 다음에 더 큰 피해를 입었던 것은 남자라기보다는 여자였습니다. 타락한 이후에 여자는 어떤 사회에서나 어떤 집단에서나 차별받고 거의 인간 대접을 받지 못했습니다. 우리가 존경하는 철학자 아리스토텔레스가 있습니다. 그런데 이 아리스토텔레스조차도 여자에 대해서 이렇게 평가합니다.

"만일 여자가 자기 남편과 동등하다고 주장한다면 그것은 마치 노예가 자기 상전과 동등하다고 하는 것과 마찬가지이다. 여자들의 이런 행동은 결국 사회 질서를 무너뜨리고 말 것이다."

이것이 서양철학자들이 스승으로 여기는 아리스토텔레스의 평가입니다.

유대의 남자들이 하루에 세 번씩 반복하는 기도문이 있습니다. 그 기도문 가운데 제일 마지막에 감사기도가 나옵니다. 그런데 그 감사기도의 내용이 이렇습니다.

"하나님, 내가 이방인과 노예와 여자로 태어나지 않게 해주신 것을 감사하나이다."

이것이 마지막 기도문의 마지막 구절입니다. 이스라엘 백성들은 여자들과 아이들은 계수에도 넣지 않았습니다. 이것이 예수님 당시에 여성과 남성 사이에 있었던 또 하나의 커다란 장벽이었습니다.

장벽을 깨부수는 예수님

사마리아라는 장벽과 여성이라는 장벽은 결코 쉽게 해결될 문제가 아니었습니다. 그런데 예수께서는 이 사마리아라는 장벽과 여자라는 장벽을 동시에 가지고 있는 한 여인에게 다가가십니다. 두 가지 큰 장벽을 뚫고 가십니다. 예수님은 어떤 분이십니까? 한마디로 요약하면 모든 장벽을 깨부수는 분입니다. 우리 주변에 있는 모든 장벽을 뚫고 나가시는 분, 그분이 바로 예수님이십니다. 그래서 에베소서 2장 14절에 "그는 우리의 화평이신지라 둘로 하나를 만드사 중간에 막힌 담을 허시고"라고 했습니다. 계속해서 2장 16절에서는 "또 십자가로 이 둘을 한 몸으로 하나님과 화목하게 하려 하심이라 원수 된 것을 십자가로 소멸하시고"라는 말씀이 나옵니다.

예수님의 십자가의 의미가 무엇입니까? 우리 가운데 있는 모든 장벽을 무너뜨리는 능력입니다. 십자가로 이 모든 벽들을 무너뜨리십니다. 그러므로 예수 그리스도의 피 묻은 복음이 들어갔는데도 우리 가운데 벽이 있다고 한다면, 그것은 진정한 복음이 들어간 것이 아니고 진정으로 예수 그리스도를 영접한 것이 아닙니다. 교회가 들어가고, 성도가 들어가는 곳에서는 항상 벽들이 무너져내리는 것을 알 수 있습니다. 이것이 성도의 능력이요, 십자가의 능력입니다.

인간에게는 장벽이 수없이 많습니다. 경제적인 장벽, 인종적인 장벽, 신분적인 장벽이 있습니다. 칼 마르크스는 예수 그리스도가 없는 세상에 대해서 정확한 분석을 내렸습니다.

"사회라는 것은 무엇이냐? 역사라는 것은 무엇이냐? 인간 대(對) 인간의 끊임없는 계급투쟁이다. 가진 자와 못 가진 자가 투쟁하고 있고, 강대국과 약소국이 투쟁하고 있고, 배운 사람과 못 배운 사람이 투쟁하고 있다. 이 갈등은 지금도 계속되고 있다."

맞는 지적입니다. 그런데 이 모든 갈등을 깰 수 있는 힘이 어디에 있습니까? 바로 복음에 있습니다. 초대교회 당시 최대의 악은 노예 제도였습니다. 그런데 이상하게도 성경 어디를 보아도 "노예 제도가 잘못되었다. 노예 제도를 폐지해야 한다"고 주장하는 구절은 없습니다. 그래서 많은 식자(識者)들은 이런 불만을 품습니다.

"도대체 성경은 왜 이 사회의 모순에 대해서 침묵하는가? 성경 속에 정의는 존재하는 것인가?"

노예도 형제가 된다

신약성경에 빌레몬서라는 짧은 책이 있습니다. 한 장으로 된 성경입니다. 이 책의 주인공은 도망친 노예 오네시모입니다. 이 오네시모의 주인이 빌레몬입니다. 오네시모는 주인에게 많은 손해를 끼치고 도망쳤습니다. 그런데 어쩌다가 로마에서 사도 바울을 만나게 되었습니다. 사도 바울을 만나서 예수님을 영접하여 회심하게 되었고, 하나님의 자녀가 되었습니다. 나중에 바울은 이 오네시모를 굉장히 사랑했습니다. 빌레몬서에 보니까 이 오네시모를 이렇게 묘사합니다.

"내가 갇힌 중에서 낳은 아들 오네시모."

자신의 아들이라고 말합니다. 오네시모를 "갇힌 중에서 낳은 아들"이라고 하면서 빌레몬에게 쓴 편지가 빌레몬서입니다. 빌레몬에게 사도 바울은 "노예 제도가 잘못되었소. 그러므로 당장 오네시모를 해방시키시오"라고 말하지 않았습니다.

빌레몬서를 읽어보면 어떻게 말하고 있습니까?

"빌레몬, 사랑하는 빌레몬에게 이 편지를 씁니다. 당신에게 내가 오네시모를 돌려보내겠소. 오네시모가 빚진 것을 내가 다 갚아주겠소. 그런데 한 가지 말하고 싶은 것은 오네시모는 변화되었소. 복음을 받아들이고 하나님의 자녀가 되었소. 그러므로 더 이상 이 오네시모를 당신의 종으로 볼 것이 아니라 그리스도 안에서 형제로 받아들이기를 원하오."

이것이 빌레몬서입니다. 사도 바울의 접근 방식은 얼음을 깨부수는 것이 아니라 뜨거운 태양으로 얼음이 녹게 만드는 것이었습니다. 빌레몬의 마음속에서 노예 제도를 가능케 하는 모든 악한 구습들이 녹아져 없어지기를 원했던 것입니다. 이것이 성경의 접근입니다.

결국 빌레몬과 오네시모 사이에 형제의 관계가 성립됩니다. 그리스도인의 힘이 여기에 있습니다. 형제의식이 생기기 때문에 벽이 무너집니다. 왜 우리 가운데 이 벽들이 무너지지 않습니까? 형제의식이 없기 때문입니다. 우리 주위 사람들을 바라보는 영적인 시각이 없기 때문에 벽들이 무너지지 않습니다. 복음으로 성도 가운데 반드시 제거되어야 할 이 벽들을 깰 수 있는 권능의 사람이 되기 바랍니다. 이것이 바로 복음의 능력입니다. 나중에 어떤 일이 벌어집니까? 빌레몬과 오네시모 사이에 있던 벽이 다 무너져내렸습니다. 왜 그렇습니까? 그리스도의 복음 안에서 한 형제가 되었기 때문입니다.

균형을 이루는 성령의 사역

제가 삼일교회에 부임하고 난 다음에 제일 먼저 추구했던 것은 일하는 교회로 만드는 일이었습니다. 많은 선교 사역을 감당하고 부지런히 일하는 교회가 되기를 원했습니다. 제가 목회를 처음 하면서 느꼈던 아픔은 이것이었습니다. 많은 교회들이 일하지 아니하고 자기들이 받은 달란트를 가지고 희희낙락하면서 놀고먹고 잠자고 있는 모습을 보이는 것이었습니다.

'하나님의 교회가 이렇게 잠자고 있으므로 많은 영혼들이 죽어가고 있구나. 적어도 내가 목회를 할 때는 교회를 일하는 교회로 만들어 하나님의 복음을 힘차게 전해야 되겠다.'

그래서 그런 구조로 만들려고 혼신의 힘을 다 기울였습니다.

곰곰이 과거 일들을 회상해보았더니 삼일교회를 통해서 많은 일들을 했다는 생각이 듭니다. 여러 차례의 선교가 있었고, 또 수없이 많은 사람들에게 복음을 증거해서 그리스도를 영접하게 했습니다. 그런데 교인 한 사람 한 사람을 살펴보니까 '목회에 실패한 것이 아닌가? 목회를 잘못한 것이 아닌가?' 하는 자괴심에 빠지게 되었습니다. 왜 그런 줄 아십니까? 그렇게 오랜 시간 동안 복음으로 변화받았다고 하는 사람들의 인격이 그리스도의 인격이 아니었기 때문입니다. 여전히 그 마음에 미움이 있고, 또 그 말에서 그리스도의 향기가 나타나지 않는 것입니다. 형제를 찌르는 것이 있습니다. 무책임한 행동을 하는 사람들이 너무 많아 도무지 그리스도의 빛을 비추는 모습이 아니라는 것을 깨닫게 되었습니다. 이것은 성도의 모습이 아닙니다. 우리가 아무리 많은 일을 한다고 할지라도 우리에게 예수 그리스도의 모습, 예수 그리스도의 향기가 나타나지 않는다면 우리는 실패한 인생일 수밖에 없습니다.

마태복음 7장이 생각났습니다. 심판날에 많은 사람들이 주님 앞에 나가서 이렇게 말합니다.

"내가 주의 이름으로 선지자 노릇을 했습니다. 내가 주의 이름으로 귀신을 쫓아내고 많은 권능을 행했습니다."

칭찬받을 줄 알았습니다. 그런데 주님이 뭐라고 하십니까?

"내가 너희를 도무지 알지 못한다."

예수 그리스도의 이름으로 선지자 노릇 해도, 예수 그리스도의 이름으로 귀신을 쫓아내도 우리가 그리스도의 인격으로 변화받지 못한다면 예수님은 "너희를 도무지 알지 못한다"라고 말할 수 있다는 것입니다. 두려운 말씀입니다.

성령의 사역은 두 가지가 있습니다. 하나는 외적인 사역입니다. 이 사역은 능력이 나타나서 귀신을 쫓아내고, 질병을 몰아내고, 마귀의 능력을 멸하는 것입니다. 또 하나는 성령의 내적 사역입니다. 우리의 심령을 변화시켜서 우리 안에 예수의 모습이 드러나게 만드는 것, 그리고 성령의 열매를 맺게 만드는 것이 바로 성령의 내적인 사역입니다. 우리 교회의 사역은 어떤 의미에서 절뚝발이 사역이었습니다. 외적으로 강력했을지 모르지만 우리의 내적 사역인 그리스도의 인격을 닮는 면에서는 목사로부터 시작하여 성도들에 이르기까지 너무나도 부족한 부분들이 많다는 것을 깨닫게 됩니다.

귀천 없는 복음

교회 안에서 하나가 되지 못하고 서로 나누어지는 일이 있다고 한다면, 교회가 커지면 커질수록 심각한 문제만 안게 됩니다. 교회 역사를 살펴보면 교회가 이 벽들을 허물고 나아갈 때 교회는 강력해졌고 교회의 영광이 드러났습니다.

중세기만 해도 성직자와 평신도 사이에는 엄청난 벽이 있었습니다. 서로 접근할 수 없는 벽이 있었습니다. 종교개혁이 무엇입니까? 성직자와 평신도의 벽을 없애는 것입니다. "모든 사람들이 다 그리스도 안에서 제사장이다"라는 만인제사장주의를 들고 나왔습니다. 그랬더니 어떤 일이 벌어집니까? 이 벽이 깨어짐으로 그리스도의 피가 다시 교회 안에 돌기 시작했습니다. 교회가 살아나지 않았습니까? 벽을 무너뜨릴 때에 진정한 부흥이 나타난 것입니다.

웨슬리가 일으킨 부흥의 특징이 무엇입니까? 교회가 부자들에게만 복음을 증거했습니다. 깨끗한 사람들, 웬만큼 사는 사람들만 교회에 갈 수 있었습니다. 웨슬리는 이것을 가슴 아파했습니다. 이것은 진정한 교회의 모습이 아닙니다. 그래서 예수 그리스도의 복음을 들고 광산으로 나갔습니다. 아름다운 교회 강대상에서 설교한 것이 아니라 사과 궤짝을 쌓고 그걸 보자기로 덮고 말씀을 증거하기 시작했습니다. 신분의 벽이 무너지는 순간이었습니다. 그럴 때 17세기 말 영국에 대단한 부흥이 일어나게 되었습니다. 벽이 허물어질 때 부흥이 일어납니다.

19세기 미국 부흥의 특징이 무엇입니까? 과거에는 백인들만 예수를 믿어야 되는 줄 알았습니다. 그런데 19세기 말에 미국에서 부흥운동이 일어났습니다.

"유색인들에게도 복음을!"

그것이 그들의 모토였습니다. 그래서 복음을 들고 동양으로 오게 되었습니다. 인도로, 일본으로, 중국으로 가게 되었고 그 벽이 무너지게 되어

19세기를 '선교의 세기'라고 말하지 않습니까? 벽이 허물어질 때 놀라운 부흥의 역사가 나타나기 시작했습니다.

한국교회도 마찬가지입니다. 우리가 교회 밖에 있는 벽들을 부수고 나아갈 수 있는 복음의 능력을 회복하기 위해서는 우리 안에 있는 이 벽들이 무너져야 합니다. 우리 안에 빈부 때문에 나누어진 모습이 있습니까? 배운 자, 못 배운 자 때문에 나누어진 모습이 있습니까? 나이 때문에 나누어진 모습들이 있습니까? 아파트 평수 때문에 나누어진 모습들이 있습니까? 이런 것 때문에 하나가 될 수 없다고 한다면 이것은 교회의 모습이 아닙니다. 아픔이 있다 하더라도 이것이 무너져야만 하나님 앞에 쓰임받는 교회가 될 줄로 확신합니다.

역사를 보면 교회가 언제 약해졌습니까? 교회 안에서 끼리끼리 모일 때 교회는 약해졌습니다. 배운 사람은 배운 사람끼리 모이고, 부자는 부자끼리 모일 때 교회는 교회로서의 영광을 다 잃어버렸습니다. 라오디게아 교회가 어떤 교회입니까? 부자들만 모이는 교회였습니다. 그러자 하나님이 토하시겠다고 했습니다. 유럽의 귀족 교회들은 다 문닫았습니다. 하나님의 영광이 떠나는 '이가봇'의 교회가 된 것입니다 그러므로 참된 교회의 모델은 무엇입니까? 모든 계층이 그리스도 안에서 하나가 되고, 나이에 상관없이, 지방에 상관없이 모든 사람들이 다 그리스도의 십자가 앞에서 하나가 되는 것이 바로 교회의 목표인 것입니다.

우리가 교회에서 하나가 되기 위한 길은 간단합니다. 십자가 앞에서 죄인으로 만나야 합니다. 내가 부자로 나오고, 내가 배운 자로 나오고, 내가 명예 있는 자로 나오니까 나누어지게 되는 것입니다. 그리스도 안에서 우리는 전부 다 하나같이 죄인입니다. 죄인으로 나와야지만 하나가 될 수 있습니다. 우리가 다 변화받아야 될 죄인이라는 것을 깨닫고 목사도 장로도 모든 성도들도 다 같이 죄인으로 나와 "오직 예수 그리스도의 십자가의 보혈이 아니면 내 죄가 씻겨질 길이 없습니다"라는 고백이 있어야 합니다. 그럴 때 우리가 주님 앞에 바로 서게 될 줄로 확신합니다. 우리는 이 죄인의식을 가지고 또 다른 죄인들에게 예수님의 십자가를 증거해야 합니다. 그래서 하나되게 하는 힘으로 세상을 두렵고 떨게 만드는 하나님의 백성이 되기 바랍니다.

목말라하는 세상

본문을 보니까 목마른 여인이 나옵니다. 이 목마른 여인에게 예수께서 찾아오셔서 그 목마름의 문제를 해결해주십니다. 저는 요한복음 4장 말씀을 묵상하면서 개인적으로 굉장히 괴로워했습니다. 목사가 듣는 이야기 중에 최고로 괴로운 이야기는 성도들이 목말라한다는 이야기입니다.

'도대체 내가 어떻게 목회를 했길래, 어떻게 내가 하나님의 말씀을 증거했길래, 얼마나 성도를 위해서 기도하지 않았길래 성도들이 전부 다 목마르다고 그러나?'

제가 참 괴로웠습니다. 일주일 동안 하나님 앞에 기도하는 내용이 이것이었습니다.

"하나님, 주님께서 양떼를 맡겨주셨는데 양떼가 목마르다고 합니다. 어찌합니까?"

이것이 제 기도 제목이었습니다.

저에게 아직까지도 잊혀지지 않는 비유가 있습니다. 워렌 위어스비라는 미국의 유명한 강해설교가가 있습니다. 그 분이 현대 교회를 묘사하면서 이런 예증을 들었습니다. "현대 교회는 마치 이런 교회와 같다"면서 말입니다. 어떤 목사가 나와서 이야기합니다. "성도님들, 목마르시지요?" 하면서 그림 한 장을 보여준다는 것입니다. 아주 멋진 컵에 들어 있는 생수 한 잔을 보여주면서 "이것이 다이아몬드 생수입니다. 여러분, 이것을 마시면 얼마나 시원한 줄 아십니까?"라고 합니다.

또 한 장의 그림을 보여줍니다.

"이것이 프랑스산 에비앙 생수입니다. 이걸 마시면 오장육부가 시원하게 씻겨져 내려갑니다."

또 한 장의 그림을 보여주면서 "이것이 샘물입니다. 일급수에서 퍼온 샘물입니다. 이걸 마시기만 하면 모든 내장이 다 깨끗해집니다"라고 말합니다.

그런데 계속 그 이야기만 한다는 것입니다. 이 말씀을 듣는 성도들이 원하는 것이 무엇이겠습니까? 성도들이 "그것 한 잔 마셔봅시다"라고 말하면 '오늘 설교 끝' 하고 끝낸다는 것입니다. 무슨 이야기입니까?

"계속해서 그림만 보여주고 실체는 보여주지 않고, 겉도는 말만 하는 교회가 되었다. 이것이 현대 교회의 특징이다."

이것이 우리 교회가 아닐까 하는 생각이 드니까 아찔했습니다. 우리의 문제가 바로 이것입니다. 목마릅니까? 주님 앞에 나와서 목을 축여야 됩니다. 단지 말씀만 듣고 돌아가서는 안 되고 살아계신 예수님, 생수가 되신 예수님을 만나서 우리의 영혼을 적시는 일이 있어야만 우리가 살아납니다.

사마리아 여인에게도 목마름의 문제가 있었습니다. 본문을 잘 읽어보면 그는 알 것은 다 알고 있는 여인이었습니다. 예배의 문제를 들먹이고, 메시아가 와야 된다는 문제도 알고 있었고, 그 우물의 역사적인 배경이 어떤 것인지도 잘 알고 있지 않습니까? 무슨 이야기입니까? 듣기는 들어서 지식적으로는 알고 있지만, 여전히 목마른 현대인의 모습과 다를 바 없다는 것입니다. 우리도 이럴 수 있습니다. 내용은 다 압니다. 스토리는 다 압니다. 그런데 목마릅니다. 그럴 때 예수께서는 이 여인의 목마름을 어떻게 해결해주셨는지 그것을 본문에서 발견하시고, 우리 예수님의 방법과 마찬가지로 우리의 목마름을 해결하게 되는 축복이 있길 바랍니다.

홀로코스트

여인의 우선적인 목마름은 무엇이었습니까? 고독했습니다. 여인은 무척 고독했습니다. 대화의 내용을 살펴보니까 남편이 다섯 명이었다고 합니다. 지금 같이 사는 남편도 진짜 남편이 아니었습니다. 다시 말해서 이 여인은 여섯 명의 남편과 살았던 사람입니다. 도덕적으로 완전히 탈선한 여자입니다. 이런 여인은 당시 사회 구조상 배척의 대상이었습니다. 이런 여인에게는 교제의 단절이 있었습니다. 아마도 사람에게 가장 고통스러운 것은 교제가 단절되는 것이 아닐까 생각합니다. 이것보다 더 큰 고통은 없었을 것입니다. 그래서 이 여인은 다른 사람이 물 길러 오지 않는 6시에 우물가로 나왔습니다. 유대의 시간에 6을 더하면 지금 우리의 시간이 됩니다. 그러니까 여인은 낮 12시에 우물에 나온 셈입니다. 낮 12시에 물을 길러 온 것입니다. 가장 더울 때 아닙니까? 이렇게 더울 때 누가 물을 길러 옵니까? 왜 그랬느냐 하면 다른 사람들을 만나기 싫었기 때문입니다. 그래서 자기 혼자 가서 모든 일을 다 하려고 했던 것입니다.

그런데 우리에게도 이러한 고독이 있습니다. 우리가 하나님 앞에 나아올 때 답답함이 있는데, 사람들이 나에게 위로가 되지 못하고, 도리어 사람의 조롱거리만 되고, 걸림돌이 되어 사람을 만나기가 싫습니다.

내 안에 문제가 있고 어려움이 있을 때 적어도 우리는 교회에 나와 성도들을 만나서 위로받을 수 있어야 합니다. 그런데 우리는 어떻습니까? 상처받고 교회에 오면 그 상처 위에다 "나는 세상의 소금이다" 그러면서 소금을 뿌립니다. 더욱더 고통스럽게 합니다. 내 모든 약점을 여기저기에 대고 나팔을 붑니다. 이것이 현대 교회의 모습입니다. 위로가 없습니다. 이것이 바로 우리 고독의 뿌리입니다. 이 고독의 문제는 수가성 여인만의 문제가 아니라 유사 이래로 존재해오던 문제였습니다.

선악과로 말미암아 인간은 범죄했습니다. 먼저 하나님이 아담에게 묻습니다.

"너 왜 먹지 말라는 선악과를 먹었으냐?"
아담이 뭐라고 대답합니까?
"하나님이 나에게 주셨던 그 여자가 먹으라고 해서 먹었습니다."
아마도 이 이야기를 들었을 때 하와가 얼마나 큰 배신감을 느꼈겠습니까?
'도대체 내가 믿고 사는 남자가 저럴 수 있는가?'
"모든 것이 다 제 잘못입니다" 하며 자기가 다 뒤집어쓸 줄 알았는데, 자기 잘못은 인정하지 않고 배우자에게 모든 죄를 전가하는 그런 일들이 벌어집니다. 부부 사이에 이럴 수 있습니까?
그런데 이것이 실제로 세상 모든 사람들의 삶의 방식입니다. 전부 다 다른 사람 탓이라는 것입니다.
"재 때문에 그랬습니다. 저 사람 때문에 내가 넘어집니다."
우리 하나님의 교회에서 진정으로 고독의 문제가 해결되려면 덮어주는 사랑이 있어야 합니다. 우리가 우리 자신을 내어놓고 죽을 수 있는 사랑이 있어야만 비로소 이 모든 문제를 해결받을 수 있습니다.

게 바구니의 게 신앙?

우리 교회를 보면 꼭 게 바구니처럼 되어 있습니다. 게 바구니에는 뚜껑이 없습니다. 왜 그렇습니까? 한 마리의 게가 올라가려고 하면 밑에서 다른 게가 툭 하고 칩니다. 떨어지면 또 한 마리의 게가 올라가려고 합니다. 그러면 다시 툭 하고 다른 게가 쳐서 떨어지게 만듭니다. 게 바구니에 게를 두 마리 이상 넣어놓으면 그 게는 평생 나갈 수 없다고 합니다. 우리의 모습입니다.
한 사람의 성도가 커가려고 하면 더 밀어주고 나보다 더 나은 존재를 만들려는 모습은 없고, 계속해서 쳐서 쓰러뜨리려는 모습만 있습니다. 나보다 앞서가는 것을 도무지 참지 못합니다. 나보다 앞서가는 모습을 보면 울분을 참지 못하는 것이 성도의 모습이 되었습니다. 이것이 바로 하나님의 교회가 병든 모습입니다.

어떤 성도가 위대한 성도입니까? 자기 주변에 있는 사람들이 자기보다 앞서가게 만드는 성도가 복된 성도입니다. 다른 성도들의 발을 씻겨줄 수 있는 성도가 복된 성도입니다. 이제는 교회의 문화가 바뀌길 바랍니다. 다른 사람들의 걸림돌이 되는 사람들은 절대로 중직을 맡으면 안 됩니다. 다른 사람들의 앞길을 가로막는 사람들은 절대로 일꾼이 되어서는 안 됩니다. 하나님의 원리가 아니고 하나님의 일꾼의 모습이 아니기 때문입니다. 자신이 죽을 줄 알아야 하고, 다른 사람보다 늦게 갈 줄 알아야 하고, 다른 사람들을 세워줄 줄 아는 그러한 그리스도의 모습을 지닌 하나님의 백성이 되기 바랍니다.

다른 것은 몰라도 예수 믿는 사람들이 사랑이 없다면 말이 안 되겠지요. 농구 선수가 농구를 못한다고 하면 말이 안 되지요. 탁구 선수가 탁구를 못 친다고 하면 말이 안 되지 않습니까? 그런데 성도가 사랑이 없다고 하는 것은 성도가 아니라는 말입니다. 그리스도인이 아니라는 것을 증명하고 다니는 것입니다. 다시금 나의 모습이 그리스도의 모습인지, 성도의 모습인지 분명히 확인하시고 주님의 말씀으로 돌아올 수 있는 하나님의 백성이 되기 바랍니다.

ID 153 패스워드

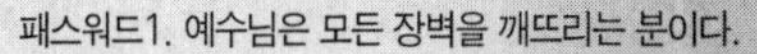

패스워드1. 예수님은 모든 장벽을 깨뜨리는 분이다.

예수 그리스도의 피묻은 복음이 들어가면 모든 장벽이 무너진다. 경제적인 장벽, 인종과 신분의 장벽, 모든 갈등의 장벽이 깨트려진다. 믿음 안에서 공유하는 형제의식이 교회를 하나되게 한다. 새롭게 된 영적 시각 없이는 진정한 하나됨이 불가능하다는 사실을 기억하라.

패스워드2. 그리스도의 향기가 나야 크리스천이다.

성령의 사역에는 외적 사역과 내적 사역이 있다. 외적 사역은 능력이 외부로 나타나 질병을 고치고 귀신을 쫓아낸다. 내적 사역은 우리의 심령을 변화시켜 예수의 모습이 드러나게 한다. 아무리 많은 능력을 행한다 해도 그리스도의 향기가 없으면 성령의 열매가 아니다.

패스워드3. 생수를 직접 들이켜야 목마름이 해갈된다.

생수의 실체는 없고 생수의 그림자만 난무하는 것이 현대교회의 특징이다. 생수를 직접 마시게 하지는 않고 생수에 대한 말만 무성하다. 말씀만 듣고 돌아서지 말고 생수이신 예수님을 만나 실제로 영혼이 적셔져야 산다.

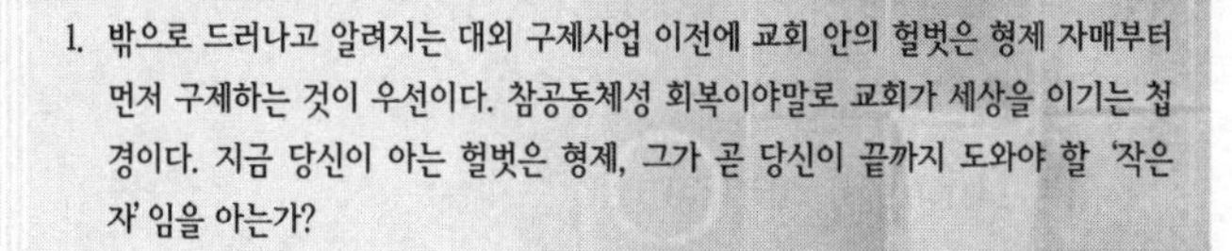

코람데오 (Coram Deo) 자기점검

1. 밖으로 드러나고 알려지는 대외 구제사업 이전에 교회 안의 헐벗은 형제 자매부터 먼저 구제하는 것이 우선이다. 참공동체성 회복이야말로 교회가 세상을 이기는 첩경이다. 지금 당신이 아는 헐벗은 형제, 그가 곧 당신이 끝까지 도와야 할 '작은 자'임을 아는가?

2. "주여, 주여" 하는 자마다 다 천국에 들어가지는 못한다. 하나님이 당신을 아시려면 당신이 하나님을 올바로 알아야 한다. 마지막날 예수님이 과연 당신을 안다고 하시겠는가?

3. 밥에 대한 지식이 당신을 배부르게 하지는 못한다. 예수님에 대한 지식만으로 그분의 능력을 덧입을 수는 없다. 지금 당신의 떡, 당신의 음료는 무엇인가?

12장

참된 배부름

3부 장벽을 돌파하는 믿음

요 4:27-42

영혼들을 살려야 될 곳들이 너무 많습니다. 그런데 우리는 어떻습니까? 일꾼이 없고, 있다 하더라도 다 잠자는 일꾼이기 때문에 안타까운 일들이 벌어집니다. 그러므로 우리 한국에 있는 모든 성도들은 자신이 먹어서 배부름을 누리는 것이 아니라 죽어가는 영혼이 돌아오는 것을 바라보는 참된 배부름을 누리는 복된 성도가 되어야 할 것입니다.

기독교에 '포기'란 단어는 없다

한 정신병원에서 이런 일이 있었다고 합니다. 어떤 방에 들어갔더니 허공으로 손을 내저으면서 "수지, 수지!"라고 소리지르는 한 남자가 있었습니다. 같이 들어갔던 사람이 물었습니다.

"저 남자는 왜 저럽니까?"

그 의사의 대답이 이렇습니다.

"수지라는 아가씨와 결혼하기로 했었는데, 결혼 직전에 그녀가 그를 버리고 다른 남자와 결혼해버렸기 때문에 저렇게 미쳤습니다."

딱하다는 생각을 하며 다른 병동으로 갔습니다. 그 다음 병동은 정신병원에서도 중증 환자만 모여 있는 병실이었습니다. 그런데 어떤 남자가 이제는 더 심각하게 벽에다가 머리를 박으면서 이렇게 외칩니다.

"오, 수지! 오, 수지!"

"저 사람은 왜 또 저렇게 되었습니까?" 하고 물어보았더니 "저 사람은 수지와 결혼한 사람입니다"라고 했습니다.

무슨 말입니까? 수지라는 한 여자가 결국 두 남자를 정신병원에 들어가게 만들었다는 것입니다. 얼마나 악한 여자입니까? 이런 여자를 보면 밥맛이 떨어지지요. 치명적이고 추한 인생을 살았던 여자입니다. 여자 하나가 잘못되면 한 가정을 무너뜨리고, 한 사회를 무너뜨리고 또 여러 사람의 인생을 무너뜨릴 수 있습니다.

그런데 요한복음 4장에 보면 이 수지 같은 아주 추한 여자 한 사람이 등장합니다. 수가성에 사는 여인이었습니다. 이 여자도 오십보백보입니다. 자기 자신의 욕망을 채우고자 남편을 다섯 명이나 갈아치웠습니다. 그리고 이제는 여섯 번째 남편과 동거생활을 하고 있습니다. 얼마나 이기적인 여자입니까? 얼마나 난잡한 생활을 하는 여자입니까?

아마도 이 여자의 방탕이 극에 달했던 것 같습니다. 이웃한 동네 사람들이 그 여자하고는 상종도 하기 싫어했던 모양입니다. 그래서 이 여자는 인적이 드문 낮 12시에 물을 길으러 왔던 것입니다. 그런데 이 요한복음 4장에서 우리를 깜짝 놀라게 만드는 것은, 하나님께서는 이렇게 방탕한 여인까지도 사랑하신다는 것입니다. 그리고 이러한 여인까지도 만나주시고 구원해주신다는 사실입니다. 이것이 우리에게 소망을 줍니다.

예수께서는 어떤 악한 죄를 지은 죄인이라고 할지라도 그를 사랑하고 구원하십니다. 그래서 기독교에 없는 단어가 무엇입니까? '포기'라는 단어입니다. 우리는 포기할 수 없습니다. 왜 그렇습니까? 예수님의 사랑이 포기치 아니하고 끝까지 추적하는 사랑이기 때문입니다. 이사야서 1장 18절을 보니까 하나님의 추적하는 사랑, 하나님의 용서하시는 사랑에 대해서 이렇게 말씀하고 있습니다.

"여호와께서 말씀하시되 오라 우리가 서로 변론하자 너희 죄가 주홍 같을지라도 눈과 같이 희어질 것이요 진홍같이 붉을지라도 양털같이 되리라."

예수님 앞에 나오기만 하면 다 용서함을 받습니다. 과거의 삶이 어찌

되었든지간에 예수님의 보혈로 말미암아 깨끗이 씻은 바 되면 양털과 같이 될 수 있고, 눈과 같이 될 수 있습니다. 이것이 바로 복음입니다. 과거의 삶이 어떠했든지간에 예수님의 십자가 앞에 나옴으로 말미암아 눈과 같이 희어지고 또 양털과 같이 깨끗해지는 은혜를 체험하기 바랍니다.

인생에 양념을 쳐라

우리가 요한복음 4장 말씀을 통해서 깨달을 수 있는 것은 만남이 중요하다는 것입니다. 만남보다 복된 것이 없습니다. 사마리아 여인은 단순히 물을 길으러 왔다가 뜻하지 않게 예수님을 만나서 마음이 열렸습니다. 그래서 구원을 얻었습니다. 만남이라는 것은 어려운 문제를 간단히 풀 수 있는 수단이 되기도 합니다. 우리가 편지로, 때로는 전화로 아무리 이야기를 해도 풀리지 않는 문제가 한 번 만나면 눈 녹듯이 쉽게 해결되는 것을 체험하게 됩니다. 왜 그렇습니까? 일대일의 만남은 눈과 눈을 서로 바라보고, 얼굴과 얼굴을 서로 마주보고, 인격과 인격이 만나기 때문에 사람의 진실이 통하는 것입니다.

사업을 하는 어떤 분이 이런 이야기를 합니다. 자기는 계약을 맺을 때 반드시 사람을 직접 만나는데, 만나서 그 사람의 눈동자를 본다고 합니다. 사람의 눈동자를 보고 있으면 전혀 속지 않는다고 합니다. 속이는 사람의 눈동자는 자기를 제대로 보질 못한다고 합니다. 그러면 계약을 안 한다고 합니다. 그러나 눈동자를 보았을 때 그 속에 통하는 바가 있으면 계약을 한다고 합니다. 나머지 사업 조건을 크게 따지지 않고 계약을 해도 한 번도 실수하지 않았다고 합니다. 왜 그렇습니까? 인격과 인격의 만남이 사람을 믿을 수 있게 하고, 그 사람과의 관계가 돈독하게 되도록 도와주기 때문입니다.

예수님과 만난 사람들은 인격이 다 변했습니다. 왜 그렇습니까? 예수님의 인격과 예수님의 사랑의 능력이 그를 감화시켰기 때문입니다. 베드로는 원래 바다에서 고기를 잡던 사람이었습니다. 그런데 예수님을 만났습니다. 그가 배를 버려두고 예수님을 좇았습니다. 이제는 사람을 낚는 어부가 되었습니다. 예수님과의 만남이 베드로를 완전히 뒤바꿔놓았습니다. 일개 어부에서 예수님의 제자가 되었고, 수제자로서의 영광을 누리게 되었습니다.

사도 바울은 예수님을 믿기 이전에 예수님을 믿는 사람들을 잡아 핍박하던 사람이었습니다. 그런 그가 다메섹으로 가던 도중에 영광스런 부활의 예수님을 만났습니다. 그 다음부터 그는 핍박자에서 복음을 증거하는 사도로 변화받게 되었습니다. 그래서 이 사도 바울이 가는 곳마다 사람들이 사망에서 생명으로 옮겨지는 일들이 벌어졌습니다. 역사학자 토인비는 "바울이 탄 배는 유럽의 문명을 싣고 간 배였다"라는 찬사를 했습니다. 사도 바울은 인류의 역사를 바꾼 위대한 인물이 된 것입니다.

본문에 나오는 이 사마리아 여인도 마찬가지였습니다. 예수님을 만나기 이전에는 사회에서 버림받은 자였습니다. 그런데 예수님을 만나고 난 다음에 구원을 받게 되었고, 많은 사람에게 복음을 증거하는 자가 되었습니다. 그리고 만대까지 그의 이름이 전해지는 그런 영광의 자리에 이르게 되었습니다.

음식에 양념이 들어가야 제 맛이 나는 것과 마찬가지로, 우리 인생에서도 예수님이 들어가야만 제 맛이 나고 인생의 가치가 있으며 승리를 맛볼 수가 있습니다. 예수님을 만나 예수님으로 말미암아 우리 속에 생명이 심겨지는 은혜가 있기 바랍니다.

완전 폭로

예수께서 이 사마리아 여인을 만나서 제일 먼저 하신 일이 무엇입니까? 문제의 본질을 폭로하신 것입니다. 예수께서 물을 달라고 했습니다. 그랬더니 이 여자가 뭐라고 이야기합니까?

"왜 유대의 남자이면서 사마리아 여자에게 물을 달라고 합니까?"

말 대답을 합니다. 그러니까 예수님이 이렇게 말씀하십니다.

"내게 물을 구하였으면 영원토록 솟아나는 생수를 주었으리라."

그랬더니 그 여자가 뭐라고 합니까?

"물 길을 것도 없으면서 어떻게 물을 떠줍니까?"

계속해서 이 사마리아 여인은 겉도는 이야기만 합니다. 자기 속내를 이야기하지 않습니다. 그럴 때 예수께서 핵심을 찌르는 한마디를 하십니다.

"네 남편을 데리고 오라."

이때 여인은 이 한마디 말에 모든 것이 다 무너져내립니다.

"나는 남편이 없습니다."

처음으로 진실해진 것입니다.

우리가 예수님 앞에 나올 때 진실한 고백이 있어야만 치유를 받습니다. 우리의 가면 쓴 모습을 버리고 우리의 진실된 본래의 모습, 우리의 죄악된 모습, 내 갈급한 모습을 인정해야만 주님의 능력이 임하기 시작합니다. 그때 예수님이 뭐라고 말씀하십니까?

"그래, 남편이 없다는 말이 맞다. 지금 있는 자도 네 남편이 아니다."

그런 다음 예수께서 여러 가지로 묻지 않습니까?

"지금까지 네 인생은 네가 원하는 것을 찾아다니던 인생이었다. 만족이 있었느냐? 다섯 명의 남편을 갈아치웠더니 만족이 있더냐?"

"만족이 없었습니다. 예수님, 여전히 목이 마릅니다."

"네가 추구하는 삶을 찾았느냐?"

"아닙니다. 바람을 잡는 것 같았습니다."

그런 후 예수님 앞에서 여인의 모든 문제가 폭로되기 시작합니다.

예수님을 만나기 이전까지 우리는 만족을 찾을 수 없습니다. 세상에서 모든 것을 다 누린 사람이 솔로몬이었습니다. 부귀도 있었고, 영화도 있었고, 장수도 있었고, 많은 사람들이 추구하는 모든 것을 가진 사람이었습니다. 그렇지만 전도서에서 계속 강조하는 것이 무엇입니까? 바람을 잡는 것과 같았다, 헛된 인생이었다는 것입니다. 결론적으로 전도서 12장 13절을 보니까 "일의 결국을 다 들었으니 하나님을 경외하고 그 명령을 지킬지어다 이것이 사람의 본분이니라"고 했습니다.

"내가 살았던 헛된 인생을 너희가 다 들었느냐? 하나님을 경외하고 그것을 지킬지어다 그것이 사람의 본분이니라."

결국은 인생에서 남는 것이 무엇입니까? 하나님을 경외하는 것만 남았고, 그분의 명령을 지켰던 것만 남았습니다.

인생을 길게 살았든, 짧게 살았든 우리에게 남는 것은 딱 한 가지입니다. 하나님을 경외하고, 그분의 명령을 지키는 지혜를 깨달아 우리 주님을 경외하는 자리로 돌아오는 것입니다. 우리 주님의 명령을 지키는 자리로 돌아오는 선한 하나님의 백성이 되기 바랍니다.

꿈의 대화

먼저 예수님은 문제의 본질을 다 폭로하셨습니다. 폭로해놓고 난 다음에 "너 같은 나쁜 여자가 어디에 있느냐?"고 하며 질책하지 않으셨습니다. 예수님은 수술한다고 배를 열어놓고 닫지 않는 엉터리 의사가 아닙니다. 예수님은 그 모든 상처를 드러내게 하시고 그 모든 상처를 치료해주십니다. 그리고 품어주시고, 사랑해주십니다.

"내가 바로 네가 그렇게 바라던 그리스도다."

그렇게 말씀하십니다.

예수께서 "너처럼 죄를 많이 지은 자가 무슨 예배를 드리느냐? 회개부터 할 생각을 하라"고 말씀하시지 않고 예배에 대한 모든 질문에 응답해주셨습니다. 예수께서 이 사마리아 여인에 관한 모든 것들을 다 품어주셨습니다. 그랬더니 이 사마리아 여인을 통해 어떤 일이 벌어집니까? 4장 29절에 보니까 "나의 행한 모든 일을 내게 말한 사람을 와 보라 이는 그리스도가 아니냐 하니"라고 합니다. 여인은 동네로 뛰어가서 "나의 행한 모든 일을 내게 말한 사람에게 한번 와 보라" 하고 외치기 시작했습니다. 이 말을 간단히 요약하면 "나를 알아준 분을 보라"는 것입니다. 나를 인정해준 분을 보라는 것입니다. 내가 세상에서 한 번도 인정받지 못하고 소외당했는데, 나의 죄를 다 아시지만 나를 품어주시고, 나를 인정해주신 이 예수님을 한번 바라보라는 것입니다. 세상에서 소외당하고 따돌림당하는 사람들이 있으면 예수께 나아오라는 것입니다.

베스트셀러 작가인 고든 맥도널드라는 목사님이 계십니다. 이 목사님이 하루는 한 고아원을 방문했습니다. 그런데 유독 여자아이 하나가 따돌림을 당하고 있었습니다. 우울해보였습니다. 아무도 이 여자아이를 인정해주지 않았기 때문입니다. 아마도 그 여자아이에게서는 드러낼 것이 아무것도 없었던 모양입니다. 이 목사님이 여자아이 옆으로 가서 큰소리로 이야기하지 않고 속삭이듯이 여러 가지를 이야기했습니다.

"밥 먹었니?"

"네, 밥 먹었어요."

"너 참 예쁘게 생겼다."

이런저런 이야기를 합니다. 그랬더니 주변에 있던 아이들이 무슨 이야기를 하는지 궁금해서 들으려고 가까이 옵니다. 그럴 때 "저리 가, 저리 가" 그러면서 두 사람만 소곤소곤 이야기를 합니다. 대화의 주제는 간단합니다.

"너 이를 보니 누렇다. 이 닦았니?"

"안 닦았어요."

"하루에 세 번씩 꼭 닦아야 해."

이런 내용이었습니다. 별 의미없는 일상적인 대화였습니다. 그런데 아이들은 무슨 대단한 이야기라도 하는 것처럼 여기고 그것을 들으려고 합니다. 그러면 이 목사님은 들으러 오는 아이들을 쫓아버렸습니다. 그리고 헤어질 때 큰소리로 외쳤습니다.

"너 나하고 약속했던 것 꼭 지켜야 해."

그렇게 약속을 하고 도장까지 찍고 나왔습니다. 그랬더니 다른 아이들이 무슨 대단한 약속이나 한 것처럼 생각하고 그 아이를 인정해주는 것입니다.

"야, 너 대단하다. 저 목사님하고 일대일로 약속할 정도이니 너 굉장하다."

그 다음부터는 그 여자아이에게 희망이 생기게 되었고, 다시는 왕따당하지 않았다는 것입니다. 맥도널드 목사님이 든 치유에 대한 한 가지 예(例)입니다. 무슨 뜻입니까? 사람들에게는 이렇게 누군가로부터 인정을 받는 자기만의 비밀이 있을 때 자신감을 가질 수 있습니다.

예수 믿는 사람들은 어떤 존재입니까? 한마디로 이야기해서 예수님과 나눈 '꿈의 대화'가 있는 사람입니다. 다른 모든 사람들은 알지 못하고 하나님과 나만이 아는 일대일의 대화가 있는 사람들입니다. 그래서 우리는 자신만만한 사람들입니다.

'너희들이 알지 못하는 것을 나는 가지고 있다', '너희들은 보지 못하는 것을 나는 보고 있다', '예수님이 나를 인정해주신다.'

이런 마음이 우리에게 있기 때문입니다.

사도 바울이 그렇게 활발히 활동할 수 있었던 이유가 무엇입니까? 디모데전서 1장 12절입니다.

"나를 능하게 하신 그리스도 예수 우리 주께 내가 감사함은 나를 충성되이 여겨 내게 직분을 맡기심이니."

사도 바울이 그렇게 열심히 일한 까닭은 주님이 그를 부르시고 그를 인정해주셨기 때문입니다.

'나를 충성되이 인정해서 내게 직분을 맡기셨다. 그런데 내가 무엇이 두려울 것이 있겠는가? 예수님과 나는 보통 사이가 아니다.'

이것이 사도 바울로 하여금 생명을 바쳐가며 일할 수 있게 한 원동력입니다. 사마리아 여인에게 오셔서 그를 인정해주셨던 것과 마찬가지로 당신을 인정해주시는 그 예수님의 음성을 듣고 다시금 세상 가운데 담대히 나아가는 복된 성도가 되기 바랍니다.

무조건적인 전도

이제 이 여자는 예수님의 인정을 받고 희망을 가지게 되었습니다. 그래서 세상에 나가서 "와 보라"고 외칩니다.

"와 보라"는 말만큼 중요한 말이 없습니다. 기독교는 엄밀히 말해서 가르쳐서 알게 되는 종교가 아닙니다. 설명해서 알게 되는 종교가 아니라, 체험을 통해서 알게 되는 종교입니다. 체험이 중요합니다. 왜 그렇습니까? 기독교는 추상적인 진리가 아니기 때문입니다. 누구나 다 믿기만 하면 느낄 수 있는 확실한 생명이기 때문입니다.

어떤 사람이 오아시스를 발견했습니다. 오아시스를 발견하고 난 다음에 오아시스의 지리적인 가치, 오아시스의 생성 원인을 따져가면서 물 마시는 사람이 있습니까? 없습니다.

"오아시스다. 여기 물이 있다. 마시자."

그것뿐입니다.

"목 마른 자들아, 다 이리로 오라. 여기 오아시스가 있다. 이것을 마시면 갈한 것을 해결하게 될 것이다."

이것이 복음이라는 것입니다. 사마리아 여인은 예수님에 대해 아는 것이 아무것도 없었습니다. 다만 예수께 가니까 목마른 모든 것을 해결할 수 있는 생수가 있더라는 것입니다. 그것을 증거하는 것이 복음이요, 그것이 주(主)의 종들의 입술에서 나와야 될 고백입니다.

사마리아 여인은 예수님을 믿자마자 복음증거자가 되었습니다. 전도 훈련을 받은 적이 전혀 없었습니다. 그러므로 전도라는 것은 훈련으로 되는 것이 아닙니다. 주님을 만난 체험만 있으면 됩니다. 주님을 만난 감격만 있으면 됩니다. 복음은 전하지 않으면 썩습니다. 물은 고여 있으면 썩은 물이 되어버립니다. 죽은 물이 되어버리는 것입니다. 물은 흘러야 살아있는 물이 되는 것처럼 복음도 복음을 증거할 때만 살아있는 말씀이 되고, 내 속에서도 역사가 일어나게 되는 것입니다.

사마리아 여인은 누구에게 갔습니까? 그렇게도 만나기 싫어하던 동네 사람들에게 갔습니다. 복음의 능력이 무엇입니까? 나의 삶의 단절을 뚫고나가는 능력입니다. 그래서 예수 그리스도의 십자가의 복음으로 변화된 사람은 과거에는 상종하기도 싫어했던 사람들, 만나기 싫어했던 사람들에게 나아가서 예수님은 생명이라고 증거하기 시작합니다. 이것이 바로 복음의 참다운 능력입니다. 그러므로 복음은 벽을 뚫고 새로운 계층을 향해서, 새로운 땅을 향해서 나아가는 진취적인 힘이 있다는 것을 깨닫고 땅끝까지 나아가서 복음을 증거하는 사람이 되기 바랍니다.

주는 기쁨이 크다

이제 예수님이 혼자 계실 때 제자들이 돌아왔습니다. 31절에 나오는 대로 "그 사이에 제자들이 청하여 가로되 랍비여 잡수소서"라고 했더니 예수님이 32절에서 대뜸 "내게는 너희가 알지 못하는 먹을 양식이 있느니라"고 말씀하셨습니다. 그런데 제자들이 참 멍청합니다. '누가 먹을 것을 갖다주었는가보다' 라고 생각했습니다. 이렇게 말귀를 못 알아들을 수 있습니까? 답답한 마음에 예수님이 34절에서 이렇게 말씀하십니다.

"예수께서 이르시되 나의 양식은 나를 보내신 이의 뜻을 행하며 그의 일을 온전히 이루는 이것이니라."

무슨 뜻입니까? 내가 지금 한 여인을 전도했다는 것입니다. 그가 주(主)를 믿고 저렇게 기뻐하는 것을 보니까 배고픈 것이 다 사라졌다는 이야기입니다.

우리도 주의 일을 하다보면 영혼을 살리는 체험을 합니다. 그러면 안 먹어도 배부를 정도로 나에게 만족이 있다는 그런 이야기입니다. 어머니가 음식을 잘 만들어서 자식에게 먹입니다. 자식이 너무 잘 먹습니다. 그러면 어머니는 어떻습니까? 안 먹어도 배부른 만족함이 있습니다.

성도에게 있어 양식은 바로 이것입니다. 우리 예수 믿는 사람들이 착각하는 것은 자기 자신이 많이 먹어야 배가 부를 줄로 안다는 것입니다. 내가 많이 누려야 기쁨인 줄로 압니다. 물론 그렇습니다. 뷔페 식당에 가서 포식을 해도 굉장한 기쁨이 있습니다. 그런데 그런 기쁨은 돼지의 기쁨이지 소크라테스의 기쁨이 아닙니다. 남들을 먹여주고 난 다음에 그것을 바라보면서 흐뭇해하는 것, 그것이 진정한 기쁨입니다. 예수님의 기쁨이 무엇이었습니까?

'한 영혼이 하나님께로 돌아왔구나. 세상에서 완전히 버림받은 영혼이 저렇게 소망을 가지고 기뻐 뛰는 걸 보니까 밥을 먹지 않아도 나에게는 참된 기쁨이 있노라.'

이것이 바로 예수님의 기쁨이었습니다.

우리에게 이런 고차원적인 기쁨이 임하기 바랍니다. 삼일교회는 성탄절이 되면 제일 기쁩니다. 어려운 이웃들에게 쌀을 나누어주면서 예배를 드리기 때문입니다. 밥을 얻어먹지도 않았고 차 한 잔 대접받은 적이 없습니다. 그런데 그들과 나누면서 같이 대화하고, 기도하고, 눈물의 예배를 드리고 오니까 저녁밥을 먹지 않아도 기쁜 것입니다. 이것이 바로 예수님의 기쁨입니다.

그러므로 참된 성도의 기쁨은 예수님의 일을 하면서 느끼는 기쁨입니다. 예수님이 제자들을 보고 답답하셔서 이렇게 말씀하십니다.

"너희가 넉 달이 지나야 추수할 때가 이르겠다 하지 아니하느냐 내가 너희에게 이르노니 눈을 들어 밭을 보라 희어져 추수하게 되었도다"(35절).

"너희들 참 답답하다. 주변을 들러보라"는 뜻입니다.

"저렇게 희어져서 추수할 것들이 많이 있는데, 너희들은 밤낮으로 모여서 서로 잘났다고 하고, 서로 정죄하기 바쁘지 않느냐? 진정으로 너희들이 해야 될 일이 무엇인 줄 아느냐? 저런 죽어가는 영혼들 건져내는 것이다. 제자들이라고 하면서 너희들이 나를 따라다닌 지 벌써 3년이나 되지 않았느냐? 그런데 너희들이 건진 영혼이 몇 명이나 되느냐? 그런데 이 사마리아 여인은 딱 한마디를 듣고 외쳐서 많은 영혼들을 구했다. 너희들은 부끄럽지 않느냐?"

이런 말씀입니다. 이 말씀은 우리에게도 해당됩니다.

우리가 이 밭을 바라볼 때 희어져서 추수할 것이 많은 상태가 되었습니다. 왜 그렇습니까? "와 보라"는 한마디만 증거해도 많은 사람들이 주께 몰려오는 시기이기 때문입니다.

얼마 전에 한 성도가 이런 이야기를 했습니다. 교회에 왔더니 섭섭하다고 합니다. 무엇이 섭섭하냐고 하니까 집 근처에 삼일교회에 다니는 성도를 알고 있다고 합니다. 그런데 3년 동안 한 번도 삼일교회에 오라는 이야기를 들어본 적이 없다고 합니다. 참 섭섭하답니다. 이것이 무슨 이야기입니까? 영생을 얻었다고 하면서 자기 혼자만 누리고 전하지 않았다는 것입니다. 초신자들이 교회에 와서 제일 먼저 느끼는 것이 배신감이라고 합니다.

이 밭이 얼마나 희어졌는지 바라보려면 선교 현장에 가보면 됩니다. 현장에 가서 복음을 증거하니까 어떤 일이 벌어집니까? 1주일 정도 복음을 증거하고 나니까 교회들이 막 세워지는 일이 생깁니다. 그 정도로 아직까지도 추수할 곡식들이 넘쳐나는 시대라는 것을 우리가 알아야 합니다.

대만선교를 하고 돌아오는 마지막 날 전부 다 울었습니다. 물론 하나님의 복음을 증거했던 즐거움의 눈물도 있었습니다. 그런데 그 영혼들을 두고 떠나오려니 안타까움의 눈물이 더 컸습니다.

"하나님, 지금 당장이라도 더 복음을 증거하면 교회들이 살아나기 시작하고, 한 번이라도 더 말씀을 증거하면 수없이 많은 영혼들이 주께 돌아오는데, 돌아가야 합니까? 이렇게 할 일이 많은데, 추수할 곡식들이 이렇게 널려 있는데, 그냥 돌아가야 합니까?"

이런 안타까움을 가지고 돌아왔습니다. 지금도 마찬가지입니다. 여기저기 와달라고 하는 곳이 너무 많습니다. 영혼들을 살려야 될 곳들이 너무 많습니다. 그런데 우리는 어떻습니까? 일꾼이 없고, 있다 하더라도 다 잠자는 일꾼이기 때문에 안타까운 일들이 벌어집니다. 그러므로 우리 한국에 있는 모든 성도들은 자신이 먹어서 배부름을 누리는 것이 아니라 죽어가는 영혼이 돌아오는 것을 바라보는 참된 배부름을 누리는 복된 성도가 되어야 할 것입니다. '내가 부자가 되었다', '내가 많은 것을 누렸다' 하는 배부름이 아니라 죽어가는 한 영혼이 돌아옴으로 말미암아, 방탕한 한 영혼이 주께로 돌아옴으로 말미암아 그것을 바라보면서 배부름이 넘치는 하나님의 백성이 되기 바랍니다.

감사할 줄 모르는 인간

4장 42절을 보니까 "그 여자에게 말하되 이제 우리가 믿는 것은 네 말을 인함이 아니니 이는 우리가 친히 듣고 그가 참으로 세상의 구주신 줄 앎이니라 하였더라"고 하였습니다. 42절 말씀은 두 가지로 해석할 수 있습니다.

"예수님의 말씀을 친히 들었더니 역시 예수님의 말씀은 대단하다."

이런 뉘앙스로 해석할 수 있습니다. 그런데 원문을 보면 또 다른 뉘앙스로도 해석할 수 있습니다. 이 여인을 무시하는 말이라는 겁니다. 이 사마리아 사람들이 예수를 믿기는 믿었는데, 이런 방탕한 여자가 전도해서 믿었다고 생각하니까 도저히 용납할 수가 없습니다. 그래서 "나는 믿긴 믿는데, 너 때문에 믿는 것이 아니라 예수님 때문에 믿는 것이다" 하면서 이 여인을 무시하는 태도를 보입니다. 사람들은 참 이상합니다. 다른 사람에게서 은혜를 받았는데도 그에게 감사할 줄을 모릅니다. 사람에 대해서도 감사할 줄을 모르고, 하나님에 대해서도 감사할 줄을 모릅니다.

예전에 어떤 책에서 읽은 내용입니다. 어떤 심리학자가 실험을 했다고 합니다. 두 달 동안 미국의 어느 마을을 집집마다 다니면서 100불씩 나누어주었다고 합니다. 우리나라 돈으로 12만 원 정도 됩니다. 첫째 주에 집 앞에 100불을 놓고 가니까 사람들이 깜짝 놀랐습니다.

"이것이 웬 돈이냐?"

둘째 주에도 그 사람이 와서 돈을 나누어줍니다.

"저 사람이 누구일까?"

셋째 주에도 큰 화제가 되었습니다. 그런데 이상한 건 4주쯤 되니까 사람들이 신기해하지 않습니다. 이제는 익숙해졌기 때문입니다.

'저 사람은 으레 1주에 한 번씩 100불씩 놓고 가는 사람인가보다.'

그런 식으로 두 달 동안 계속하다가 맨 마지막 8주째에는 돈을 안 놓고 그냥 왔다고 합니다. 그랬더니 사람들이 그 사람에 대해 욕을 했다고 합니다.

"우리 돈이 어디 있느냐?", "왜 돈을 떼어먹고 도망가느냐?"

멱살을 잡고 싸우더랍니다. 인간은 이렇게 악한 존재입니다. 감사를 모르고 계속해서 은혜를 베풀다가 한 번 베풀지 않으니까 오히려 욕하면서 대드는 것이 인간입니다. 얼마나 악한 모습입니까? 이것이 인간이라는 것입니다.

말대로 된다

멕시코 어느 마을에 한쪽에는 화산 지대라서 뜨거운 물이 나오고 또 한쪽에서는 찬 물이 나오는 그런 빨래터가 있다고 합니다. 얼마나 좋습니까? 자연산 온수와 냉수가 다 나오는 빨래터입니다. 그래서 뜨거운 물에 빨고 찬 물에 헹굴 수 있는 천혜의 빨래터였습니다. 지나가던 여행객이 이 빨래터를 두고 이렇게 이야기했다고 합니다.

"하나님께서 참 복을 많이 주셨네요. 이 마을에 이렇게 많은 복을 주셨으니 하나님께 감사하시지요?"

그랬더니 그곳에 있던 사람들이 화를 내면서 원망을 하더라는 것입니다.

"감사는 무슨 감사입니까? 이왕이면 비누까지 껴서 주시지, 치사하게 찬 물 더운 물만 주고 비누는 왜 안 주시는지 모르겠습니다."

'원한은 돌에 새기고 은혜는 강물에 새기는' 것이 바로 인간입니다. 이렇게 악한 존재입니다. 그러나 우리가 참된 감사를 누려야만 하나님의 복이 끊이지 않습니다. 예수 믿는 사람은 감사하는 사람입니다. 매사에 사람에 대해서도 하나님에 대해서도 감사하는, 감사를 표시하는 성도가 되기 바랍니다. 우리 입 속에서 나온 말대로 우리 인생이 결정됩니다. 누에고치에서 나오는 실을 통해 누에가 자기 집을 짓는 것과 마찬가지로 우리 입에서 나오는 내용 그대로 우리 인생이 결정되는 것을 봅니다.

일전에 대중가요 노랫말을 연구하는 한 연구회가 가수들을 분석해보았는데 결론은 이것입니다. 가수들도 노래를 부른 대로 되더라는 것입니다. 늘 '죽겠다'는 주제로 노래 부른 가수는 다 죽었고, 슬픈 노래를 부른 사람들은 다 슬펐고 요절했다는 것입니다. 그 예로, 우리나라 최초의 여가수 윤심덕은 1926년 현해탄에서 극작가 김우진과 동반 자살을 했다고 합니다. 그런데 이 가수가 마지막에 불렀던 노래가 무엇인 줄 아십니까? '사(死)의 찬미'입니다. 그러니까 죽음을 찬미하다가 자기도 죽었습니다. 그리고 남인수 씨는 '애수의 소야곡'이라는 노래를 불렀습니다. 그는 41세에 생을 마감했습니다. 노래대로 되었습니다. 우리가 잘 아는 목포 출신의 이난영이라는 가수가 있지요? '목포의 눈물'을 애절하게 부르다가 49세에 죽었습니다. 1985년에 '님'을 부른 김정호라는 가수가 있습니다. 님이라는 노래 중에 어떤 가사가 나옵니까? "간다, 간다, 나는 간다"라고 하는 가사가 나옵니다. 그 노래를 부르다가 33세에 진짜 갔습니다.

반면에 송대관이라는 가수가 있습니다. 처음에 무슨 노래를 가지고 나왔습니까? '쨍하고 해뜰 날' 입니다. 아직까지 활동하고 있습니다. 노래대로 되는 것입니다.

우리 인생도 마찬가지입니다. 그러므로 감사하는 인생이 되기 바랍니다. "나는 복있는 사람이므로 나에게 하나님의 능력이 임한다"고 고백하게 될 때, 나를 통해서 하나님의 놀라운 능력이 나타나게 될 것입니다.

말씀을 맺겠습니다. 이 사마리아 여인은 처음에 예수를 누구라고 했습니까? 유대인입니다. 그 다음에 무엇이라고 합니까? 선지자입니다. 맨 마지막으로 무엇이라고 합니까? 메시아로 알았습니다. 이처럼 우리도 시간이 지남에 따라서 예수님에 대해 더욱더 깊은 고백이 나오는 사람이 되기 바랍니다.

처음에 바울은 어떠했습니까? 예수님이 저 멀리 계셨던 분이었습니다. 핍박의 대상이었습니다. 그런데 다메섹 도상에서 예수님을 만나고 난 다음 자기 옆에 모시게 되었습니다. 말년에 예수님과 어떤 관계가 되었습니까? 갈라디아서 2장 20절을 보니까 "내가 그리스도와 함께 십자가에 못박혔나니 그런즉 이제는 내가 산 것이 아니요 오직 내 안에 그리스도께서 사신 것이라 이제 내가 육체 가운데 사는 것은 나를 사랑하사 나를 위하여 자기 몸을 버리신 하나님의 아들을 믿는 믿음 안에서 사는 것이라"고 했습니다.

바울의 고백과 마찬가지로 처음에는 저 멀리 계신 하나님이, 옆에 계신 하나님으로, 마지막에는 "내가 그리스도와 함께 십자가에 못박혔나니 이제는 내가 산 것이 아니요 내 안에 그리스도께서 사신 것이라"고 고백할 만큼 가까운 하나님으로 만나는 사람이 되기 바랍니다.

ID153 패스워드

패스워드1. 크리스천은 예수님과 꿈의 대화를 나눈 자다.

크리스천은 세상 사람들이 알지 못하는 비밀을 가진 자다. 곧 예수님만이 은밀하게 인정해주시는 칭찬을 가진 자다. 예수님과 보통 사이로는 나눌 수 없는 커뮤니케이션을 가진 자다. 그 신뢰관계를 생명 바쳐 일할 수 있게 하는 원동력으로 삼는 자다.

패스워드2. 전도는 "와 보라"는 간증이다.

기독교는 엄밀히 말해 가르치거나 설명해서 알게 되는 종교가 아니다. 체험을 통해서 알게 되는 종교다. 그래서 체험이 중요하다. 기독교는 추상적인 진리가 아니기 때문이다. 기독교 진리는 누구나가 믿기만 하면 체험할 수 있는 확실한 생명이다.

패스워드3. 복음은 전하지 않으면 썩는다.

물은 고여 있으면 썩는다. 죽은 물이 된다. 물은 흘러야 살아 있는 물이 되는 것처럼, 복음도 증거할 때 살아 있는 말씀이 되고 역사가 일어나게 된다. 전도는 훈련으로 되는 것이 아니라 주님을 만난 체험, 주님을 만난 감격만 있으면 된다.

코람데오(Coram Deo) 자기점검

1. 믿음의 비밀을 가진 자, 주님과 자신만 아는 은밀한 사연이 있는 자가 신앙인이다. 당신이 고이 간직하고 있는 하나님과의 우정은 어떤 것인가?

2. 참된 것이 아니면 믿어지는 일도 없다. 또한 참된 것은 이론으로만 존재할 수 없는 실재여야 한다. 당신은 "우리가 들은 바요 눈으로 본 바요 주목하고 우리 손으로 만진 바 된"(요일 1:1) 이 영원한 생명의 말씀을 체험했는가?

3. 공자는 "지나침은 미치지 못함만 못하다"고 말했다. 그러나 전도에는 말씀 체험의 감격이 밖으로 넘쳐흐를수록 유용하다. 당신은 구주를 생각만 해도 마음이 좋은가?

13장

믿음의 걸림돌

3부 장벽을 돌파하는 믿음

요 4:43-54

하나님 앞에서 믿음이 성장하는 데 방해가 되는 것이 무엇입니까? 모태신앙이라는 자랑들, 그리고 내가 어디서 제자훈련을 받았고, 몇 권의 교재를 끝냈다고 하는 경험들, 또 내가 훈련받아서 얻은 몇 장의 라이센스가 있다는 것들, 그리고 자기가 훌륭한 것도 아니면서 어떤 훌륭한 목사님 밑에서 몇 년 동안 구경했다는 것들입니다.

역사를 뒤집는 믿음

본문에서 우리는 왕의 신하의 아들이 죽을병에 걸린 것을 볼 수 있습니다. 왕의 신하의 아들은 젊은이였습니다. 죽음에 대해서는 전혀 생각해보거나 상상도 해보지 않았을 젊은이입니다. 그러나 그 젊은이에게 질병과 죽음이 찾아왔습니다. 질병과 죽음은 젊은이라고 해서 예외가 되지 않습니다. 공동묘지에 가면 얼마나 많은 사람들이 젊었을 때 운명을 달리했는지 확인할 수 있습니다. 하나님이 세상을 창조하신 후 인간을 장사한 최초의 무덤의 주인공이 젊은이였다는 것을 아십니까? 이 지상에서 최초로 죽은 사람이 아버지가 아니라 아들이었다는 사실도 아십니까? 인류의 조상이었던 아담이 최초의 무덤의 주인공이 아니었습니다. 바로 그 아들 아벨이었습니다. 그러므로 현명한 사람은 자신의 일생에 대해서 장담하지 않습니다. 다만 준비하는 지혜를 가질 뿐입니다.

일전에 제가 고등학교 때의 앨범을 한번 들추어보았습니다. 그런데 이렇게 저렇게 들려온 소식에 의하면, 그 가운데서 죽은 친구가 6명이나 되었습니다. 질병으로 죽은 친구, 사고로 죽은 친구 등등 사인(死因)도 여러 가지였습니다. 젊음이 우리의 생명을 보장하는 게 아닙니다.

'나는 살 날이 많이 남았다', '나는 기회가 많이 남았다'는 생각은 다만 가능성일 뿐입니다. 언제 하나님 앞에 부르심을 입을지 우리는 아무도 모릅니다. 그러므로 나이가 많든지 적든지간에 오늘 나에게 사명을 주셨을 때 충성해야 할 것입니다. 그래서 하나님이 보실 때 "저 사람은 참 믿음직한 사람이요, 나의 사명을 생명 바쳐 수행하는 종이다"라는 인정을 받을 때 그 인생이 가장 성공한 인생입니다.

믿음은 귀중한 것입니다. 세상을 이기는 것이 믿음이요, 산을 옮기는 것이 믿음입니다. 그리고 시대마다 역사의 물줄기를 바꾸었던 것이 믿음입니다. 그래서 우리 믿음의 조상들은 금보다 더 귀한 것이 믿음이라고 찬송했습니다. 믿음이 이렇게 귀한 것이기 때문에 악한 마귀는 믿음에 이르지 못하도록 성도에게 많은 걸림돌을 만들어놓았습니다. 그러므로 믿음의 성장이라는 것은 평탄한 가운데 이루어지는 것이 아니라, 이 걸림돌을 하나하나 뛰어넘어갈 때 이루어지는 것입니다.

성도들의 믿음이 자랄 때 걸림돌이 되는 것이 무엇인지 깨닫고, 하나하나 믿음의 걸림돌을 뛰어넘어서 장성한 믿음의 자리, 역사(役事)하는 믿음의 자리, 그리고 마귀를 멸하는 믿음의 자리로 나아가기 바랍니다.

선무당이 사람 잡는다

그럼, 어떤 것이 믿음의 걸림돌입니까?

첫째로, 믿음의 걸림돌이 되는 것은 '피상적인 지식'입니다.

44절을 보니까 예수님이 사마리아 전도를 마치고 갈릴리 고향 마을로 가시게 되었습니다. 그때 예수께서 이런 말씀을 하십니다.

"선지자가 고향에서는 높임을 받지 못한다."

이 말은 구약성경에도 여러 번 나온 말씀을 인용하신 것입니다. 그럼 도대체 왜 선지자가 고향에서 높임을 받지 못하는 것입니까? 고향 사람들은 선지자의 어린 시절부터 그를 훤하게 알고 있습니다. 그래서 가버나움이 예수님에 대해서 무엇을 알고 있는 것입니까? 누구의 아들이요, 직업이 무엇이요, 나이는 얼마요, 키는 얼마고, 어느 학교를 다녔고, 건강은 어떠하고, 주변에 친척은 이러이러한 사람이라는 것들을 알고 있다는 것입니다.

그런데 이러한 내용들은 실질적으로 예수님을 아는 중요한 지식이 아니라 알아도 그만 몰라도 그만인 지식입니다. 그런데 사람들은 그런 정도의 지식을 가지고 예수님을 알고 있다고 생각했습니다. 이것이 예수께 나아가는 데 장벽이 되었습니다.

우리의 사소한 지식이 장성한 지식으로 나아가는 데 걸림돌이 될 수도 있습니다. 믿음이 잘 자라지 않는 사람들 중에 이런 유형의 사람들이 있습니다. 모태신앙임을 주장하는 사람이 있습니다. 어떤 사람은 또 자기가 직분자의 자녀였다는 것을 주장합니다. 교회에 대해서 잘 안다고 합니다. 예수님에 대해서 잘 안다고 합니다. 그래서 물어봅니다. 도대체 무엇을 그렇게 잘 아느냐고 물으면, 교회가 싸움을 벌였을 때의 역사를 안다고 하고, 누가 누구 편이고, 누구와 누가 몇 년 전부터 원수인지 그것을 안다고 합니다.

"내가 10년 전 성경퀴즈 대회에 나가서 일등했다", "내가 왕년에 성경에 대한 지식이 해박했던 사람이다."

그러나 잊지 마십시오. 스탈린과 같은 사람도 신약성경을 다 암송했던 사람이었습니다. 그런데도 십자가의 원수가 되었습니다. 오랫동안 유고슬라비아의 국가 원수로 지냈던 티토는 교회에서 시중들던 신학생이었습니다. 그런데 그가 후에는 교회를 말살하는 원수가 되었습니다. 이렇듯이 어렴풋한 지식들은 우리에게 힘이 되지 못한다는 것을 기억해야 합니다.

그러므로 내 안에 있는 이러한 희미한 경험들, 잘못된 지식들, 어렴풋한 지식들, 이런 것들이 예수 그리스도의 장성한 분량에 이르는 데 장애가 된다면 부술 줄도 알아야 합니다.

겉멋이 든 신앙의 거품을 빼자

저는 성경책을 2년마다 한 번씩은 바꿉니다. 또 어떤 때는 1년에 몇 차례씩 바꾸는 경우도 있습니다. 영어 성경책도 여러 번 바꿉니다. 왜 그렇습니까? 오래 들고 다니면서 손때가 묻은 성경은 굉장히 귀중한 성경입니다. 그런데 그런 성경은 단점이 있습니다. 새로운 영감이 떠오르지 않습니다. 과거에 은혜받았던 곳에 줄이 그어져 있기 때문에 옛날에 은혜받은 것만 기억나지 새로운 것이 떠오르질 않습니다. 선입견 때문에 그렇습니다. 그래서는 도저히 안 되겠다고 생각하고 저는 항상 새 성경을 봅니다. 그리고 백지부터 다시 시작합니다. 그럴 때 하나님께서 더 많은 영감을 주시고, 은혜를 주시는 체험을 여러 차례 했습니다. 어렴풋한 지식과 얄팍한 지식이 더 많은 것들을 얻는 데 장애가 됩니다.

하나님 앞에서 믿음이 성장하는 데 방해가 되는 것이 무엇입니까? 모태신앙이라는 자랑들, 그리고 내가 어디서 제자훈련을 받았고, 몇 권의 교재를 끝냈다고 하는 경험들, 또 내가 훈련받아서 얻은 몇 장의 라이센스가 있다는 것들, 그리고 자기가 훌륭한 것도 아니면서 어떤 훌륭한 목사님 밑에서 몇 년 동안 구경했다는 것들입니다. 그래서 자기가 남들보다 우월한 줄 알고, 자기가 남들보다 훨씬 더 많은 것을 누리고 있는 줄 압니다. 그러나 그것은 우리의 믿음이 성장하는 것을 가로막는 원수입니다. 그 모든 것들을 깨버리고 어린아이와 같은 마음으로 하나님 앞에 헌신하는 자리로 나아가기 바랍니다.

주님이 명령하실 때 "아멘" 하고 나아갈 수 있는 것이 믿음이지, 우리가 과거에 가지고 있던 몇 가지 지식과 경험들이 '믿음' 인 줄로 착각하지 마십시오. 그것은 우리에게 전혀 힘이 되지 못한다는 것을 유념하시고, 우리 앞에 놓여 있는 이러한 피상적인 지식들을 뚫고 그리스도의 풍성한 믿음의 자리로 나아가는 복된 성도가 되기 바랍니다.

평탄함의 올무

둘째로, 믿음의 걸림돌이 되는 것은 '평탄함' 입니다.

아무런 환난과 어려움이 없다는 것은 믿음 성장에 큰 장애가 될 수 있습니다. 그래서 어떤 성도는 안락함만 찾다가 사명도 능력도 잃고 도태되고 마는 경우를 보게 됩니다.

원래 아메리카 인디언들은 모두가 투사들이었습니다. 아파치라든지 모히칸족의 기록들을 살펴보면 그 사람들이 굉장히 훌륭한 전사(戰士)들이었다는 사실을 알게 됩니다. 역사에 길이 남을 용맹한 투사들이었습니다. 그런데 이 아파치나 모히칸족이 언제부터 나약해지기 시작한 줄 아십니까? 바로 인디언 보호구역에 들어가서 다른 사람들에게 보호받기 시작할 때부터입니다. 정부로부터 보조금을 받기 시작할 때부터 그들은 오합지졸로 전락했습니다.

언젠가 선교하러 갔던 사이판의 원주민들을 보면서 큰 충격을 받았습니다. 차모르족이라는 원주민 부족이었는데, 이 사람들은 몸집이 상당히 크고 얼굴도 잘생겼습니다. 그런데 사이판에 있는 경제권 대부분이 외국사람에게 다 넘어가 있습니다. 중요한 호텔이나 빌딩이 다 외국인 차지가 되어 있는 것입니다. 그래서 이 사람들이 도대체 왜 이렇게 되었는지 이유를 물어보았더니, 그 곳에 계신 교민들이 이렇게 이야기합니다.

"그들에게는 1인당 매달 1,500달러씩 정부 보조금이 나옵니다. 그 정도면 이곳에서는 먹고살 만하지요."

정부에서 나오는 보조금을 받기 때문에 일은 하지 않고, 오히려 그것을 가지고 즐기려고 한다는 것입니다. 조금 모아서 여행이나 다니려고 하면서, 그들은 전혀 일하지 않는 노예 민족이 되었습니다. 1,500불에 비전과 민족의식을 다 팔아먹은 것입니다. 저는 그것을 보면서 이것이 고도의 식민 정책이 아닌가 하는 생각을 해보았습니다. 돈이 사람을 죽입니다. 안락이 사람을 완전히 죽이더라는 것입니다. 때때로 고난은 성도에게 유익이 될 뿐만 아니라 성도를 강하게 만듭니다. 그리고 그 고난이 예수께 나아오게 만드는 힘이 될 때가 있습니다.

본문 말씀의 주인공은 '왕의 신하'라고 했습니다. 매우 지체가 높은 사람입니다. 보통 때 같으면 목수 출신의 예수께 관심도 갖지 않을 사람입니다. 그런데 이 지체 높은 왕의 신하가 예수께 나아오게 되는 계기가 무엇입니까? 자기 아들이 죽게 되었다는 사실입니다. 지체 높은 아버지가 자기 자신의 체면을 버리고, 위신을 다 버리고 예수께 나아와서 매달립니다. 왜 그렇습니까? 고난이 있기 때문에, 절박함이 있기 때문에 그렇습니다.

성경을 보면 이와 비슷한 사건들이 많이 나옵니다. 백부장이 예수께 나아오고 회당장 야이로가 예수께 나아왔던 이유가 다 무엇이었습니까? 딸이 죽게 되었다든지 종이 죽게 되었다든지 하는, 생사가 달린 문제들 때문이었습니다. 이러한 생사의 문제가 예수께 나아오게 만드는 동인이 되었다는 것을 기억하십시오. 그러므로 우리에게 고난이 있다는 것은 예수께 나와 복받을 수 있는 길임을 믿으시기 바랍니다.

군(軍) 병원에 전도를 하려고 나가보면 복음을 들을 사람인지 그렇지 않을 사람인지는 병세의 정도를 보면 알 수 있습니다. 중병에 걸린 사람들은 간절함이 있습니다. 목사가 가서 기도해준다, 예배드려준다고 하면 거절하는 사람이 없습니다. 겸손합니다. 기도하자고 하면 기도하고, 예배드리자고 하면 예배를 드리고, 하나님의 도우심을 간절하게 구합니다. 왜 그렇습니까? 중병이 사람을 간절하게 만들고 열린 마음을 갖게 만들어주기 때문입니다.

반면에 병원 내에서도 강퍅한 사람들이 있습니다. 어떤 사람들입니까? 병 같지도 않은 병으로 입원한 사람들입니다. 다리에 상처가 나서 들어온 사람들, 맹장 수술을 하려고 들어온 사람들, 돼지같이 많이 먹다가 체해서 들어온 사람들, 이런 사람들은 마음이 강퍅합니다. 자기들끼리 모여 화투를 치면서, 예배를 드린다고 하면 야유를 보냅니다. 기도를 하자고 하면 도망치기 바쁩니다. 은혜가 들어갈 여지가 없습니다. 거기서 또 한 번 깨닫습니다. '평탄은 마귀의 옥토요, 고난은 하나님의 옥토'라는 사실을 말입니다.

그러므로 고난이 무조건 나쁜 게 아니라는 것을 우리는 기억해야 합니다. 곤경에 빠진 사람들은 단순해지고 겸손해집니다. 그러므로 단순한 마음과 겸손은 고난이 주는 하나님의 선물입니다. 그러므로 믿음이 자라기 위해서는 모든 평탄이 주는 안일함에서 벗어나야만 합니다. 그리고 하나님이 고난을 허락하실 때 그 고난을 주께로 나아가는 기회로 삼는 사람이 되기 바랍니다.

완전한 빈털터리로

다윗은 시편에서 많은 시를 남겼는데, 거기에는 특징이 한 가지 있습니다. 다윗의 주옥 같은 시들 가운데 왕궁에서 지은 것은 거의 없다는 사실입니다. 대부분이 광야에서 지은 시들입니다. 광야에서 고난과 어려움을 당할 때는 찬송이 있었습니다. 거기에 기쁨과 감격의 눈물이 있었습니다. 그런데 다윗이 왕궁에 들어왔을 때는 어떤 일들이 벌어집니까? 범죄에 빠지게 되었고, 암투가 있었고, 음모가 있어 다윗의 마음 가운데 고통이 떠나지 않았습니다. 무슨 뜻입니까? 오히려 고난을 통해서 더 많은 하나님의 은혜의 말씀을 깨닫고 믿음의 전진을 이루게 된다는 사실입니다. 그러므로 평탄이 우리의 믿음의 성장을 막을 때는 경건의 능력을 가지고 담대하게 고난의 자리로 나아갈 수 있어야 합니다.

주님께서는 성도를 사랑하시기 때문에 독수리가 그 날개로 새끼 둥지를 흔드는 것과 마찬가지로 우리 삶의 기반을 흔들 때가 있습니다. 왜 그렇습니까? 하나님께로 가까이 나아오게 하고 믿음이 자라나게 하기 위해서 그러한 일들을 행하십니다.

어떤 목사님의 딸이 있었습니다. 그런데 이 딸이 믿지 않는 불신자와 연애를 하고 결혼을 했습니다. 결혼을 하고 나서는 교회를 한 번도 나가지 않았다고 합니다. 아버지의 속을 얼마나 썩이면서 제멋대로 살았겠습니까? 이 딸이 자식을 하나 낳았는데 아들이었습니다. 그런데 이 외아들이 열 살 되던 해에 갑자기 죽을병에 걸렸습니다. 그런데도 이 어리석은 딸이 하나님 앞에 기도하지 않습니다. 결국 외아들이 죽게 되자, 자식을 잃은 이 딸이 너무나 괴롭고 답답한 마음에 근처에 있는 교회를 찾아갔다고 합니다. 그리고 목사님을 붙들고 하소연을 했답니다.

"도대체 하나님이 어찌 이럴 수 있습니까? 하나님께 도대체 자비가 있습니까? 하나뿐인 내 아들을 죽여야 속이 시원하십니까?"

이런 식으로 회개는 하지 않고 목사님을 붙들고 원망만 했다고 합니다. 듣다듣다 더 참을 수 없어서 그 목사님이 소리를 지르면서 이렇게 말했다고 합니다.

"당신 같은 사람은 그 정도로 얻어터져야 10년 만에라도 교회에 나오니 어찌합니까."

정말 귀중한 말씀 아닙니까? 그 말밖에 더 할 말이 어디 있겠습니까? 그의 고집과 그의 강퍅한 마음은 그 정도로 얻어터져야 10년 만에라도 주께로 나오는 것을 어찌합니까? 하나님이 사랑하시기 때문입니다. 하나님의 사랑의 채찍입니다. 우리는 이것을 깨달아야 합니다.

'왜 하나님께서 나에게 어려움을 주시고, 고난을 주시고 또 나에게 쓰

라림을 주시는가?'

고통을 겪지 않으면 주께로 돌아올 수 없는 사람들이기 때문입니다. 하나님이 사랑하시기 때문에 그러한 사랑의 채찍을 맞는 것입니다.

동기를 묻지 말라

누구든지 주님 앞에 나올 때는 동기가 있습니다. 그런데 대부분의 동기들이 그렇게 아름답지 못합니다. 어떤 사람은 마음이 답답해서 나오고, 어떤 사람은 교양삼아 나오고, 어떤 사람은 친구를 만나려고 나옵니다. "죽은 사람 소원도 들어준다는데, 산 사람 소원 한 번 못 들어주랴?" 하면서 하도 졸라서 나왔다는 사람도 있습니다. 어떤 사람은 예쁜 여자를 보려고 나오고, 어떤 사람은 빚 받으려고 나오고 또 특이한 경우는 점쟁이가 교회에 나가라고 해서 온 사람도 있다고 합니다. 이렇듯 한 사람도 동기다운 동기를 가진 사람이 없습니다.

그러므로 교회를 처음 나온 사람에게 동기를 물을 필요가 없습니다. 그런 마음으로 교회에 나와서는 안 된다는 소리를 할 필요가 없습니다. 왜 그렇습니까? 대부분의 사람들이 다 그런 지저분한 동기로 교회에 나오기 때문입니다. 그럼에도 불구하고 우리가 하나님께 감사하는 것은 무엇입니까? 하나님의 말씀을 듣고 믿음이 자라나기 때문입니다. 하나님이 그러한 방법을 통해서라도 우리를 이끌어주신다는 것입니다.

탕자가 집에 돌아올 때 인간이 되어서 돌아왔습니까? 아닙니다. 배고파서 돌아왔습니다. 이것이 귀중한 사실입니다. 우리는 자기가 깨달아서 돌아왔다고 착각합니다. 아닙니다. 탕자는 배가 고파서 돌아왔습니다. 그래서 어거스틴이 이렇게 말했습니다.

"탕자는 조금 배고플 때는 쥐엄 열매를 찾았다. 그러나 진짜 배고플 때는 아버지를 찾게 되었다."

하나님께서 왜 우리를 아주 배고프게 만드시는지 아십니까? 아버지를 찾으라고 그러십니다. 우리는 어리석게도 조금 배가 고프면 세상의 돼지가 먹는 쥐엄 열매를 찾는 불쌍한 인생입니다. 거기에 머무르지 않게 하기 위해서 우리로 하여금 완전히 배 곯도록 만드시는 것입니다.

왜 그렇습니까? 아버지를 찾으라고 그러십니다. 우리 삶에 있는 고난과 어려움들이 아버지를 찾는 기회로 쓰이기 바랍니다. 그래서 우리의 고난이 우리의 믿음을 한 단계 성장시켜 나가는 하나님의 원동력이 되기 바랍니다. 혹시라도 평탄함 때문에 우리의 믿음이 자라지 않는 장벽 가운데 가로막혀 있으면, 오늘로써 이 '평탄'이라는 장벽을 깨고 믿음의 자리로 나아가는 하나님의 백성이 되기 바랍니다.

우리의 방법이 가장 형편없다

셋째로, 믿음의 걸림돌이 되는 것은 우리가 예상치 못한 방법들입니다.

요한복음 4장 47절을 보니까 왕의 신하가 예수께 이렇게 요청합니다.

"내려오셔서 내 아들의 병을 고쳐주소서 하니 저가 거의 죽게 되었음이라."

무슨 말입니까? 빨리 내 아들에게 오셔서 손을 얹고 기도해달라는 말입니다.

"빨리 예수님이 오셔서 내 아들에게 손을 얹고 안수해주시면 낫겠습니다."

이 사람은 자기 방식대로 고쳐주기를 원했습니다. 그런데 예수님은 어떻게 하셨습니까? 친히 가지 아니하시고 "가라 네 아들이 살았다"고만 말씀하셨습니다. 말씀만 하시고 다 끝났다고 하신 것이 예수님의 자세였습니다. 보통사람 같으면 무슨 마음을 품겠습니까?

"예수님, 싫으면 싫다고 하시지 어떻게 그리 하십니까? 어떻게 내 말을 거절하실 수 있습니까?"

그래서 아마도 끝까지 매달렸는지도 모르겠습니다. 그런데 이 왕의 신하는 어떻게 했습니까? 그 말을 믿었습니다. 내 방법대로 하는 것이 아니라 주님의 방법대로 하는 것에 자기 마음을 내맡겼다는 것입니다. 이것이 중요합니다.

그리고 이 왕의 신하의 아들이 살아나게 되었고, 결국에는 어떤 일이 벌어지게 되었습니까? 53절입니다.

"아비가 예수께서 네 아들이 살았다 말씀하신 그때인 줄 알고 자기와 그 온 집이 다 믿으니라."

결국은 이 아들의 죽을병을 통해서 왕의 신하뿐만이 아니라 그의 온 식구들이 예수님을 믿고 구원을 받는 복이 임하게 되었습니다. 어려움과 난관이 오히려 하나님 앞에서 큰 축복을 받는 계기가 되었습니다.

성도들이 하나님 앞에서 믿음이 성장하지 못하는 이유는, 항상 자기 방법과 자기 프로그램대로 쓰여지기를 바라기 때문입니다. 우리는 어떤 것을 꼭 해야 된다고 생각합니다. 우리는 꼭 그 방식대로 해야 된다고 고집합니다. 이것은 자기 멋대로의 삶입니다. 하나님께서 계획하신 내용에 대해 순종할 줄을 모릅니다. 이것은 올바른 믿음이 아닙니다. 하나님께서 원하는 자리로 인도하면 그리로 따라가는 것이 참된 믿음입니다.

군인들에겐 명령밖에 없습니다. 전방으로 가라고 하면 전방으로 가고, 후방으로 가라고 하면 후방으로 가고, 책상에 앉아서 사무를 보라고 하면 사무를 보는 것이 군인입니다. 내가 원하는 것이 아니라 주님의 뜻에 따르는 것이 참된 하나님의 백성들의 사명입니다. 그런데 우리는 어떻습니까? 내 생각대로 하지 않으면 나아가려 하지 않기 때문에 이것이 바로 우리의 믿음 성장에 장애가 될 수 있는 것입니다.

사도행전을 보면 사도 바울의 소원은 로마에 가는 것이었습니다. 그런데 기도했지만 하나님은 그를 로마에 보내주시지 않습니다. 로마에 가게 해달라고 기도했더니 하나님께서 정반대로 예루살렘으로 가게 만들어서 가이사랴에서 2년 동안 감옥살이를 하게 만듭니다. 죄수가 되게 만듭니다. 이렇게 답답할 때가 있습니까?

"내가 가고 싶은 곳은 서쪽 로마인데, 왜 나를 동쪽으로 끌고 가십니까?"

이것이 사도 바울의 기도일 수도 있습니다. 그런데 시간이 지나고 나니까 어떤 일이 벌어집니까? 사도 바울이 죄수의 몸으로 로마에 갑니다. 돈 한푼 들이지 않고 로마에 갑니다. 바울을 죽이지 않고서는 먹지도 마시지도 않겠다는 40명으로부터 보호를 받으며 로마로 갑니다. 무슨 뜻입니까? 하나님께서는 사도 바울이 기도했던 방법대로 이루어주시지는 않았지만, 더 빠른 방법으로 사도 바울의 기도를 들어주셨다는 것입니다.

그러므로 내 방법을 포기하는 것이 바로 믿음 성장에 가장 중요한 관건이라는 것을 꼭 기억하시고, 자신의 고집을 버릴 줄 아는 하나님의 백성이 되기 바랍니다.

하나님의 방법이 있다

왕의 신하에 관한 기사를 생각할 때마다 잊혀지지 않는 이야기가 있습니다. 뉴잉글랜드 항구에서 여러 척의 배가 고기를 잡으려고 떠났는데, 풍랑이 일기 시작했습니다. 그래서 밤에 배가 한 척도 돌아오지 않습니다. 그래서 온 동네 사람들이 모여서 기도를 합니다.

"하나님, 풍랑이 잔잔해지게 해주시옵소서."

그럼에도 불구하고 이상하게도 그 풍랑은 잔잔해지지 않고 바람은 계속 불었습니다. 하나님께서 기도에 응답해주시지 않았습니다. 그런데 설상가상으로 한 오두막집에 불이 났습니다. 또 사람들이 기도를 합니다.

"하나님 저 불이 빨리 꺼지게 해주시옵소서. 사람들은 풍랑 속에서 헤매고 있는데 집까지 불에 타버리면 우리는 어디로 갑니까?"

그런데 이상하게도 바람은 더 세게 불어서 집은 더 활활 타게 됩니다.

나중에는 사람들이 기도하다가 낙심해서 주저앉았습니다. 원망어린 기도를 합니다.

"도대체 주님은 어떤 분이십니까? 우리가 기도할 때마다 왜 반대로 응답하십니까? 풍랑이 잔잔해지게 해달라고 하니까 바람이 불고, 불이 꺼지게 해달라고 했더니 불이 더 활활 타게 되니 이것이 어찌 된 것입니까?"

그렇게 모두들 낙심해서 쓰러졌습니다. 그리고 그 다음날이 되었습니다. 이제 풍랑도 잔잔해지고 날이 밝아오기 시작했습니다.

그런데 기적적으로 바다에서 풍랑을 만났던 배들이 돌아옵니다. 배가 돌아오자 여자는 기쁨도 잠시 남편들을 붙들고 엉엉 웁니다.

"여보, 우리는 이제 망했어요, 지난 밤에 집이 다 타버렸어요."

그런데 돌아온 남편들이 뭐라고 했는지 아십니까?

"무슨 소리요? 우리가 지난밤에 칠흑 같은 밤바다에서 헤매고 있을 때, 그 불빛 때문에 표류하지 않고 이 항구로 찾아올 수 있었소."

그들의 기도는 하나님 앞에서 하나도 응답받지 못한 것 같았습니다. 그렇지만 결과적으로는 어떻습니까? 결과적으로는 하나님께서 그들의 기도를 다 들어주셨다는 사실입니다. 무슨 뜻입니까? 하나님께서 내 방법대로 응답해주시지는 않았지만, 더 좋은 방법으로 우리를 이끌어주셨다는 것입니다. 그러므로 우리는 교만한 마음으로 내 방법을 고집할 것이 아니라 주님의 방법 앞에 우리의 심령을 내어놓고 겸손하게 엎드릴 줄 아는 하나님의 백성이 되어야 할 것입니다.

ID 153 패스워드

패스워드1. 믿음의 첫째 걸림돌은 피상적인 지식이다.

복음과 신앙에 대한 어렴풋한 지식은 힘이 되지 못하고 오히려 위험하다. 러시아의 독재자 스탈린은 신약성경을 다 암송했던 사람이다. 유고의 기독교 적대자 티토는 교회에서 시중들던 신학생이었다. 희미한 경험, 잘못된 지식, 헛된 자랑은 모두 장성한 믿음의 걸림돌이다.

패스워드2. 믿음의 둘째 걸림돌은 평탄함이다.

돈이 많으면 나태해지고, 안락해지면 도태된다. 고난은 성도에게 유익할 뿐 아니라 성도를 강하게 만든다. 곤경에 빠지면 사람은 단순하고 겸손해진다. 단순한 마음과 겸손은 고난이 주는 하나님의 선물이다. 믿음이 자라려면 평탄함이 주는 모든 안일함에서 벗어나야 한다.

패스워드3. 믿음의 셋째 걸림돌은 우리가 예상치 못한 방법들이다.

성도들이 하나님 앞에서 믿음이 성장하지 못하는 이유는 항상 자기 방법과 자기 프로그램대로 쓰여지기를 바라기 때문이다. 그러나 이것은 자기 멋대로의 삶이다. 하나님께서 계획하신 방법대로 순종하여 따라가는 것이 참된 믿음이다.

코람데오 (Coram Deo) 자기점검

1. 이치를 차근히 헤아려보지 않고 무조건 믿어야 믿음 좋은 걸로 아는 건 오해다. 믿음에도 질서와 이치가 있다. 하나님은 지식의 하나님이시다. 당신은 그분을 아는 명확한 지식에 올바로 서 있는가?

2. 뛰면 걷고 싶고, 서면 앉고 싶고, 앉으면 눕고 싶은 게 사람이 타고난 게으름의 성향이다. "좀더 자자, 좀더 졸자, 손을 모으고 좀더 눕자"(잠 6:10)고 하면 물질적으로도 빈궁해진다. 당신의 영적 근면지수는 얼마인가?

3. 나아만이 "내 생각에는" 엘리사가 와서 어떻게 어떻게 해줄 줄 알았다는 자세를 계속 고집했더라면 자신의 문둥병을 고치지 못했을 것이다(왕하 5:11). 당신은 영혼의 의사이신 하나님께 당신의 인생행로를 전적으로 의탁하고 있는가?

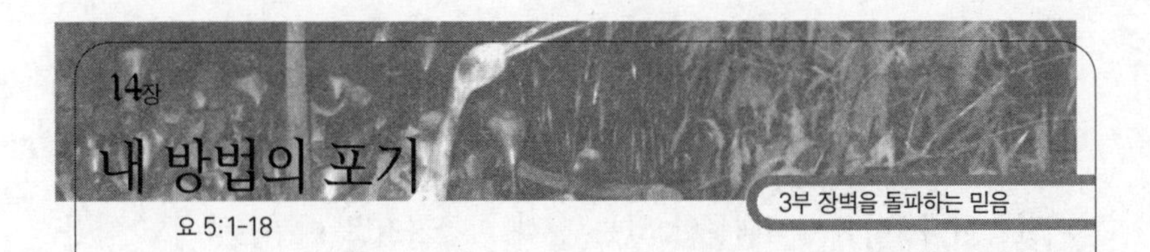

14장

내 방법의 포기

3부 장벽을 돌파하는 믿음

요 5:1-18

예수를 믿는다는 것은 나의 발버둥으로 말미암아 무엇이 되는 것이 아니라 하나님의 구원의 손길이 아니면 안 된다는 것을 깨닫고, 주님의 십자가만을 바라보는 것입니다. 전적인 무능력자들이기 때문에 "오직 예수 그리스도를 믿습니다"라고 하는 것이 바로 우리의 고백이 되어야 합니다.

무너진 예배의 성벽을 재건하라

본문 말씀에서는 베데스다 연못가에서 예수님이 38년 된 병자를 고치는 사건이 나옵니다. 예수님의 네 번째 기적에 해당되는 사건입니다. 성경에 나오는 기적들은 각각의 의미가 다 있습니다. 가나 혼인잔치에서 물이 포도주로 변화되는 사건은 본질을 변화시킬 수 있는 예수님을 보여줍니다. 질적인 변화에 관심이 있습니다. 또 오병이어 기적은 예수께서 양을 변화시킬 수 있는 분이시라는 것을 보여주면서 양적인 변화를 강조합니다. 이렇게 사건마다 강조점들이 있습니다.

그러면 본문의 베데스다 연못의 38년 된 병자를 고치는 사건은 무엇을 보여주기 위한 것입니까? 예수님은 모든 질병을 고치시는 분이라는 것을 강조하는 것입니까? 아니면 '예수님의 능력이 얼마나 대단한 것인가?'를 과시하기 위한 것입니까? 물론 그러한 측면도 있겠지만 이 베데스다 연못가 사건만이 가지는 독특한 강조점은 이것입니다. 그것은 복음의 본질과 신앙의 본질이 무엇인지를 명확히 보여주고 있습니다. 그러므로 이 베데스다의 기적을 통해서 복음의 본질과 신앙의 본질을 깨닫게 되기 바랍니다.

이 사건은 예루살렘의 양문(羊門) 곁에 있는 베데스다 연못가에서 일어났습니다. 서울에 4대문이 있는 것과 마찬가지로 예루살렘에도 여러 개의 문이 있었습니다. 서쪽에는 망대문이 있었고 남쪽에는 힌놈 골짜기로 가는 쓰레기와 배설물을 버리는 분문이 있었습니다. 달리 말하면 똥문입니다. 또 동쪽에는 실로암 샘으로 내려가는 샘문이 있었습니다. 그리고 북쪽에는 성전에 이르는 문으로 제물인 양과 염소가 들어가는 양문이 있었습니다.

느헤미야서 3장을 보면 느헤미야가 무너진 성벽을 재건할 때 가장 먼저 수축하기 시작한 것이 바로 북쪽에 있는 양문이었습니다. 우리는 느헤미야가 양문을 먼저 수축했다는 사실에서 느헤미야가 우리에게 주는 중요한 교훈을 찾을 수 있습니다. 그것은 이스라엘 백성들이 신앙을 회복하려면 제일 먼저 예배가 회복되어야 한다는 점을 보여주는 것입니다.

혹시라도 우리 신앙의 문 가운데 무너져내린 부분들이 있습니까? 우리 삶에 어려운 부분들이 있습니까? 그때마다 회복의 시작은 예배의 문에서부터 이뤄져야 한다는 것을 기억하십시오. 하나님 앞에서 삶의 질서를 잃어버렸습니까? 모든 것이 다 무너지고 어디로 가야 할지 방향을 모를 때 제일 먼저 우리가 생명을 걸고 시작해야 하는 것이 바로 양문 수축입니다. 다시 말해 우리가 하나님 앞에서 예배를 회복하는 일부터 시작하면 얽힌 문제가 모두 회복됩니다.

이 양문 바로 옆에는 베데스다라는 연못이 있습니다. 베데스다는 '은혜의 집'이라는 뜻입니다. '베트'가 집이라는 뜻이고 '헤세드'는 은혜라는 뜻입니다. 그래서 이 '베트'와 '헤세드'가 합쳐져서 '베데스다', 곧 은혜의 집이라는 뜻을 갖게 되었습니다.

그런데 이 베데스다에는 한 가지 전설이 있었습니다. 즉, 못에 고인 물이 소용돌이칠 때 그 못에 제일 먼저 들어간 사람은 병이 낫는다는 것이었습니다. 이것이 진짜였는지 아니면 전설에 불과한 것이었는지는 모르지만 어쨌든간에 많은 사람들이 이 사실을 믿었습니다. 그래서 물이 소용돌이치기만을 기다리고 있었습니다. 난치병으로 고생하는 많은 병자들이 이 못가에 모여서 물이 동하기만을 기다렸습니다. 성경을 보니까 많은 병자와 소경과 절뚝발이, 혈기 마른 자들이 이 못가에 모여 있었다고 말합니다. 물이 소용돌이치기만 하면 제일 먼저 들어가서 병을 고치겠다는 마음을 가지고 긴장된 모습으로 많은 병자들이 모여 있던 곳이 바로 베데스다였습니다.

베데스다 못가의 모순

그런데 이 베데스다는 일종의 딜레마가 있고 모순이 있는 곳이었습니다. 한번 곰곰이 생각해보길 바랍니다. 물이 동할 때 제일 먼저 들어간 사람이 병이 낫습니다. 그런데 물이 동할 때 제일 먼저 들어갈 수 있는 사람은 누구입니까? 소경입니까? 절뚝발이입니까? 혈기 마른 자입니까? 아니면 좀더 건강한 사람들입니까? 아마도 건강한 사람일 것입니다. 병자는 제일 먼저 들어갈 수가 없습니다. 오히려 건강한 사람일수록 제일 먼저 들어갈 가능성이 큽니다. 많은 병자들 가운데서 중병에 걸린 사람들, 암에 걸린 사람들, 일어나지 못하는 앉은뱅이 같은 사람들은 못가에 전혀 들어가지 못했을 것입니다.

반대로 간단한 병들, 즉 무좀 걸린 사람들, 쌍꺼풀 수술한 뒤 후유증을 앓고 있는 아줌마, 귀 뚫다가 귀에 염증 생긴 분들이 먼저 들어갈 수 있는 가능성은 그만큼 더 컸다는 사실입니다. 이 얼마나 큰 모순입니까? 꼭 필요한 사람들은 접근할 수도 없고, 별로 절박하지 않은 사람들, 들어가나 안 들어가나 똑같은 사람들이 제일 먼저 들어갈 수 있는 그런 모순된 장소가 바로 베데스다였습니다. 그러므로 베데스다는 치유의 장소이면서도 꼭 필요한 사람들은 절대로 치유될 수 없는 모순을 가지고 있던 그런 장소였습니다.

다시 한번 묻겠습니다. 못에 들어가는 이유가 무엇입니까? 병이 낫기 위해서입니다. 그런데 어떻게 해야 못에 들어가서 병이 나을 수 있습니까? 건강해야 들어갈 수 있습니다. 그런데 엄밀하게 말하면 건강하면 들어갈 필요가 없습니다. 이것이 베데스다의 딜레마였습니다. 사실 이 베데스다의 딜레마는 온 인류의 딜레마입니다.

우리가 하나님 앞에 서기 위해서는 어떻게 해야 합니까? 율법대로 순종해야 합니다. 그 율법대로 순종하기 위해서는 어떻게 해야 합니까? 우리가 영적으로 건강해야 하고 능력이 있어야 합니다. 그런데 우리는 영적으로 완전히 파산한 사람들입니다. 하나님의 율법을 다 지킬 수 없는 사람들입니다. 로마서 7장 18,19절에서 사도 바울이 어떤 고백을 했습니까?

"내 속 곧 내 육신에 선한 것이 거하지 아니하는 줄을 아노니 원함은 내게 있으나 선을 행하는 것은 없노라 내가 원하는 바 선은 하지 아니하고 도리어 원치 아니하는 바 악은 행하는도다."

이것이 인간입니다. 순종하고 싶은데 순종할 수 있는 능력이 없습니다. 술도 끊고 담배도 끊고 싶은데, 그럴 능력이 없습니다. 주께 나아와서 주께 부르짖고 헌신하고 싶은 마음은 있는데, 몸이 움직이지 않는 그런 연약한 존재들이 바로 인간입니다.

천부여 의지 없어서

이 베데스다는 율법 앞에 서 있는 인간을 묘사합니다. 얼른 보면 베데스다에 구원의 가능성이 있는 것 같아 보이지만, 자세히 살펴보면 그것은 철저한 절망이요 또 좌절을 알려주는 저주라는 것을 알 수 있습니다. 예를 들어 하나님이 우리에게 이러한 제안을 했다고 합시다.

"네가 어떤 사람과 함께 100미터를 뛰어서 그 사람을 이기면 구원을 주겠다."

가능성 있는 이야기처럼 들리지 않습니까? 그래서 우리가 묻습니다.

"하나님, 누구랑 같이 뛰어야 됩니까?"

"너의 상대자는 칼 루이스다."

우리는 이 말을 듣는 순간 끝없는 절망감에 빠지고 도저히 희망을 가질 수 없게 됩니다. 우리가 칼 루이스를 이길 수 있습니까? 도저히 이길 수 없습니다. 우리가 하나님 앞에 무엇이라고 말합니까?

"하나님, 제가 아무리 빨리 뛰어도 15초인데 칼 루이스는 컨디션이 나빠도 10초 안에 100미터를 뛰는 사람입니다. 어떻게 같이 뛰어 이길 수 있습니까?"

그런데 우리는 그것을 구원의 방법이라고 붙들고 있다는 것입니다. 이것이 바로 율법의 방법입니다. 율법이 제시하는 구원의 방법은 우리에게 구원을 줄 수 있는 것 같아 보이지만, 실질적으로는 그렇지 못한 모순임을 우리는 알아야 합니다.

그러므로 예수를 믿는다는 것은 무엇입니까? 율법의 방법을 포기한 것입니다. 베데스다 연못에 먼저 들어가겠다고 하는 경쟁을 포기한 것입니다. 그러면 무엇을 붙들어야 합니까?

"하나님, 나는 연약합니다. 나는 할 수 없습니다. 나는 기어서라도 갈 수 없는 자입니다. 하나님, 나를 다른 방법으로 구원해주시고 나를 붙들어주시옵소서."

이것이 바로 하나님을 믿는 자들의 모습입니다. 그래서 갈라디아서 2장 16절을 보니까 사도 바울은 이렇게 구원의 방법을 말하고 있습니다.

"사람이 의롭게 되는 것은 율법의 행위에서 난 것이 아니요 오직 예수 그리스도를 믿음으로 말미암는 줄 아는고로 우리도 그리스도 예수를 믿나니 이는 우리가 율법의 행위에서 아니고 그리스도를 믿음으로써 의롭다 함을 얻으려 함이라 율법의 행위로서는 의롭다 함을 얻을 육체가 없느니라."

우리는 세상에서의 경쟁을 통해 이기겠다고 하는 사람이 아닙니다. 세상 사람들의 방법을 통해서 주께 나아가겠다고 하는 사람이 아니라는 것입니다. 그러면 우리는 어떤 사람들입니까? 바로 죄인입니다. "천부여 의지 없어서 손들고 옵니다"라는 찬송가 가사처럼 우리는 전적인 무능력자들이고, 하나님이 처리해주시지 않으면 건짐받을 수 없는 사람들입니다. 그러기에 하나님께서 은혜를 주시고 우리를 붙들어달라고 간구하는 것입니다. 실질적으로 우리는 하나님의 복을 구하는 자들이요, 하나님의 구원을 붙드는 자들이요, 오직 하나님의 얼굴만 쳐다보는 사람들입니다. 그것이 예수를 믿는다는 증거입니다. 예수를 믿는다는 것은 나의 발버둥으로 말미암아 무엇이 되는 것이 아니라 하나님의 구원의 손길이 아니면 안 된다는 것을 깨닫고, 주님의 십자가만을 바라보는 것입니다. 전적인 무능력자들이기 때문에 "오직 예수 그리스도를 믿습니다"라고 하는 것이 바로 우리의 고백이 되어야 합니다.

개인의 바벨탑을 무너뜨리고

이런 구조적 딜레마에 빠져 있는 병자에게 예수님은 오셨습니다. 그리고 이렇게 묻습니다.

"네가 낫고자 하느냐?"

그러면 "어떻게 하면 됩니까?" 하고 예수께 되물을 필요가 없습니다. 어떻게 말해야 합니까? "예, 낫게 해주세요" 하고 말해야 합니다. 그러면 아마 즉시 나았을 것입니다. 그런데 그 병자의 대답이 가관입니다. 여전히 인간적인 고집을 버리지 않고, 자기를 버리지 않는 대답을 합니다.

"못에 넣어줄 사람이 없어 다른 사람이 먼저 들어갑니다."

이렇게 대답을 합니다. 무슨 뜻입니까? 자신의 방법을 포기하지 않습니다.

"나는 이 베데스다에 들어가는 방법을 통해서 구원을 받기 원하는데, 내 힘으로는 도저히 들어갈 수 없으니 들어가게 좀 도와주세요."

예수님을 우리 구주로 바라보는 것이 아니라 단지 우리 삶의 조력자로만 바라보는 것입니다. 인간은 이 정도로 자기의 의(義)를 버릴 줄 모릅니다. 자기 고집을 버릴 줄 모릅니다. 38년 정도 시도했으면 포기할 만도 한데, 포기하지 않습니다. 끝까지 자기 방법대로 하겠다고 부르짖고 있습니다.

교회 안에서도 어떤 사람들이 제일 다루기 힘든 줄 아십니까? 예수님을 이렇게 조력자로 여기는 사람들입니다. 자기의 꿈과 자기의 야망과 자기의 방법을 그대로 밀고 나갑니다. 그런 다음 이렇게 요청합니다.

"내 힘 가지고는 조금 부족하니까 주님이 좀 도와주세요. 여기에 장애가 있으니까 이 장애만 없애주면 내가 내 방법대로 승리할 수 있습니다."

이런 멋대로의 삶을 살아가는 것이 바로 인간의 모습입니다. 그러니까 그런 사람들에게 하나님의 은혜가 임하지도 않고 하나님께서 그런 사람을 사용하지도 않는 것입니다.

반면에 하나님이 사용할 수 있는 사람은 어떤 사람입니까? 자기의 모든 연약한 삶을 내어놓고 포기하는 것입니다.

"나는 아무것도 할 수 없습니다. 하나님의 방법대로 나를 처리해주십시오."

이것이 바로 하나님 앞에서 가장 빠른 지름길입니다. 그런데 우리 주변의 사람들은 어떻습니까? 모두 목표를 가지고 있습니다. 자기 목표를 가지고 뛰었던 인간의 모습을 가장 적나라하게 드러내주는 대표적인 모델이 바벨탑입니다. 바벨탑을 쌓는 사람들에게 얼마나 화려한 목표가 있었습니까?

"이 대를 높여서 하늘까지 올라가자. 흩어지지 말자. 인간의 힘으로 모든 것들을 다 붙들어 매어보자. 우리 인간의 힘으로 유토피아를 한번 만들어보자."

이것이 인간의 방법이 아니었습니까?

그 원대한 꿈이 다 무너지게 되었습니다. 그리고 이 바벨의 꿈이 무너져서 오히려 인간이 산산조각나는 저주가 임하게 되었습니다. 그러므로 우리에게 있는 이 바벨탑이 무너져야 합니다. 그리고 하나님 앞에서 "내 뜻대로 마옵시고 하나님 아버지 뜻대로 하옵소서" 하며 엎드리는 자들이 되어야 할 줄로 믿습니다.

각 교회에 젊은이들이 많이 있을 줄로 압니다. 젊었을 때, 아주 어렸을 때부터 항복하는 자를 하나님이 크게 쓰십니다. 가장 불쌍한 사람이 어떤 사람인 줄 아십니까? 나이 오십 육십이 넘도록, 어떤 모자란 사람은 칠십 팔십이 넘도록 죽기 직전까지도 자기 고집을 못 버립니다. 불쌍한 인생입니다. 하나님 앞에 자기 고집을 버리고, 하나님의 원대한 꿈을 붙들고 우리 주를 위해서만 헌신하는 성도가 되기 바랍니다.

패배의식으로부터 쇼생크 탈출

예수께서 그 사람에게 또 한번 "네가 낫기를 원하느냐?" 고 물으신 데는 특별한 의미가 있습니다. 우리는 보통 이렇게 생각합니다.

'어떻게 예수께서 이런 당연한 질문을 하시는가? 그럼 38년 동안 앓은 사람이 낫길 원하지 계속 앓기를 원하겠는가?'

그런데 예수님의 질문에는 좀더 깊은 의미가 있다는 것을 알아야 합니다. 사람이 38년 정도 병을 앓게 되면 자기 병이 나을 거라는 희망을 잃게 됩니다. 제 친구 중에 대학입시를 7년 동안 본 사람이 있습니다. 그러니까 8수를 했지요. 그런데 8수를 한 뒤 결국 대학에 붙었습니다. 그런데 진짜 8년 만에 8수를 해서 붙었다고 하니까 사람들이 믿지를 않습니다. 결국 8년을 공부해서 서울대학교에 갔는데, 그 친구가 2년 동안 학교를 다니고 나서는 또 안 다닙니다. 못 다니겠다고 하는 것입니다. "이런 시시한 대학을 다니려고 내가 8년 동안 고생했나?" 그러면서 지금은 공부를 그만두고 장사를 하고 있습니다. 그런데 장사를 참 잘합니다. 그런 괴짜 인생이 있는데, 그 친구를 보면서 너무 오랫동안 똑같은 일을 반복하고 반복하다보면 희망이라는 것을 잃어버릴 수도 있다는 사실을 깨닫게 되었습니다. 희망이 이루어져도 그것이 어떤 것인지 모릅니다. 의기소침해집니다.

38년 동안 병을 앓게 되면 베데스다 곁에 습관적으로 앉아 있지만 자신이 나을 것이라는 가능성에 대해서는 점점 희망을 잃어버리게 됩니다. 그럴 때 그에게 예수께서 오셔서 하신 말씀이 무엇입니까?

"네가 진짜 낫기를 원하느냐?"

그의 마음 가운데 있는 소망을 키워주십니다.

'쇼생크 탈출'이라는 영화가 있습니다. 그 영화를 보니까 감옥 안에 갇혀 있는 주인공의 흑인 죄수 친구가 있습니다. 이 죄수 친구가 어떻게든 탈옥해보려고 노력을 합니다. 그런데 수감 기간이 30년이 넘고 40년이 되니까 이젠 자포자기해버립니다. 석방 심의 과정에서 질문을 받을 때도 멋대로 대답해버립니다. 거기서 저는 사람이 어떤 기간, 어떤 희망의 기간을 넘겨버리면 나중에는 절망한다는 사실을 알았습니다. 나중에는 자포자기해버리고 마지막에는 무감각한 인생이 되어버리더라는 것입니다. 예수께서는 이런 인생이 되는 것을 원치 않으셨습니다. 우리에게 소망이 생기길 원하고, 우리가 바라는 것이 무엇인지에 대해 집중하길 원하셨습니다.

실질적으로 많은 성도들과 대화를 나누다보면 그 성도가 왜 성공하지 못하는지, 왜 승리하지 못하는지 알게 됩니다. 그 이유는 바로 그들이 승리하는 것을 바라지 않고 있다는 것입니다. 그래서 승리하지 못합니다. 사람에게 좌절감이라든지 노예의식, 실패의식만큼 무서운 것이 없습니다.

이스라엘 백성들이 애굽에서 수백 년 동안 종살이를 했습니다. 그런 다음에 하나님의 은혜로 말미암아 출애굽했습니다. 이제 자유의 몸이 되었습니다. 그럼에도 불구하고 그들에게는 여전히 노예의 피가 흐르고 있었습니다. 1세대가 다 죽을 때까지 조금만 어려움이 있으면 노예 같은 소리를 하고 있었습니다.

"내가 종이었을 때가 훨씬 더 나았다."

왜 그랬습니까? 종 의식이 있었기 때문에 그랬습니다. 실패의식이 있었기 때문에 그랬습니다.

한국의 많은 교회를 다녀보니까, 가는 곳마다 다 패배의식에 젖어있다는 것을 발견했습니다. 교회가 부흥하지 못하는 이유가 바로 이 패배의식 때문이었습니다. '안 된다' 라고 생각합니다. '아무리 기도해도 안 된다' 고 생각합니다. 하나님께서 역사하셔도 안 된다고 생각합니다. 하나님께서는 그런 토양 위에서는 절대로 부흥을 주시지 않습니다.

우리의 삶도 마찬가지입니다. 우리가 제일 먼저 치유받아야 될 것은 우리 마음의 회복입니다. 심령의 회복입니다. '주께서 나와 함께해주시면 나의 어떤 문제도 해결할 수 있다' 는 이러한 믿음의 토양이 회복될 때 하나님께서 그 위에 능력을 허락해주십니다. 오늘도 주님께서 우리에게 묻습니다.

"네가 낫기를 원하느냐?"

그럴 때마다 "아멘, 내가 낫기를 원합니다", "주께서 능력을 주시면 능히 나을 줄로 확신합니다" 하는 믿음으로 나아가는 하나님의 백성이 되기 바랍니다.

90퍼센트의 반응을 붙잡아라

심리학자들의 말에 따르면, 인간에게 일어나는 사건은 단 10퍼센트만이 사실이고 나머지 90퍼센트는 사건에 대한 반응이라고 합니다. 그러니까 모든 일에 있어서 긍정적으로 반응하면 그 사람은 긍정적인 사람이 되고, 부정적으로 반응하면 그 사람은 부정적인 사람이 된다는 말입니다. 어떤 가수가 노래를 만들어서 굉장히 크게 히트를 쳤습니다. 전국적으로 아주 유명한 사람이 되었고, 거리에 나서기만 하면 오빠 부대가 나와서 "오빠! 오빠!" 외치면서 막 괴성을 지를 정도가 되었다고 합시다. 성공입니까? 실패입니까? 대성공이지요. 그러나 사실 10퍼센트의 성공이었습니다. 이 가수가 집에 들어와서 곰곰이 생각해보니까 점점 걱정이 생깁니다.

'인기가 없어지면 어떻게 하나?'

잠이 안 옵니다.

'나는 비참해질거야.'

점점 더 입맛이 없어집니다.

'나는 모든 일에 초라한 모습이 될거야.'

얼굴이 야위어갑니다. 나중에는 불안 때문에 도저히 견딜 수 없는 그러한 사람이 됩니다. 그래서 어떻게 합니까?

'이러한 인생은 살 가치가 없다. 자살하자.'

몇몇 가수들이 그래서 자살했습니다.

어떤 고등학교 선생님이 신춘문예에 계속 작품을 내어서 10년 만에 당선되었는데, 그 다음날에 죽었습니다. 이유가 무엇입니까?

'내가 드디어 장원 급제했다. 내가 신춘문예에 당선됐다. 그러나 나는 더 이상 이러한 작품을 계속 써서 작가로서의 명예를 지켜나갈 힘이 없노라.'

그러고는 죽었습니다. 우리 같으면 이해가 안 되지요. 그런데 왜 이 같은 일이 벌어집니까? 10퍼센트의 사실은 있었지만 90퍼센트의 반응에 있어서는 계속 안 되는 것, 문제가 되는 것, 쓰러지는 것만 생각하다보니까 그 사람 전체를 지배하는 성향이 부정적인 것으로 바뀌더라는 겁니다.

반면에 형제의 손에 의해서 노예로 팔려간 요셉은 어떻습니까? 요셉이 노예로 팔려간다는 사실 자체는 10퍼센트의 실패입니다. 그런데 우리가 보기에는 완전한 실패인 것 같습니다. 그럼에도 불구하고 이 요셉은 반응에 있어서 90퍼센트의 긍정적인 반응을 가지고 살아갑니다. 어느 순간에도 원망하지 않고 감사합니다. 천신만고 끝에 애굽의 총리가 되었습니다. 흉년이 되어 자신들을 팔았던 형들이 찾아옵니다. 찾아와서 도와달라고 이야기합니다. 철천지 원수를 만나지 않았습니까? 이런 원수가 어디 있습니까?

'내가 형들 때문에 당한 고생이 몇십 년인 줄 아느냐?'

보통사람들 같으면 불타오르는 복수심에서 보복했을지도 모릅니다. 그런데 요셉의 반응이 어떻습니까? 창세기 45장 5절을 보십시오.

"당신들이 나를 이곳에 팔았으므로 근심하지 마소서 한탄하지 마소서 하나님이 생명을 구원하시려고 나를 당신들 앞서 보내셨나이다."

원수로 생각하지 않았습니다.

"당신들이 판 것이 아니라 하나님이 나를 먼저 애굽에 보내셨을 뿐입니다."

이런 식으로 반응을 보였습니다. 얼마나 긍정적인 태도입니까? 결국 요셉의 이러한 태도, 곧 자기 자신의 모든 어려움을 긍정적인 생각으로 모두 발산시킬 수 있는 자세 때문에 많은 열매를 거두며, 자기 가족들을 구원하는 하나님의 도구가 될 수 있었습니다.

그러므로 우리 성도에게 중요한 것은 '사실'이 아니라 '어떻게 반응하느냐' 하는 것입니다. 믿음이 있는 사람들은 아무리 큰 어려움이 있다 하더라도 10퍼센트의 사실을 90퍼센트의 반응을 통해서 다 뒤집는 사람들입니다. 이것이 바로 성도의 모습입니다. 그러므로 '사실' 자체에 매어 있는 사람들이 아니라 '반응'으로 이 사실들을 뒤바꾸는 은혜의 사람들이 되기 바랍니다.

영적인 '대지의 마음'을 품으라

어떤 농부가 쓴 '대지의 마음'이라는 제목의 시가 있습니다. 이 시가 참 가슴에 와닿습니다.

> 대지(大地), 이 땅이라고 하는 것은
> 세상의 쓰레기와 쓸모없는 것들을 간직해서
> 그 다음에는 생명의 열매를 탄생시킨다.
> 더러운 것을 옥토로 바꾸어서
> 생명을 낳게 하는 것이 대지의 마음이다.

얼마나 대단합니까? 실제로 땅속에 들어가는 것들이 어떤 것입니까? 우리의 배설물들입니다. 더러운 것들이 들어갑니다. 어떻게 보면 이런 모든 것들이 땅속에 다 들어가서 썩습니다. 그 썩은 것을 통해서 무엇이 나옵니까? 생명이 나옵니다. 열매가 나옵니다. 이것이 대지라는 것입니다.

그러므로 우리 한 사람 한 사람은 '영적인 대지'가 되어야 합니다. 우리의 부정적인 것들이, 미움과 질투와 모든 갈등이 우리 속에 다 들어가야 합니다. 그러고 난 다음에 우리 속에서 나올 때는 무엇으로 나와야 합니까? 열매로 나오고, 꽃으로 나오고, 아름다운 가지로 나와야 합니다. 그럴 때 우리는 영적인 대지의 마음을 가질 수 있습니다.

하나님의 백성들은 어떠한 존재입니까? 이 넓은 대지의 마음을 가지고 "모든 쓰레기 같은 것들이여, 우리 속에 다 들어오라. 우리 속에서 생명이 나온다"는 것을 고백하는 존재가 되어야 합니다. 하나님의 은혜로 회복될 수 있다는 믿음을 가지고 모든 것을 변화시키는 복된 성도가 되기 바랍니다.

예수께서 베데스다 연못의 그 병자에게 이렇게 외치셨습니다.

"일어나 네 자리를 들고 걸어가라."

혈기 마른 자에게 일어날 수 있는 힘을 주셨고, 자리를 들고 걸어갈 수 있는 능력을 주셨습니다. 오직 하나님의 은혜만이 능력이라는 것을 기억하시기 바랍니다. 우리 힘으로 세상을 이길 수 없습니다. 그러나 전능하신 하나님의 능력을 믿고 나아갈 때 우리 속에서부터 그분의 능력이 분출됩니다. 이 능력의 분출이 있어야만, 화산이 폭발하듯 나오는 이 권세의 분출이 있어야만 승리할 수 있습니다.

베데스다의 기적에서 볼 수 있듯이, 세상 사람들은 물 속에 빨리 들어가겠다고 발버둥치고 있습니다. 그러므로 우리 성도들은 빨리 들어가겠다는 싸움이 아니라 지금도 능력 되신 예수께 모든 걸 의탁하고, 그분께서 그 자리에서 들고 일어나라고 말씀하신 그 사실을 붙들어야 할 것입니다. 그리고 있는 자리에서 일어나 베데스다가 아니라 예수 안에서 생명을 얻고 예수 안에서 치유함을 얻는 은혜의 백성이 되어야 할 것입니다.

ID 153 패스워드

패스워드1. 예수를 믿는다는 것은 율법의 방법을 포기하는 것이다.

성도는 경쟁을 통해 이기겠다고 하는 사람이 아니다. 세상 사람들의 방법을 통해 하나님께 나아가겠다고 하는 사람도 아니다. 성도는 죄인이요 전적인 무능력자로서 하나님 앞에 손들고 나아가는 자다. 오직 하나님의 얼굴만을 쳐다보는 것, 그것이 예수를 믿는다는 증거다.

패스워드2. 소망을 품는 자에게 꿈이 이뤄진다.

사람에게 좌절감이나 노예의식, 실패의식만큼 무서운 것이 없다. 승리하는 것을 바라지 않으면 승리할 수 없다. '아무리 해도 부흥이 안 된다. 하나님도 어쩔 수 없다'고 생각하는 그런 토양 위에서는 결코 부흥이 일어나지 않는다. 먼저 마음이 회복되어야 능력을 얻을 수 있다.

패스워드3. 매사에 긍정적으로 반응하는 자가 은혜의 사람이다.

인간에게 일어나는 사건은 단 10퍼센트만 사실이고 나머지 90퍼센트는 사건에 대한 반응이라고 한다. 모든 일에 긍정적으로 반응하면 긍정적인 사람이 된다. 성도에게 중요한 것은 사실이기 이전에 그 사실에 어떻게 반응하느냐다.

코람데오(Coram Deo) 자기점검

1. 은혜의 논리는 모든 경쟁의 논리, 인과관계의 숨막히는 사슬을 무효화시킨다. 인간의 본성은 늘 율법적인 사고에 더 가깝다. 당신은 진정 은혜의 논리로 중무장한 은혜의 사람인가?

2. 생명의 근원은 마음을 지키는 데서 난다(잠 4:23). 당신은 소망으로 마음을 굳게 단속하고 있는가?

3. 사건에 대한 반응은 그 사건의 의미를 어떻게 해석하느냐에 따라 다르다. 당신에게 일어나는 모든 사건이 결국 합력하여 선을 이룬다는 사실을 믿는가?

4부

153 교회는 순수한 예수 그리스도의 말씀으로 정화되어야 합니다. 요즘 많은 사람들이 한국교회가 침체기를 맞았다, 부흥이 사라졌다고 이야기합니다. 이것은 시각에 따라서 다르게 볼 수 있습니다. 어떤 의미에서는 부흥이 사라진 것이 아니라, 하나님께서 알짜 성도를 걸러내는 과정을 진행중인지도 모릅니다. 사람 숫자에 속지 마시고 하나님의 말씀으로 하나 되는 참된 성도가 되기 바랍니다.

15장

하나님이 일하시는 방법

4부 말씀 불패의 믿음

요 6:1-15

우리 한국교회가 지금 가장 큰 위기에 처하게 된 이유가 무엇입니까? 말들은 많고 계획은 많고 회의는 많은데, 기도하는 자리를 떠났다는 것입니다. 우리가 다시 살아나는 방법은 무엇입니까? 과거 우리 믿음의 선조들과 마찬가지로 주님 앞에 엎드려서 밤을 새워가며 기도하고, 주님 앞에 금식하는 간절한 자세를 보이는 것입니다.

한계상황 극복

신앙인들을 접하다보면 그들의 신앙 때문에 충격을 받을 때가 있습니다. 어떤 사람은 신앙이 굉장히 좋아보입니다. 그런데 결정적인 결단의 순간이 오면 하나님의 길이 아닌 배신의 길을 걸어갑니다. 반면에 어떤 사람은 겉으로 보기에는 별다른 신앙이 있어보이지 않습니다. 그런데 결정적인 결단의 순간에 이르러서는 하나님의 길을 굳건하게 지키는 사람이 있습니다.

이스라엘의 초대왕 사울은 평상시에 하나님의 말씀을 무시하며 산 것 같지는 않습니다. 하나님 앞에 제사도 드리고 선지자의 말씀도 경청했습니다. 그런데 갑자기 블레셋이 공격해오고 선지자 사무엘의 도착이 늦어지자 자신이 직접 제사드리는 불순종을 범했습니다. 나중에 도착했던 사무엘 선지자가 왜 그랬느냐고 나무라자 사울의 자세가 이렇습니다.

"부득이해서 그랬습니다", "너무 급해서 그랬습니다", "할 수 없어서 그랬습니다."

사무엘상을 읽어보면 사울은 '부득이하여', '부득이하여', '부득이하여' 이렇게 세 번 외치다가 하나님께 버림받은 인생이었습니다.

우리는 하나님 앞에서 '부득이해서' 불순종했다고 외칩니다. 그러나 하나님은 "그게 아니라"고 말씀하십니다. '부득이하다'고 말할 그때가 바로 믿음으로 가능할 때이고, 믿음으로 역사할 때라는 것을 기억하시기 바랍니다.

반면에 예수님은 전혀 다른 자세를 보이셨습니다. 공생애를 시작하기 전 40일 동안 금식하셨습니다. 인간의 한계상황에 부딪치게 된 것입니다. 40일을 금식하고 난 다음에는 돌도 떡으로 보이는 그러한 상황입니다. 그럴 때 마귀가 예수님 앞에 나아와서 돌로 떡을 만들어 먹으라고 시험했습니다. 그 절박한 상황에서 예수님이 무엇이라고 말씀하십니까?

"기록되었으되 사람이 떡으로만 살 것이 아니요 하나님의 입으로 나오는 모든 말씀으로 살 것이라"(마 4:4).

이렇게 말씀으로 물리치셨습니다. 40일 동안 굶는 상황은 절박한 상황입니다. 힘든 상황입니다. 그런데 그러한 상황에서도 예수께서는 믿음을 저버리지 아니하셨습니다. 우리들의 삶 가운데 불안한 상황이 있습니까? 위기를 맞고 있습니까? 절박한 상황이 있습니까? 이때가 진정으로 믿음이 빛나는 시간이라는 사실을 꼭 기억하고 믿음을 붙들기 바랍니다.

그러므로 신앙의 자리는 외모에 있는 것이 아니라 우리의 중심에 있습니다. 사무엘상 16장 7절에 하나님께서 이렇게 말씀하십니다.

"나의 보는 것은 사람과 같지 아니하니 사람은 외모를 보거니와 나 여호와는 중심을 보느니라."

가장 절박한 상황에서 옥합이 깨어지며 향기를 내듯이, 바로 그러한 때에 믿음이 온 천하에 증명되는 참된 믿음의 종이 되기 바랍니다. 그러므로 우리가 겉으로 보이는 분주한 행동보다도 우리 심령 깊숙이 '믿음이 있는가?', '하나님을 향한 간절한 마음이 있는가?'를 점검하고 증명하는 모습을 가지기 바랍니다.

중재자의 은사

예수님에게는 열두 명의 제자가 있었습니다. 그중에는 베드로나 야고보나 요한 같은 유명한 제자가 있습니다. 누구나 다 압니다. 또 가룟 유다와 같이 악명 높은 제자도 있습니다. 또 잘 알려지지 않았지만 그 믿음의 강도(强度)가 다이아몬드와 같이 빛나는 한 명의 제자가 있습니다. 보통 때는 있는지 없는지조차 모를 만큼 조용하게 지내는 사람이지만, 결정적인 순간에는 올바른 믿음으로 반응했던 귀한 제자입니다. 그 사람이 안드레입니다. 안드레는 성경에 그렇게 많이 등장하지 않습니다. 성경 전체를 통틀어서 네 차례 나옵니다. 그런데 그 기록된 기사들을 살펴보면 하나같이 극적이요 순종하는 모습으로 드러납니다.

안드레가 처음 등장하는 대목은 마태복음 4장 19, 20절입니다. 예수께서 제자를 부르실 때 맨 처음 제자로 부르신 사람이 안드레였습니다. 예수께서 "나를 따라오너라"고 했을 때 안드레는 지체하지 않고 "곧 그물을 버려두고 예수님을 좇았다"고 합니다. 지체하지 않는 신앙이었습니다.

두 번째로 등장하는 대목은 요한복음 1장 42절입니다. 안드레가 자기의 형제 시몬을 예수께로 데려오는 장면입니다. 예수님의 수제자라고 하면 베드로 아닙니까? 그 수제자인 베드로를 주께로 이끌었던 사람이 바로 안드레였습니다.

세 번째로 등장하는 대목이 바로 본문에 나오는 오병이어의 기사입니다. 안드레는 보리떡 다섯 개와 물고기 두 마리를 가진 소년을 예수께로 인도했습니다. 그러니까 요한복음 6장에 나오는 오병이어의 기적도 안드레가 없었다면 이루어질 수 없었는데, 그런 중재자의 역할을 감당했던 자가 안드레였습니다.

그리고 제일 마지막에 나오는 대목이 요한복음 12장 20-22절입니다. 많은 헬라인들을 예수께로 인도했던 사람이 안드레였습니다.

지금 모두 살펴본 대로 안드레가 무슨 특별한 것을 가르쳤다고 하는 기사는 없습니다. 대단한 능력을 행했다는 기사도 없습니다. 기록된 사실들을 살펴보면, 안드레는 당면한 모든 문제를 예수께 가지고 왔습니다. 그리고 문제 있는 모든 사람들을 예수께로 인도했던 사람입니다. 이것이 귀중한 것입니다.

지금도 교인들을 살펴보면 안드레와 같은 은사를 가지고 있는 사람들이 있습니다. 복음을 논리적으로 전하지는 못하지만 많은 사람들을 주께로 인도하는 사람들이 있습니다. 귀중한 사역입니다. 안드레는 말씀을 많이 증거한 것 같지는 않았습니다. 단지 "와 보라" 하는 한마디를 통해서 많은 사람들을 주께로 이끌었던 사람입니다. 큰 문제가 있을 때마다 조용히 있다가 예수께로 그 문제를 가지고 나와서 모든 문제를 해결했던 귀중한 존재였습니다. 하나님의 백성들 가운데 많은 사람들이 이 중재자의 은사를 가지고 있는 것을 보아왔습니다.

일전에 초등학교 선생님한테 이런 이야기를 들은 적이 있습니다. 초등학교 학생 중에서도 이런 안드레와 같은 특성을 가진 학생들이 있다고 합니다. 자기 문제를 스스로 말하지 못하는 아이를 대신해서 말해주는 아이가 있다고 합니다. 자기가 화장실이 가고 싶으면 "화장실 가고 싶어요" 하고 말하면 되지 않습니까? 그런데 초등학교에 가보면 그렇게 못하는 아이가 있습니다. 그래서 "선생님, 얘 화장실 가고 싶대요" 하고 말해주는 아이가 있습니다. 귀중한 덕성입니다.

교회 안에도 뭔가 항상 문제가 있습니다. 그런데 묘한 것은 그 문제를 가지고 자기 스스로 목사에게 나오거나 하나님께 나아가기를 두려워하는 사람이 있습니다. 그럴 때마다 꼭 약방의 감초처럼 그 사람의 문제를 드러내고, 이끌어주고, 그 사람을 올바른 길로 인도해주는 사람이 있습니다. 안드레와 같은 은사가 있는 사람들입니다. 교회에 안드레와 같은 은사가 있는 사람들이 많으면 많을수록 금방 문제가 해결됩니다. 그리고 교인 전체가 하나님 앞에 기도하는 모습으로 나아오게 되고, 그러한 안드레와 같은 은사로 말미암아 오병이어와 같은 큰 기적의 역사를 체험할 수 있게 되는 것입니다.

안드레의 이 조용한 순종이 결국은 많은 열매를 거두게 되는 하나님의 복의 통로가 되었다는 것을 기억하시고, 안드레와 마찬가지로 작은 일에 충성함으로 말미암아 많은 열매를 거두는 하나님의 백성이 되기 바랍니다.

제자의 삶은 순교의 삶

안드레는 나중에 하나님 앞에 크게 쓰임받았습니다. 예수님의 열두 명의 제자들이 뿔뿔이 흩어졌습니다. 도마는 동쪽으로 가 인도에까지 가서 복음을 증거했다는 기록이 남아 있습니다. 반면에 베드로는 서쪽으로 갔습니다. 그래서 로마에 가서 복음을 증거했습니다.

안드레는 어디로 갔는지 아십니까? 북쪽으로 갔습니다. 러시아 쪽으로 가서 복음을 증거했습니다. 그래서 이 안드레는 '비잔틴 교회의 창시자'라고 일컬어집니다. 동방정교회의 창시자 안드레는 북쪽으로 가서 많은 사람들에게 복음을 증거했습니다. 그리고 주후 60년에 복음을 증거하다가 순교당했습니다. 순교당할 때 십자가에 달리게 되었는데, 그의 형이었던 베드로는 십자가형을 당할 때 "내가 예수님과 똑같은 모습으로 십자가에 달릴 수는 없다"고 해서 십자가에 거꾸로 매달려 죽지 않았습니까? 이 거꾸로 된 십자가를 베드로의 십자가라고 합니다. 안드레도 똑같은 이야기를 했던 것 같습니다. 안드레는 엑스자형 십자가에 못박혀 죽었다고 합니다. 그래서 엑스자형 십자가를 가리켜서 '앤드류의 십자가'(Andrew's Cross)라고 합니다.

영국 국기를 '유니온 잭'이라고 하지 않습니까? 유니온 잭은 보통의 십자가와 안드레의 십자가를 합쳐놓은 모습입니다. 이 유니온 잭은 로마 십자가(정상적인 십자가)와 앤드류의 십자가를 합쳐놓아서 "하나님 앞에서 순교하고 헌신하는 나라가 되겠습니다"라는 뜻이 내포되어 있다고 합니다.

영국 국기를 바라볼 때마다 안드레의 순교를 생각하시기 바랍니다.

'저 안에 안드레가 있구나. 저 안에 안드레의 복음의 뿌리가 아직까지 남아 있구나.'

이처럼 우리도 안드레와 마찬가지로 복음증거하는 일에 힘씀으로 십자가를 지는 인생이 되기 바랍니다.

불완전한 사람의 계획

유월절이 임박했습니다. 많은 무리가 예수님이 계신 광야로 찾아왔습니다. 야외이기 때문에 먹는 문제가 생겼습니다. 예수께서 이 문제를 통해, 이 기회를 통해서 제자들의 신앙이 어느 정도인지 한번 시험해보셨습니다. 예수님의 시험이 무엇이었습니까?

"우리가 어디서 떡을 사서 이 사람들로 먹게 하겠느냐"(5절).

이렇게 시험 문제를 냈습니다. 6절을 보니까 분명히 "이렇게 말씀하심은 친히 어떻게 하실 것을 아시고 빌립을 시험코자 하심이라"고 하였습니다. 예수께서 시험코자 이런 문제를 내어봤습니다. 그랬더니 빌립의 반응이 어떠했습니까? 컴퓨터와도 같이 머리를 빨리 굴려서 나온 대답이 이것이었습니다.

"예수님, 이 모든 사람들을 조금씩만 먹게 한다 할지라도 이백 데나리온의 떡이 부족할 것입니다"(7절 참조).

한 데나리온은 우리가 잘 알듯이 노동자의 일당입니다. 하루에 오만 원 정도 번다고 생각해도 천만 원의 돈이 필요합니다. 천만 원 정도의 떡을 사다가 나누어주어도 이 사람들의 배를 채우는 데는 부족할 것 같다는 것입니다. 이렇게 빌립은 예수님의 질문에 대해서 계산적으로 대답했습니다. 대답은 결국 된다는 소리입니까, 안 된다는 소리입니까? 안 된다는 것입니다. 우리도 마찬가지입니다. 하나님께서 우리에게 어떠한 사명을 주셨을 때 우리의 인간적인 계산으로 들고 나가면 99퍼센트 안 된다는 결론을 내리게 되어 있습니다. 왜 그렇습니까? 그것은 세상의 법칙이기 때문입니다.

그런데 안타깝게도 교회 안에는 빌립과 같이 계산에 밝은 사람들이 많이 있습니다. 그런데 계산은 항상 '안 된다'는 쪽으로 결론이 나게 되어 있습니다. 그래서 하나님의 교회가 믿음을 가지고 하나님의 일들을 이루기보다는 계산함으로 말미암아 제 자리에 계속 머물러 있고, 오히려 하나님의 나라를 축소시키는 그런 어리석음 가운데 빠져 있는 것입니다.

반면에 안드레는 어떻습니까? 안드레는 소년의 보리떡 다섯 개와 물고기 두 마리를 들고 주님 앞에 나왔습니다. 하나님의 백성들은 주님 앞에 대책없이 나오는 것입니다. 답을 가지고 나오는 것이 아닙니다. 그러나 주님 앞에 가지고 나오면 주님이 해결해주실 것입니다. 안드레는 그 마음을 가지고 나아왔습니다. 마치 요한복음 2장에 나오는 마리아의 자세와 똑같지 않습니까? 포도주가 떨어졌습니다. 대책없이 주님 앞에 나아왔더니 주님께서 그 모든 문제를 해결해주셨습니다.

이사야서를 보면 히스기야도 똑같은 일을 당하게 됩니다. 산헤립의 군대가 예루살렘을 포위했습니다. 최후 통첩을 합니다.

"지금 항복하지 않으면 너희들을 멸절시켜버리겠다."

그럴 때 히스기야는 작전을 짜지 않았습니다. 계획을 세우지 않았습니다. 어떻게 하면 그 상황을 돌파할 수 있을지 생각하지 않았습니다. 그 산헤립의 편지를 들고 성전에 올라가서 하나님 앞에 엎드렸습니다. 계획을 세우지 않고 하나님의 도우심을 구했습니다. 그랬더니 하나님이 특별한 방법으로, 하나님의 군대가 그들을 멸절시키는 은혜의 역사가 일어나게 되었습니다.

그러므로 하나님의 교회는 무엇을 해야 합니까? 지금 우리 한국교회의 젊은이들이 교회를 떠나고 크나큰 어려움을 당하니까 교회 지도자들이 자주 모여서 세미나를 합니다. 무슨 대책을 세우자고 이야기합니다. 계획을 세우자고 이야기합니다. 저도 그런 곳에 여러 번 가서 강의도 해봤고 많이 부딪쳐도 봤습니다. 그런데 거기서 얻은 결론이 이것입니다.

"하나님 앞에서 우리가 살아남는 길은 인간의 계획으로 되는 것이 아니다. 인간의 계산으로 되는 것이 아니다. 하나님 앞에 엎드려야 된다."

우리 한국교회가 지금 가장 큰 위기에 처하게 된 이유가 무엇입니까? 말들은 많고 계획은 많고 회의는 많은데, 기도하는 자리를 떠났다는 것입니다. 우리가 다시 살아나는 방법은 무엇입니까? 과거 우리 믿음의 선조들과 마찬가지로 주님 앞에 엎드려서 밤을 새워가며 기도하고, 주님 앞에 금식하는 간절한 자세를 보이는 것입니다. 이렇게 하나님 말씀 앞에 철저히 순종하는 모습으로 나아가게 될 때, 부흥을 체험하게 될 것입니다.

우리가 하나님 앞으로 나아갈 때, 우리에게는 계획이 없습니다. 하나님 앞에 엎드릴 뿐입니다. 우리를 불쌍히 여겨주시고 우리의 앞길을 인도해주시고 한국교회를 살려달라고 간구할 때, 인간의 계획이 아니라 하나님의 이적으로 말미암아 이 모든 길이 뚫리는 은혜의 역사를 체험하게 될 것입니다.

사람이 계산하게 되면 항상 부족함밖에 없습니다. 6장 7절을 보면 빌립이 무엇이라고 대답합니까?

"조금씩 받게 할지라도 이백 데나리온의 떡이 부족하리이다."

그래서 우리가 인간적인 계획을 세우고 자꾸 인간적인 방법으로 나가니까 늘 하는 소리가 무엇입니까?

"조금씩, 조금씩", "부족하다, 부족하다."

이 소리밖에 없습니다.

반면에 안드레의 방법으로, 즉 믿음의 방법으로 나아갈 때, 어떤 일이 벌어집니까?

"예수께서 떡을 가져 축사하신 후에 앉은 자들에게 나눠주시고 고기도 그렇게 저희의 원대로 주시다"(11절).

조금씩 주는 것하고 원대로 주는 것하고는 얼마나 큰 차이가 있습니까? 한쪽은 부족했습니다. 그런데 12절을 보니까 어떻게 되었습니까?

"저희가 배부른 후에 예수께서 제자들에게 이르시되 남은 조각을 거두고."

남았습니다. 얼마만큼 남았습니까? 열두 바구니에 가득 찰 정도로 남았습니다. 그러므로 우리가 인생을 살아갈 때, 하나님 앞에서 풍성한 것들을 누리게 되는 방법이 무엇입니까? 빌립의 방법으로 나아가면 반드시 부족합니다. 반면에 안드레의 방법으로 나아가면 원대로 먹고도 남는 것이 열두 바구니나 될 것입니다. 그러므로 우리의 삶의 모든 부분에서도 빌립의 길을 걸어갈 것이 아니라 안드레의 길을 걷는 성도가 되기 바랍니다. 우리에게 많은 문제가 있습니까? 주님 앞에 내어놓으면 다 해결되고, 주께서 은혜를 주실 것입니다.

기도가 문제 해결의 첩경

이렇게 하나님 앞에 맡겼을 때 은혜를 받는다는 예증은 너무나 많지만 늘 기억되는 한 사람이 있습니다. 그는 저하고 신학대학원 동기 동창입니다. 그는 신학교에 수석으로 입학했습니다. 그리고 「주님과 동행하십니까?」라는 베스트셀러를 번역하기도 한 굉장히 똑똑한 친구입니다. 그런데 안타깝게도 집안이 가난했습니다. 그런데 공부는 굉장히 잘합니다. 자질도 있어서 신학 교수를 지망하고 있었습니다. 교수가 되기 위해 열심히 공부해야 할 형편인데, 후원해줄 사람도 없고 돈도 없는 참 딱한 처지에 있었습니다.

그런데 그 친구가 참 재미있습니다. 인적 사항을 적는 취미란에 '공부'라고 쓰는 사람입니다. 저는 세상에 태어나서 이런 사람 처음 봤습니다. 보통 한두 시간 정도 앉아서 공부하다가 화장실에 가고 그러잖아요. 그런데 이 친구는 14시간 동안 꿈쩍도 않고 앉아 있을 수 있는 사람입니다. 이런 사람은 특이한 사람입니다. 지금도 5, 6개 국어를 자유롭게 구사합니다. 남들은 6년, 12년 해도 잘 안 되는데, 중국어도 한 6개월 정도 하더니 말을 할 정도입니다.

그런데 유학을 놓고 고민하고 있을 때 '하나님이 돈 없어서 일을 못하시겠느냐? 하나님 앞에 기도하자' 고 마음먹고 저하고 같이 하나님 앞에 간절히 기도했습니다. 그런데 하나님께서 딱 1년 정도 되니까 기도의 응답을 주셨습니다. 어떤 교수님의 주선으로 네델란드로 유학을 가게 되었습니다. 그래서 박사 과정까지 공부하게 되었습니다. 학비도 주고 생활비도 주고 심지어 용돈까지 주고 나중에는 부인의 생활비까지 다 주는 파격적인 조건으로 유학을 가게 되었습니다.

기도하니까 하나님이 들어주십니까, 안 들어주십니까? 철저하게 들어주십니다. 그래서 그때부터 제가 생각했던 것이 무엇이냐 하면, 하나님 앞에서 어떤 방법으로 문제를 풀어가야 하는지 그 방법을 찾는 것이 아니라, 하나님 앞에 기도하고 하나님 앞에 문제를 내어놓으면, 하나님께서 비상한 방법으로 우리의 문제를 해결해주신다는 것을 확신하게 되었습니다.

반면에 그때 동일한 상황에서 똑같이 경제적으로 어려움을 겪는 친구가 있었습니다. 그런데 그 친구는 자기 발로 여기저기 뛰어다니면서 모금하고 다녔습니다. 아직도 모금하고 있습니다. 하나님 앞에 기도하는 방법이 지름길이요, 하나님 앞에 엎드리는 방법이 가장 빠른 길이라는 것을 깨닫고 이 안드레의 방법을 따르는 성도가 되기 바랍니다.

작은 헌신을 사용하신다

우리는 이 오병이어의 기적에서 하나님의 일하시는 방법이 무엇인지를 알 수 있습니다. 하나님께서는 우리의 작은 헌신을 통해서 크게 일하십니다. 보리떡 다섯 개와 물고기 두 마리는 가치로 보면 별 게 아닙니다. 어떤 신학자가 보리떡 다섯 개와 물고기 두 마리를 우리나라 돈 가치로 계산해보니까 한 이천 원 정도의 가치밖에 없다고 합니다.

그런데 이 소년은 자기가 가지고 있는 전부, 이천 원 정도 되는 그것을 주님께 바쳤습니다. 이것이 중요합니다. 이천 원 정도 되는 것을 바쳤더니 예수께서 이것을 통해서 일하셨습니다. 우리 손에서는 비록 작은 것이지만 예수님 손으로 옮겨졌을 때는 큰 것으로 변화된다는 것을 기억하시기 바랍니다. 하나님이 일하시는 방법은 우리의 작은 헌신을 통해서 크게 역사하시는 것입니다.

19세기에 미국 전체를 변화시켰던 D.L. 무디라는 분이 계십니다. 그 분은 원래 구두 수선공이었습니다. 학벌이 없습니다. 초등학교도 못 나왔기에 교회에서 주일학교 교사를 하려고 해도 시켜주지 않습니다.

"글을 읽을 줄 알아?"

"몰라요."

"설교할 줄 알아?"

"몰라요."

"그런데 무슨 교사를 하니? 나가 있어."

결국 교사도 못했습니다. 이 교회에서 교사를 시켜주지 않으니까 이 무디가 자기 혼자 나가서 학생들을 모았습니다. 그리고 자기 스스로 가르치기 시작했습니다. 그런데 나중에는 놀라운 일들이 벌어집니다. 무디가 만든 주일학교 아이들 수가 교사들 이삼십 명이 가르치는 아이들 수보다 더 많았다는 것입니다. 많은 영혼들을 주님께로 인도했습니다.

그래서 지금도 학생은 주지 않으면서 담임교사를 맡기는 반을 가리켜

'무디반' 이라 그러지 않습니까? 무디와 같은 시각을 가지고 있는 사람들은 학생이 필요없다는 것입니다.

"나에게 담임교사만 맡겨주십시오. 학생들은 내가 불러모아 전도해서 가르치겠습니다."

무디는 결국 50명, 100명, 나중에는 수백 명까지 이끌게 되었고, 마침내 많은 영혼들을 주님께로 이끄는 위대한 부흥사가 되었습니다.

그러므로 하나님 앞에 중요한 것이 무엇입니까? 무디와 같이 배운 것이 없고 구두 수선공에 불과했지만, 주님의 복음을 위해서 헌신하면 엄청난 일들을 이룰 수 있다는 것입니다. 저는 이 무디를 바라볼 때 안타까움이 있습니다. 하나님 앞에서 우리가 얼마나 많은 것들을 받았습니까? 아마도 우리 가운데 무디보다 못한 은사를 받았다고 말하는 사람은 한 사람도 없을 것입니다. 받은 것을 가지고 충성하면 하나님이 그것을 통해서 일하십니다.

우리나라 신학교에서 제일 안타까운 것이 무엇입니까? 신학교에도 공부 잘하고 특별히 일류대학을 나오고 머리 좋은 사람들이 있습니다. 그런데 그런 분들이 그 많은 달란트를 가지고 주님의 복음증거하는 일에 헌신하면 한국교회가 막 살아날 것 같은데, 그들이 딴 짓을 합니다. 유학 가서 공부한답시고 자유주의신학을 공부하고 결국은 교회를 무너뜨리는 일에 앞장서고 있습니다. 안타까운 일 아닙니까? 반면에 가진 것도 없고 배운 것도 없고 사회적으로 뒤진 것 같은 사람들이 있습니다. 그런데 복음에 대한 열정 하나를 가지고 엎드려 기도하니까 하나님께서 그들을 귀중하게 쓰시더라는 것입니다.

그러므로 하나님 앞에서 우리가 얼마나 많은 것을 받았느냐 하는 것보다 더 중요한 것이 있습니다. 오병이어를 바치는 소년의 믿음이 있어야 한다는 것입니다. 이 소년의 오병이어는 도시락에 지나지 않습니다. 그러나 그것을 주님 앞에 내어놓을 때, 그것을 통해 주님께서 크게 역사하셨습니다. 주를 위해서 가진 바 모든 것들을 바치는 은혜의 종들이 되기 바랍니다.

모든 것으로 충성하라

삼일교회에서는 매년 10월에 '예람제' 라는 행사를 합니다. '예수 사람, 예수 바람' 이라는 뜻의 전도집회입니다. 일전에 예람제를 할 때 제 친구 목사님도 몇 사람이 왔습니다. 그 목사님들이 저희 교회에 모여서 식사를 같이 나누었습니다. 그럴 때 예람제 이야기가 나왔습니다. 그런데 그 가운데 한 분이 예람제 중에 제일 은혜스러웠던 것이 워쉽 댄스라고 했습니다.

"나와서 춤추는 것을 보니까 애들 폼이 좀 노는 애들 같더라. 하나님께서 저런 애들도 들어 쓰시는데 나 같은 사람이 헌신하면 안 쓰시겠느냐?"

이런 이야기를 하더군요. 껄렁껄렁하게 보이는 청년들도 다른 사람에게 은혜를 준다는 것을 깨달았습니다. 그래서 제가 그랬습니다.

"아니다. 그 아이들 알고보면 믿음 좋은 애들이고 참 착실한 애들이다. 다만 몸이 유연할 뿐이다."

제가 그렇게 이야기했더니만 이해를 잘 못합니다. 무슨 이야기입니까? 자기 삶에 있는 것들, 자기가 가지고 있는 달란트를 가지고 충성하면서 진지함 가운데 하나님께 영광돌리는 모습들을 보고 많은 영혼들이 충격을 받더라는 것입니다. 목사님들이 자극을 받더라는 것입니다. 그러므로 받은 바 은혜를 가지고 뒤로 빼는 것이 아니라 주를 위해서 바칠 줄 아는 헌신된 성도가 되기 바랍니다.

이 요한복음 6장을 보니까 예수께서는 떡을 가지고도 일하셨습니다. 떡을 바쳤더니 그것을 가지고 일하셨습니다. 그런데 우리의 귀중한 시간을 바치고 우리의 재능을 바치고 우리의 지혜를 바치면, 하나님께서 얼마나 많은 일을 하시겠습니까? 우리 주를 위해서 헌신하고 받았던 것들을 주님 앞에 다시 돌려드려서 우리 하나님의 은혜의 역사를 이룰 수 있기를 바랍니다.

승리의 순간에 엎드리는 겸손

요한복음 6장 15절입니다.

"그러므로 예수께서 저희가 와서 자기를 억지로 잡아 임금 삼으려는 줄을 아시고 다시 혼자 산으로 떠나 가시니라."

병행구인 마태복음 14장 23절을 보니까 "무리를 보내신 후에 기도하러 따로 혼자 산에 올라가시다"라고 했습니다. 예수께서 이 오병이어의 큰 기적을 이루시고 난 다음에 어떻게 하셨습니까? 기도하러 홀로 산에 올라가셨습니다. 홀로 산에 올라 기도했다는 것은 매우 중요한 사실입니다.

많은 크리스천들이 세상 사람들에게 욕을 먹으면 억울하다며 기도합니다. 기도할 때 보면 "이래서 억울합니다, 저래서 억울합니다" 하며 밤새도록 기도하는 분들이 있습니다. 하여튼 억울해도 기도가 나옵니다. 저도 억울할 때 기도가 나옵니다.

"하나님, 복수해주세요."

철없을 때 매일 그렇게 기도했습니다.

"하나님, 벼락 칠 때 왜 그쪽은 가만두시나요?"

또 실패했을 때는 살려달라고 기도합니다.

"하나님, 제가 실패했습니다. 쓰러졌습니다. 나를 건져주십시오."

남들에게 이유 없이 욕을 먹거나 실패했을 때 엎드려 기도하는 사람은 부지기수입니다.

그런데 많은 사람들에게 인기가 있고 칭찬받으면 기도하지 않습니다. 예수님은 지금 인기 절정입니다. 사람들이 왕을 삼으려고 했습니다. 대단한 승리를 거두었습니다. 그런데 그때 무엇을 했습니까? 하나님 앞에 올라가서 엎드려 기도했습니다. 이것이 바로 예수님의 능력의 비결입니다.

우리들도 마찬가지입니다. 우리가 하나님 앞에서 많은 것을 이루고 승리하고 난 다음에 엎드려서 다시금 주님의 은혜를 구하는 것이 중요합니다. 왜 그렇습니까? 우리가 승리하고 난 다음에 교만해질 우려가 있기 때문입니다. 하나님께서는 마치 우리가 대단해서 하나님의 일을 이룬 양, 우리가 교만할까봐 엎드려 기도하기를 원하시는 것입니다. 하나님께서는 교만을 제하기 위해서 사도 바울에게 육체의 가시를 주셨습니다. 고린도후서 12장 9절입니다,

"나의 여러 약한 것들에 대하여 자랑하리니 이는 그리스도의 능력으로 내게 머물게 하려 함이라."

하나님께서는 우리가 겸손하기를 원하십니다. 우리는 연약합니다. 그런데도 하나님께서 우리를 사용하십니다. 연약한 우리의 모습 그대로 하나님께 나아가기 바랍니다.

ID153 패스워드

패스워드1. 드러내지 않고 조용히 순종하는 제자가 필요하다.

보통 때는 있는지 없는지조차 모를 만큼 조용히 지내다가도 결정적인 순간이 오면 올바른 믿음으로 반응하며 문제를 해결해나가는 성도들이 있다. 교회 안의 문제에도 언제나 숨은 중재자의 역할을 감당하고, 표나지 않게 많은 사람들을 주께로 인도하는 사람들이 있다.

패스워드2. 사람의 계산으로는 늘 부족하다.

사람이 계산에 밝으면 대개 "안 된다"는 쪽으로 결론이 나기 십상이다. 그래서 하나님의 교회들이 믿음을 가지고 하나님의 일들을 이루기보다는 제 자리에 계속 머물러 있고 오히려 하나님의 나라를 축소시키는 어리석음을 범한다. 인간의 계산이나 대책이 우리를 살리지 못한다.

패스워드3. 하나님은 우리의 작은 헌신을 통해 크게 일하신다.

우리 손에서는 비록 작은 것이라 해도 예수님의 손에 옮겨지면 큰 것으로 변화된다. 이미 받은 것을 가지고 충성하면 하나님이 그것을 통해 일하신다. 하나님 앞에서는 얼마나 많이 받았느냐보다 자기에게 있는 모든 것을 바치는 믿음이 더 중요하다.

코람데오 (Coram Deo) 자기점검

1. 주님께 인정받으면 사람의 인정은 덤이다. 사람에게 숨기는 그것이 곧 주님께 드러내는 일이다. 당신에게는 주님을 생각하여 이렇게 숨겨본 경험이 있는가?

2. 인간적인 계산을 적게 할수록 나중에 하나님 앞에 덜 부끄럽다. 당신은 계산이 적든 많든 일의 결과를 주관하시는 분은 하나님이심을 믿는가?

3. 하나님은 우리의 유익을 위해 우리의 헌신을 요구하신다. 당신이 하나님나라의 유익을 구하면 하나님은 당신의 유익을 위하신다. 당신은 무익한 일로 하나님의 시간을 낭비하고 있지는 않은가?

16장

실천보다 중요한 것

4부 말씀 불패의 믿음

요 6:16-29

참된 기독교의 본질은 무엇입니까? 하나님의 영광입니다. '우리가 주를 위해서 어떻게 충성해야 하고, 우리가 주를 위해서 무엇을 바쳐야 할 것인가?'를 우선순위로 삼는 것이 기독교의 본질입니다. 그러므로 참된 기독교로 돌아가기 위해서는 모든 성도들이 예배자가 되어야 합니다.

상징을 이해할 수 있는 성령의 눈

요한복음은 4복음서 중에서 제일 늦게 기록된 성경입니다. 그러다보니까 나머지 세 복음서와 다른 두 가지 특징이 있습니다.

첫째, 다른 세 복음에서 빠진 부분을 보충하는 성격이 있습니다. 그래서 다른 복음서에는 없는 기사가 요한복음에만 있습니다. 나사로가 다시 살아난 사건이나 가나의 혼인잔치에서 물로 포도주를 만든 사건들은 오직 요한복음에만 기록되어 있습니다. 왜 그렇습니까? 제일 마지막에 기록되었기 때문에 빠진 부분을 보완하는 의미의 복음서이기 때문입니다.

둘째, 제일 마지막에 기록되었기 때문에 이전의 세 복음서에 나온 말씀들에 대해 해석하는 내용이 추가됩니다. 다소 설명이 필요한 부분들에 주석을 달아서 그 기사가 무슨 뜻인지 밝히 드러냅니다. 그래서 어떤 분은 이렇게 말합니다.

"요한복음은 모든 복음서에 대한 주석서이다."

나머지 세 복음서에서는 기적을 'miracle', 즉 이적이라고 표시했는데, 요한복음에서만은 '표적'이라는 말을 씁니다. 즉, 'sign'이라는 표현을 썼습니다. 표적이라는 말이 의도하는 바가 무엇입니까? 역사적으로 나타난 사건일 뿐만 아니라 그 사건 속에 숨은 의미가 있다는 것입니다. 그 사건이 나타내고자 하는 상징적인 의미가 있다는 뜻입니다. 그러므로 요한복음을 이해할 때는 상징적인 의미를 깊이있게 봐야 합니다. 다시 말해서 그 깊이를 보고 읽어야만 요한복음을 정확하게 이해할 수 있습니다.

예를 들면 이렇습니다. 어떤 자매가 어떤 형제에게 연애편지를 썼습니다. 연애편지에는 숨은 의미가 많이 있습니다. 예를 들어서 '사랑하는 은우씨, 요즘 얼굴이 피곤해보이시는군요. 점심도 제대로 못 먹고 뛰는 모습이 안쓰럽습니다' 하며 주절주절 썼다고 합시다. 그러면 이것이 무슨 뜻입니까? 해석을 잘 해야 됩니다. 얼굴이 피곤해보인다는 것은 무슨 뜻입니까?

"내가 없으니까 네가 피곤하지 별 수 있냐?"

또 하나는 무엇입니까?

"점심도 못 먹고 뛰는 모습이 안쓰럽습니다."

이것은 "내가 너 평생 밥해주면서 살고 싶다"는 뜻이 아닙니까? 이 편지를 읽고 난 다음에 '아, 이 여자가 나와 결혼하고 싶어 하는구나'라는 것을 깨달아야만 정신이 제대로 박힌 남자입니다. 그런데 그 연애편지를 받고 난 다음에 "글씨가 예쁘다"고 하든지 "편지지가 좋다", "우표가 기념우표네"라는 식으로 나가면 제대로 이해하지 못한 것입니다. 상징은 상징으로 풀 줄 아는 이해 수준이 있어야만 합니다.

요즘은 그렇지 않지만, 옛날에는 상징을 통해서 뜻을 전하는 경우가 많았습니다. 예를 들어서 손수건을 선물해주면 무슨 뜻입니까? 이별의 뜻입니다. 또 넥타이를 선물해주면 '목매달고 살고 싶다'는 뜻입니다. 그러면 예를 들어서 어떤 남자가 여자에게 손수건을 선물해주었다고 합시다.

그런데 이 상징을 이해하는 사람이면 무엇으로 이해합니까? '아, 이제는 헤어지고 싶다는 뜻이구나' 하며 혼자 아픔을 달랠 수 있지요. 그런데 주책없는 사람은 이 상징을 이해하지 못합니다. 그러면서 그 손수건을 받고 "정말 고마워요. 내가 손수건이 꼭 필요했는데, 어떻게 내 마음을 아셨나요? 이렇게 마음이 통하는 것을 보니까 우리는 역시 한평생을 같이 살 운명이에요" 하고 나오면 어떻게 됩니까? 평생의 짐이 됩니다. 세상에서 제일 무서운 것이 눈치없이 '무식' 한 것입니다. 무식한 사람 앞에서는 당할 도리가 없습니다.

축구도 그렇다고 합니다. 잘하는 상대 팀하고 뛰면 페인팅이 가능합니다. 그런데 기본기가 전혀 없는 사람은 그것이 안 통합니다. 무턱대고 탱크처럼 밀고 들어옵니다. 그래서 안 된다는 것입니다.

영적인 눈

하나님의 말씀을 이해할 때에도 성경이 말하고자 하는 리듬과 그 상징의 의미를 이해하고 받아들일 때에만 제대로 깨달을 수 있습니다.

지금 예수께서 오병이어의 기적을 통해서 보여주고자 하시는 것이 무엇입니까?

"예수께서는 기적을 행하시는 전능하신 하나님의 아들이다."

그러고 난 다음에 요한복음 6장 뒷부분에 나오는 주석들을 보니까 그것은 무엇을 뜻하는 것이었습니까? 예수님은 생명의 떡이라는 것입니다.

"오직 예수 그리스도가 주시는 양식으로 말미암아 우리의 영적인 양식을 채울 수 있다."

이것이 요한복음의 주석입니다. 그런데 이스라엘 백성들은 이것을 전혀 알지 못하고, 깨닫지도 못했다는 것입니다. 오로지 떡 먹고 배 부르는 자리에만 머물러 있었다는 것입니다.

우리는 이 영적인 말씀을 이해할 수 있는 눈을 달라고 기도해야 합니다.

그래서 사도 바울은 에베소서 1장 17-19절에서 이렇게 말합니다.

"우리 주 예수 그리스도의 하나님, 영광의 아버지께서 지혜와 계시의 정신을 너희에게 주사 하나님을 알게 하시고 너희 마음 눈을 밝히사 그의 부르심의 소망이 무엇이며 성도 안에서 그 기업의 영광의 풍성이 무엇이며 그의 힘의 강력으로 역사하심을 따라 믿는 우리에게 베푸신 능력의 지극히 크심이 어떤 것을 너희로 알게 하시기를 구하노라."

성령의 빛으로 말미암아 하나님의 복음을 깨달을 수 있는 이 모든 은혜가 임하기 바랍니다. 이 하나님의 말씀은 많이 배웠다고 해서 깨닫는 것도 아니고, 학위를 받았다고 해서 깨닫는 것도 아닙니다. 오직 성령이 비추어주실 때만 깨달을 수 있다는 것을 기억하시고, 성령이 비춰주시는 빛을 가지고 하나님의 말씀을 깨달을 수 있는 은혜가 충만히 임하기 바랍니다.

기다림의 열매

오병이어의 기적을 행하시고 나서 예수님은 따로 가버나움으로 가셨습니다. 그리고 제자들도 예수님을 따라가려고 배를 탔습니다. 그런데 그 배에 큰 바람이 불어서 배가 침몰 위기에 처하게 되었습니다. 이것은 예수님이 예비하신 일종의 시험이었습니다. 예수께서는 하나님의 백성들을 이끄실 때 꼭 그렇게 하십니다. 한 가지 큰 복을 주시고 난 다음에 그 복을 평생토록 그 사람의 복이 되게 하기 위해서 시험을 주십니다. 왜 그렇습니까? 시험을 통과해야만 비로소 내 것이 될 수 있기 때문입니다.

학생도 공부를 많이 하고 난 다음에 그 배운 내용을 충분히 자기 것으로 소화했는지 스스로는 잘 알지 못합니다. 무엇을 통해서 알 수 있습니까? 시험을 치르면 알게 됩니다. 시험이라는 것이 무엇입니까? 우리가 알고 있는 것과 모르는 것을 구분시켜주는 잣대가 됩니다. 그런 의미에서 하나님께서는 하나님의 백성에게 주신 복을 확실히 하시려고 한 가지 은혜를 주시고 난 다음에 반드시 시험을 통과하게 하시는 것입니다.

이제 오병이어의 기적을 체험했습니다. 대단한 체험을 했지요? 그 다음에 그 백성들과 제자들의 믿음이 얼마나 자랐는지 보시기 위해서 풍랑을 일으키십니다. 제대로 공부를 했으면 어떻게 반응해야 합니까?

"예수께서 보리떡 다섯 개와 물고기 두 마리로 5천 명을 먹이셨던 그 능력으로 이 풍랑 가운데서도 우리를 지켜주실 것이다."

이런 확신 가운데 있으면 시험을 무사히 통과하는 것입니다. 그런데 이 제자들은 그것을 깨닫지 못하고 배 속에서 우왕좌왕하며 두려움에 떨고 있습니다.

이 사건을 통해서 우리는 무엇을 알 수 있습니까? '아직도 멀었구나' 하는 것을 깨닫게 됩니다. 하나님께서는 바로 이러한 방법을 통해서 우리를 훈련시키십니다. 특별히 우리가 이 풍랑에서 잊어서는 안 될 것은, 예수께서는 기다림을 통해서 우리를 훈련시키신다는 것입니다. 풍랑이 일어나 여러 가지 어려움 가운데 있을 때 예수께서는 즉각적으로 나타나지 않으셨습니다. 한참 동안 기다리셨습니다. 왜 그러셨습니까? 기다림을 통해서 우리 마음이 변화받게 하기 위해서입니다.

한국의 어머니들과 유대의 어머니들을 많이 비교하는데, 유대의 어머니들이 훨씬 더 교육을 잘 시킨다고 합니다. 왜 그렇습니까? 차이점은 한 가지입니다. 한국 어머니들은 기다릴 줄을 모른다는 것입니다. 애가 넘어지면 곧장 가서 일으켜세웁니다. 애가 공부를 하다가 답을 모르면 금방 가서 전과를 펴고는 "답이 이것인데 왜 모르느냐?"고 두들겨 패기만 합니다. 기다려주지 못하니까 아이가 무언가 자기 것으로 만들 시간을 갖지 못하는 것입니다.

반면에 유대인의 자녀교육을 보면 한 가지를 가르치기 위해서 인내를 갖고 기다립니다. 자녀가 답을 찾을 때까지 기다립니다. 그리고 어디를 가면 답이 있는지 가르쳐주면서 기다립니다. 기다려야 무르익을 수 있고, 기다려야 깨우침을 얻을 수 있습니다.

우리는 헬렌 켈러라는 사람을 잘 알고 있습니다. 그 사람은 눈도 보이지 않고 귀도 들리지 않고 말도 하지 못하는, 어떤 의미에서는 천형의 인물이었습니다. 그런데 설리반 선생님이라는 사람이 이 헬렌 켈러를 가르쳐서 나중에는 박사학위 2개를 얻고, 4개국어를 구사할 수 있는 사람이 되게 했습니다. 그런데 여기서 인상적인 것도 역시 기다림이었습니다. 이 헬렌 켈러에게 '물' 이라는 단어, 즉 'water' 라는 단어를 가르치기 위해서 6년이 걸렸다고 합니다. 6년 동안 기다렸습니다. 이 기다림을 통해서 참된 교육이 이루어졌다는 것입니다.

누가복음 15장을 보면 탕자가 나옵니다. 탕자인 둘째 아들이 집을 떠나게 되는데, 그 아버지가 인상적입니다. 둘째 아들이 아버지한테 "내 몫의 재산을 주십시오. 내가 외국에 나가서 살겠습니다" 하고 나올 때, 아버지는 그 아들이 나가서 망할 것을 알았겠습니까, 몰랐겠습니까? 알았습니다. 알았는데도 아들에게 재산을 물려줍니다. 그리고 아들은 실제로 재산을 가지고 집을 나갔습니다. 나가서 허랑방탕하여 나중에는 쥐엄 열매를 먹다가 돌아오는 그런 거지 신세가 되었습니다.

그런데 아버지가 "너는 버린 자식이다"라고 했습니까? 아닙니다. 기다리고 있었습니다. 이것이 중요합니다. 아마도 우리 같으면 이렇게 교육을 못 시킬 겁니다. 그런데 성경이 강조하는 것이 무엇입니까? 우리도 잘못된 자식들을 애정을 가지고 조금 더 지켜봐줄 필요가 있습니다. 어떤 의미에서 좀 풀어줄 필요가 있다는 것입니다. 풀어주고 난 다음에 이 세상 가운데 나가 실컷 고생을 하면서 얻어터지고 난 다음에 아버지의 은혜가 무엇인지 깨닫는 그 순간이 필요하다는 사실입니다. 그때까지 아버지는 기다려야 합니다. 기다리면 돌아옵니다. 이것이 능력입니다.

거룩한 유기

로이드 존스 목사님의 「에베소서 강해」를 보면 독특한 시각이 하나 있습니다. '거룩한 유기(遺棄)' 라는 단어를 씁니다. 하나님께서 택하신 백성들이 있습니다. 하나님의 자녀들이 있습니다. 하나님의 자녀는 버림받습니까, 버림받지 않습니까? 버림받지 않습니다. 그런데 하나님의 자녀라고 하더라도 우리가 버림받았다고 느낄 때가 있습니다. '하나님이 나를 버리셨구나' 하는 느낌을 받습니다. 실제로는 버리지 않았는데, 그런 느낌을 받는다는 것입니다. 아무리 소리쳐도 하나님이 대답하지 않으십니다.

"하나님, 어디에 계십니까? 여기서 나를 버리신 것입니까?"

그럴 때가 있습니다. 그것이 무엇입니까? '거룩한 유기' 라는 것입니다. 왜 그렇게 하신다는 것입니까? 철저하게 우리를 낮추시고, 철저하게 어려움 가운데 우리를 떨어지게 만든 다음에 하나님의 은혜만을 붙들 수 있는 자리로 나아가도록 하기 위하여 하나님께서 우리를 버려두시는 것입니다.

그런데 완전히 버려두는 것이 아닙니다. 저 멀리서 우리를 바라보고 관찰하고 계십니다. 그래서 마귀에게 아주 넘어지지 아니하고 언젠가는 주께로 돌아올 수 있을 그 정도의 선까지만 우리를 버려두십니다. 그래서 그것을 통해 우리가 하나님께로 더 가까이 갈 수 있습니다. 실질적으로 우리 믿음이 자랐을 때가 언제입니까? 하나님 앞에서 버림받았다는 느낌을 가졌을 때, 이때 다시 하나님을 찾게 되면 구원함을 받는다는 것입니다.

연약한 사람들을 키울 때 기다릴 줄 아는 능력이 있어야 합니다. 끝까지 붙들고 옆에만 있을 게 아니라 어떤 의미에서는 저 넓은 대양으로 보내야 합니다. 세상으로 보내야 합니다. 자기 멋대로 살겠다고 하면 나가 보라고 그냥 두어야 합니다. 철저하게 깨어지고 난 다음에 "하나님 없이는 살 수 없습니다" 하면서 돌아오는 아들을 기다리는 그 인내가 있어야만 하나님의 백성들을 건질 수 있습니다. 이사야서 30장 18절을 보니까 이런 말씀이 나옵니다.

"그러나 여호와께서 기다리시나니 이는 너희에게 은혜를 베풀려 하심이요 일어나시리니 이는 너희를 긍휼히 여기려 하심이라 대저 여호와는 공의의 하나님이심이라 무릇 그를 기다리는 자는 복이 있도다."

하나님께서 기다린다고 하십니다. 하나님께서 우리에게 한량없는 은혜를 베푸시기 위해서 어느 때는 우리를 버려둔 것과 같은 느낌이 들게 하십니다.

혹시라도 하나님 앞에서 버림받은 것 같은 느낌을 받은 분들이 있습니까? 하나님께서 은혜를 베푸시기 위한 '순간의 훈련'이라는 것을 기억하시고, 하나님 앞에 매달리는 사람이 되기 바랍니다.

괴로이 노 젓는 게 승리 비결

특별히 역경의 밤 가운데 있는 분에게 권면하고 싶은 말은 이 제자들의 자세를 본받으라는 것입니다. 요한복음 6장 19절에 보니까 무엇이라고 했습니까?

"제자들이 노를 저어 십여 리쯤 가다가 예수께서 바다 위로 걸어 배에 가까이 오심을 보고 두려워하거늘."

제자들은 역경의 밤을 헤쳐갈 때 두려웠지만, 계속해서 노를 저었습니다. 이것이 참으로 중요합니다. 그들은 구원의 손길을 기다리면서 계속해서 노를 저었습니다. 자포자기하지 않았습니다. 주님께서는 이것을 보셨습니다. 본문 말씀의 병행 구절이 마가복음 6장 48절에 있습니다.

"바람이 거스르므로 제자들의 괴로이 노 젓는 것을 보시고."

예수께서는 우리가 이 세상에서 괴로이 노 젓는 것을 보고 계십니다. 피로하고 지친 모습을 보고 계십니다. 그런데 중요한 것은, 성경을 통해

하나님께서 쓰신 종들의 특징을 보면, 그들에게 괴로이 노 젓는 과정을 반드시 통과하게 했다는 사실입니다.

우리가 노를 저을 때 배가 앞으로 나가면 노를 젓는 것이 피곤하지 않습니다. 노를 저어 배가 앞으로 곧장 전진해나간다면 그 일은 재미있는 일입니다. 그런데 아무리 노를 저어도 앞으로 나가지 않으면 노 젓는 사람을 피곤하게 만듭니다. 누가복음 5장에 보면 베드로가 그물질을 합니다. 그런데 고기 잡히는 그물질이 쉽습니까, 고기 안 잡히는 그물질이 쉽습니까? 고기 안 잡히는 그물질이 훨씬 더 어렵습니다. 그런데 베드로는 어떻습니까? 고기 안 잡히는 그물질을 밤새도록 했습니다. 괴로이 노를 젓는 것과 같은 것입니다.

우리에게도 그런 때가 있습니다. 하나님 말씀대로 순종하고 주의 뜻대로 나아가는데, 문제가 하나도 풀리지 않습니다. 노는 젓는데, 전진이 없을 때가 있습니다.

요셉도 그렇지 않았습니까? 하나님의 말씀대로 순종했더니 종으로 팔려가고, 하나님 말씀대로 순종했더니 감옥에 들어갔습니다. 괴로이 노를 젓는 모습입니다.

모세도 하나님을 위해서 뛰어보겠다고 나갔습니다. 그랬더니 하나님께서 광야로 내쫓아버리십니다. 광야에서 40년 동안 노를 젓습니다.

사도 바울도 마찬가지입니다. 복음을 증거하겠다고 헌신하고 나아갔더니 감옥에 갇혔습니다. 가이사랴 감옥에서 아무 의미없이 2년을 보내게 되었습니다. 괴로이 노 젓는 것입니다. 그 괴로이 노 젓는 과정을 통과하고 난 다음에 하나님께서 그들을 사용하신다는 사실입니다.

그러므로 지금 나의 단계가 괴로이 노 젓는 단계가 될 수도 있습니다. 믿음이 성장하는 것 같지도 않고, 나의 삶에 아무런 전진도 없는 것 같아서 답답합니다. 그러나 여전히 노를 저어야만 하나님께서 그 사람을 사용하십니다.

믿지 않는 사람들에게 인지도가 제일 높은 목사님이 있습니다. 그 분은 빈민 사역으로 유명한 목사님입니다. 지금은 대단히 많은 사람들에게 영향력을 주는 아주 훌륭한 목사님이십니다. 그런데 이 목사님이 지금과 같은 열매만 있었습니까? 아닙니다. 청계천 빈민촌에 들어가서 그 빈민들과 함께 괴로이 노 젓는 과정이 있었습니다. 누구 하나 알아주는 사람도 없었습니다. 욕하는 사람만 있었고, '내가 왜 이 일을 하느냐?' 라고 하는 그런 답답함 가운데 노만 젓는 기간이 있었습니다.

그 과정을 통과하고 나니까 하나님께서 어떻게 하십니까? 한꺼번에 부어주셨습니다. 이제는 많은 사람들에게 존경을 받고, 많은 사람들을 이끌 수 있는 지도자가 되지 않았습니까? 이것이 무엇입니까? 괴로이 노 젓는 과정을 통과한 하나님의 백성들의 모습이라는 것입니다.

저는 한국교회의 최고의 위기가 이것이라고 봅니다. 괴로이 노 젓는 것을 배우지 못합니다. 사람들에게 인내함이 없습니다. 교회 개척도 그렇습니다. 조금 해보다가 안 되면 포기해버리고 딴 곳으로 가버립니다. 조금 하다가 안 되면 다른 것을 하겠다는 이러한 태도는 하나님의 백성의 모습이 아닙니다.

아무리 앞에 바람이 있고, 장벽이 있고, 뚜렷한 전진이 없다고 할지라도 그 있는 자리에서 노 젓기를 계속하는 사람을 통해 하나님께서 일한다는 사실을 기억하시고, 자신의 자리로 돌아오기 바랍니다. 그리고 주님께서 나의 모든 모습을 보고 있다는 것을 깨닫고, 하나님을 바라보며 괴로이 노 젓는 헌신이 있는 하나님의 백성이 되기 바랍니다. 그렇게 될 때 하나님께서 많은 열매를 주실 줄로 확신합니다.

예수님을 빙자한 탐심

예수께서는 이제 바다를 건너오셨습니다. 제자들과 함께 건너오자 또 많은 이스라엘 백성들이 예수님을 찾아왔습니다. 그분을 찾아와서 많은 것들을 요구합니다. 그럴 때 그분이 무엇이라고 대답하십니까?

"예수께서 대답하여 가라사대 내가 진실로 진실로 너희에게 이르노니 너희가 나를 찾는 것은 표적을 본 까닭이 아니요 떡을 먹고 배부른 까닭이로다"(요 6:26).

지금 많은 사람들이 예수님을 따라오는데, 예수님은 그들의 속마음을 아셨습니다.

"너희들이 나를 따라오는 이유는 너희의 목적을 이루기 위해서이다."

우리도 예수께 영광 돌리기 위해 예배를 드리는 것이 아니라 우리의 유익을 위해서 예수님을 따를 수 있습니다. 자기의 목적을 위해서 예수님을 따르는 것은 우상숭배와 똑같습니다.

이 말씀은 우리 성도의 구원과 삶의 본질이 무엇인지 명확히 보여줍니다. 우상이 무엇입니까? 우리는 부처상을 만들고, 목상을 만드는 것을 우상이라고 생각합니다. 맞습니다. 그런데 하나 궁금한 것이 있습니다. 도대체 하나님의 말씀을 받고, 하나님의 백성으로 부름받았던 이스라엘 백성들이 어떻게 우상숭배를 할 수 있었습니까? 다른 민족들이 우상숭배를 했다는 것은 이해가 됩니다. 그런데 도대체 왜 이스라엘 백성들이 우상숭배를 했을까요? 이해가 안 되지 않습니까? 아마도 이 우상숭배에는 굉장히 강한 매력이 있었던 것 같습니다.

우상이 무엇인지 성경을 통해서 한번 분석해보겠습니다. 십계명을 보면 우상숭배를 하지 말라는 말씀이 나옵니다. 십계명은 출애굽기와 신명기 두 군데에 나와 있습니다. 출애굽기 20장 4절을 보니까 이렇게 나와 있습니다.

"너를 위하여 새긴 우상을 만들지 말고."

그러니까 우상을 만들지 말라고 했는데, 그 앞에 무엇이라고 되어 있습니까?

"너를 위하여 새긴 우상을 만들지 말고."

신명기 5장 8절입니다.

"너는 자기를 위하여 새긴 우상을 만들지 말고."

그 앞에 항상 어떤 말이 붙습니까? '너를 위하여', '자기를 위하여' 계속해서 이런 말이 나옵니다. 우상의 목적은 무엇입니까? 우리 자신입니다. 우리를 위해서 만드는 것이 우상이라는 것입니다. 우상숭배의 근원이 우리에게 있다는 것입니다.

그렇다면 우상이 밖에 있는 어떤 물질로서의 우상이라고 생각하면 곤란합니다. 우상이라는 것은 우리의 마음속에 있는 것입니다. 우리의 마음속에 있는 탐심이 우상입니다. 그래서 탐심이 곧 우상숭배라고 사도 바울은 말하고 있지 않습니까? 우상이 무엇입니까? 우리 마음에 드는 하나님을 만들어내는 것이 우상입니다. 그래서 우리가 우상을 따르고 우상에게 절하다보면 우리 마음에 부딪치는 것이 전혀 없습니다. 우리가 원하는 그대로입니다.

반면에 하나님의 뜻을 따르다보면 어떤 일이 벌어집니까? 충돌합니다. 우리 마음에 들지 않는 부분이 있습니다. 우리는 하고 싶지 않은데, 하나님은 하라고 하는 부분이 있습니다. 그런데 이상하게도 우상은 우리 마음하고 딱 맞아떨어집니다. 왜 그렇습니까? 우리가 만들어낸 것이기 때문입니다. 그러므로 우상숭배가 무엇이냐 하면 우리 마음에 들지 않는 하나님을 우리 마음에 드는 하나님으로 개조하는 것입니다.

이방에서 만들었던 우상들을 한번 생각해보십시오. 알라딘의 램프에서 무엇이 나옵니까? 굉장한 거인이 나오지 않습니까? 그 거인은 어떻습니까? 종이지 신(神)이 아닙니다. 우리가 하라는 대로 해줍니다. 그래서 우리가 램프를 문지르면 그 거인이 나와서 우리가 원하는 것을 모두 다 해줍니다. 도깨비 방망이는 무엇입니까? 우리가 원하면 금이 나오고, 우리가 원하면 밥이 나옵니다. 전부 다 우리의 도구입니다. 차이라면 세련되고 덜 세련된 것뿐입니다.

우상, 핑계의 산물

우상의 특징은 우리의 뜻을 세워주는 것입니다. 세상 모든 우상들을 보십시오. 전부 다 우리 속에 있는 것을 투영했을 뿐입니다. 사람들은 참 간교합니다. 그냥 자기가 돈을 사랑한다고 말하지 않고 돈 신(神)을 만들어 돈 신을 섬깁니다. 사람들은 그냥 음란하지 않습니다. 음란 신을 만들어서 그 신의 이름으로 음란한 일을 합니다. 다 핑계를 댑니다. 어떤 의미에서 우상이라는 것은 모든 핑계의 산물입니다.

그러므로 이스라엘 백성들이 예수님을 따르는 이유가 무엇입니까? 예수님을 우상으로 삼았기 때문입니다. 사실상 예수님은 안중에도 없는데, 자기들 마음 가운데 부자가 되는 꿈이 있고, 자기들 마음 가운데 정치적인 권력을 잡을 꿈이 있고, 자기들 마음 가운데 다시금 독립하고자 하는 꿈이 있습니다. 그런데 그 꿈을 이루어줄 수 있는 사람이 누구입니까? 예수님입니다. 우상의 대상으로 예수님을 따라왔습니다. 그랬더니 예수님이 무엇이라고 하십니까?

"너희가 표적을 본 까닭이 아니요 양식을 먹고 배부른 까닭이다."

"나는 너희들의 욕심을 채워줄 존재가 아니다"라는 것을 말씀하고 계십니다. 주님을 따를 때 이렇게 따르는 사람이 있습니다. 예수님의 십자가의 길을 인정하지 않고, 오직 예수님의 영광의 길만 따르겠다는 사람들입니다. 이게 우상입니다. 또 어떤 사람은 정치적으로 이용하려고 예수님을 따랐습니다. 이것도 우상입니다. 또 어떤 사람은 사회운동의 한 도구로서 예수님을 들먹입니다. 이것도 우상입니다. 그러므로 우상숭배하는 사람들은 어떻습니까? 예수님의 말씀을 100퍼센트 순종하기보다는 취사선택합니다. 자기 뜻대로 말입니다.

지금 우리 한국교회의 제일 큰 문제는 뜨네기 교인들이 많다는 것입니다. 이리 갔다가 저리 갔다가 하는 교인들이 많습니다. 그들의 마음 자세는 어떻습니까? 취사선택을 합니다. '내가 마음에 드는 교회를 가겠다',

'내가 원하는 교회를 한번 가보겠다'는 것입니다. 무슨 뜻입니까?

'내가 중심이다', '내 기분이 중심이고, 내 뜻이 중심이다.'

그러니까 교회를 놓고 쇼핑하는 것입니다. 마치 백화점에서 쇼핑하듯이 교회 열 개쯤 놓고 오늘은 이 교회에 가봐서 좋은 것을 취하고, 또 싫증나면 저 교회에 가고, 거기도 또 싫증나면 다른 교회에 가는 것입니다. 이것은 우상숭배로서의 기독교이지 진짜 기독교가 아닙니다. 참된 기독교의 본질은 무엇입니까? 하나님의 영광입니다. '우리가 주를 위해서 어떻게 충성해야 하고, 우리가 주를 위해서 무엇을 바쳐야 할 것인가?'를 우선순위로 삼는 것이 기독교의 본질입니다. 그러므로 참된 기독교로 돌아가기 위해서는 모든 성도들이 예배자가 되어야 합니다.

우리가 교회에 나오는 여러 가지 부수적인 목적들이 있지만, 가장 큰 목적은 예배드리기 위해서입니다. 우리를 위해서 독생자를 보내시고, 또한 십자가에 피 흘려 죽기까지 우리를 사랑하신 그분을 경배하기 위해서 우리가 교회에 나오는 것입니다. 예수께 영광 돌리고, 예수께 헌신을 다짐하는 이것이 우리의 진정한 예배의 동기가 될 때 모든 우상이 다 산산조각날 것입니다. 그런 다음에 예배의 부산물로 주께서 주시는 은혜를 누리는 것이 성도의 모습이지, 우리의 목적과 우리의 욕심을 채우기 위해서 주님 앞에 나아오는 것은 진정한 예배자의 모습이 아니요, 우상숭배자의 모습이 될 수 있다는 것을 유념하시고, 하나님 앞에서 참된 예배자가 되기 바랍니다.

율법주의, 계몽주의, 공산주의

요한복음 6장 27절에서 예수님이 무엇이라고 말씀하십니까?

"썩는 양식을 위하여 일하지 말고 영생하도록 있는 양식을 위하여 하라 이 양식은 인자(人子)가 너희에게 주리니 인자는 아버지 하나님의 인치신 자니라."

그랬더니 그 많은 사람들이 무엇이라고 말합니까?

"저희가 묻되 우리가 어떻게 하여야 하나님의 일을 하오리이까."

27절과 28절 사이에는 굉장히 많은 메시지가 숨겨져 있습니다. 무슨 뜻입니까? 인간은 본성적으로 "내가 무슨 일을 해야만 하나님이 인정할 것이다"라는 독선이 있습니다. 그래서 인간은 본성적으로 행위 구원에 대해 매력을 느낍니다. 젊은 청년 관원이 예수께 나와서 무엇이라고 합니까?

"선한 선생이여 내가 무엇을 '하여야' 영생을 얻으리이까?"

실천에 대한 이야기입니다. 빌립보 간수가 무엇이라고 합니까?

"선생들아 내가 어떻게 '하여야' 구원을 얻으리이까?"

세상의 모든 종교들과 모든 사람들은 실천이 답이라고 생각합니다. 그래서 전부 다 "실천, 실천"이라고 말합니다. 우리 주변의 모든 철학들을 보면 실천을 위한 철학입니다.

어떤 사람이 강권(强權)을 가지고 실천하기를 원합니다. 그래서 강권을 가지고 나온 것이 무엇입니까? 절대권력입니다. 말 안 들으면 몽둥이 들고, "너희들 말 들을래, 안 들을래?" 하는 것도 실천하게 만드는 방법입니다.

그것도 안 되면 또 어떻게 만듭니까? 율법주의입니다. 율법주의가 왜 나왔습니까? 실천을 잘 하자고 나온 것입니다. 우리가 어떻게 하면 하나님의 말씀대로 잘 실천할 수 있을까? 그러다보니까 법조문이 나온 것입니다. 해야 될 것 몇 가지, 하지 말아야 될 것 몇 가지 하며 목록을 제시하는 것도 실천이 목적입니다. 율법주의가 처음부터 나쁜 것이 아닙니다. 실천을 잘 하자는 굉장히 좋은 동기에서 나온 것입니다.

그 다음에 나온 것이 무엇입니까? 계몽주의입니다. 사람들을 잘 실천하게 만들자는 것입니다. 실천하게 만들기 위해서 사람들을 설득해야 된다는 것입니다. 이것은 율법주의와 또 다른 것입니다. 사람들을 설득해서 실천하게 만들자는 것입니다.

공산주의가 무엇입니까? 공산주의의 이론 자체는 너무나 훌륭합니다.

"모든 사람이 평등하게, 다 똑같이 살자."

얼마나 아름다운 목표입니까? 이상이지요. 그런데 그 이상을 실천하는 방법이 무엇입니까? 폭력입니다. 폭력혁명을 통해서 이 거룩한 이론을 실천해보자는 것입니다. 공산주의는 실천에 관한 가장 극단적인 표현입니다.

이상의 이론들이 가진 목적은 실천입니다. 그런데 이루어졌습니까, 안 이루어졌습니까? 절대로 이루어질 수 없습니다. 인간은 아무리 실천을 외친다 할지라도 이루어질 수 없습니다. 왜 이루어질 수 없습니까? 인간의 죄성(罪性) 때문에 그렇습니다. 우리가 백날 떠들어도 안 된다는 것입니다. 우리에게는 그럴 만한 능력이 없습니다.

"내 속 곧 내 육신에 선한 것이 거하지 아니하는 줄을 아노니 원함은 내게 있으나 선을 행하는 것은 없노라 내가 원하는 바 선은 하지 아니하고 도리어 원치 아니하는 바 악은 행하는도다"(롬 7:18, 19).

"오호라 나는 곤고한 사람이로다 이 사망의 몸에서 누가 나를 건져내랴"(롬 7:24).

무슨 고백입니까? 아무리 실천을 외쳐도 안 되는 것이 인간입니다. 우리는 안 된다는 것입니다. 강권을 해도 안 되고, 율법주의로도 안 되고, 계몽주의로도 안 되고, 심지어 공산주의도 실패하지 않습니까? 안 된다는 것입니다. 몽둥이를 들고 아무리 내리쳐도 안 됩니다. 그러면 어떻게 하면 되겠습니까? 성경에 나와 있는 정답은 성령으로는 된다는 것입니다.

"율법이 육신으로 말미암아 연약하여 할 수 없는 그것을 하나님은 하시나니 곧 죄를 인하여 자기 아들을 죄 있는 육신의 모양으로 보내어 육신에 죄를 정하사"(롬 8:3).

하나님의 성령이 우리 안에 역사하면 비로소 할 수 있다는 것입니다.

행동은 믿음에서 시작된다

예수 믿는 사람들은 어떤 존재입니까? "하나님, 저는 주의 말씀대로 순종할 능력이 없습니다"라고 인정하는 사람입니다. "주의 성령이 내 안에 들어오셔서 역사하시면, 나는 할 수 없지만 주님은 할 수 있습니다. 그러므로 내 마음속에 있는 주권을 예수 그리스도 앞에 내어놓습니다"라고 인정하는 존재입니다. 이것이 예수 믿는다는 것입니다.

그래서 하나님은 마음의 모든 주권이 예수께 가 있는 그 사람을 통해서 일하십니다.

"나는 할 수 없었는데, 주님께 맡겼더니 주님이 하시더라."

이것이 믿음입니다. 사도행전 16장 30절에 보니까 빌립보 간수가 이렇게 물었습니다.

"내가 어떻게 하여야 구원을 얻으리이까?"

인간의 자연스러운 모습입니다.

"내가 무슨 일을 해야, 내가 무슨 실천을 해야 구원을 얻겠습니까?"

그럴 때 바울이 무엇이라고 합니까?

"주 예수를 믿으라 그리하면 너와 네 집이 구원을 얻으리라"(31절).

무엇이 '일'입니까? '믿는 것'이 일이라는 것입니다. 우리가 해야 할 일은 믿는 것 한 가지입니다. 믿으면 비로소 구원이 임하게 됩니다.

사람들이 예수께 질문을 하고 예수께서 대답해주시는 내용을 보십시오.

"우리가 어떻게 하여야 하나님의 일을 하오리이까 예수께서 대답하여 가라사대 하나님의 보내신 자를 믿는 것이 하나님의 일이니라 하시니"(요 6:28, 29).

그러면 우리가 하나님 앞에서 제일 먼저 해야 할 일이 무엇입니까? 믿는 것입니다. 주께서 모든 것을 하셨다는 것을 믿고 나의 연약함을 주님 앞에 내어놓는 것이 바로 믿음의 본질입니다. 믿으면 할 수 있습니다. 믿으면 주의 말씀대로 순종할 수 있고, 믿으면 하나님 앞에서 열매를 맺을 수 있습니다. 이것이 성경의 외침입니다.

흔히들 이렇게 이야기하지요.

"어떤 사람은 믿기는 믿는데, 행동하지 않는다."

이런 것은 없습니다. 야고보서에서도 계속 강조하는 것이 무엇입니까? 믿으면 행하게 되어 있다는 것입니다. 행하지 않는 까닭은 무엇입니까? 안 믿기 때문에 안 하는 것이지 진짜로 믿으면 안 할 수 없다는 것입니다. 노아는 하나님께서 장차 물로 세상을 심판할 것을 믿었습니까, 안 믿었습니까? 믿었지요. 진짜 믿었습니다. 믿었으니까 방주를 예비했습니다. 이것이 믿음이라는 것입니다. 진짜 믿음은 움직이지 않을 수 없습니다.

진짜 예수 믿는 사람들은 절대로 예수님을 부인할 수 없습니다. 우리가 죽고 난 다음에 천국과 지옥이 있고, 주님의 심판이 있다는 것을 100퍼센트 아는데 어떻게 주님을 부인합니까? 사자 밥이 된다고 할지라도, 불속에 들어간다고 할지라도 결코 부인할 수 없습니다. 왜 그렇습니까? 믿음이 너무 확실하기 때문입니다. 그런데 우리가 믿는다고 하면서도 행함이 없다고 한다면 그것은 진짜 믿음이 아닙니다. 죽은 믿음이요, 믿음을 가장한 불신앙일 뿐이지 진짜 믿음이 아닙니다.

그런데 믿음은 내가 믿는 것이 아닙니다. 믿음은 하나님의 선물이라고 했습니다. 이런 도전을 받고 있는 지금 하나님의 은혜로 믿음이 생기게 해달라고 기도하십시오. 이 믿음을 가지고 일할 수 있는 하나님의 백성이 되기 바랍니다.

그러므로 하나님나라의 일은 믿는 것입니다. 삼일교회가 제주선교를 하고 대만선교를 하고 필리핀, 중국선교 또 우리 한국 전체를 깨우는 사역을 한다고 했을 때, 우리는 무엇을 하면 됩니까? 일단 온 성도가 다 믿는 것입니다. 그러면 하나님께서 그 믿음을 토대로 일하시게 될 것입니다. 그리고 하나님께서는 그 믿음을 사용하여 많은 영혼들을 건지는 놀라운 일들을 이루시게 될 것입니다. 그러므로 이 예수님의 말씀을 듣고 하나님 앞에서 믿음으로 일하고 믿음으로 말미암아 순종하는 자리까지 나아갈 수 있는 하나님의 사람이 되기 바랍니다.

오직 성령으로

이 모든 말씀의 결론을 맺으면 무엇입니까? 우리의 신앙생활이라는 것은 성령으로 시작해서 성령으로 마치는 것입니다. 앞에서 성령께서 빛을 비춰주셔야만 하나님 말씀이 진짜인지 아닌지 깨달을 수 있다고 말했습니다. 또 우리가 어떻게 기다릴 수 있고 인내할 수 있습니까? 성령께서 우리에게 능력을 주셔야만 비로소 인내할 수 있고 기다릴 수 있습니다. 또한 성령이 위로해주셔야만, 낙심치 아니하고 노 저을 수 있는 힘이 생깁니다. 내 힘을 가지고 이를 악물고 노를 젓는다고 일이 되는 것이 아닙니다. 성령이 역사하니까 노 저을 수 있는 힘이 생기는 것입니다.

성령을 의지하니까 자기 의(義)가 죽고, '내가 이를 악물고 하겠다'는 자기 실천의 의지가 깨져버리고 '나는 할 수 없습니다. 주의 은혜로만 할 수 있습니다'라고 고백하는 은혜의 자리로 나아올 수 있는 것입니다. 그러므로 성령으로 시작해서 성령과 동행하며 성령의 능력 가운데 주의 영광의 날개 아래로 들어갈 수 있는 사람이 되기 바랍니다.

삼일교회가 이제까지 쭉 많은 일들을 해왔는데, 최근 들어서 제일 약한 것이 있습니다. 무엇이냐 하면 성령과 함께하는 일들이 약화되었습니다. 자꾸만 우리 노력으로 하려고 합니다. 우리 힘으로 하려고 합니다. 이것이 아니라는 것입니다. 각 심령들을 변화시키고, 우리가 열매를 맺고, 이 땅을 변화시키는 것들은 우리 힘으로 안 됩니다. 그러니까 어떻게 합니까? 전능하신 하나님을 의지하고 성령과 함께해야 됩니다.

겨울에 설악산에 가보면 산 곳곳에 눈이 가득합니다. 우리가 수백 명을 풀어서 설악산에 있는 눈을 다 쓸어낸다는 것이 가능한 일입니까? 불가능합니다. 눈을 쓸다가 겨울이 다 갈 것입니다. 그런데 하나님께서 태양

빛을 비추시면 30분 만에 눈이 다 녹아버립니다. 이것이 바로 성령 안에서 일하는 사람들의 능력이라는 것입니다. "우리 힘으로 하겠다고 이를 악무는 자들이 아니라, 성령의 빛을 비추어주사 우리의 모든 것들이 눈 녹듯 다 녹아내리는 은혜의 역사가 나타나게 해주십시오" 하고 간구할 때, 우리가 빠른 시간 안에 승리하는 하나님의 백성이 될 줄로 믿습니다. 우리 삶의 모든 부분에 성령의 은혜가 임하길 간구하는 하나님의 백성이 되기 바랍니다.

ID 153 패스워드

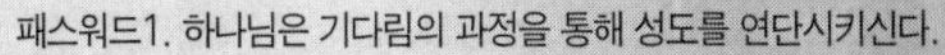

패스워드1. 하나님은 기다림의 과정을 통해 성도를 연단시키신다.

하나님은 우리가 고난을 당하고 있을 때 즉각 나타나셔서 문제를 해결해주시지 않는다. 우리 스스로 답을 찾을 때까지 한참 동안을 기다리신다. 그리고 그 기다림의 시간을 통해 우리의 마음이 변화되길 원하신다. 기다리는 동안은 끝까지 인내하며 낙심치 말아야 한다.

패스워드2. '괴로이 노 젓는 단계'를 거쳐야 믿음이 자란다.

하나님은 때로 우리를 철저히 낮추고 철저히 어려움 가운데 떨어지게 만드신다. 하나님의 은혜만을 붙드는 자리로 나아가게 하시기 위해서다. 하나님은 우리가 이 세상에서 아무런 전진 없이 괴로이 노만 젓는 모습을 때로 보고만 계신다. 그러나 이 과정을 잠잠히 통과한 사람만이 쓰임받을 수 있다.

패스워드3. 자기 유익을 위해 예수를 따르는 것은 우상숭배다.

우리 마음에 맞는 우상을 따르고 그 우상에게 절하는 데는 전혀 부딪칠 것이 없다. 그러나 하나님의 뜻을 따르는 데는 본성을 거스르는 무언가가 반드시 있다. 참헌신은 우리의 생각을 하나님의 뜻에 굴복시키는 것이다.

코람데오(Coram Deo) 자기점검

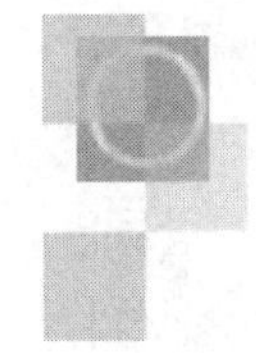

1. 하나님께서는 고난 가운데 도우심을 구하는 우리를 바라보실 때 깊이 생각하신다. 또한 마냥 응답을 늦추는 것이 그분의 본심은 아니다. 당신은 낙담이 찾아올 때 하나님의 본심을 헤아리려 해본 적이 있는가?

2. 아무런 이적 없이도 예수님을 믿는 자리에 들어와 있는 그것이 이미 큰 축복이요 기적이다. 사방으로 답답한 가운데 괴로이 노만 젓는 때조차 하나님 안에서라면 결코 헛된 시간이 아님을 당신은 실감하는가?

3. 탐심이 곧 우상숭배다. 탐심이 일어나는 그 순간의 마음을 꺾어 하나님께 드릴 때 그것이 바로 순종이다. 당신의 삶속에는 이러한 구체적인 꺾임의 연습이 있는가?

17장

생명의 기적

4부 말씀 불패의 믿음

요 6:32-59

우리 한국교회는 반성해야 됩니다. 왜 사회가 이렇게 되었습니까? 우리가 진리의 말씀을 증거하지 않았기 때문입니다. 진정으로 우리의 영적인 양식이 되시고, 생명의 떡 되시는 예수님을 증거하지 않았기 때문에 사람들이 먹고살 것이 없는 것입니다. 그래서 사람들이 죽은 것에 손대고 병든 것에 손대고 있는 것입니다.

깨닫지 못하는 세대

성경은 믿음을 매우 강조합니다. 성도는 믿음으로 말미암아 구원을 받습니다. 또한 성도는 믿음으로 세상을 이깁니다. 성도는 믿음으로 하나님을 기쁘시게 합니다. 어찌 보면 성도의 모든 문제의 열쇠는 믿음에 있습니다. 그렇기 때문에 믿음이 중요합니다. 그러므로 성도가 다른 것은 몰라도 반드시 믿음만은 가지고 있어야 합니다.

그런데 이 중요한 믿음이 도대체 어떻게 생기는 것입니까? 사람들은 '하나님의 이적을 보면 내 믿음이 굳건해질 텐데' 하는 생각을 합니다. 그런데 실제로는 그렇지 않습니다. 거의 죽을병에서 고침을 받은 사람이 있었습니다. 분명히 하나님의 능력으로 구원함을 얻었습니다. 그런데 그런 체험을 한 사람도 예수 안 믿는 것을 저는 봤습니다. 심지어 귀신들려서 귀신에게 매인 바 된 사람이 예수 그리스도의 십자가의 능력으로 귀신에게서 풀려나고도 예수를 안 믿는 경우를 봤습니다. 이적이 우리에게 믿음을 주는 것이 아니라는 것입니다.

이스라엘 백성들도 마찬가지입니다. 이적을 보았으나 믿지 않았습니다. 출애굽을 할 때, 애굽에서 열 가지 재앙을 목격했습니다. 또한 만나와 메추라기로 먹이시는 하나님의 능력을 목격했습니다. 홍해가 갈라지는 기적을 체험했습니다. 그러나 그들은 믿지 않았습니다. 믿지 않는 그들은 광야에서 다 죽었습니다. 본다고 믿어지는 것이 아니라는 결정적인 증거입니다.

또 예수님 당시의 사람들도 예수님이 병 고치는 이적이라든지, 오병이어의 기적이라든지, 죽은 자를 살리시는 기적을 다 목격했습니다. 그러나 그랬다고 해서 거기에 있던 모든 사람들이 예수님을 다 믿었느냐 하면 그렇지 않습니다. 보는 것이 믿음을 주지 못한다는 것입니다. 요한복음 6장 30절입니다.

"저희가 묻되 그러면 우리로 보고 당신을 믿게 행하시는 표적이 무엇이니이까 하시는 일이 무엇이니이까."

다시 말해서 유대인은 예수께 표적을 보여달라고 합니다. 지금 이 30절의 질문이 언제 한 것입니까? 바로 보리떡 다섯 개와 물고기 두 마리로 5천 명을 먹이신 기적을 행한 그 다음날입니다. 너무도 터무니없지 않습니까? 바로 하루 전에 예수님의 구원의 손길을 보았습니다. 능력의 손길을 보았습니다. 이적을 보았습니다. 그러고도 믿지 않으면서 뭐라고 말하고 있습니까?

"또 다른 표적을 보여주십시오."

이것이 인간의 모습입니다. 도대체 오병이어의 기적을 보았으면 됐지, 또 무슨 표적이 더 필요하겠습니까? 그런데 인간들은 더 많은 이적, 더 많은 표적을 보면 믿겠다는 자세로 나옵니다. 그러나 안 믿는 것에는 무슨 증거를 보여주어도 소용이 없습니다.

불신은 병이다

일전에 한 집사님의 소개로 예수를 믿지 않는 어떤 부부를 만난 적이 있습니다.

"가정에 문제가 있으니까 목사님이 심방을 해주시면 그 가정이 그리스도를 영접하고 주께로 나올지도 모르겠습니다."

그래서 그 집사님과 함께 그 집을 심방했습니다. 부부가 다 일류대학을 나왔습니다. 그리고 잘사는 집이었습니다. 그런데 그 집안의 문제가 무엇이냐 하면 부인이 남편을 의심하는 것입니다. 우리가 보통 말하는 의부증을 앓고 있는 여인이었습니다. 매사에 남편을 의심합니다. 제가 대화를 나누어보니까 남편이 자기를 속인답니다. 다른 여자를 만나고 있답니다.

또 남편의 이야기를 들어보니까 아내가 하루에 열 번도 넘게 회사로 전화를 건다고 합니다. 전화해서 남편이 없으면 '지금 일을 저지르고 있구나' 하고 심증을 굳힌다는 것입니다. 그리고 남편이 전화를 받으면 '거봐라. 무언가 찔리는 것이 있으니까 나를 속이려고 계속 자리에 머물러 있는 거지. 사업하는 사람이 어떻게 한 자리에만 머물러 있을 수 있어? 나를 속이려는 거지' 하며 이래도 안 믿고 저래도 안 믿습니다.

아무리 증거를 보여주어도 믿지 않습니다. 그래서 남자가 미칠 지경이라고 했습니다. 제가 그 여자분하고 한 30분 정도 대화를 나누는데, 듣는 저도 돌 지경이었습니다. 잠깐 대화를 나누는 사이에 제가 돌 지경인데, 같이 사는 남편이 아직 제정신인 것이 참 신기할 정도였습니다. 제가 하도 답답해서 이런 이야기를 했습니다.

"제가 보기에 당신 남편은 착실한 사람입니다. 결코 가정을 버릴 분이 아닙니다. 진짜 당신을 사랑하는 사람입니다. 부부가 서로 믿고 살아야지 의심하면 되겠습니까?"

그랬더니 그 여자가 저한테 무엇이라고 말했는 줄 아십니까?

"당신, 우리 남편한테 돈 얼마 받았어?"

그러면서 눈을 막 부라리더니 "혹시 내 남편이 만나는 여자의 동생 아니야?" 하며 멱살을 잡으려고 들었습니다. 그래서 제가 도망쳐나왔습니다.

믿지 않으려고 하는 사람에게는, 아무리 많은 증거를 대고 아무리 많은 물증을 보여주어도 안 믿습니다. 여기서 알 수 있는 것은 무엇입니까? 불신은 병이라는 것입니다. 믿고 싶어도 안 믿어지는 것 때문에 사람이 무너집니다. 이것 때문에 사람이 망합니다. 그러므로 우리가 하나님 앞에서 믿음이 생기지 않는다는 것은 인간의 결정적인 질병입니다. 이 질병의 문제는 하나님이 은혜를 주셔야만 해결됩니다.

믿음은 어떻게 생깁니까? 성경은 믿음이 하나님의 선물이라고 말씀합니다. 에베소서 2장 8장에 보니까 "너희가 그 은혜를 인하여 믿음으로 말미암아 구원을 얻었나니 이것이 너희에게서 난 것이 아니요 하나님의 선물이라"고 했습니다. 성도들이 받는 복 중에 최고의 복이 무엇인 줄 아십니까? 바로 하나님의 말씀이 하나같이 다 믿어지는 복입니다. "하나님이 인격적으로 나를 붙들어주신다"고 믿어지면 그것이 복입니다. 이 일은 성령이 하십니다. 성령이 우리에게 주시는 가장 큰 복은 믿어지는 복, 믿음의 복이라는 것을 꼭 기억하시고 하나님 앞에 믿음을 구하는 성도가 되기 바랍니다.

결국 하나님의 백성들이 세상 사람들에게 복음을 전파하고 전도하는 것이 믿음의 증거입니다. 세상 사람들은 원초적으로 하나님을 믿지 않는 존재입니다. 그런데 성령의 능력과 우리가 전하는 말씀으로 말미암아 그들에게 믿음이 심겨질 때 참된 행복과 영혼의 소생함을 얻을 수 있습니다.

유대인과 마찬가지로 단지 표적만을 구하시겠습니까? 표적을 구하는 것에는 결코 만족이 없습니다. 또 다른 표적을 계속 구하고 끝까지 표적만을 구하게 되어 있습니다. 주님께서 우리에게 원하시는 것은 표적을 구하는 것이 아니라 믿음을 갖는 것입니다. 표적만을 구하지 말고 믿음으로 주님 앞에 나아가기 바랍니다.

생명의 밥

예수님은 새로운 표적을 보이라는 유대인들에게 새로운 표적을 보여주시는 것이 아니라, 이미 보여주셨던 오병이어의 표적의 의미를 다시 설명해주십니다. 표적은 그 안에 숨겨져 있는 상징적인 의미를 발견하는 것이 중요합니다.

요한복음에는 일곱 가지의 "나는 무엇이다"라는 구절이 나와 있습니다. 예수님의 본질과 속성을 설명하기 위한 상징의 표현으로, 예수님 자신이 일곱 가지로 나타내셨습니다. 6장에서 예수님은 "나는 생명의 떡"이라고 하셨고, 8장에서 "나는 세상의 빛"이라고 하셨고, 10장에서 "나는 양의 문", "나는 선한 목자"라고 하셨습니다. 11장에서 나사로를 살리시고 난 다음에는 "나는 부활이요 생명이다"라고 하셨습니다. 14장에서 "나는 길이요 진리요 생명"이라고 하셨습니다. 마지막으로 요한복음 15장에서 "나는 참포도나무"라고 말씀하셨습니다. 예수께서 "나는 무엇이다"라는 말씀을 일곱 번 하셨습니다.

여기서 우리가 알 수 있는 것이 무엇입니까? 예수님이 친히 자신을 드러내셨음에도 불구하고 이 무지한 인간들이 그것을 이해하지 못합니다. 그러자 예수께서 한 가지 이적을 보이시며 "나는 무엇이다"라고 말씀하심으로써 예수님이 누구신지 보여주십니다. 그런데 "나는 무엇이다"라는 표현을 살펴보면 전부 다 이적들과 연결되어 있다는 것을 알 수 있습니다.

먼저 보리떡 다섯 개와 물고기 두 마리로 5천 명을 먹이셨습니다. 오병이어는 떡의 기적입니다. 그러고 난 다음에 무엇이라고 하셨습니다.

"너희들은 그러한 떡에만 마음을 두지 말아라."

진짜 떡이 누구라는 것입니까? 바로 예수님이라는 것입니다. "나는 생명의 떡이다"라고 말씀하시는 것입니다.

예수께서 소경의 눈을 고치셨습니다. 그런 다음에 "내가 소경만 눈뜨게 하는 사람이라고 한정짓지 말라. 나는 세상의 빛이다"라고 말씀하시는 것입니다. 그리고 "나는 영적인 소경들을 눈뜨게 하는 자다. 내게 오기만 하면 영적으로 눈을 뜨게 되는 은혜가 나타나게 될 것이다"라고 말씀하십니다.

예수께서 11장에서 죽은 나사로를 살리셨습니다. 그런 다음 예수님은 다만 죽은 것을 살린다는 정도가 아니라 "나는 부활이요 생명이니 나를 믿는 자는 죽어도 살겠고"라는 말씀을 하셨습니다.

그러니까 예수께서 하신 모든 이적은 다 그 속에 뜻이 있습니다. 그런 의미에서 반응과 응답이 다릅니다. 반응이라는 것은 '리액션'(reaction)입니다. 어떤 선생님이 학생을 사랑하는 마음으로 등을 두드립니다. "수고해" 하고 등을 톡톡 두드립니다. 이 행동이 뭘 뜻하는지 아는 사람은 이것을 '격려'라고 생각합니다.

'아, 선생님이 나를 사랑해서 격려해주시려고 등을 두드려주시는구나.'

이것을 '응답'이라고 합니다. 속뜻을 아는 것입니다. 그런데 정신 나간 애들은 "선생이 왜 학생을 때려? 폭력 선생 물러가라!"고 외칩니다. 잘못된 것입니다. 그 속뜻을 알아야 됩니다. 때리는 것이 아니지 않습니까? 격려하는 것입니다. 그 속뜻을 안다는 것이 바르게 응답하는 사람의 모습입니다.

주님께서는 오병이어의 기적을 통해서 우리에게 반응보다는 응답을 원하고 계십니다. 그 속에 숨겨져 있는 뜻이 무엇인지 깨닫기 원하십니다. 그럼 예수님의 "나는 생명의 떡이다"라는 말씀은 무슨 뜻입니까? 이 떡의 상징을 통해 예수님의 참모습을 알기 원하신다는 것입니다. 그러면 "나의 떡을 먹으라"는 말씀은 무슨 뜻입니까? "너희들이 떡을 먹는 것과 같이 나와의 교제를 통해서 나의 참모습을 깨달아라" 그런 뜻입니다.

이 떡이라는 말은 원어를 보면 빵이라고 되어 있습니다. 빵은 날마다 먹는 주식을 뜻합니다. 한글성경에서는 '생명의 떡' 이라고 번역하지만, 우리 정서에 맞는 번역은 '생명의 밥' 입니다. 우리가 날마다 밥 먹고 살지 않습니까? 서양 사람들이 날마다 빵을 먹듯이 우리는 밥을 먹고 삽니다. 무슨 뜻입니까?

"나는 생명의 밥이다."

예수님이 우리가 날마다 먹는 세 끼 밥 같은 분이시라는 뜻입니다.

밥의 세 가지 의미

예수님은 밥인데, 밥에는 다음과 같은 세 가지 영적 의미가 담겨 있습니다.

첫째, 밥은 필수적인 음식입니다. 밥은 절대로 사치품이 아닙니다. 밥은 먹어도 되고 안 먹어도 되는 것이 아닙니다. 우리가 생존하는 데 필수적인 것입니다. 그러므로 밥 먹는 것이 자랑일 수 없습니다. 우리 가운데 밥 먹은 것을 자랑하는 분이 있습니까?

"나는 오늘 밥 세 그릇 먹었어요."

이것은 자랑이 아니지요.

"나는 오늘 아침에 밥을 다섯 그릇 먹고 왔어요."

이것은 자랑이 될 수 없습니다. 그런 소리하면 "너 식충이냐?" 하지, "아, 너의 집이 부자라서 다섯 그릇이나 먹었구나" 하지 않습니다. 왜 그렇습니까? 밥 자체가 우리 삶에 필수적인 것이기 때문에 그렇습니다.

이것을 예수님이 밥이라는 상징에 적용하면 무슨 뜻입니까? 예수님은 우리의 삶에 액세서리가 아니라는 것입니다. 있어도 그만 없어도 그만인 존재가 아니라, 우리의 삶을 유지하는 데 필수적인 분이라는 것입니다. 이것이 밥이라는 상징에 숨겨져 있는 예수님의 뜻입니다.

둘째, 예수님이 밥이란 뜻은 모든 사람의 구미에 맞는 음식이라는 뜻입니다. 어떤 사람은 짠 음식을 못 먹습니다. 어떤 사람은 단 음식을 못 먹습니다. 또 어떤 사람은 고기를 못 먹습니다. 그러나 밥을 싫어하는 사람은 없습니다. 예수님이 밥이라는 것은 무슨 뜻입니까?

"예수님은 차별없이 모든 사람들의 필요를 채워주고 모든 영혼들을 구원시켜주시는 분이다. 신분의 차이에 관계없이 모든 사람들의 구원자가 되신다."

이것이 밥에 숨겨진 예수님의 뜻입니다.

셋째, 밥은 매일 먹는 음식입니다. 마찬가지로 예수님과의 교제도 하루도 끊이지 않고 매일같이 이루어져야 함을 우리에게 보여주고 있습니다. 밥은 매일 먹습니다. 그런 의미에서 예수께서는 일용할 영적 양식입니다. 매일매일 교제함으로 채워야 할 분이 바로 우리 영혼의 밥 되신 예수님입니다.

그러므로 이 모든 것을 요약하면 무엇입니까?

"예수님은 우리의 밥이 되어서 우리가 날마다 교제를 통해서 누릴 영적인 양식이다."

이것이 바로 예수님이 "나는 생명의 떡이다"라고 말씀하신 일차적인 뜻입니다.

살아있는 생명을 먹어야 산다

본문에서는 '떡'이라는 말 앞에 수식어가 하나 있습니다. "나는 생명의 떡"이라는 것입니다. 무슨 뜻입니까? 예수님과의 교제를 통해서만 생명이 주어질 수 있다는 것입니다.

"하나님의 떡은 하늘에서 내려 세상에게 생명을 주는 것이니라"(33절).

"예수께서 가라사대 내가 곧 생명의 떡이니 내게 오는 자는 결코 주리지 아니할 터이요 나를 믿는 자는 영원히 목마르지 아니하리라"(35절).

"진실로 진실로 너희에게 이르노니 믿는 자는 영생을 가졌나니 내가 곧 생명의 떡이로라"(47, 48절).

"내 살은 참된 양식이요 내 피는 참된 음료로다 내 살을 먹고 내 피를 마시는 자는 내 안에 거하고 나도 그 안에 거하나니 살아계신 아버지께서 나를 보내시매 내가 아버지로 인하여 사는 것같이 나를 먹는 그 사람도 나로 인하여 살리라"(55-57절).

계속 강조되는 것이 무엇입니까? 예수님과의 교제를 통해서만 생명이 주어질 수 있다는 것입니다. 예수님과의 교제를 떠나서 생명을 얻을 수 있는 존재는 단 한 사람도 없습니다. 그런 의미에서 주님은 우리에게 생명의 떡이 되십니다. 곰곰이 생각해보면 우리가 먹는 것은 생명을 먹는 것과 같습니다.

일전에 대구에 갔는데, 대구에서 저를 초청하신 교회 목사님이 아주 좋은 고기집이 있다고 해서 같이 간 적이 있었습니다. 갔더니 고기가 정말로 맛있었습니다. 그래서 제가 "고기를 이렇게 맛있게 하는 비결이 무엇입니까?" 하고 물어보았습니다. 일반적으로 고기를 냉동해서 두지 않습니까? 그런데 이 집의 특징은 절대로 소를 냉동시키지 않는다는 것입니다. 도살한 다음에 냉동시키지 않은 생고기를 하루에 다 팔아버린다는 것입니다.

재미있는 것은, 만일 손님이 많아서 오후 3시쯤에 고기가 다 팔렸다 하면 그날은 음식점 문을 닫는답니다. 그래서 어느 날에는 저녁에 장사하지 않을 때도 있다고 합니다. 그것이 특징입니다. 손님이 없어서 고기를 다 팔지 못해도 남은 고기는 절대 다시 팔지 않습니다. 어쨌든 그날 잡은 소는 그날 다 처리한다고 합니다. 그리고 다음날에는 또 다른 소를 잡는다는 것입니다.

주인 이야기가 참 재미있습니다.

"우리는 절대로 죽은 고기를 팔지 않습니다. 산 고기만 팝니다. 그것이 건강의 진리이고 또 그것이 우리가 장사하는 철학입니다."

맹수 중에 죽은 고기 먹는 맹수 봤냐는 것입니다. 동물원에서도 호랑이에게 죽은 토끼를 주면 안 먹습니다. 살아있는 것을 갖다줘야지 잡아 먹잖아요. 맹수가 맹수 될 수 있는 것은 무엇입니까? 산 동물을 먹기 때문에 그렇다는 것입니다. 그래서 자기는 그날 막 잡은 소는 그날 먹고 그날 판다는 것입니다.

잘 보니까 주인 아저씨도 그렇고 아주머니도 그렇고 아이들까지 펄펄 뛰어요. 맞는 이야기 같았습니다. 그래서 제가 곰곰이 생각해보니까 기도원 가서 음식을 먹을 때 제일 맛있는 것이 무엇인지 생각해봤습니다. 바로 고추입니다. 막 따다가 먹으니까 이미 따서 오래된 것하고는 맛의 차원이 다르다는 것입니다.

절대절명인 예수님과의 교제

육체의 생명을 유지하는 데도 바로 이런 원리가 적용됩니다. 생명을 먹고 생명을 유지하는 것처럼 우리의 영도 마찬가지입니다. 진정으로 살아계신 예수님과의 교제를 통해 우리의 영혼이 살아나는 것입니다. 우리는 그것을 '먹는다' 고 이야기할 수 있습니다. 예수님 외에 죽은 것을 먹으면 우리는 죽을 수밖에 없습니다. 예수님 외에 딴 것을 찾는다는 것은 썩은 것을 먹는 하이에나와 같은 존재로 전락했다는 뜻입니다. 이것은 영적으로 병든 모습입니다. 또한 돼지와 마찬가지로 더러운 것을 먹는 존재로 떨어졌다는 뜻입니다.

그러므로 우리 영혼이 살아나는 비결이 무엇입니까? 생명의 떡 되신 예수님과 교제하는 것입니다. 지금 한국 전체의 영적 상황을 보면 참 어려운 시기에 처해 있다는 것을 느낍니다. 모대학 국문과 교수였던 어떤 사람은 방송에 나와서 거의 무당 같은 소리만 하고 있습니다. 어떤 사람이 방송국에 전화를 걸어서 묻습니다. 젊은이가 시름시름 앓는다고 합니다. 그러니까 대답하는 말이 그 속에 죽은 할머니가 둘이나 들어가 있다고 합니다. 씻김굿을 해야지 낫는다고 합니다. 사람 속에 죽은 할머니들이 왜 살아요? 또 어떤 사람이 전화를 해서 부부 사이에 불화가 있다고 하니까 두 사람의 궁합이 안 맞는다고 하면서 헤어져야 해결이 된다고 합니다. 가정 깨는 소리만 하고 있습니다. 이런 소리를 배웠다는 사람들이나 여론을 주도하는 신문방송에서 앞장서서 하고 있습니다.

몇 년 전에 어떤 일간지를 보니까 '가정의 풍수설'이라는 것이 계속 연재되었습니다.

"어떤 가정은 풍수가 좋은 집에서 살아서 건강해지고 집안 일이 다 잘되고."

옛날 도참 사상에 영향으로 전해내려오는 미신을 지금 떠들고 있습니다. 제가 곰곰이 풍수설을 살펴보고 분석해보았습니다. 삼일교회 자리는 최악의 자리입니다. 막힌 골목에 동향집, 수맥과 교차되는 지점에 있습니다. 이 삼일교회가 들어선 땅은 되는 일이 하나도 없을 그런 자리입니다. 그런데 삼일교회가 안 됩니까? 부흥만 잘되고 있지 않습니까? 세상에서 말하는 풍수설이나 도참 사상은 예수 그리스도의 이름으로 깨부수어버려야 합니다. 진정한 생명은 그런 것에 있는 것이 아니라 예수 안에 있습니다. 혼탁해진 영적 상황 가운데서 참된 진리의 말씀인 생명의 떡 되신 예수님을 증거하기 바랍니다.

우리 한국교회는 반성해야 합니다. 왜 사회가 이렇게 되었습니까? 우리가 진리의 말씀을 증거하지 않았기 때문입니다. 진정으로 우리의 영적인 양식이 되시고, 생명의 떡 되시는 예수님을 증거하지 않았기 때문에 사람들이 먹고살 것이 없는 것입니다. 그래서 사람들이 죽은 것에 손대고 병든 것에 손대고 있는 것입니다. 책임감을 가지고 열심히 복음증거함으로 말미암아 영혼들에게 생명의 떡을 나누어주고, 그들의 영혼을 살릴 수 있는 하나님의 백성이 되기 바랍니다.

절박하면 찾는다

예수께서 자신을 생명의 떡이라고 했더니 유대인들이 수군거립니다.

"자기가 하늘로서 내려온 떡이라 하시므로 유대인들이 예수께 대하여 수군거려"(요 6:41).

수군수군하였습니다. 이 '수군거려'에 해당하는 헬라어 단어는 구약성경을 헬라어로 번역한 70인역에서 이스라엘 백성들이 '원망했다' 할 때 쓴 단어와 똑같은 단어입니다. 구약의 이스라엘 백성들이 원망했습니다. 지금 신약의 이스라엘 백성들이 또 무엇을 하고 있습니까? 수군거리고 있습니다. 즉, 원망하고 있습니다.

하나님께 대하여 수군대는 것은 인간의 부패성을 극명하게 드러내는 것입니다. 하나님의 교회가 무너질 때가 언제인 줄 아십니까? 수군댈 때입니다. 하나님의 백성은 수군거림이 아니라 하나님의 말씀에 "아멘" 하고 순종하는 것으로 응답해야 합니다. 우리에게 필요한 것은 듣고 순종하는 것이지 우리의 의사를 표시하는 것이 아니라는 말입니다.

그럼 왜 수군거렸습니까? 간단히 말하면 하늘에서 내려온 떡에 대한 영적인 주림이 없기 때문입니다. 진정으로 배고픔이 없기 때문에 이러한 일들이 벌어지는 것입니다. 자기 자신의 영적 누더기와도 같은 모습을 발견하고 또 죽음의 깡통을 찬 모습들을 발견하게 되면, 결코 이렇게 수군거릴 수 없습니다. 자기 자신의 운명이 지옥의 운명이요, 발바닥부터 어디 하나 성한 곳이 없다는 것을 깨달으면 위대한 의사 되신 예수께 매달릴 수밖에 없습니다.

병들고 다 죽어가면서도 예수님을 찾지 않고 주님 앞에 회개하지 않는 사람이 있습니다. 왜 그렇습니까? 아직도 자기 자신이 죽어 있는 줄 모르기 때문에 그렇습니다. 정말 절박한 상황에 처하게 되면 하나님을 찾게 됩니다. 아직도 배고픔이 없기 때문에 여유를 부리고 있는 것입니다. 지금 이러한 모습을 하고 있는 사람들이 누구입니까? 우리들입니다. 게을러서 기도를 못해요. 왜 그런 줄 아십니까? 영적인 주림이 없기 때문에 그렇습니다. 진짜 위기를 한번 당해보세요. 하나님 앞에 엎드려서 기도하지 않을 수 없습니다. 영적인 주림이 있어야만 주님 앞에 엎드릴 수 있는 것입니다.

저는 고등학교에 다닐 때 비교적 공부를 잘하는 편이었습니다. 그런데 저는 성격이 이상해서 남들 앞에서 공부하는 것을 수치로 여겼습니다. 그래서 새벽 4시쯤에 일어나 아침까지 공부를 열심히 합니다. 그리고 낮 12시부터는 매일 놀았습니다. 공부하는 애들에게 매일 농구하자고, 축구하자고 그러면서 놀았습니다. 그러면서 "공부가 밥 먹여주냐?"고 하니까 애들이 이상하다고 그랬습니다.

"재는 어떻게 공부도 안 하면서 성적은 좋아?"

이상하게 여겼습니다. 이것은 제가 평소에 공부를 해놓았기 때문입니다.

그런데 저 같은 사람도 착각을 하는 경우가 있습니다. 하루는 시험장에 가서 여유를 가지고 앉아 있는데 시험 보기 2시간 전쯤에 제가 그날 시험 보는 과목을 잘못 알고 있었다는 것을 알게 되었습니다. 그날 제가 무척 일찍 갔었거든요. 엉뚱한 것을 공부하고 그날 시험 보는 과목은 전혀 공부하지 않았습니다. 그러니까 어떻게 되었겠습니까? 발등에 불이 떨어졌지요. 진짜로 시험 공부에 주린다는 것이 무엇인지 그때 알았습니다. 두 시간 동안 그렇게 집중해서 공부해본 적이 없었습니다. 눈에 불을 켜고 정신없이 공부했습니다. 그랬더니 주변에 있는 아이들이 다 놀랍니다.

"야, 재도 공부할 때가 다 있구나!"

왜 그렇습니까? 자기 발등에 불이 떨어진 것을 아니까 그 주림 때문에 도저히 정상적인 생활을 할 수 없다는 것입니다.

최고의 복은 영적인 주림

우리 영혼도 마찬가지입니다. 계속 안락함 가운데 빠져 있는 이유가 무엇입니까? 자기 영혼의 마지막 종말이 무엇인지 보지 못하기 때문에 그렇습니다. 본 자들은 울부짖게 되어 있습니다. 사도 바울이 로마서 7장 24절에서 이렇게 부르짖었습니다.

"오호라 나는 곤고한 사람이로다 이 사망의 몸에서 누가 나를 건져내랴."

다른 사람보다 죄가 많아서 그랬습니까? 아닙니다. 자신의 범죄한 모습을 보았기 때문에 이런 고백을 하는 것입니다. 울부짖었습니다. 바울보다 더 악한 죄에 빠져 있어도 그것을 모르면 이런 고백을 안 합니다.

위암인데도 그냥 소화불량 정도로만 알고 지내는 사람은 자신의 상태를 모르니까 태평합니다. 그런데 어느 날 병원에 갔다가 '위암'이라는 진단을 받으면 어떻게 됩니까? 얼굴이 사색이 됩니다. 그때부터 이 병원 저 병원 뛰어다닙니다. 왜 이전에는 뛰어다니지 않고 가만히 있었습니까? 자기가 병들었다는 것을 몰랐기 때문입니다. 우리도 우리의 존재됨을 모르기 때문에 배부른 듯이 가만히 있는 것입니다.

그러므로 하나님 앞에서 최고의 복은 무엇입니까? 주림을 가지고 있는 모습입니다. 그래서 성령이 우리에게 은혜를 주실 때는 꼭 우리에게 배고픔을 줍니다. 마태복음 5장 6절을 보니까 "의(義)에 주리고 목마른 자는 복이 있나니"라고 했습니다. 의에 주리고 목마른 자가 복이 있다고 합니다. 주리고 목마름을 체험하는 사람에게 하나님께서 배부름을 주십니다.

하나님 앞에서 주리고 목마른 자들이 되기 바랍니다. 세상 재물이 아니라 의에 주리고 목마른 자들, 은혜에 주리고 목마른 자들이 될 때 하나님께서 우리를 배부르게 해주실 것입니다. 이것이 바로 하나님의 백성들이 은혜받는 지름길이라는 것을 꼭 기억하시기 바랍니다.

목회하면서 주변에 있는 사람들을 보며 결국 주려야만 무엇이 된다는 것을 목격하게 됩니다. 보통 때는 시집가라고 해도 절대로 안 갑니다. 그런데 어느 날 갑자기 처녀의 마음에 불이 붙습니다. 봄바람을 탔는지 못 살겠답니다. 안달을 부립니다. 그러면 저는 '아, 이제 시집갈 때가 됐구나' 하고 생각합니다. 그러고 나니까 1년 내로 시집가는 것을 봤습니다.

공부도 마찬가지입니다. 보통 때는 몽둥이로 패면서 공부하라고 해도 절대로 안 합니다. 언제 공부합니까? 자기가 공부의 필요성을 깨닫게 되면 그때 공부합니다. 세상에서 출세하는 사람과 낙오하는 사람의 차이점이 이것입니다. 공부의 필요성을 모르는 사람은 없습니다. 다 알아요. 어떤 사람은 좀 일찍 깨닫고 어떤 사람은 나이 서른 넘어서야 겨우 깨닫게 되기도 합니다. 그 차이입니다. 그러니까 빨리 깨달으면 빨리 성공합니다.

하나님의 은혜의 중요성을 일찍 깨달으면 그만큼 하나님 앞에 크게 쓰임받을 수 있습니다. 기도의 중요성, 말씀의 중요성, 선교의 중요성, 주님 앞에 충성하는 중요성을 먼저 깨닫는 영적인 갈급함을 통해서 체험을 얻는 하나님의 백성들이 되기 바랍니다.

그러므로 어떤 교회가 부흥하는 교회입니까? 어떤 교회가 능력있는 교회입니까? 항상 주님의 의에 대해서 주리고 목마름이 있고, 주님께 충성하는 일에 대해서 주리고 목마름이 있는 교회입니다. 그러한 교회를 하나님이 풍성하게 채워주시며 배부르게 해주십니다. 영적으로 주리고 목말라하는 가운데 하나님의 은혜를 체험하기 바랍니다.

가장 연약한 사람들을 사용하신다

전체 본문의 말씀에서 가장 중요한 말씀은 44절입니다.

"나를 보내신 아버지께서 이끌지 아니하면 아무라도 내게 올 수 없으니 오는 그를 내가 마지막 날에 다시 살리리라."

여기서 우리는 우리 소망의 근거를 알 수 있습니다. 우리가 소망을 갖는 이유가 무엇입니까? 은혜의 하나님께서 우리를 이끌어주시기 때문입니다. 믿음이 생기는 것도 하나님의 복이요, 우리의 길을 이끌어주시는 것도 하나님의 은혜입니다. 많은 사람들이 절망하는 이유가 무엇입니까? 자기의 힘을 가지고, 인간의 힘을 가지고 모든 일을 다 하려고 하기 때문에 절망 가운데 빠지게 됩니다.

요즘 한국교회의 상황을 보면 절망스럽지 않습니까? 교회마다 기도의 소리가 끊어져가고, 많은 교회들이 크나큰 어려움을 당하고 있습니다. 방송에서 무당들과 점쟁이들, 초혼자들이 설치는 것을 볼 때 우리에게 답답함이 있지 않습니까? 그렇지만 우리에게는 소망이 있습니다. 그 소망이 무엇입니까? 전능하신 하나님께서 기도하는 성도들의 소리를 들으시고 상황을 역전시킨다는 것입니다.

20세기 초반의 책들을 보면 전부 다 절망스러운 글입니다. 왜 그렇습니까? 많은 사람들이 그리스도를 떠났기 때문입니다. 20세기 초는 대대적인 배교의 시대였습니다. 자유주의 시대였습니다. 하나님은 죽었다고 외치는 니체의 영향력이 남아 있던 시대였습니다. 신앙을 이성으로 대치하려는 그런 시대였습니다. 그래서 깨어 있는 많은 성도들이 기도하면서 "하나님, 이제 영광을 떠나보내십니까? 이가봇의 하나님이십니까?" 하고 외치기 시작했습니다.

그런데 그렇게 절망스러운 상황도 잠깐이었습니다. 하나님께서 갑자기 1차 세계대전을 터트려버리십니다. 그래서 유럽 전체를 불바다로 만들어 버립니다. 그러고 난 다음에 인간들이 깨달은 것이 무엇입니까? 인간 이성의 종말입니다.

"인간의 이성이라는 것이 아무것도 아니구나."

그때 하나님께로 다시 돌아오게 되었습니다. 크나큰 부흥이 다시 일어났습니다. 이것이 바로 역사를 주관하시는 하나님의 능력이요, 하나님의 구체적인 이끄심의 내용입니다. 지금도 하나님께서 하나님의 백성을 사용하시기 위해서 환경을 바꿀 수 있고 역사의 물줄기를 바꿀 수 있다는 것을 믿으시고, 그것에 소망을 거는 하나님의 백성이 되기 바랍니다.

15세기에 전세계 교회가 어려움에 처하게 되었습니다. 많은 사람들이 교회의 부패 때문에 절망했습니다. 그때 하나님께서 루터와 칼빈을 통해서 많은 영혼들을 건지셨습니다. 17세기에 영국교회가 위기에 처하게 되었습니다. 그때 하나님께서 존 웨슬리를 보내셔서 영국에 다시금 예수 그리스도의 피가 흐르게 만드셨습니다. 19세기 미국에 영적인 위기가 찾아왔습니다. 그때 구두 수선공 무디를 통해서 다시금 영적으로 불을 붙였습니다. 디모데후서 2장 19절입니다.

"그러나 하나님의 견고한 터는 섰으니 인침이 있어 일렀으되 주께서 자기 백성을 아신다 하며."

하나님의 견고한 터가 있습니다. 인침이 있습니다. 그러므로 우리는 절망할 수 없습니다. 주께서 주의 백성들을 아시고, 그들을 하나님의 전으로 이끌어주실 것입니다. 그러므로 우리가 하는 일들은 헛된 일들이 아닙니다. 고린도전서 15장 58절입니다.

"그러므로 내 사랑하는 형제들아 견고하며 흔들리지 말며 항상 주의 일에 더욱 힘쓰는 자들이 되라 이는 너희 수고가 주 안에서 헛되지 않은 줄을 앎이니라."

우리가 하는 모든 일들이 헛되지 않고, 결국 한국교회를 살리고 악한 마귀의 세력들을 물리치는 권능이 될 줄로 믿습니다. 우리가 노력하고 우리가 땀 흘리는 것들이 하찮게 보이지만, 예수께서 손만 대주신다면 가장 아름다운 것으로 변화될 수 있고 완성된 것으로 설 수 있다는 것을 믿으시기 바랍니다.

하나님의 걸작품

짧은 목회사역을 돌이켜보면 저는 목회에서 대단히 실수를 많이 했던 사람입니다. 어려움도 많았습니다. 어떻게 보면 엄벙덤벙 그렇게 목회를 했던 사람입니다. '어떻게 그렇게 목회를 했나?' 할 정도로 엉터리 목회를 했습니다. 특별히 저는 전도사로 처음 일할 때 얼마나 이상한 전도사였는지 별명이 '돈키호테'였습니다. 여기 가서 이 소리하고 저기 가서 저 소리하고 하여튼 열 명이 앉아 있으면 두 명은 은혜받고 여덟 명은 상처받고 돌아갔습니다. 그 정도로 직선적으로, 그냥 대포를 막 쏴대니까 성도들이 낙심해서 그로기 상태가 되어 여기 터졌다 저기 터졌다 합니다.

그러면 분명히 아무것도 못할 것 같은데, 하나님이 그것을 통해서 일하시더라는 것입니다. 상처난 부분을 주님이 싸매주시고, 꼭 필요한 것들, 즉 곪아터져야 될 종기는 다 터트려 주십니다. 그때 저는 '인간이 이렇게 부족함에도 불구하고 하나님이 감싸주시니까 되는구나' 하는 것을 느꼈습니다.

언젠가 제가 존경하는 목사님 한 분과 점심식사를 같이 하면서 꽤 오랜 시간 동안 이야기를 나눈 적이 있었습니다. 그 분이 중국에 갈 일이 있었다고 합니다. 그런데 그동안 선교한다고 여기저기 여행을 많이 다녔는데, 사모님과 함께 여행을 다닌 적은 한 번도 없었답니다. 그래서 중국 갈 때 함께 가셨다고 합니다. 그리고 중국 방문 기간중에 결혼 25주년 은혼식을 맞이했다고 합니다.

그런데 중국에 있는 친구들과 같이 식사를 하면서 이런저런 이야기를 하다가 중국 친구들이 "오늘은 보통 날이 아니니까 차를 마시자"고 해서 근사한 화실로 자리를 옮겨 차를 마셨다고 합니다. 함께 차를 마신 친구들 가운데는 세계적인 중국인 화가가 있었습니다. 그 사람은 자오이라는 화가입니다. 우리나라에는 잘 알려지지 않았지만 세계적으로 명성이 높은 화가입니다. 그런데 그 분이 그 목사님의 친구 분이셨습니다. 원래 중국 사람들은 이상한 객기가 있지 않습니까? 같이 차를 마시다가 난데없이 도화지를 하나 갖다놓더니만 "여기 모인 7명이 합작으로 그림을 그리자"고 제안을 하더랍니다.

그런데 그 중에서 그 목사님이 제일 그림 실력이 없었다고 합니다. 그래서 짝대기만 몇 개 그었는가봅니다. 다음 사람이 거기에다가 꽃을 그렸습니다. 그렇게 해서 여섯 명이 다 그림을 그렸습니다. 마지막으로 이 미술의 대가인 자오이가 가필을 하더라는 것입니다. 그런데 그 이상한 그림에다 말 두 마리를 그리더랍니다. 그랬더니 그럴 듯해보입니다. 그리고 붓을 몇 번 더 놀리니까 명화가 되더라는 것입니다. 그래서 거기 있는 모든 사람들이 깜짝 놀랐다고 합니다. 아무렇게나 그려놓은 그림을 자오이가 몇 번 손대니까 명화가 되었으니 말입니다. 그러고 난 다음에 그 옆에다가 화제(畵題)를 적었다고 합니다.

"인생은 험한 길이다. 그러나 두 사람이 같이 한 길이었기에 외롭지 않았다."

그리고 "결혼 25주년을 기념하여"라고 쓰더랍니다. 그래서 그 그림은 목사님 댁의 가보가 될 정도로 귀중한 그림이 되었다고 합니다. 그 목사님이 이렇게 말했습니다.

"나도 30년 이상 목회를 하다보니 실수도 많고 잘못도 많았다. 하지만 하나님께서 이 그림처럼 훌륭하게 마무리해주시는 것 같다. 자오이 화백이 말 두 마리를 그리고 붓을 몇 번 이리저리 놀리니까 그 보잘것없던 그림이 아름다운 그림으로 변화되는 것처럼 주님이 오셔서 그렇게 해주실 것이다."

그러면서 하나님 앞에 지금도 기도하신답니다.

"내 말년에 내가 손을 대는 것이 아니라 주님이 손대셔서 모든 일들이 명화로 마무리되게 해주옵소서."

실제로 우리 삼일교회 사역도 이런 모습이었습니다. 우리가 해온 일들 가운데는 매우 거칠고 무지막지했던 일들이 참으로 많았습니다. 그런데 마지막 순간에 주님이 은혜를 부어주시니까 명화가 되고 또 한국교회에 작게나마 기여할 만한 일들이 되었다는 것을 체험했습니다. 하나님의 은혜입니다. 예수께서 마지막으로 손대셔서 마무리를 짓는 복된 인생이 되기 바랍니다. 그러면 모든 인생이 다 명작이 될 수 있고, 아름다운 인생이 될 수 있습니다. 그러므로 자신의 힘을 가지고 사는 것이 아니라 주님과 함께 동행하면서 주님이 이끄시는 복을 체험할 수 있는 은혜의 백성이 되기 바랍니다.

ID 153 패스워드

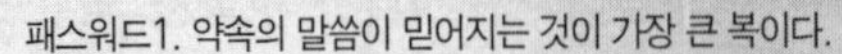
패스워드1. 약속의 말씀이 믿어지는 것이 가장 큰 복이다.

믿음은 하나님의 선물이다. 성도들이 받는 복 중에 최고의 복은 하나님의 말씀이 하나같이 다 믿어지는 것이다. 이 일은 성령님이 하신다. 표적만을 구하는 데는 결코 만족함이 없다. 하나님 앞에서 무엇보다 먼저 믿음을 구하는 백성이 되어야 한다.

패스워드2. 하나님의 기적은 반응이 아니라 응답을 요구한다.

모든 기적은 다 그 속에 뜻이 있다. 기적을 보고 단순히 놀라는 것은 반응, 즉 '리액션' (reaction)에 지나지 않는다. 그러나 그 기적의 속뜻을 알아차린다면 그것이야말로 바르게 응답하는 모습이다. 기적은 거기에 올바로 응답하는 자에게만 기적다워진다.

패스워드3. 예수님은 우리의 밥이시다.

밥은 우리의 생존에 필수적인 음식이다. 먹어도 되고 안 먹어도 되는 간식이 아니다. 밥이 모든 사람의 보편적인 주식이듯, 예수님도 차별없이 모든 사람들의 필요를 채우신다. 또한 밥은 매일 거르지 않고 먹는 음식이다. 예수님과 매일 교제해야 영혼이 생존해나갈 수 있다.

코람데오 (Coram Deo) 자기점검

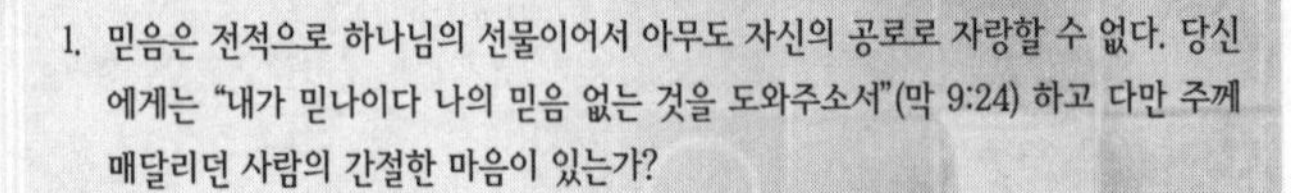
1. 믿음은 전적으로 하나님의 선물이어서 아무도 자신의 공로로 자랑할 수 없다. 당신에게는 "내가 믿나이다 나의 믿음 없는 것을 도와주소서"(막 9:24) 하고 다만 주께 매달리던 사람의 간절한 마음이 있는가?

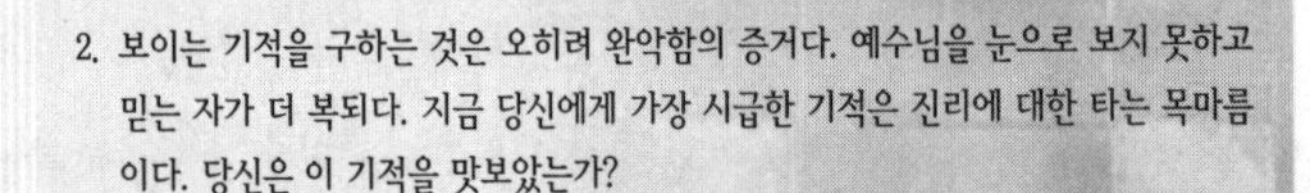
2. 보이는 기적을 구하는 것은 오히려 완악함의 증거다. 예수님을 눈으로 보지 못하고 믿는 자가 더 복되다. 지금 당신에게 가장 시급한 기적은 진리에 대한 타는 목마름이다. 당신은 이 기적을 맛보았는가?

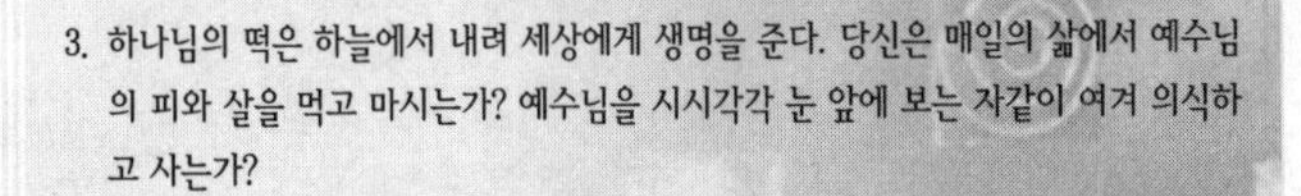
3. 하나님의 떡은 하늘에서 내려 세상에게 생명을 준다. 당신은 매일의 삶에서 예수님의 피와 살을 먹고 마시는가? 예수님을 시시각각 눈 앞에 보는 자같이 여겨 의식하고 사는가?

요 6:60-71

지성으로, 논리 전개로 사람을 변화시킬 것으로 생각한다면 그것은 오산입니다. 감동적인 호소로 인간이 변할 것이라고 생각한다면 그것은 착각입니다. 눈길을 끄는 치장이, 귀를 사로잡는 음악이 우리를 변화시킬 수 없습니다. 그런데 안타깝게도 많은 하나님의 백성들은 그것이 힘인 줄 알고 그곳으로 찾아갑니다.

부흥의 잣대는 진리의 말씀

예수께서 보리떡 다섯 개와 물고기 두 마리로 5천 명을 먹이시는 기적으로부터 요한복음 6장은 시작됩니다. 오병이어는 대단한 이적이었습니다. 그리고 깜짝 놀랄 만한 일이었습니다. 요한복음 6장은 오병이어 사건 이후에 벌어진 일련의 사건들을 다루고 있습니다. 그런데 요한복음 6장은 오병이어로 시작해서 이상한 방향으로 결론이 나버립니다.

"이러므로 제자 중에 많이 물러가고 다시 그와 함께 다니지 아니하더라"(66절).

이적으로 시작했는데, 이상하게도 소수의 제자 몇 명만 남고 다 떠났다는 것으로 끝을 맺습니다. 예수님의 이적을 통해서 많은 사람들을 모았는데, 마지막은 실패라는 것입니다. 처음에는 많은 무리가 모이고 놀람과 열광이 있었지만, 나중에는 다 떠나버리는 일들이 벌어지게 되었다는 것입니다.

그렇다면 도대체 왜 이런 특이한 현상이 나타난 것입니까? 왜 이런 일들이 벌어졌습니까? 이런 경우와 마찬가지로 우리 하나님의 교회들도 모였다가 떠나버리는 이 길을 걸어야 되는 것입니까? 이 물음에 대해서도 한번 점검해보도록 하겠습니다. 우리는 이 본문 전체의 맥락을 통해서 교회가 걸어야 할 길이 무엇이고, 참신앙이 무엇인지, 그리고 진정한 교회의 부흥은 어떻게 나타나야 되는지 깨달을 수 있다고 생각합니다.

전체 본문에서 우리가 제일 먼저 주목할 사실은 사람 숫자가 참진리를 말해주는 것은 아니라는 것입니다. 예수님이 이적을 행하고 사람들의 마음에 위로가 되는 말씀을 증거하셨을 때는 많은 무리가 몰려왔습니다. 그런데 예수님이 구체적으로 기독교의 핵심이 되는 십자가에 대해서 말씀하실 때는 많은 사람들이 물러갔습니다. 다시 말해서 일반적인 증거가 있을 때는 부흥이 일어났는데, 진리의 핵심을 말했더니 다 흩어졌다는 이야기입니다.

그러므로 여기서 교회가 조심해야 될 한 가지 진리를 발견할 수 있습니다. 수가 줄어든다고 해서 진리 선포를 외면해서는 안 된다는 것입니다. 아무리 많은 사람들이 흩어진다고 할지라도 진리의 말씀만은 증거되어야 한다는 사실입니다. 그러므로 교회는 숫자로 정당성을 주장해서는 안 됩니다. 진리 선포로써 정당성을 증거해야 합니다.

왜 많은 사람들이 모였습니까? 6장 2절을 보니까 표적 때문에 모였다고 합니다.

"큰 무리가 따르니 이는 병인들에게 행하시는 표적을 봄이러라."

예수님이 각종 질병에 걸린 사람들을 고치니까 그것들을 바라보고 많은 사람들이 몰려들었습니다. 지금도 '신유 집회' 라고 하면 많은 사람들이 모이지 않습니까? 제가 만약에 축농증을 고치고, 무좀을 고치고, 피부병을 고친다고 한다면 더 많은 사람들이 저희 교회를 찾을 것입니다. 아마도 각양각색의 질병이 있는 사람들이 다 모일 것입니다. 지금도 어떤 이상한 목사들이 체육관을 빌려서 병자들을 고친다는 신유 집회를 열고 있습니다. 아마도 그런 집회에는 저희 교회에 모인 사람들보다 훨씬 더 많은 사람들이 모일 것입니다. 왜 그렇습니까? 병 고침을 보려고 하기 때문입니다.

사람들이 모인 까닭이 또 무엇입니까? 6장 26절입니다.

"너희가 나를 찾는 것은 표적을 본 까닭이 아니요 떡을 먹고 배부른 까닭이로다."

예수님의 오병이어 이적을 통해 많은 떡과 생선을 먹고 배불렀기 때문에 사람들이 벌떼같이 모였다는 것입니다. 다시 말해서 예수님을 믿으면 건강해지고, 출세하고, 만사형통한다는 번영의 복음을 주장하고, "하면 된다"는 적극적인 사고를 외치면 사람들이 모여든다는 것입니다. 왜 그렇습니까? 우리 체질에 딱 들어맞기 때문입니다. 이런 주제는 모든 사람을 열광케 합니다. 그래서 지금으로부터 10년 전만 해도 많은 목사님들이 이렇게 이야기했습니다.

"꿩 잡는 것이 매다. 어떻게든 많이 모으면 그것이 진리이지, 앞뒤 재면서 왜 따지느냐? 사람들을 많이 모으는 것이 성공의 척도이다."

이렇게 말하는 시대가 있었습니다.

고인 물은 썩는다

우리가 한 가지 짚고 넘어가야 할 문제가 있습니다. 이렇게 표적을 행하고 병자를 고치고 또 많은 사람들을 배부르게 먹인다고 해서 이 모든 것이 예수님의 이적이라고 말할 수는 없다는 것입니다. 틀릴 수 있다는 것입니다. 예수님이 하신 일입니까, 아닙니까? 예수님이 하신 일입니다. 지금도 그렇습니다. 많은 목사님들이 "예수님을 믿으면 병이 났고, 배부르게 되고, 출세하게 된다, 건강하게 된다"고 외치는 것을 적그리스도의 행위라고 말하는 것은 잘못입니다. 분명히 예수님의 이름을 의지해서 행하는 일이요, 예수님의 권능으로 행하는 일들입니다.

그런데 문제는 무엇입니까? 아무리 병을 고치고, 아무리 "하면 된다"는 메시지를 통해서 사람들을 불러모은다 할지라도 거기에만 머물러 있으면 비진리가 될 수 있다는 것이 본문 말씀의 핵심입니다.

이것이 하나님께서 교회에게 주시는 말씀입니다. 사람들이 많이 모였습니다. 이제 더 모이게 하는 방법이 무엇입니까? 더 많이 먹이고 더 많은 이적들을 보여주는 것입니까? 아닙니다. 지금 예수께도 똑같은 시험이 왔습니다. 오병이어로 5천 명이 배불리 먹게 되니까 사람들이 또 왔습니다. 더 먹여달라고 합니다. 병자를 고치니까 또 왔습니다. 더 고쳐달라고 합니다. 더 많은 자극과 더 큰 충격을 원하는 것이 인간입니다. 그래서 나중에는 예수님을 왕으로 삼으려고 했습니다.

"우리의 왕이 되어주십시오."

물론 예수님은 피하셨습니다. 그들이 예수님을 왕으로 삼으려고 했던 이유가 너무 저차원적이었기 때문입니다. 예수님을 자기 자신의 욕구를 채워줄 도구나 대상으로 삼았을 뿐, 말씀의 욕구를 채우기 위해 찾았던 건 전혀 아니었기 때문입니다.

똑같은 일이 모세가 십계명을 받으려고 시내산에 올라갔을 때 벌어졌습니다. 이스라엘 백성들이 아론에게 자신들을 이끌 신을 만들어달라고 합니다. 그런 다음 만든 것이 무엇입니까? 금송아지입니다. 이 금송아지가 그들을 애굽에서 인도하여낸 신(神)이라고 합니다. 이 금송아지가 여호와라고 말합니다. 그러나 이름은 여호와였으나 내용은 우상이었습니다.

지금도 마찬가지입니다. 교인들 전체가 모여서 예수님이 우리 구주라고 고백합니다. 이름은 예수님인데, 내용은 우상일 수 있습니다. 내용은 금송아지일 수 있습니다. 그러므로 인간의 필요에 아부하는 종교는 금송아지의 종교입니다. 우상의 종교입니다. 아무리 여호와의 이름을 들먹이고, 예수의 이름을 들먹인다 할지라도 내용은 우상에 불과한 것입니다. 그러므로 우리가 무서워해야 될 사실은 예수의 이름이 우상종교가 될 수 있다는 것입니다. 어느 때 그렇습니까? 떡에만 매달리고 표적에만 매달려 한 발짝도 전진하지 않으면 그렇게 전락할 수 있습니다.

겉도는 윤리 설교

한국교회가 큰 부흥을 했다고 하는데 지금은 왜 이렇게 헤매고 있습니까? 이유는 간단합니다. 하나님 앞에서 떡과 표적에 머물러 있기 때문입니다. 예수님의 말씀을 도외시했기 때문에 이런 일들이 벌어지게 된 것입니다.

예수께서 어떤 도전을 하십니까?

"내가 생명의 떡이다. 내가 왜 오병이어의 기적을 이루는지 아느냐? 그 떡을 먹고 배부름에 머무르는 것이 아니라 그 육체의 배부름을 통해서 영의 배부름이 무엇인지 깨닫게 되기 원해서다."

이것이 예수님의 요구입니다. 그래서 "나의 피와 나의 몸을 먹지 아니하고는 생명을 얻을 수 없다"는 사실을 우리에게 강조하고 있습니다. 예수님은 이적과 떡을 바라보고 모인 사람들을 비난하지 않았습니다. 그렇게 모인 것도 좋다고 말씀하십니다. 그러나 거기에 머물러 있을 것이 아니라 하나님께서 주시는 말씀의 요구를 받아서 정련(精鍊)된 신앙으로 나아가기를 원하시는 것입니다.

다시 말해 하나의 윤리로서 예수님을 믿는 사람들이 있습니다. 예를 들어, 보통 어린이주일에는 이런 메시지가 전달됩니다.

"여러분, 자녀들을 잘 양육하십시오."

'참 좋은 말씀이군. 교회는 자녀 양육에 대해서 관심이 많구나' 하면서 흡족해 합니다. 그 다음 주는 어버이주일입니다.

"주 안에서 부모님을 공경하십시오."

'역시 기독교는 효(孝)를 강조하는 종교구나. 예수를 믿으면 다 효자효녀가 되겠구나' 하면서 만족해 합니다. 그리고 때때로 "거짓말하지 마십시오. 살인하지 마십시오" 하였더니, '요즘같이 험한 세상에서는 역시 종교교육을 시켜야만 심성이 순화돼지. 역시 우리 자녀들은 교회에 보내야 제대로 자라날 수 있겠어' 라고 생각합니다. 이런 생각들만 하고 있다는 것입니다.

지금 제가 예로 든 내용들은 인간의 보편적인 윤리이자 가치입니다. 유독 기독교에서만 외치는 말이 아닙니다. 불교에서도, 도교에서도, 회교에서도 이런 소리를 합니다. 모든 종교는 사람에게 필요한 내용으로 사람들이 종교심을 갖도록 만듭니다. 그런데 기독교도 이와 같은 줄로 알고 있습니다. 그것에 안주하면서 "나는 그리스도인이다"라고 말하는 사람이 있습니다.

복음의 정공법

그렇지만 성경은 무엇이라고 말합니까?

"인간은 죄인이다. 인간 스스로의 힘으로는 구원받을 수 없다. 오직 예수 그리스도의 피가 아니고서는 구원받을 길이 전혀 없다."

이 말씀 앞에 우리는 의아해 합니다.

'우리의 노력으로 구원받는 것이 아닌가? 우리가 선을 쌓아야 되는 것이 아닌가?'

우리는 예수를 믿는다고 하면서 "내가 전생에 죄가 많다", "업보를 해야 된다", "귀신을 달래야 된다"는 엉뚱한 소리를 합니다.

죽음 이후에 부활이 있다고 성경은 확실히 말씀하고 있습니다. 심판이 있습니다. 천국과 지옥이 실재합니다. 주님께서는 우리에게 십자가의 길을 걸으라고 요구하십니다. 그러나 진정으로 십자가의 내용으로 들어가면 사람들은 그것을 믿을 수 없다고 합니다. "나는 그것을 따를 수 없고 동의할 수 없다"고 합니다.

지금 이스라엘 백성들이 어떻습니까? 오병이어의 기적으로 배불리 먹으니까 참 좋습니다. 그래서 많은 무리가 따랐습니다. 이제 예수께서 십자가의 말씀을 증거하십니다. 십자가의 메시지를 증거하고 헌신을 요구합니다.

"너희들이 나를 따르려거든 자기를 부인하고 날마다 제 십자가를 지고 나를 좇아라."

그랬더니 사람들이 어떤 반응을 보였습니까? 다 떠나갔습니다. 육(肉)에 대한 말씀에서 영(靈)에 대한 말씀으로 전환되니까 떠나갔습니다. 육적인 배부름에서 영적인 배부름으로 깨우치니까 그것은 자신들에게 소용없는 말씀이라고 하면서 떠나갔습니다.

60절을 보겠습니다.

"제자 중 여럿이 듣고 말하되 이 말씀은 어렵도다 누가 들을 수 있느냐 한대."

어렵다고 했습니다. 어렵다고 하는 것은 그 말이 틀렸다는 이야기가 아닙니다. 어렵다고 표현한 것은 무슨 뜻입니까? "나는 싫다"고 하는 것입니다. "그런 말씀에 나는 동의할 수 없다"고 하는 것입니다. "내가 그것 때문에 온 줄 아느냐? 나는 내가 오기만 하면 먹을 것을 주고, 내가 오기만 하면 병을 고쳐주고, 내가 오기만 하면 복을 부어준다길래 왔는데, 지금 무슨 엉뚱한 소리냐?" 하면서 사람들이 떠나갔습니다. 66절입니다.

"제자 중에 많이 물러가고 다시 그와 함께 다니지 아니하더라."

이것이 진리입니다. 성경에 나오는 참된 십자가의 복음을 증거하면 보통사람들은 그 말씀에 대해서 저항감을 갖습니다. 그리고 결국에는 흩어지고 맙니다. 이것은 참 중요한 사실입니다. 우리가 그리스도의 말씀을 받아들이고 난 다음에 죽도록 충성해야 되고, 선교해야 되고, 고난의 십자가를 져야 되고, 십일조 생활을 해야 된다고 말하면 사람들은 무엇이라고 이야기하는 줄 아십니까? "듣기 싫다"고 합니다. 그리고 떠납니다. "믿음이 약해서"라면서 불순종의 길로 걸어갑니다.

사람에 흔들리는 믿음

삼일교회의 소문을 듣고 많은 청년들이 저희 교회를 찾습니다. 그런데 저희 교회에 처음 왔다가 이렇게 얘기하면서 떠나가는 사람들이 있습니다.

"삼일교회에 갔더니 무슨 기도가 그렇게 많냐? 나는 통성기도하는 교회는 싫다. 조용히 앉아서 묵상기도하면 됐지, 예배 시간에 네 번 다섯 번 기도를 하다니, 나는 지겨워서 못 다니겠다. 한 번 정도 묵상기도하는 교회로 가야겠다."

다른 교회 같으면 이렇게 떠나는 사람들 때문에 이런 유혹이 생길 수 있습니다.

"그런 사람을 붙들기 위해서라도 통성기도를 하지 말자. 전체가 저항감없이 받아들이도록 조용하게 예배드리자."

이것이 맞는 말입니까? 틀린 것입니다.

또 어떤 사람은 이렇게 이야기합니다.

"삼일교회에 갔더니 무슨 헌신을 그리 많이 요구하느냐? 조용히 갔다가 예배만 드리고 갈 수 있는 교회를 찾아봐야겠다."

그럴 때 우리가 마음에 위기를 느껴서 "그래요, 헌신을 안 해도 좋습니다. 주일 아침 예배 때 자리만 채워주고 가도 만족하겠습니다."

이런 식으로 양보하려는 유혹이 생깁니다. 옳은 것입니까, 틀린 것입니까? 틀린 것입니다. 주님께서 우리에게 분명히 말씀하시기를 진정한 진리를 선포하면 수가 줄어들 수 있다고 했습니다. 그렇지만 교회가 그것을 두려워해서는 안 된다는 것입니다.

왜 그렇습니까? 생명으로 남아 있어야만 더 큰 은혜를 찾을 수 있기 때문입니다. 초대교회 성도들이 그랬습니다. 핍박이 있었습니다. 그래서 어쩌면 초대교회 성도들이 이런 마음을 가졌을지도 모릅니다.

'우리에게 핍박만 없었으면 더 큰 부흥이 있었을 텐데 이렇게 많은 핍

박 가운데서도 3천 명이 모이는 것을 보니까, 핍박이 없으면 3만 명은 모일 수 있었겠다.'

틀린 생각입니다. 우리가 그리스도의 복음을 받아들이는 것은 외적인 환경과는 별 관계가 없습니다. 특히 진정한 그리스도인이 되는 문제라고 한다면 더더욱 관계가 없습니다.

어떤 청년이 재수를 합니다. 어떤 형제가 삼수를 합니다. 참 안쓰러워요. 학원에 가기 전에 교회에 나와서 새벽기도를 하고 갑니다. 그리고 밤늦게까지 공부하고 난 다음 다시 교회에 와서 간절히 기도하고 돌아갑니다. 그때 제 마음 가운데 이런 마음이 생겼습니다.

'저 친구가 대학만 붙으면 교회에 얼마나 충성할까? 재수할 때 저 정도니 이제 시간만 주어지면 정말 열심히 섬길 수 있겠구나?'

그래서 기도를 했습니다.

"하나님, 저 친구가 꼭 대학에 붙어서 하나님을 사랑하는 마음으로 헌신하기 바랍니다."

기도한 대로 대학에 붙었습니다. 모든 것이 만사형통으로 잘 풀렸습니다. 그 청년이 교회에 더 잘 나와서 헌신할 것 같습니까? 그게 아니더라는 것입니다. 훨씬 더 많은 시간이 생겼는데도, 과거에 재수, 삼수할 때는 아침 저녁으로 나와서 부르짖던 형제가 대학에 붙고 나니까 일주일에 한 번 보기도 힘들더라는 것입니다. 이것이 바로 하나님의 방법과 인간의 방법이 다르다는 사실을 나타내주는 예입니다. 환경 때문에 잘 섬길 수 없다고 하는 것보다 더 큰 거짓말은 없습니다. 우리가 최악의 상황, 죽을 상황에 처하게 되어도 하나님의 은혜의 말씀을 붙들면, 그 상황 가운데서도 기도할 수 있고 능력 가운데 설 수 있습니다.

환경에 좌우되는 믿음

금요일마다 삼일교회는 온 성도들이 철야기도회를 갖습니다. 밤 11시부터 시작해 새벽 4시까지 거의 쉬지 않고 계속 기도만 합니다. 철야기도회에는 어떤 사람들이 나올 것 같습니까? 시간이 많아서 집에서 빈둥빈둥 노는 사람일 것 같지요. 낮에 하루 종일 자고 저녁 8시쯤 교회 나와서 깨어 있으면 시차도 딱 맞고 얼마나 왕성하게 기도할 수 있겠습니까? 그런데 이상하게도 그런 사람은 아무도 안 나옵니다. 계속 엎어져서 자고 있습니다.

어떤 사람이 나옵니까? 학교에서, 회사에서 하루 종일 공부하랴 일하랴, 피곤에 지친 사람들, 한 번 엎어지면 도저히 일어나지 못할 것 같은 그런 사람들이 나와서 기도합니다. 코피까지 흘려가면서 기도하더라는 것입니다. 환경이 우리로 하여금 기도하게 만드는 것이 아닙니다. 그 속에 있는 믿음, 하나님을 향한 열정이 우리를 살리는 것이지, 환경의 요소가 우리를 살리는 것이 아니라는 것을 꼭 기억하시기 바랍니다.

중국교회가 어떻습니까? 핍박 이전에는 부흥이 안 되던 교회가 예수 믿으면 죽인다고 하고, 예수 믿으면 감옥에 가둔다고 하고, 예수 믿으면 벌금을 내야 된다고 하니까 더 큰 부흥이 일고 있습니다. 참된 진리의 말씀과 핍박이 순수한 하나님의 백성을 만드는 것입니다. 그러므로 엉터리 신자가 아니라 말씀으로 정련된 진짜 성도가 되는 것이 중요합니다.

그래서 현상을 보면 이렇습니다. 진리의 말씀이 증거되면 잠시 동안은 수가 줄어드는 것 같습니다. 그런데 결국은 그것으로 인해서 큰 부흥이 일어난다는 것입니다. 성경은 무엇이라고 합니까?

"하나님을 찬미하며 또 온 백성에게 칭송을 받으니 주께서 구원받는 사람을 날마다 더하게 하시니라"(행 2:47).

진리 가운데 있고 어떤 단계가 끝이 나니까 날마다 더하게 하시는 역사가 나타나는 것입니다.

"이에 여러 교회가 믿음이 더 굳어지고 수가 날마다 더하니라"(행 16:5).

하나님의 말씀이 제대로 증거되었을 때, 나중에는 결국 진리로 인해서 수가 늘어나는 진정한 부흥의 역사가 나타나게 된다는 것입니다.

그러므로 우리들은 결코 군중에 머물러서는 안 됩니다. 그리스도의 몸 된 지체로서 주를 위해 충성하는 하나님의 일꾼이라는 것을 기억하고, 배부른 자리에 머물러 있는 것이 아니라 십자가의 길을 걷고, 주를 위해서 헌신하는 자리로 나아가야 할 것입니다.

살리는 것은 영이니

한 가지 말씀만 더 살펴보겠습니다. 도대체 참된 생명이라는 것은 어떻게 주어지는 것입니까? 63절이 모든 문제를 해결하는 주석이 되는 말씀입니다.

"살리는 것은 영(靈)이니 육(肉)은 무익하니라 내가 너희에게 이른 말이 영이요 생명이라."

세상의 모든 종교와 종교심은 인간의 가능성을 이야기합니다. 그래서 "우리 속에 있는 도(道)를 깨우치면 구원을 받고, 속에 있는 것을 잘 개발하기만 하면 발전이 있을 것이다"라는 식의 주장을 합니다. 이것을 무엇이라고 합니까? '득도'(得道)라고 합니다. '각성' 또는 '깨달음'이라고 합니다.

그래서 세상의 일반 종교를 믿으면 자기 만족이 있습니다. 자기가 무엇인가 된 것 같습니다. 내 안에서 영적인 것이 살아나는 것 같고 내가 무슨 도인(道人)이 된 것 같은 느낌을 받습니다. 그런데 십자가의 외침은 무엇입니까? 전혀 반대입니다. "너는 가망이 없다"라고 하는 것부터 시작합니다. "너는 죄인"이라고 합니다.

"너는 죽을 죄인이요, 소망도 없고 가망도 없고 너 혼자의 힘으로는 구원받을 길이 전혀 없다."

로마서는 이렇게 표현합니다.

"의인은 없으니 하나도 없다. 모든 사람이 죄를 범하였으므로 하나님의 영광에 이르지 못한다. 죄의 삯은 사망이다"(롬 3:10-12, 23 / 6:23 참조).

인간의 모든 가능성을 밀봉해버립니다. 그런 다음에 무슨 말씀을 합니까?

"오직 우리가 살 수 있는 유일한 길은 예수 그리스도의 험한 십자가를 붙드는 것뿐이다. 예수께서 모든 일을 다 이루셨다."

교만한 사람들에게는 이 말만큼 기분 나쁜 말이 없습니다.

일전에 빌리 그래함 목사님이 뉴욕시에서 전도집회를 인도했을 때 이와 똑같은 말을 했습니다.

"여러분, 인간의 노력으로는 구원받을 수 없습니다. 오직 예수 그리스도의 십자가의 피를 믿는 것 외에는 구원의 길이 없습니다."

이 설교 후에 3주 동안 언론에서 빌리 그래함을 공격했습니다. 미국의 지도자급 목사가 어떻게 저렇게 무책임한 말을 할 수 있느냐고 하면서 말입니다. "어떻게 책임을 도외시해버리고 믿기만 하면 된다고 하느냐?"는 언론의 대대적인 공격이 있었습니다. 이런 반응은 2천 년 전에도 마찬가지였습니다. 믿음으로만 구원을 받는다는 말씀에 대해서 인간들은 분노합니다.

"그럼 인간은 꼭두각시라는 말이냐? 인간은 무엇을 하라는 말이냐?"

그러면서 교회가 세상에 빛을 비취지 못하는 이유가 저런 식의 말씀증거 때문이라고 맹공을 가합니다.

그래서 성경은 무엇이라고 말씀합니까?

"십자가의 도가 헬라인에게는 어리석은 것이고, 유대인에게는 거리끼는 것이다"(고전 1:22, 23 참조).

예수님이 말씀하시길 "살리는 것은 영(靈)"이라고 합니다. 인간의 노력이 아니라 하나님의 능력과 은혜로 되는 것이라고 말씀합니다. 살리는 것이 영이라는 말씀이 무엇입니까? 살리는 일에는 육체의 노력이 무익하다는 것입니다. 모든 육체의 활동은 죄인의 중생과는 아무런 관계가 없습니다. 우리를 거듭나게 만들고, 우리를 새 생명으로 만드는 것은 오직 하나님의 사역이요 성령의 사역이기 때문입니다.

요한복음 3장 5, 6절에서 예수님이 니고데모에게 이렇게 말씀하셨습니다.

"진실로 진실로 네게 이르노니 사람이 물과 성령으로 나지 아니하면 하나님나라에 들어갈 수 없느니라 육(肉)으로 난 것은 육이요 성령으로 난 것은 영(靈)이니."

그러므로 우리를 영적으로 살리는 것은 인간의 활동이 아니라 성령의 능력입니다. 성령께서 우리를 건져주시고, 우리를 변화시켜주셔야만 비로소 하나님의 자녀가 될 수 있다는 것을 강조하고 있습니다. 그러므로 지성으로, 논리 전개로 사람을 변화시킬 수 있다고 생각한다면 그것은 오산입니다. 감동적인 호소로 인간이 변할 것이라고 생각한다면 그것은 착각입니다. 눈길을 끄는 치장이, 귀를 사로잡는 음악이 우리를 변화시킬 수는 없습니다. 그런데 안타깝게도 많은 하나님의 백성들은 그것이 힘인 줄 알고 그곳으로 찾아갑니다.

헛된 교회 부흥법

제가 어떤 세미나에 참석하였는데, 그 세미나 강사가 이렇게 이야기합니다.

"현대의 교회가 부흥하기 위해서는 장중한 파이프오르간이 있어야 됩니다."

파이프오르간이 있어야 교인들이 은혜를 받는다고 합니다. 현대인은 문화인이기 때문에 그런 음악이 아니고는 감동을 받지 못한다는 것입니다. 그래서 파이프오르간이 있어야 교회가 부흥할 수 있다는 내용이었습니다.

그 강의가 끝나고 난 다음에 목사님 몇 분이 파이프오르간을 사겠다고 문의하는 것을 봤습니다. 그랬더니 최하가 3억이라고 합니다. 저는 그 광경을 보면서 '야, 저런 엉터리가 어디 있나?' 하고 생각했습니다.

또 어떤 분은 예배를 갱신한다고 하면서 교회 안에 요란한 음악을 들여놓지 않으면 부흥이 안 되는 줄로 압니다. 그래서 예배의 갱신인 줄 알고 봤더니 예배의 파괴였습니다. 교회를 노래방처럼 만들어버렸습니다. 예배 시간이 무질서해졌습니다. 그러면서 그것이 예배의 갱신이라고 합니다. 그렇게 예배를 드려야만 젊은이들이 온다고 합니다. 통탄할 노릇입니다. 저는 그 세미나에 가서 통탄만 하다 왔습니다.

몇 년 전 주일 아침마다 AFKN을 보면, 로버트 슐러 목사님이 나와 설교하는 '능력의 시간' 이라는 프로가 있었습니다. 그것을 보니 로버트 슐러 목사님이 있는 교회는 강대상을 무슨 에덴동산처럼 꾸며놓았습니다. 그 가운데로 목사님이 하얀 가운을 입고 나오면 마치 신선이 나오는 것 같았습니다. 그리고 목소리도 속삭이듯이 아주 부드럽게 냅니다.

"하나님은 당신을 사랑하십니다."

간지러워서 못 들을 정도입니다. 그렇게 해야만 교회가 부흥하는 줄로 압니다. 그것이 아닙니다. 성경은 무엇이라고 말씀합니까? 살리는 것은 음악도 아니요, 설교자도 아니요, 오직 성령이라고 합니다. 그러므로 프로그램이나 방법이 아니라 생명을 주는 것은 오직 성령이라는 것을 믿으시기 바랍니다. 중국교회는 파이프오르간 없이도 부흥했습니다. 장중한 성가대 없이도, 전도 훈련 없이도, 경배와 찬양 모임 없이도 부흥했습니다. 왜 그랬습니까? 성령을 의지하는 사역, 성령이 일하시는 사역이기 때문입니다.

그러므로 하나님 앞에서 우리의 심령을 변화시키는 것은 오직 성령의 임재라는 것을 깨달아, 기도하고 성령의 도우심을 구하는 하나님의 백성이 되기 바랍니다. 우리의 심령을 변화시키고 우리에게 믿음을 주는 것은 성령의 사역입니다. 그것을 꼭 기억하시고 하나님 앞에만 엎드려서 하나님이 일하시는 영광을 바라보는 하나님의 백성이 되기 바랍니다.

교회는 세상의 방주

우리가 다음으로 주목할 것은 바로 성령이 살리시는 일을 할 때 도대체 무엇을 가지고 그 일을 하시는가 하는 것입니다. 요한복음 6장 63절입니다.

"내가 너희에게 이른 말이 영이요 생명이라."

예수님의 말씀 자체가 영이요 생명이라는 것입니다. 성령이 사용하는 도구는 하나님의 말씀입니다. 그래서 에베소서 6장 17절을 보니까 하나님의 말씀을 성령의 검(劍)이라고 했습니다. 성령은 말씀을 사용하셔서 그 백성을 거듭나게 만드십니다. 야고보서 1장 18절입니다.

"그가 그의 조물(造物) 중에 우리로 한 첫 열매가 되게 하시려고 자기의 뜻을 좇아 진리의 말씀으로 우리를 낳으셨느니라."

하나님의 말씀으로 우리를 낳았습니다. 성령께서는 말씀을 사용하셔서 우리 가운데 생명을 심습니다. 이것이 성령이 일하시는 방법입니다.

베드로전서 1장 23절을 보니까 "너희가 거듭난 것이 썩어질 씨로 된 것이 아니요 썩지 아니할 씨로 된 것이니 하나님의 살아있고 항상 있는 말씀으로 되었느니라"고 하였습니다. 그러므로 모든 시대에 있어서 인간에게 가장 절실한 것이 무엇입니까? 교회가 가지고 있는 가장 큰 책임이 무엇입니까? 하나님의 말씀을 신실하게 증거하는 것입니다. 이것보다 더 중요한 일은 없습니다.

정말 이 나라를 사랑하십니까? 말씀을 증거하십시오. 그것이 우리를 살리는 길입니다. 정말 자녀들을 사랑하십니까? 그 속에 말씀을 심어주십시오. 그러면 그 영혼이 살아납니다. 교회는 다른 것에 신경쓸 것이 아닙니다. 말씀증거에 온 힘을 쏟는 것이 교회의 사명입니다. 그래서 사도 바울은 고린도전서 2장 4, 5절에서 무엇이라고 말씀하고 있습니까?

"내 말과 내 전도함이 지혜의 권하는 말로 하지 아니하고 다만 성령의 나타남과 능력으로 하여 너희 믿음이 사람의 지혜에 있지 아니하고 다만 하나님의 능력에 있게 하려 하였노라."

오직 성령을 의지하여 하나님의 말씀을 증거할 때 그것이 우리를 살리게 될 것이라고 강조하고 있습니다. 그러므로 우리는 어떤 여건에서든 성령을 의지하여 하나님의 말씀을 증거해야 합니다.

흩어지는 군중을 보면서 예수님이 제자들에게 물으셨습니다.

"예수께서 열두 제자에게 이르시되 너희도 가려느냐"(67절).

이때 베드로가 굉장히 중요한 고백을 합니다.

"주여 영생의 말씀이 계시매 우리가 뉘게로 가오리이까"(68절).

당신에게도 이런 고백이 있기를 바랍니다.

"주님, 영생의 말씀이 있는데 내가 어디로 가겠습니까?"

무리는 놀라운 이적에 매혹되었습니다. 그러나 말씀은 그들에게 걸림돌이 되었습니다. 반면에 제자들은 어떻습니까? 이적에 대해서는 아무런 매혹도 없었는데, 말씀에는 인생을 걸었습니다. 이런 사람들을 그리스도인이라고 합니다. 그러므로 우리는 이적이나 병 고치는 것에만 마음을 빼앗길 것이 아니라 오직 하나님의 말씀에 우리 신앙의 기반을 둘 수 있어야 할 것입니다.

교회는 순수한 예수 그리스도의 말씀으로 정화되어야 합니다. 요즘 많은 사람들이 한국교회가 침체기를 맞았다, 부흥이 사라졌다고 이야기합니다. 이것은 시각에 따라서 다르게 볼 수 있습니다. 어떤 의미에서는 부흥이 사라진 것이 아니라, 하나님께서 알짜 성도를 걸러내는 과정인지도 모릅니다. 사람 숫자에 속지 마시고 하나님의 말씀으로 하나되는 참된 성도가 되기 바랍니다.

어떨 때 교회가 약화됩니까? 성도에게 아부할 때 교회는 약화됩니다.

성도들이 집이 멀다고 하면 낮 2시에 저녁예배를 드리고, 볼 일 있다고 해서 아침 7시에 예배를 드리고, "멀리 예배드리러 갈 필요가 어디 있느냐?"면서 비디오로 예배를 드리는 처소를 따로 만듭니다. 그럴 필요가 뭐가 있습니까? 차라리 케이블 TV로 예배를 드리지요. 그것도 안 되면 위성방송으로 예배를 드리고, 아니면 녹음 테이프를 나눠주어서 집에서 예배를 드리라고 하지요.

이런 식으로 교회를 약화시키는 작업들이 속속 진행되고 있습니다. 잘못된 것입니다. 우리도 다시금 순수한 하나님의 말씀을 듣고, 원래 하나님이 원하시는 모습으로 돌아가야 할 것입니다.

헌신 우선성

우리가 예수 그리스도를 믿고 난 다음에 하나님이 우리에게 요구하시는 것은 헌신입니다. 혹시 이렇게 생각할지도 모릅니다.

'지금 많은 교회들이 주일에 한 번만 예배를 드리고 가면 만족하는데, 왜 우리 교회는 선교하러 나가라고 하고, 헌신하라고 하고, 기도하라고 하고, 자꾸만 피곤하게 만드는가?'

이것이 진짜 예수님을 믿는 것이기 때문입니다. 예수님은 우리에게 "나를 따라오려거든 자기를 부인하고 제 십자가를 지고 나를 따르라"고 하셨습니다. 편한 것은 우상일 수 있습니다. 그러므로 우리들이 믿음생활을 하면서 한 번도 우리의 의지와 말씀 간에 충돌이 없었고, 한 번도 우리의 감정과 말씀 간에 거리낌이 없었다고 한다면, 그것은 잘못 배웠기 때문입니다. 믿음의 사람들은 어떤 사람들입니까? 인간 본성과 말씀 간에 항상 부딪침이 있는 사람들입니다.

목사도 그렇습니다. 새벽에 일어나서 기도하는 것, 자신의 인성(人性)과 부딪칩니다. 철야기도하는 것, 자신의 인성과 부딪칩니다. 금식하면서 간구하는 것, 자신의 인성과 부딪칩니다.

그러나 우리의 육(肉)을 죽이고 하나님의 말씀 앞에 굴복하게 되었을 때, 진정한 생명이 있다는 것을 기억하십시오. 그리고 하나님의 말씀을 가지고 우리를 칠 때, 우리의 모든 심령이 변화받고 말씀대로 살아갈 수 있는 은혜가 임하는 것입니다.

하나님께서 우리에게 사명을 주셨습니다. 그 사명을 의지하여 이 땅을 살리는 길이 생명의 말씀을 증거하는 것임을 깨닫고, 예수 그리스도의 피 묻은 복음을 들고 온 땅을 향해 나아가 영혼들을 살리는 하나님의 백성이 되기 바랍니다.

ID 153 패스워드

패스워드1. 사람 수가 진리의 정당성을 입증해주는 것은 아니다.

병을 고치고 이적을 행하면 사람들이 많이 몰려들지만, 십자가 고난을 이야기하면 많은 사람들이 물러간다. 그러나 수가 줄어든다고 해서 진리 선포를 외면해서는 안 된다. 교회는 수로써 정당성을 주장하지 않고 진리 선포로써 정당성을 증거해야 한다.

패스워드2. '유사기독교'를 조심하자.

교인들 전체가 모여 예수님이 자신들의 구주라고 고백한다 해도 그 내용은 우상일 수 있다. 인간의 필요에 아부하는 종교는 금송아지의 종교다. 불교나 도교, 힌두교 등 모든 종교는 사람에게 필요한 내용을 가지고 있다. 그러나 기독교만은 십자가 고난의 메시지를 증거하고 헌신을 요구한다.

패스워드3. 성도에게 아부할 때 교회는 약화된다.

자기를 부인하고 예수님의 십자가를 따르는 삶은 반드시 우리 본래의 인성에 거슬린다. 의지나 감정과도 충돌한다. 그러나 이적이 아니라 말씀에 인생을 건 이들이 바로 제자들이다. 우리의 육(肉)을 죽일 때 진정한 생명이 있다.

코람데오 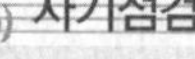 자기점검

1. 예수님은 구원의 좁은 문으로 들어가기를 구하여도 못하는 자가 많다고 말씀하신다(눅 13:24). 정욕으로 쓰려고 잘못 구하기 때문이다(약 4:3). 진리를 찾는 이들은 분명 적은 무리다. 당신은 예수께서 "적은 무리여 무서워 말라"(눅 12:32)고 하는 말씀을 듣는 자의 자리에 있는가?

2. 인간의 생사화복을 좌우한다고 믿는 신(神)을 달래고 어르는 데 인간의 정성을 바치는 종교는 모두 거짓 종교다. 당신은 인격적인 하나님을 인격적으로 섬기며 말씀대로 순종하고 있는가?

3. 의식적으로 부지런을 떨고 게으름의 본성을 벗어나려 하지 않으면, 누구도 주(主)를 섬기는 자리에 들어설 수 없다. 당신은 이 도전에 성령님의 도우심을 간구하고 있는가?

19장

믿음의 참뜻

4부 말씀 불패의 믿음

요 7:1-36

한국교회는 십자가의 능력을 의지하지 않고 사람 숫자만을 강조했습니다. 외화내빈(外華內貧)이었습니다. 남들에게 보이는 것에만 신경을 썼습니다. 생명을 살리는 일에 신경쓰지 않고 교회 장식하는 데만 기력을 소모했습니다. 그랬더니 능력이 사라지고 생명이 사그라졌습니다.

예수님의 깊은 뜻

유대인들에게는 3대 명절이 있습니다. 출애굽을 기념하는 유월절, 모세가 시내산에서 하나님 앞에 율법 받은 날을 기념하는 오순절, 마지막으로 이스라엘의 광야생활을 기념하는 초막절이 이스라엘의 3대 명절입니다.

신명기 16장 16절을 보면 "너희 중 모든 남자는 일 년 삼차 곧 무교절과 칠칠절과 초막절에 네 하나님 여호와의 택하신 곳에서 여호와께 보이되 공수로 여호와께 보이지 말고"라는 말씀이 있습니다. 모든 유대 남자들은 율법의 명령으로 일 년에 세 차례는 의무적으로 하나님의 성전에 올라가서 하나님께 예배드려야 된다는 것을 강조하고 있습니다. 그러므로 3대 절기 때마다 예루살렘에는 많은 이스라엘 백성들이 모여들었습니다.

본문 2절에는 "유대인의 명절인 초막절이 가까운지라"고 합니다. 요한복음 7장의 배경은 초막절입니다. 그러므로 우리는 7장 2절 말씀을 통해서 '지금 예루살렘에는 많은 사람들로 북적거리고 있겠구나' 하고 이해해야 합니다. '명절을 맞은 예루살렘은 모여든 많은 사람들로 인산인해를 이루고 있다' 는 배경하에 나머지 말씀을 살펴보려고 합니다.

초막절을 맞이하여 예수님의 친형제들이 예수께 한 가지 제안을 합니다. 그 제안이 요한복음 7장 3, 4절에 나와 있습니다.

"그 형제들이 예수께 이르되 당신의 행하는 일을 제자들도 보게 여기를 떠나 유대로 가소서 스스로 나타나기를 구하면서 묻혀서 일하는 사람이 없나니 이 일을 행하려 하거든 자신을 세상에 나타내소서 하니."

지금 예수님 형제들의 시각은 무엇입니까? 드디어 기회가 왔다는 것입니다.

"이제까지는 갈릴리와 같은 촌 동네에서 묻혀 지냈지만, 요즘 같은 명절에 예루살렘에 올라가서 많은 사람들이 모일 때 공식적으로 데뷔를 해보는 게 어떻겠습니까? 당신이 가지고 있는 그 많은 능력들을 한번 드러내보십시오. 지금이 형님께서 나설 찬스입니다."

이런 식의 제안을 했습니다. 많은 사람들이 모인 곳에서 능력을 나타내면 아마 더 많은 동조자들을 얻게 될 것이라고 생각했나봅니다. 그런데 8절에 보니까 "나는 내 때가 아직 차지 못하였으니 이 명절에 아직 올라가지 아니하노라"고 하시며 예수님은 형제들의 제안을 거절하십니다. 아마 8절까지의 말씀만 보면 이 에피소드는 그리 대단한 기사가 아닐 수도 있습니다. 예수님의 형제들이 능력을 드러내라고 말하자, 예수님이 싫다고 했다는 메시지로 모든 것이 끝나버릴 수 있기 때문입니다.

그렇지만 이 본문에서는 주목할 점이 있습니다. 예수님은 올라가지 않겠다고 하신 다음 결국 올라가셨다는 사실입니다.

"그 형제들이 명절에 올라간 후 자기도 올라가시되 나타내지 않고 비밀히 하시니라"(10절).

이상하지 않습니까? 형제들이 예루살렘에 올라가라고 말했을 때, 예수님은 분명히 싫다고 거절하셨습니다. 안 간다고 그랬으면 가지 말아야지요. 그런데 예수님은 결국 올라가셨다는 것입니다. 그렇다면 예수님이 거짓말을 하신 셈입니까? 아니면 예수님이 첩보 작전에서처럼 양동작전을 펴신 것입니까? 우리는 예수님의 행동에 대해 이런 의문을 가질 수 있을 것입니다. 또 한 가지 의문이 있습니다. 예수께 예루살렘에 올라갈 것을 제안했던 예수님의 형제들에게 성경은 강조점을 두고 있습니다. 그리고 그들을 이렇게 평가합니다.

"이는 그 형제들이라도 예수를 믿지 아니함이러라"(요 7:5).

예수님의 형제들이 예수님을 믿지 않았다고 선언합니다. 다시 말해서 우리는 예수님의 행동에 대한 의문, 예수님의 형제에 대한 의문에 직면하게 된다는 것입니다.

본문에는 이렇게 두 개의 축이 있습니다. 이 두 축을 통해서 성경이 말하고자 하는 참된 믿음이란 과연 무엇인지, 그리고 예수님이 인정하는 믿음, 성경이 인정하는 믿음이란 무엇인지를 함께 추적해보도록 하겠습니다.

십자가의 신앙과 귀신의 신앙

예수님의 형제들이 예수님을 믿지 않았다는 이 말의 뜻이 도대체 무엇입니까? 왜 성경은 그들이 예수님을 믿지 않는다고 선포했습니까? 우선 예수님의 형제들은 예수님이 능력있는 분임을 인정했습니다. 그리고 기적을 행하는 분임을 인정했습니다. 병도 고치고 귀신도 쫓아내는 것을 믿었습니다. 어떻게 알 수 있습니까?

"당신의 행하시는 모든 일을 유대에 가서도 행해보십시오."

이렇게 말하는 것을 보면 형제들은 예수님이 능력있는 분임을 분명히 인정했습니다. 권능자임을 인정했던 것입니다. 그런데 이상한 점은 성경의 평가입니다. 성경은 그들이 예수님을 믿지 않았다고 평가합니다. 그러면 여기서 우리는 이런 질문을 하게 됩니다.

"도대체 성경이 말하는 믿음이란 무엇인가?"

우리가 생각하는 믿음과 전혀 다르게 믿음을 본다고 한다면, 성경에서 강조하는 믿음이란 무엇인지 정의를 내려보도록 하겠습니다.

성경이 말하는 믿음에 대해 우리는 야고보서 2장 19절에서 한 가지 단서를 찾을 수 있습니다. 하나님의 존재를 인정한다거나 하나님의 능력을 인정하는 것만으로는 성경이 말하는 믿음에 합당치 않습니다.

"네가 하나님은 한 분이신 줄을 믿느냐 잘하는도다 귀신들도 믿고 떠느니라."

하나님이 존재한다는 것, 하나님이 능력있는 분이라는 것은 귀신도 믿는다고 성경은 말씀하고 있습니다. 그 정도는 귀신도 믿는다고 합니다. 다시 말해서 하나님의 존재와 하나님의 능력을 인정하는 정도의 믿음을 가지고는 참된 믿음이라고 할 수 없으며, 적어도 성경에서 인정하는 믿음은 그것과는 질적으로 전혀 다르다고 강조합니다.

유대에 올라가서 능력을 보이라는 형제들의 말에 예수님은 "내 때가 아직 차지 않았다"고 대답했습니다. 그러면 여기서 말한 '내 때'란 무엇입니까? '내 때'라고 하면 그것은 예수님이 십자가 지시는 때를 의미합니다. 예수님이 인간의 모든 죄를 짊어지시고 죽는 것을 말합니다. 그러면 여기서 우리가 알 수 있는 것이 무엇입니까? 성경이 말하는 믿음은 바로 십자가 중심의 믿음이라는 사실입니다. 다시 말해서 십자가의 믿음을 제쳐놓은 믿음은 참된 믿음이라고 할 수 없습니다. 우리의 욕망을 채우기 위해서 하나님의 능력을 구하고, 하나님의 지혜를 구하는 것은 적어도 성경이 말하는 진정한 믿음은 아니라는 사실입니다.

참된 믿음은 어떤 믿음입니까? 고난의 메시아를 믿는 것입니다. 예수님과 마찬가지로 자기를 부인하고 자기 십자가를 지고 따르는 것이 진짜 믿음이지, 예수 믿으면 복 받고, 성공하고, 병 낫는다는 정도에 머무른다면 그것은 진정한 믿음이 아닙니다. 성경은 여러 군데에서 이 사실을 분명히 설명하고 있습니다.

누가복음 24장에는 예수님의 부활 이후에 엠마오로 가는 두 제자 이야기가 나옵니다. 그들은 예수님이 십자가에 못박혀 죽으시자 무척 실망했습니다. 둘은 걸어가면서 "나는 예수님이 이스라엘을 구속(救贖)할 자로 믿었다"고 이야기합니다. 예수님이 이스라엘의 구속자인 줄 알았는데 아니었다는 것입니다. 그래서 슬픔과 실망에 휩싸인 채 두 제자는 함께 길을 걷고 있었습니다. 그러나 조용히 그들과 동행하던 예수께서 나중에는 자기 자신의 정체를 밝히면서 이렇게 말씀하십니다.

"미련하고 선지자들의 말한 모든 것을 마음에 더디 믿는 자들이여 그리스도가 이런 고난을 받고 자기의 영광에 들어가야 할 것이 아니냐 하시고 이에 모세와 및 모든 선지자의 글로 시작하여 모든 성경에 쓴 바 자기에 관한 것을 자세히 설명하시니라"(눅 24:25-27).

예수께서 이 두 명의 제자들에게 말씀하신 것이 무엇입니까? "이 미련한 자들아, 이 어리석은 자들아, 왜 이렇게 믿지 않느냐? 성경에 보면 고난의 예수가 십자가의 주(主)라는 것을 강조하고 있지 않느냐? 그리스도가 이런 고난을 받고 자기의 영광에 들어가야 된다고 누누이 이야기하지 않았느냐? 왜 그걸 모르느냐?"라는 것입니다. 하지만 그렇게만 말씀하신 것이 아닙니다. 성경을 들어서 증명해주셨습니다.

"모세와 및 모든 선지자의 글로 시작하여 모든 성경에 쓴 바 자기에 관한 것을 자세히 설명하시니라."

이것이 성경의 핵심이라는 것입니다.

다시 말해서 십자가의 그리스도를 이해하지 못하면 그것은 참된 믿음이 아니라는 말입니다. 얼마나 두렵습니까? 많은 사람들이 '나는 예수를 믿는다' 또는 '나는 구원받았다'라고 생각합니다. '나는 믿음이 있는 자'라고 자신만만해합니다. 그랬는데 어느 순간, 예수님이 "너희는 예수인 나를 믿지 않았다"고 선포할 수 있는 것입니다. 충격적이지 않습니까? 우리는 영광의 그리스도, 세상에서 칼을 휘두르고 승리하는 그리스도만 찾습니다. 그러면 예수님의 형제들에 대해 예수를 믿지 않았다고 선포했던 것과 마찬가지로 우리도 예수를 믿지 않았다고 선포할 수 있다는 말이 됩니다. 비록 예수님의 능력을 인정하고 예수님의 존재를 인정한다 할지라도, 그리스도의 십자가 중심의 신앙을 인정하지 않는다면 그것은 다 헛된 믿음일 수밖에 없습니다. 성경은 이것을 강력하게 고발하고 있는 것입니다. 그러므로 십자가 중심의 신앙으로 돌아오는 하나님의 백성이 되기 바랍니다.

외화내빈의 믿음

그러므로 참된 믿음이란 예수님의 십자가의 방법에 대한 전적인 동의를 뜻합니다. 다시 말해서 먼저 내가 죄인임을 인정하고, 오로지 예수 그리스도의 보혈로만 구원받는다는 것을 믿는 것입니다. 인간의 의(義)가 아니라 오직 예수 그리스도의 십자가만으로 구원받는다는 것을 인정하는 것이 구원받는 믿음입니다.

우리가 이 땅을 살아갈 때 세상을 변화시키는 방법은 무엇입니까? 칼입니까? 총입니까? 나의 주장입니까? 다 아닙니다. "한 알의 밀이 땅에 떨어져 죽지 아니하면 한 알 그대로 있고 죽으면 많은 열매를 맺느니라"(요 12:24)는 말씀을 믿는 것입니다. 예수님의 방법을 따르기 때문에 우리는 죽는 길로 나아갈 수 있습니다. 왜 그렇습니까? 그것이 가장 확실한 승리의 길이기 때문입니다. 예수님도 자기 자신을 부인하고 자기 십자가를 지셨습니다. 그러면 우리는 어떤 결심을 해야 합니까? '나도 예수님처럼 나를 부인해야 되겠구나. 내가 이제는 나의 십자가를 지고 주님을 따라야 되겠구나' 하는 결심을 해야 합니다. 그래야만 그것이 참된 믿음입니다.

이런 믿음에 대해 전혀 생소하고, 아무런 생각 없이 예수님을 믿는 사람이 있습니다. 예수님만 믿으면 만사형통할 것이라는 사실만 붙들고 있는 사람도 있습니다. 이런 사람들은 자기들이 죽을 때까지 예수님을 믿는다고 외칠 것입니다. 그러나 마지막 순간에 주님이 무어라고 하시는 줄 아십니까?

“그들이 여전히 예수를 믿지 아니하였더라.”

이런 선포가 있자마자 마침표를 찍어버리신다는 사실입니다. 참으로 무서운 말씀이 아닐 수 없습니다.

한국교회의 많은 성도들이 교회에 모여서 예수를 믿는다고 했습니다. 믿음이 있다고 했습니다. 그런데 묘하게도 세상에 나가서 싸우면 다 깨졌습니다. 백전백패한 것입니다.

요한일서 5장 4절 말씀입니다.

“세상을 이긴 이김은 이것이니 우리의 믿음이니라.”

믿음이 있으면 세상을 이긴다고 했습니다. 그런데 왜 믿는 성도들이 번번이 패하기만 하고 이기지 못합니까? 그것은 그 믿음이 성경이 말하는 믿음이 아니기 때문입니다. 진짜 믿음은 역사하는 힘이 있습니다. 진짜 십자가의 믿음이 아니기 때문에 나가서 넘어지고 깨지더라는 이야기입니다. 방향이 잘못되어 있습니다. 방향이 잘못되면 아무리 열심히 하고 많은 것을 쏟아부어도 주님의 능력이 드러나지 않습니다. 열매를 맺을 수 없습니다. 한국교회는 십자가의 능력을 의지하지 않고 사람 숫자만을 강조했습니다. 외화내빈(外華內貧)이었습니다. 남들에게 보이는 것에만 신경을 썼습니다. 생명을 살리는 일에 신경쓰지 않고 교회 장식하는 데만 기력을 소모했습니다. 그랬더니 능력이 사라지고 생명이 사그라졌습니다.

넝마 목회를 청산해야

미국에서 어떤 청년이 길을 가다가 5달러 지폐를 주웠습니다. 한 6천 원 되는 돈을 그냥 주운 것입니다. 얼마나 기쁩니까? 이 청년은 너무나 감격했습니다. 그 다음부터 이 청년은 땅만 내려다보았습니다. ‘땅에 무엇이 떨어져 있나?' 그러면서 한평생을 다녔다고 합니다. 그래서 평생 단추 29,519개, 핀 54,172개, 동전 220개를 주웠다고 합니다. 거기다가 바늘, 머리핀 등등 하여튼 별의별 것을 다 주웠습니다. 이 청년이 나중에 늙어서 죽게 되었을 때 허리는 몹시 굽어졌고 성격은 난폭하게 변해 있었다고 합니다. 왜 그렇습니까? 한 번도 하늘은 쳐다보지 않고 땅만 보며 살았기 때문입니다. 이런 인생을 무어라고 부르는 줄 아십니까? '넝마 인생'이라고 합니다.

우리는 이것을 깨달아야 합니다. 하나님 앞에서 올바르지 않은 방법으로 성공하는 것은 재앙이라는 사실을 말입니다. 하나님께서 원하시지 않는 방법, 올바르지 않은 방법으로는 성공하지 않는 것이 오히려 복이라는 것을 말입니다. 괜히 쓸데없는 짓을 해서 성공하면 그것이 우리의 인생을 망칠 수 있기 때문입니다. 아마 이 청년이 우연히 5달러짜리 지폐를 줍지만 않았어도 그의 인생이 이렇게 비참하진 않았을 테지요. 하지만 결국 쓸데없는 것에 한 번 마음이 쏠리자 자기 일평생이 넝마 인생으로 바뀌게 된 것입니다.

한국교회는 어떻습니까? 이제까지 전혀 성경적이지 않은 말씀을 선포한 경우가 많았습니다. 깊이가 없는 신앙이었습니다. 하나님의 말씀에 맞지도 않는 이상한 신앙을 가지고 말씀을 증거하기도 했습니다. 특히 예수 믿으면 복 받고, 부자 되고, 병 낫는다는 소리만 해야 교회가 부흥한다는 식의 이야기를 떠들었습니다. 이런 식으로 이야기하면 목회가 망해야 되는데, 망하지 않았습니다. 망했으면 제대로 깨달았을 텐데 말입니다.

왜 그렇습니까? '우리가 살길은 역시 기도밖에 없구나. 하나님의 말씀밖에 없구나. 우리를 살리는 것은 기도와 말씀 외에 다른 것이 없구나'라고 깨달았으면 그 쪽으로 나아갔을 것입니다. 그런데 엉터리 같은 신앙이 교회를 성공시켰습니다. 그랬더니 많은 교회가 말씀을 저버리고, 신앙을 저버리고 나중에는 그저 "꿩 잡는 것이 매다"라는 이상한 모토 하나만 가지고 나아가게 되었다는 말입니다.

결국 한국교회는 땅만 보는 목회로 전락했습니다. 저는 이런 목회를 '넝마 목회' 라고 합니다. 결국 교회가 부흥하려면 결혼카드를 보내야 한다, 생일카드를 보내야 한다, 컴퓨터가 있어야 한다, 버스가 있어야 교회가 부흥한다는 등 전혀 본질에 근접하지도 않는 이상한 논리를 가지고 계속해서 잘못된 길로 오도해나갔다는 것입니다. 왜 그렇습니까? 넝마 목회이기 때문입니다.

우리 인생도 마찬가지입니다. 겉으로 볼 때는 똑같은 믿음처럼 보입니다. 예배드릴 때도 똑같은 것 같습니다. 그러나 십자가 중심의 믿음과 세속의 영광을 추구하는 믿음은 하늘과 땅 차이입니다. 똑같이 예배드리고, 똑같이 기도하고, 똑같이 찬송하는 것 같지만 세상에 나가서 역사하는 믿음은 하늘과 땅 차이라는 것입니다.

마음만 먹으면 우리는 지금이라도 백두산에 오를 수 있습니다. 중국을 통해서 말입니다. 백두산에 올라가면 천지 연못이 있습니다. 천지 연못은 두 군데로 흐른다고 합니다. 천지 연못이 서쪽으로 흐르면 압록강이 되고, 동쪽으로 흐르면 두만강이 됩니다. 다시 말해 물이 조금이라도 서쪽에 있으면 압록강이 되고, 조금이라도 동쪽으로 흐르면 두만강이 되는 것입니다. 이 천지 연못에 함께 있을 때는 사실 차이가 없습니다. 차이가 있더라도 아주 근소한 차이일 것입니다.

그런데 약간의 기울기 차이로 어떻게 됩니까? 완전히 정반대로 운명이 갈린다는 것입니다. 우리의 신앙도 마찬가지입니다. 겉으로 볼 때 똑같은 신앙처럼 보이지만, 기도하고 부르짖는 십자가 신앙이 세상을 뒤집어엎을 수 있습니다. 반면에 겉만 번드르르한 신앙은 똑같아보일지라도 세속의 영광을 추구하는 신앙이기에 열매가 전혀 없는 패배하는 믿음이 될 수밖에 없습니다.

그러므로 오직 예수 그리스도의 십자가만 붙들고, 십자가 신앙으로 무장하는 능력의 종이 되기 바랍니다. 그것이 믿음이요 그것이 역사하는 신앙이라는 것을 꼭 기억하십시오. 십자가 믿음을 가지고 나아가는 십자가의 군병들이 되기 바랍니다.

과시가 패망의 선봉

예수님의 형제들은 지금 무엇을 요구하고 있습니까? 예수님의 능력을 한번 과시하라는 것입니다. 다시 말해서 다른 사람들이 다 보는 데서 크게 한번 폼을 잡아보자는 뜻입니다. 많은 사람들이 모두 우리를 주목해보도록 만들고 싶다는 것이 바로 그 형제들의 요구였습니다. 마귀가 지배하는 문화, 마귀가 지배하는 사회는 항상 과시하는 문화입니다. 과시하는 사회입니다. 허세가 모든 것을 다 지배합니다. 우리 주변을 살펴보십시오. 얼마나 많은 사람들이 빼기는 데 있는 힘을 다 기울이며 살고 있는지 모릅니다. 왜 사람들이 큰 차를 타려고 합니까? 필요해서가 아니라 과시하려는 것입니다. 왜 많은 사람들이 필요 이상 넓은 집에서 살려고 애를 씁니까? 꼭 필요해서라기보다 과시하려는 것입니다. 비싼 옷을 입는 것도 마찬가지입니다. 그래서 기독교권에서 밍크코트네 호피무늬 반코트네 하는 사건이 발생하는 것입니다.

어떤 젊은 변호사가 사무실을 개업했습니다. 이제 풋내기 변호사이니 찾아오는 사람이 없었습니다. 하루종일 기다려도 한 사람도 찾아오지 않았습니다. 개업한 지 3일이 되었는데도 찾아오는 사람이 없었습니다. 그런데 3일째 오후가 되니 비로소 어떤 사람이 사무실을 노크했습니다. 이 변호사는 '드디어 나를 찾아오는 사람이 생겼어' 그러면서 너무나 좋아했습니다. 그런데 그렇게만 하고 가만히 있었으면 좋았을 텐데, 자기를 찾아온 손님에게 자기가 얼마나 바쁜 사람이며, 얼마나 잘 나가는 사람인지 보여주려고 괜스레 전화기를 들고 바쁜 척했습니다.

"아, 예, 그 사건, 맡고는 싶지만 제가 사건이 밀려 있어서 맡을 수가 없습니다. 다음 기회에 맡지요."

그렇게 유창하게 가짜 전화를 하고 끊었습니다. 그러고는 그 사람에게 이렇게 말했습니다.

"아, 죄송합니다. 눈코 뜰 새 없이 바빠서 인사를 빨리 드리지 못했군요. 무엇을 도와드릴까요? 어떻게 오셨습니까?"

그러니까 들어온 사람이 머뭇거리며 말을 할까말까 하다가 이렇게 말합니다.

"사실은 선생님이 신청하신 전화 놓아드리려고 왔는데요."

무슨 이야기입니까? 전화 놓는 사람이 방문했다는 것은 그 전화가 아직 개통되지 않았다는 것이지요. 그런데 개통되지도 않은 전화기를 들고 괜히 자기를 과시하며 허세 부리다가 부끄러운 일을 당한 것입니다. 이 풋내기 변호사의 얼굴이 어땠을지 한번 상상해보십시오. 이런 망신이 없지요.

실제로 우리가 이런 인생을 살고 있습니다. 5분만 지나면, 10분만 지나면 전부 다 허세라는 것이 드러나는데도 우리는 이리 뛰고 저리 뛰어다닙니다. 목사도 목회를 하면서 여러 가지 유혹이 있습니다. 그중의 하나가 바로 자기를 과시하고 싶은 욕구입니다. 목사님들이 복음을 증거할 때 자기가 가지고 있는 지식과 자기가 알고 있는 내용들을 통해서 복음을 증거하는 것은 참 좋은 일입니다. 그래서 목사도 계속 공부해야 합니다. 그런데 복음증거와는 관계없이 오직 내가 얼마나 많이 알고 있는지 나타내기 위해서, 그리고 내가 얼마나 많은 것을 공부한 사람인가를 드러내기 위해서 자꾸만 그것을 쓰고자 하는 유혹이 있다는 것입니다. 이것이 진짜 유혹입니다. 끊어버려야 합니다. 악한 마귀는 하나님의 백성들을 넘어뜨리기 위해서 자꾸 과시하도록 이끌어갑니다.

마귀가 예수님을 시험합니다. 시험의 내용이 무엇이었습니까? "돌들로 떡덩이가 되게 하라", "성전 꼭대기에서 뛰어내려라."

무엇을 하라는 것입니까? 과시하라는 것입니다. 그래도 넘어가지 않으니까 이렇게 유혹합니다.

"네가 만일 하나님의 아들이어든."

약올리고 있습니다.

"네가 진짜 하나님의 아들이냐? 네가 진짜 믿음이 있느냐? 네가 진짜 능력이 있는 사람이냐? 그럼 한번 뛰어내려봐."

그래서 사탄은 이렇게 쓸데없는 곳에 우리 힘을 탕진하게 만듭니다. 이래서 넘어갔던 사람이 누구였습니까? 삼손이었습니다. 삼손은 엄청나게 많은 능력을 가지고 있었는데, 그 능력을 가지고 무엇을 하는 데 썼습니까? 여자 뒤꽁무니 쫓아다니는 데, 많은 사람들에게 자기를 과시하는 데 그의 능력을 다 탕진해버리고, 나중에는 머리털 깎이고 두 눈 뽑힌 비참한 모습이 되었습니다. 명심하십시오. 믿음이란 과시하는 것이 아니라 열매 맺는 데 의미가 있다는 사실을 말입니다.

영혼 구원이 하나님의 뜻

그 형제들이 예루살렘에 올라가라고 할 때 예수께서 올라가시지 않으려고 했던 이유를 이제 이해하실 것입니다. 무엇 때문입니까? "과시욕을 한번 채워보십시오" 하는 그런 제안에 대한 거절이라는 것입니다. 다시 말해서 이 형제들의 제안에 대한 거절은 마귀가 예수께 시험했던 그 내용들에 대한 거절과 똑같은 맥락인 것입니다.

그런데 예수께서 나중에 왜 예루살렘에 올라가셨습니까? 예수님의 의도는 간단합니다. 하나님의 뜻을 이루기 위한 것입니다. 과시욕이 아니라 하나님의 일을 해야겠다는 태도 때문에 예루살렘에 올라가신 것입니다.

요한복음 6장 38, 39절입니다.

"내가 하늘로서 내려온 것은 내 뜻을 행하려 함이 아니요 나를 보내신 이의 뜻을 행하려 함이니라 나를 보내신 이의 뜻은 내게 주신 자 중에 내가 하나도 잃어버리지 아니하고 마지막 날에 다시 살리는 이것이니라."

하나님의 뜻이 무엇입니까? 하나님의 택한 백성들을 구원하는 것입니다. 지금 초막절의 예루살렘에는 많은 사람들이 모여 있습니다. 그러나 그 많은 사람들이 영적으로는 죽어가고 있습니다. 그들이 복음을 알지 못해서 지옥의 백성들이 될 위기에 처해 있습니다. 그러니까 예수님이 올라가서 무엇을 하십니까? 복음을 증거하십니다. 택하신 영혼들을 하나도 잃어버리지 않으려는 것이 하나님의 뜻이고, 이것을 이루기 위해 예수께서 예루살렘에 올라가시는 것입니다. 다시 말해서 예수님의 행동의 모든 동인(動因)은 자기 과시가 아니라 하나님의 뜻을 성취하고 이루는 것이었습니다.

그래서 예수님이 십자가에 못박히시면서 마지막에 하신 말씀이 무엇이었습니까? "내가 모든 것을 다 과시했다" 그렇게 말하고 죽으셨습니까? 아닙니다.

"다 이루었다. 하나님이 나에게 맡겨 주신 그 목표를 다 이루고 사명을 다 이루었다."

이것이 성도 본연의 자세입니다. 그러므로 우리에게 주신 모든 능력을 가지고 과시하는 데 사용하는 것이 아니라, 하나님 앞에서 열매를 맺는 데 사용해야 할 것입니다.

주께서 보시는 것은 무화과나무의 무성한 잎이 아니라 열매입니다. 열매 중심적인 사역을 하기 바랍니다. 이제 우리 성도들은 겉치레를 다 버립시다. 겉치레를 다 버리고 하나님 앞에서 진짜 필요한 열매를 거두어 한국교회에 부흥을 일으키고, 각 심령들을 살리는 일에만 온 힘을 다 쏟도록 합시다. 그것이 참된 믿음입니다.

순종할 때 원수도 사랑할 수 있다

마지막으로 살필 믿음의 내용은 요한복음 7장 17절입니다.

"사람이 하나님의 뜻을 행하려 하면 이 교훈이 하나님께로서 왔는지 내가 스스로 말함인지 알리라."

믿음의 본질은 단순한 호기심이나 탐구심만으로 알 수 있는 것이 아닙니다. 믿음은 삶의 현장에서 순종하는 자에게 역사합니다. 앉아서 생각만 하는 것이 믿음이 아닙니다. 예를 들어 "앉아서 생각으로만 원수를 사랑하라"고 한다면 이 말에 대해서 순종 못할 사람이 누가 있습니까? "원수를 사랑합니다"라고 백날이라도 고백할 수 있습니다

그런데 우리 앞에 진짜 원수가 나타났습니다. 원수가 생겼습니다. 이름만 들어도 심장 박동이 두 배로 뜁니다. 생각하기도 싫습니다. 근처에도 가기 싫고 피하고 싶습니다. 그 사람이 어떤 성(姓)을 가지고 있는데, 그 성씨 가진 사람만 봐도 이가 갈립니다. '저 족속들' 그러면서 상종도 안 합니다. 그것이 분노입니다. 그것이 원수에 대한 태도입니다. 그 정도로 원수가 밉습니다.

그런데 하나님의 말씀이 무엇이라고 합니까? "원수를 사랑하라"고 합니다. 거기서 그치는 것이 아니라 그를 위해서 기도하랍니다. 그러다보니까 하나님의 말씀에 순종하기 위해서 기도합니다. 기도할 때에 눈물이 납니다. 왜 눈물이 납니까? 억울해서입니다. '내가 어떻게 그런 자를 위해서 기도하고 있지?' 하는 생각을 하니 억울해서 눈물이 납니다.

그렇게 10분, 20분을 기도하다보면 어떤 마음이 생깁니까? 억울함의 눈물이 감사의 눈물로 변화됩니다. 그러면서 원수 되었던 우리를 사랑했던 주님의 그 사랑이 무엇인지 깨닫게 됩니다.

'아, 하나님께서 이 원수 같은 나를 이렇게 사랑해주시고 건져주셨구나.'

하나님의 은혜에 너무 감격해서 억울함의 눈물이 감사의 눈물로 변화되더라는 것입니다. 이것은 책상에 앉아서 되는 것이 아니라 실질적으로

순종할 때 나타나는 능력입니다.

그러므로 하나님 앞에서 참된 믿음이 무엇입니까? 순종입니다. 그래서 순종하는 자만이 깨달을 수 있는 특권이 있습니다. 우리도 하나님 앞에 순종함으로써 우리 하나님의 뜻을 깨닫고, 그 깨달은 능력으로 세상을 변화시켜야 할 것입니다.

마귀가 쓰는 방법이 무엇입니까? 마귀는 그냥 방구석에 처박혀 앉아서 생각만 하게 만듭니다. 움직이지 않게 만드는 것입니다. 이 생각 저 생각 하다보니까 미움이 생기고, 그러다보니까 좌절이 생기고, 그러다보니까 낙망이 생기는 것입니다. 세상에서 하나님께서 우리에게 주신 시간을 낭비하는 것만큼 마귀를 기쁘게 하는 일이 없습니다.

혹시 길거리에 돈 만 원짜리를 떨어뜨리고 다니는 사람을 봤습니까? 만 원이 아니라 천 원만 떨어져도 즉시 주울 것입니다. '아, 내 돈! 내 돈!' 하면서 신주 단지 대하듯 귀중하게 여깁니다. 그러면서도 이 돈보다 훨씬 더 중요한 시간은 길거리에 막 뿌리고 다니는 사람이 있습니다. 하나님께서 우리에게 귀중한 젊음과 충성의 기회를 주셨는데, 그것들을 허송세월로 다 보내고 발로 차버리는 사람이 있다는 것입니다. 이것은 하나님께 크나큰 범죄행위입니다.

그러므로 하나님의 백성은 어떻게 살아야 합니까? 앉은 자리에서 생각만 하는 것이 아니라, 하나님 말씀이 있으면 즉각적으로 순종하는 자리로 나아가는 것이 필요합니다. 그러므로 현장에 뛰어드는 사람만이 하나님 앞에 능력 받는 사람이요, 현장에서 뛰는 자만이 기도하는 백성입니다.

최선의 믿음, 기도

어떤 아들이 아버지와 함께 화단을 정리하고 있었습니다. 화단을 잘 정리하고 있는데, 그 화단 한가운데 큰 돌이 하나 있었습니다. 이 아들이 그 돌을 옮기려고 있는 힘을 다합니다. 그 돌을 드느라 땀을 뻘뻘 흘립니다. 그런데 꿈쩍도 하지 않습니다. 그 모습을 보고 있던 아버지가 그 아들에게 호통을 칩니다.

"내가 너에게 매사에 최선을 다하라고 그랬지. 넌 왜 최선을 다하지 않는 거니?"

그렇게 호되게 질책을 했습니다. 아마도 이 아들이 사춘기 정도 되는 나이였던가봅니다. 아버지에게 반항을 합니다.

"아버지는 눈이 없습니까? 지금 내가 이렇게 땀을 뻘뻘 흘리면서 열심히 최선을 다하는 모습이 보이지 않습니까? 어떻게 나에게 그렇게 매정하게 말씀하실 수 있습니까?"

그러자 아버지는 이렇게 말씀하셨습니다.

"네가 지금 혼자서 땀을 흘리는 것이 너의 최선이냐? 왜 내게 도움을 청하지 않았느냐?"

아버지가 말하는 최선은 무엇입니까? 그 아들이 혼자서 발버둥치는 것이 아니라, 아버지에게 도움을 구하는 것이 최선이라는 것입니다.

하나님 앞에서 충성을 다짐하는 사람들은 열심히 일합니다. 땀흘리며 충성하면서 일을 합니다. 이렇게 우리가 열심히 일을 하다가 우리 앞에 큰 바윗돌을 만났습니다. 아무리 흔들어도 꿈쩍도 하지 않습니다. 그럴 때 우리는 최선을 다하기 위해서 아버지를 찾습니다. 그래서 우리가 주님 앞에 나아와 기도합니다. 세상에서 땀흘려 뛰는 사람이 최선이 아니라, 세상과 싸우다가 내 힘으로 안 되는 걸 알고 전능하신 하나님의 능력을 구하기 위해 엎드리는 자, 이 사람이 진정으로 최선을 다하는 사람입니다.

교회에도 두 종류의 교회가 있습니다. 기도하는 교회와 기도하지 않는 교회로 나눌 수가 있습니다. 선교 사역을 하지 않고, 일하지 않으며, 전도하지 않는 교회에는 기도도 없습니다. 왜 그렇습니까? 최선을 다하는 사람만이 기도할 수 있기 때문입니다. 기도는 누가 한다고요? 싸우는 자가 기도할 수 있습니다. 싸우는 것이 없으면 기도할 리도 없습니다. 그래서 일이 없는 교회에 기도가 있다는 것은 생판 거짓말입니다. 기도하더라도 자기 축복을 구하는 기도, 자기 정욕을 위한 기도지 하나님이 원하시는 그런 기도가 아닙니다.

반면에 하나님 앞에서 충성을 다해 일을 하고자 하는 성도들은 어떻습니까? 부딪쳐보면 잘 안 되잖아요. 안 되니까 자신들의 최선인 전능하신 하나님의 능력을 구하는 것입니다. 저희 삼일교회는 그렇습니다. 제주선교를 감당하려고 하는데, 우리 힘으로 안 됩니다. 바윗돌이 박혀 있습니다. 그러니까 우리의 최선이 무엇입니까? "하나님, 저것 뽑아주세요" 하고 부르짖는 것입니다. 대만선교를 하려고 하니까 우리 능력으로 안 됩니다. 그러니까 무엇을 하는 것입니까? "아버지, 도와주세요" 하고 기도하는 것입니다. 그것이 최선입니다. '예람제'에 4천 명, 5천 명 모이는 것이 우리 힘으로 가능한 일입니까? 안 됩니다. 안 되기 때문에 마귀를 멸해주시고, 청년들을 불러 모아달라고 기도하는 것이 우리의 최선이라는 것입니다.

그러므로 삶의 현장으로 들어가 하나님 앞에서 능력을 받고 부딪치고, 안 되면 우리의 최선인 전능하신 하나님께 능력을 구함으로 말미암아 모든 일들을 감당하는 하나님의 능력의 종이 되기 바랍니다.

그러므로 참된 믿음을 가지고 있는 사람들은 역사하는 능력이 있습니다. 참된 믿음을 가지고 있는 사람들은 서두에도 말했지만 세상을 이깁니다. 우리 앞에 어떠한 대적도 있을 수 없습니다. 왜 그렇습니까? 믿음의 본질은 아버지의 능력을 가지고 바윗돌을 박살내는 것이기 때문에 우리 앞에는 대적이 없습니다. 이러한 믿음을 가지고 참된 믿음의 뜻을 깨닫고, 믿음으로 세상을 정복하고, 하늘과 땅을 진동케 하는 하나님의 백성이 되기 바랍니다.

ID 153 패스워드

패스워드1. 십자가 중심의 믿음이 진짜 믿음이다.

하나님을 믿는 것만으로는 충분치 못하다. 마귀도 하나님을 믿고 떤다. 고난의 메시아를 믿는 것이 말씀대로 믿는 것이다. 성경이 말하는 믿음은 십자가 중심의 믿음이다. 승리하는 그리스도만을 믿고 따른다면 마지막날 "너희는 예수인 나를 믿지 않았다"는 말을 듣게 될 것이다.

패스워드2. 과시하지 않는 믿음이 진짜 믿음이다.

마귀가 지배하는 사회의 문화는 항상 과시하는 문화다. 큰 차, 넓은 집을 얻으려는 것은 필요해서라기보다 모두 뻐기기 위해서다. 허세를 부리는 데 힘을 쏟게 하는 것이 마귀의 계략이다. 우리 행동의 모든 동기는 자기 과시가 아니라 하나님의 뜻을 이루는 데 있어야 한다.

패스워드3. 행동하는 믿음이 진짜 믿음이다.

믿음의 본질은 단순히 호기심이나 탐구심만으로 알 수 있는 것이 아니다. 믿음은 삶의 현장에서 순종하는 자에게 역사한다. 앉아서 생각만 하는 것은 믿음이 아니다. 생각으로만 원수를 사랑하는 것은 순종이 아니다. 삶의 현장에서 믿음을 입증하라.

코람데오 (Coram Deo) 자기점검

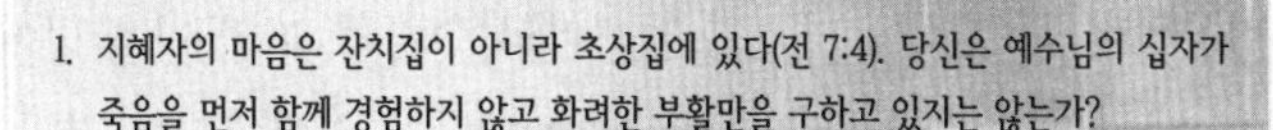

1. 지혜자의 마음은 잔치집이 아니라 초상집에 있다(전 7:4). 당신은 예수님의 십자가 죽음을 먼저 함께 경험하지 않고 화려한 부활만을 구하고 있지는 않는가?

2. 순수하게 하나님의 사역을 한다면서도 그 내면의 동기에는 자기 과시, 자아 실현의 욕구가 깊이 자리하고 있기 쉽다. 당신은 하나님의 영광을 가로채고 스스로 주인되려고 하는 이 죄성(罪性)의 뿌리가 얼마나 질긴지를 놓고 절망해본 적이 있는가?

3. 영적인 것은 지극히 몸적인 것이기도 하다. 하나님은 우리의 몸을 하나님이 기뻐하시는 거룩한 산 제사로 드리라고 명하신다(롬 12:1). 당신은 진정한 영적 예배가 무엇인지 아는가?

20장

생수의 강이 흘러나리라

4부 말씀 불패의 믿음

요 7:37-40

갈급한 심령에게 윤리, 도덕, 당위성을 밤낮 이야기해봤자 소용없습니다. 그것이 우리를 살리는 것이 아니기 때문입니다. 그런데 예수님을 만나고 다른 사람에게 예수님을 증거하면 우리 속에서 역사하기 시작하심으로 우리 영혼에 생수의 강이 터져나오게 만드십니다.

실체를 경험하라

시대가 발전해갈수록 그와는 반대로 정신은 점점 후퇴하고 있는 것 같습니다. 왜 그런가 하면 요즘 점쟁이를 찾아다니는 사람이 부쩍 늘어났기 때문입니다. 통계에 따르면 점쟁이의 숫자가 40만 명을 넘어섰다고 합니다. 다시 말해서 인구 100명당 한 사람이 점쟁이라는 것입니다. 그리고 서점에서 팔리고 있는 책의 5분의 1 정도가 무당이 쓴 책이라고 합니다. 지식인이 쓴 책보다는 무당이 쓴 책을 더 많이 읽고 있다는 것입니다. 점쟁이를 찾아가는 사람들에게 왜 그곳을 찾아가느냐고 물으면 대답이 이렇습니다.

"답답해서 갑니다."

다시 말해서 영혼의 불안과 두려움 때문에 점쟁이를 찾아다니는 안타까운 시대가 되었다는 것입니다.

우리나라처럼 술장사가 잘 되는 나라가 없습니다. 우리 한국 사람은 월평균 수입의 20퍼센트 가까이를 술값으로 지불하고 있으며, 1인당 술 소비량은 세계 최대라고 합니다. 술 마시는 사람에게 술을 왜 마시느냐고 물어보면 대답이 이렇습니다.

"제정신으로 어떻게 이 험한 세상을 살아갈 수 있습니까? 견딜 수 없어서 마십니다."

쉽게 말하면 영혼의 갈증으로 인한 몸부림이라는 것입니다. 나이트클럽이나 락카페에서 많은 젊은 남녀들이 밤새도록 몸을 흔들어대고 괴성을 질러댑니다. 왜 그렇습니까? 그렇게라도 하지 않으면 견딜 수 없기 때문입니다. 영혼의 갈급함의 몸부림입니다. 또 많은 사람이 도박을 합니다. 러시아의 대문호 도스토예프스키는 도박에 관한 글을 쓴 적이 있었습니다. 그는 사람들이 왜 도박을 하는지 곰곰이 생각해보았습니다. 생각해보니까 도박의 목적이 돈이 아니더라는 것입니다. 돈이 목적인 사람은 돈을 주면 더 이상 도박을 안 해야 될 텐데, 돈이 생기면 여전히 도박장으로 달려간다는 것입니다. 그래서 이 도스토예프스키가 내린 결론이 무엇입니까?

"도박을 왜 하느냐? 그것은 돈 때문이 아니라 깊은 목마름 때문이다."

우리에게도 목마름이 있습니다. 그렇기 때문에 결국 술과 도박에 빠져드는 것입니다.

많은 사람들이 점, 술 또는 춤과 도박에 빠져들어갑니다. 사람들은 나름대로 이런 것들에 기대어 비틀거리면서 살아보겠다고 몸부림치고 있습니다. 아모스서 8장 12, 13절에 나오는 예언을 보는 듯합니다.

"사람이 이 바다에서 저 바다까지, 북에서 동까지 비틀거리며 여호와의 말씀을 구하려고 달려 왕래하되 얻지 못하리니 그 날에 아름다운 처녀와 젊은 남자가 다 갈하여 피곤하리라."

이 현실은 비틀거리는 상황이요, 피곤한 상황이요, 목마름이 있는 상황입니다. 도대체 세상이 이렇게 된 것이 누구의 책임입니까? 이것이 우리의 질문입니다. 누구의 책임입니까? 왜 세상이 이 꼴이 되었습니까? 성경은 교회의 책임이라고 말합니다. 성경의 시각은 교회가 참된 예배의 능력을 잃어버린 결과로 이러한 재앙이 임하게 되었다고 합니다. 하나님 앞에 예배드리러 온 사람들을 보면 전부다 피곤한 인생이요, 기갈한 인생이요, 답답한 인생입니다.

고등학교 때까지 저의 믿음생활은 매우 평범했습니다. 그러다가 대학을 들어가고 사회와 접하게 되니까, 우리가 살아가는 세상이 너무나도 험악하다는 사실을 깨닫게 되었습니다. 또 쉽게 해결점을 찾을 수 없는 문제들이 쌓여 있고, 무엇보다도 영적인 답답함이 저를 짓누르는 것 같았습니다. 그래서 예배드릴 때마다 하나님 앞에서 은혜를 구하고 또 예수님을 만나는 체험을 하기 원했습니다.

그런데 제가 대학을 다니면서 느꼈던 가장 큰 불만은 단 한 번도 영적인 갈증을 채워주는 예배다운 예배를 드려보지 못했다는 것입니다. 기대를 가지고 하나님 앞에 나왔는데, 나올 때마다 실망밖에 없었습니다. 왜 그렇습니까? 실체가 없었기 때문입니다. 항상 이론으로 끝나는 것이었습니다.

한동안 교회 부흥에 대한 이론이 떠들썩한 적이 있었습니다. 그 이론은 교회를 살릴 수 있는 방법을 하나씩 하나씩 자세히 가르쳐주고 있었습니다. 성령충만하면 된다, 기도하면 된다, 말씀의 능력이 있으면 된다고 이야기합니다. 그런데 실제로 성령을 맛보는 일들은 없습니다. 기도가 중요하다고 하는데, 어떻게 기도해야 하는지 알 수 없습니다. 기도하는 자리에 나아가는 일이 거의 없다는 것입니다. 말씀이 힘이라고 하는데, 말씀을 가지고 세상을 정복하는 경험이 한 번도 없습니다. 그러니까 교회가 무력한 것이었습니다. 그림 속의 생수를 바라보고 만족하라고 말하는 교회가 되어버렸습니다. 한마디로 말해서 오아시스가 아니라 신기루 같은 교회가 되었다는 사실입니다.

저는 목회의 길을 시작하면서 하나님 앞에 결심했습니다.

"적어도 제가 하나님 앞에 말씀을 증거할 때에는 제가 몸부림을 치든, 피를 흘리든, 땀을 흘리든 간에 하나님 앞에서 이 실체를 붙드는 목회를 하겠습니다. 하나님을 만나게 하는 목회를 하겠습니다. 예배 때마다 하나님 앞에 영광을 드리고, 주님을 체험하는 예배를 드리겠습니다."

이것이 제 목회의 목표였습니다. 왜 그랬습니까? 실체가 아닌 그림으로는 갈증을 해결할 수 없기 때문입니다. 본문을 통해서 그림의 예수님이 아니라 살아계신 예수님을 만나려고 합니다. 그래서 우리의 모든 갈한 것들이 예수님을 통해서 채워지는 은혜가 넘쳐나기 바랍니다.

예배의 감격에 빠져라

18세기의 유럽도 우리와 똑같은 상황에 처하게 되었습니다. 예배의 생명력을 다 잃게 되었고, 예배를 통해서 하나님을 만날 수 없게 되었습니다. 저하고 비슷한 고민을 가졌던 사람이 진젠도르프 백작이라는 사람입니다. 이 사람이 이런 고민을 했습니다.

'하나님이 살아계신다고 하는데, 살아계신 하나님을 나는 한 번도 체험할 수 없구나.'

그때마다 하나님 앞에 기도하면서 예배의 부흥을 위해 간구했습니다. 그래서 나이 27세에 성령의 능력을 받고 또 예배에서 예수님을 만나는 체험을 했습니다. 그러고 난 다음에 모라비안 교파라는 것을 만들었습니다. 이 모라비안 교파는 예배에서 하나님의 임재를 중시했고, 그림이 아니라 실체를 중시하는 교회가 되었습니다.

이 모라비안 교파가 주목을 받게 된 이유는 바로 존 웨슬리 때문이었습니다. 이 존 웨슬리가 대서양을 건너 여행을 할 때, 목사였는데도 구원의 확신이 없었습니다. 이것만큼 안타까운 일이 어디 있습니까? 목사인데 구원의 확신이 없었습니다. 그러던 어느 날 배가 대서양을 지나가는데 폭풍을 만나게 되었습니다. 웨슬리는 굉장히 두려웠습니다. 죽으면 천국에 갈지 지옥에 갈지 확신이 없었습니다. 그런데 배 갑판 한 구석에서 어떤 사람들이 모여서 찬송을 합니다. 폭풍우 속에서도 그들의 얼굴에 평안이 있습니다. 웨슬리는 '도대체 저들과 나는 무슨 차이가 있는가? 나는 이렇게 불안에 떨고 있고 두려움에 떨고 있는데, 저들은 어떻게 찬송할 수 있는가? 저들은 누구인가?' 하고 알아보았더니 이 사람들이 바로 모라비안 교도였습니다.

웨슬리가 충격을 받고 1738년 5월 24일에 영국으로 돌아와 올더스게이트 거리에 있는 모라비안 교파의 예배 처소에 찾아가서 같이 예배를 드렸습니다. 그때 거기서 그는 구원의 확신과 성령의 능력과 예배의 권능이 무엇인지 체험하게 되었습니다. 이 예배의 능력을 체험하고 난 다음에 웨슬리가 제일 먼저 했던 일이 무엇입니까? 광부들에게 나아가서 복음증거하는 일이었습니다. 예수만이 생명이라고 증거하기 시작했습니다.

무슨 뜻입니까? 참된 예배의 회복이 있을 때 나가서 복음을 외칠 수 있다는 것입니다. 참된 예배의 회복 없이는 우리가 절대로 복음증거하고, 선교 사역에 참여할 수 없습니다. 그래서 교회사학자들은 이렇게 말합니다.

"이 모라비안이라는 작은 교파가 20년 동안 해외로 보낸 선교사가 천여 명이 된다. 다른 보수적인 교단이 200년 동안에 보낸 선교사들보다 더 많은 선교사를 보낸 것이다."

모라비안 교단은 20년이라는 짧은 기간에 천여 명의 선교사들을 파송했습니다. 아마도 전세계의 복음주의 교회 역사상 가장 많은 선교사를 보낸 교회일 것입니다. 많은 선교사를 보냈습니다. '정통'이라고 하고 "말씀을 붙든다"고 하는 다른 교단들이 200년 동안 보냈던 선교사가 500명이 되지 않았습니다. 결국 모라비안 교단이 다른 교단보다 더 많은 일을 하게 된 이유가 무엇이었습니까? 살아계신 예수님을 만나는 예배가 있었기 때문에 가능했습니다.

예수께서는 요한복음 7장 37절 하반절과 38절에서 이렇게 초청하십니다.

"누구든지 목마른 자는 내게로 와서 마시라 나를 믿는 자는 성경에 이름과 같이 그 배에서 생수의 강이 흘러나리라 하시니."

우리의 목마름의 모든 문제를 해결할 수 있는 분이 누구입니까? 오직 예수님밖에 없습니다. 갈급한 심령에게 윤리, 도덕, 당위성을 밤낮 이야기해봤자 소용없습니다. 그것이 우리를 살리는 것이 아니기 때문입니다. 그런데 예수님을 만나고 다른 사람에게 예수님을 증거하면, 우리 속에서 주님이 역사하기 시작함으로 우리 영혼에 생수의 강이 터져나오게 만드십니다. 답답하십니까? 피곤하십니까? 예수님을 만나면 해결이 됩니다. 예수님을 만나서 당신의 모든 영적인 문제와 육적인 문제가 해결받기 바랍니다.

예배가 왜 중요합니까? 예배란 무엇입니까? 예배는 예수님을 만나는 것입니다. 그래서 예배가 중요합니다. 예수님이 우리의 생명인데, 무엇을 통해서 예수님을 만날 수 있습니까? 바로 예배입니다. 그러므로 예배는 어떻게 드려야 합니까? 예수님을 만날 때까지 드려야 합니다. 예배에는 두 가지 차원이 있습니다. 하나는 하나님께 드리는 영광과 경배로서의 예배가 있고, 또 하나는 위로부터 내려오는 능력과 은혜를 받는 예배가 있습니다. 그러므로 예배는 드리는 것과 받는 것, 두 가지가 다 있어야 됩니다.

그러면 우리는 예배를 어떻게 드려야 합니까?

첫째로, 성도들이 나와서 하나님께 영광을 드리는 모습이 있어야 합니다.

우리가 가지고 있는 모든 것들을 다 드려야 합니다. 예배의 장소를 떠나게 될 때 '아, 내가 하나님 앞에 드릴 경배가 아직도 남았는데, 다 못 드렸는데…' 그러면서 떠나서는 안 됩니다. 우리가 가지고 있는 모든 경배와 우리 속에 있는 모든 찬양, 그리고 우리 속에 있는 모든 영광을 다 드리는 것이 예배입니다. 그래서 예배 시간이 끝나고 돌아갈 때에는 더 여한이 없어야 합니다. 부족함이 없어야 합니다. '내가 가지고 있는 모든 것들을 주께 다 드리고, 다 쏟아붓고 가노라' 하는 그런 마음이 있어야 그것이 예배라는 것입니다. 주일 예배 때 예수님을 경배하기 위해서 무엇을 들고 나옵니까? 동방 박사들은 선물을 들고 왔지요. 당신은 무엇을 들고 나옵니까? 헌금을 들고 나옵니까? 마음을 들고 나옵니까? 무엇을 들고 나옵니까? 그러므로 예배는 우리가 가지고 있는 모든 것들을 하나님 앞에 다 드리는 은혜의 시간입니다.

둘째로, 예수님의 임재를 체험하는 모습이 있어야 합니다.

예수님을 만남으로 말미암아 우리 속사람이 변화되고, 우리 안에 예수께서 살아계신다는 확신과 우리 속에 주께서 능력으로 역사하시는 체험이 있어야 합니다. 그것이 바로 예배의 본질이기 때문입니다. 교회에서 사람만 만나고 헛된 소리만 듣고 가는 것이 아니라, 예수님을 만나고 생명의 말씀을 듣고 나아가는 하나님의 사람이 되기 바랍니다.

생수의 강이 흘러넘치는 기쁨

예수님을 만나면 복이 임하게 됩니다. 예수님을 만나고, 예수님을 믿는 자들에게 그분께서 선물을 주십니다. 그 선물이 무엇입니까? 흘러나오는 생수의 강입니다. 그런데 이 생수의 강을 성령이라고 말씀합니다.

"이는 그 믿는 자의 받을 성령을 가리켜 말씀하신 것이라"(요 7:39).

그러니까 우리 속에서 성령이 역사하시는데, 성령이 역사하는 것을 무엇으로 비유했습니까? 생수의 강이 흘러나오는 것으로 비유했습니다.

삼일교회에서 기도원을 갈 때 북한강을 끼고 가게 됩니다. 춘천까지 경춘가도를 쭉 따라가노라면 옆으로 강이 흐릅니다. 흐르는 강을 바라보고 있으면 사람의 마음에 기쁨이 생깁니다. 풍요로움이 생깁니다. 그래서 강변의 음식점을 가게 되면 강이 내려다보이는 자리에 앉고 싶어하는 것입니다. 똑같은 건물이라 하더라도 강가에 지어진 건물이 훨씬 더 비쌉니다. 왜 그렇습니까? 강줄기는 우리에게 기쁨을 주기 때문에 그렇습니다. 또 강줄기를 따라가다보면 거기 여러 군데의 댐들이 있지 않습니까? 거기서 무엇이 나옵니까? 발전을 일으킵니다. 힘이 나옵니다. 그리고 이 강이 흐르는 곳마다 어떤 일이 일어납니까? 많은 생명을 살리는 일이 일어납니다. 곡식을 무르익게 만듭니다. 그래서 사람들은 이 강을 국토의 젖줄이라고 합니다. 강이 흘러가는 곳마다 생명력이 공급됩니다.

마찬가지로 속에 성령이 있고 생수의 강이 흐르는 사람들에게도 똑같은 일이 일어납니다. 먼저, 성령이 있으면 마음에 기쁨이 있습니다. 하나님 앞에서 기쁨이 넘치는 사람이 됩니다. 무슨 일을 하든 간에 피곤함이 없습니다. 기쁨으로 일들을 감당할 수 있기 때문입니다. 사도행전 5장 41절을 보니까 "사도들은 그 이름을 위하여 능욕받는 일에 합당한 자로 여기심을 기뻐하면서 공회 앞을 떠나니라"는 말씀이 나옵니다. 사도들은 핍박당했습니다. 어려움을 당했습니다. 그런데 성령의 충만함이 있으니까, 생수의 강이 흐르니까 어떻게 변화되었습니까? 기쁨으로 변화되었습니다.

세상을 살아갈 때 피곤하다고, 짜증난다고 하는 사람들이 있습니까? 문제는 간단합니다. 성령의 역사가 없기 때문입니다. 생수의 강이 흐르지 않기 때문에 그렇습니다. 강줄기만 남아 있고 그 외 물은 다 말라서 강바닥이 드러났기 때문에 그런 인생을 사는 것입니다. 예수님을 만남으로 생수의 강이 흘러넘치는 복이 임하기 바랍니다.

사랑의 생수가 흐르게 하라

제가 전도사 시절에 있었던 일입니다. 교회에서 큰 행사를 하게 되었는데, 그 행사에 사용될 인쇄물에 오자가 있었습니다. 고치지 않고 넘어갈 수 없는 중요한 문제였습니다. 그런데 그 인쇄물의 오자를 바로잡을 스티커만 모두 2만 개였습니다. 2만 개의 스티커를 보니까 일도 하기 전에 숨이 턱 막혔습니다. 저녁 6시에 인쇄물이 왔는데, '이 일을 언제 다 끝내나?' 하며 고민하다가 제가 동역자를 구했습니다. 제가 그 당시 청년부 전도사였기 때문에 서로 좋아하는 사이라는 걸 저만 알고 있던 커플이 있었습니다. 그래서 그 두 사람을 데려다가 일을 시켰습니다.

그런데 일을 하다보니 도저히 그 두 사람만 데리고는 안 될 일이었습니다. 그래서 서로 호감은 있지만 눈치만 살피고 있는 한 커플에게 다시 전화를 걸었습니다. 형제도 자매를 좋아하고, 자매도 형제를 좋아하지만 서로 기회만 엿보고 있는 그 두 사람을 불러서 일을 좀 도와달라고 했습니다. 그리고 부모님들께 전화를 걸었습니다.

"제가 일을 시킬 일이 좀 있어 그러니까 교회로 보내주십시오."

그래서 저녁 7시부터 새벽 5시까지 무려 10시간 동안 인쇄물에 스티커를 하나하나 붙이는 일을 시켰습니다. 저는 그렇게 체력이 강하지 못했기 때문에 중간에 잤습니다. 새벽에 제가 일어나면서 '지금쯤이면 다들 녹초가 됐겠지?' 하고 그들의 얼굴을 쳐다봤는데, 그 얼굴이 모두 천사의 얼굴입니다. 광채가 났습니다. 밤새도록 일했는데 생글생글 웃고 얼굴에 빛이 나는 것이었습니다.

'도대체 무슨 슈퍼맨이길래 저런 일이 벌어졌나? 녹용을 먹었나?'

별 생각을 다 했습니다. 그런데 그게 아니었습니다. 이유는 간단했습니다. 좋아하는 사람과 같이 일을 하니까 10시간이 순식간에 지나가더라는 것입니다.

하나님의 일을 할 때에도 성령과 동행하면 지칠 줄 모릅니다. 이것이 중요합니다. 그래서 예수 믿는 사람들은 모든 일을 신나게 합니다. 억지로 일하는 것이 아닙니다. 그래서 저는 교역자들에게 교회에서 제일 중요한 요소가 '사랑'이라고 강조합니다. 이것은 성도들의 사기와도 관련이 있습니다.

"우리 교회는 하나님 앞에 쓰임받는 교회요, 성령이 우리와 함께하는 교회요, 우리가 가는 길은 길 닦는 길이고 하나님의 영광이 임하는 길이다."

성도들에게는 이러한 사기가 중요합니다. 이 사기가 넘치면 아무리 많은 일을 한다 할지라도 피곤함이 없습니다. 성령이 생수의 강같이 흐름으로 말미암아 기쁨으로 모든 일을 감당하는 사람이 되기 바랍니다.

능력의 생수가 흐르게 하라

또한 성령이 생수의 강같이 흐르면 우리에게 능력이 임합니다. 교회 성도들과 함께 철야기도를 10시간 동안 했습니다. 이 이야기를 처음 듣는 사람은 놀랍니다.

"어떻게 10시간 동안 기도할 수 있는가? 와! 놀랍다."

그런데 그렇지 않습니다. 한 시간 기도하고 두 시간 기도하다보면 주께서 계속해서 기도할 수 있는 능력을 부어주십니다. 아무 문제도 아니라는 것입니다.

저는 선교 여행을 많이 떠나기 때문에 월요일부터 토요일까지 선교를 하다보면 설교 준비를 할 시간이 없습니다. 얼마나 급합니까? 그런데 하나님 앞에서 쉴 틈 없이 많은 일들을 하다보면 참 묘한 일이 벌어집니다. 저는 설교 준비를 굉장히 오래 하는 사람인데, 선교 여행을 갔다오는 주간이면 설교 준비가 그리 오래 걸리지 않습니다. 어떤 때는 비행기를 타고 오다가 설교 준비를 마칠 때도 있고, 어떤 때는 준비가 전혀 안 된 채 주일 아침에 깨어서 말씀을 보는데 영감이 폭포수같이 쏟아져서 설교를 작성할 때도 있습니다.

그럴 때 제가 깨닫는 것이 무엇인 줄 아십니까? '하나님께서 우리에게 사명을 주실 때에는 그 사명을 감당할 수 있는 능력까지 주시는구나' 하는 것입니다. 그러므로 우리 앞에 아무리 많은 문제가 있다 할지라도 두려워할 필요가 없습니다. 왜 그렇습니까? 하나님께서 주시는 능력으로 말미암아 이 모든 문제를 해결할 수 있기 때문입니다. 그래서 성도는 인간적인 차원으로 일하는 사람이 아니라 하나님의 차원에서 일하는 존재라는 것을 꼭 기억하시고, 일을 두려워하지 마십시오. 그리고 하나님께서 부어주시는 능력으로 그 일들을 능히 감당하는 사람이 되기 바랍니다.

갈 길을 밝히 보이시는 성령님

성령께서는 우리를 인도해주십니다. 요한복음 16장 12, 13절입니다.

"내가 아직도 너희에게 이를 것이 많으나 지금은 너희가 감당치 못하리라 그러하나 진리의 성령이 오시면 그가 너희를 모든 진리 가운데로 인도하시리니."

성령께서 우리를 인도하시는 사역을 하십니다. 실제로 우리가 무슨 일을 해야 하고, 어느 곳으로 가야 할지 잘 모를 때가 있습니다. 그런데 이 성령의 능력을 모르는 사람들은 "어떤 일을 할 때 늘 계획을 치밀하게 세우라"고 말합니다. 맞는 이야기입니다. 계획을 치밀하게 세워야 합니다. 특별히 공무원 출신들과 일을 하다보면 무엇을 하든지 기안을 만들어 자세하게 하기를 원합니다. 세상 일은 그것이 가능합니다. 왜 가능합니까? 처음부터 끝까지 5개년 계획, 6개년 계획을 세워서 차례차례 시행하면 되기 때문입니다.

그러나 하나님의 일은 그것이 안 됩니다. 실제로 일을 하다보면, 아무리 계획을 잘 세워놓아도 성령이 원하시는 일이 아니면 중간에 다 틀어집니다. 주님께서 핸들을 돌리실 때가 있습니다. 만약 우리가 동쪽으로 가고 있으면 주님께서는 우리의 핸들을 돌려 북쪽으로 가게 만드실 때가 있습니다. 그럴 때 불순종하면서 '계획이 동쪽이니까 계속해서 동쪽으로 가야 돼' 그러면 안 됩니다. 우리가 억지로 동쪽으로 갔다면 하나님께서는 어떻게든 우리를 북쪽으로 가 있게 만드십니다. 얻어 터져가면서 말입니다.

그러므로 하나님의 일을 하는 사람들은 치밀하게 기도하면서 계획을 세워야 합니다. 그리고 실제로 움직이면서 하나님이 원하시는 길을 가는 일에 전적으로 순종하는 모습이 있어야 합니다.

아무런 계획도 없는 분이 계십니까? 미래가 불투명한 분이 계십니까? 기도로 시작하시기 바랍니다. 기도하면 어떤 일이 일어납니까? 성령이 순간마다 우리가 가야 될 길을 가르쳐주십니다. 예외가 없습니다.

"이와 같이 성령도 우리 연약함을 도우시나니 우리가 마땅히 빌 바를 알지 못하나 오직 성령이 말할 수 없는 탄식으로 우리를 위하여 친히 간구하시느니라"(롬 8:26).

우리는 갈 바를 알지 못합니다. 그러나 기도하는 사람은 성령의 인도하심으로 말미암아 흔들리지 않고 반드시 하나님의 자리로 가게 됩니다. 이것을 믿어야 합니다. 믿고 순종하며 우리 하나님이 이끄시는 그 자리로 나아가는 하나님의 백성이 되기 바랍니다.

기도할 때 성령이 일하신다

삼일교회가 이제까지 제주선교를 가게 된 것도 우리 스스로가 뜻해서 간 것이 아닙니다. 기도하는 가운데 하나님께서 보여주신 비전이었기 때문에 제주선교를 시작하게 된 것입니다. 대만선교도 마찬가지입니다. 그리고 1년에 한 번씩 저희 교회에서 행해지는 '예람제'라는 전도집회도 마찬가지입니다.

그런데 예전에 예람제 행사를 연세대 강당에서 하려고 했었습니다. 그래서 연세대학교 총장님과도 이야기를 하고, 모든 행사 준비가 다 끝난 상태였습니다. 그런데 하나님께서 연세대에서 할 수 없는 여러 가지 환경을 주셨습니다. 그래서 할 수 없이 장소를 바꿔 예람제를 이화여대에서 하게 되었습니다. 그런데 이화여대로 옮겨 예람제를 하게 되니까 하나님께서 뜻하셨던 계획들이 그곳에 있었다는 것을 깨닫게 되었습니다.

성도의 삶도 똑같습니다. '아, 하나님이 이런 뜻이 있으셔서 이런 길로 날 이끌어주시는구나' 하는 것을 깨닫는 것입니다.

한번은 제가 특별히 한국교회 젊은이들을 위해서 기도를 많이 한 주간이 있었습니다. 새벽마다 생각나는 기도 제목이 많아서 열심히 기도했습니다. 아마도 그날이 어떤 대형집회의 준비 모임을 갖기로 한 수요일 아침이었던 것 같습니다. 보통 때는 이런 모임에 잘 참석하지 않는데 기도하는 가운데 성령께서 그 자리에 참석해서 그들과 함께 중보기도하기를 원하신다는 생각이 들었습니다.

'그 자리에 참석해서 2시간 동안 계속 기도하면서 말씀을 나누어야겠다.'

그런데 거기 참석해서 기도하는 가운데 이상하게 가슴이 뜨거워졌습니다. 하나님의 은혜가 임하게 되었고, 특별히 캠퍼스의 죽어가는 영혼들에 대한 안타까움이 많이 생겨나는 것이었습니다. 그렇게 기도하고 있던 차에 전혀 예상치 못했던 준비위원장이라는 자리를 맡게 되었습니다. 준비위원장의 일이란 우리나라에 있는 여러 대학, 교회들과 협력하면서 행사를 준비해야 하는 일이었습니다. 생각지도 않은 일이었습니다.

하나님의 인도하심을 통해서 마지막으로 느꼈던 것은 '아, 이래서 하나님께서 나를 기도케 하시고 또 이것을 위해서 삼일교회가 오랫동안 준비하게 하셨구나' 하는 것이었습니다. '우리의 생각과 계획에는 없지만 하나님께서 우리를 이끄시고 이루시고자 하는 길이 따로 있구나' 하는 것을 알게 되었습니다. 순종하기만 하면 성령이 인도하시는 가장 좋은 길로 나아갈 수 있습니다.

그러므로 우리 속에서 생수의 강이 흘러나기만 하면 기쁨 가운데, 능력 가운데 주님의 사역을 감당하고 또 성령의 인도하심 가운데 견고한 반석 위로 그 길을 인도받을 수 있습니다. 성령 안에서 생수의 강이 흐르는 심령으로 하나님의 일들을 감당하는 사람이 되기 바랍니다.

반대로 우리 속에 성령이 역사하지 않으면 어떻게 됩니까? 간단합니다. 일을 할 때 전혀 기쁨이 없습니다. 항상 짜증과 피곤함 가운데 일을 하게 됩니다. 그리고 교회가 능력이 없습니다. 아무런 열매도 거둘 수 없고 날마다 패배밖에 없습니다. 성령의 인도가 아니기 때문에 난상토론만 벌어집니다. 밤낮 모여서 회의만 합니다. 그래서 서로 싸움만 합니다. 왜 그렇습니까? 이 생각이 옳다고, 저 생각이 옳다고 하면서 서로 싸우다가 결국은 교회를 분열시키고, 아무 일도 못하는 무력함에 빠지게 됩니다. 그러므로 교회 안에서 성령의 능력은 필수적이라는 것을 꼭 기억하시고, 속에서 생수의 강이 터져나오는 하나님의 백성이 되기 바랍니다.

충만한 삶

"누구든지 목마르거든 내게로 와서 마시라 나를 믿는 자는 성경에 이름과 같이 그 배에서 생수의 강이 흘러나리라 하시니"(요 7:37, 38).

성도의 삶이라는 것은 생수의 강이 흘러넘치는 삶이라고 할 수 있습니다. 그래서 성도는 어떤 것을 짜내는 인생이 아니라 넘치는 인생을 살아가야 합니다. 넘치는 삶을 '충만'이라고 합니다. 그래서 우리의 기도도 표준적인 양만큼만 하는 것이 아니라 넘치도록 하는 것이 성도의 모습입니다. 기도도 넘치게 해야 합니다. 쉽게 말하면 필요 이상으로 해야 한다는 것입니다. 그러면 넘치게 됩니다. 찬송도 마찬가지입니다. 한 곡 두 곡으로 끝나는 것이 아니라 넘쳐흐르는 찬양을 드리십시오. 그러면 하나님 앞에서 그 능력을 주변에 전파시키게 됩니다.

저는 지금도 항상 성령의 충만이라든지, '넘친다'는 것을 생각할 때 떠오르는 장면이 있습니다. 영화에서 결혼식이 끝나고 나면 피라미드식으로 잔을 올려놓고 따르는 것이 있지 않습니까? 맨 밑에 잔이 네 개 있습니다. 그 위에 세 개의 잔을, 그 다음 두 개, 맨 꼭대기에 한 개를 놓습니다. 그리고 어떻게 합니까? 음료수를 딱 터트려서 맨 위에다가 콸콸콸 붓습니다.

맨 위가 차면 어떻게 됩니까? 흘러넘쳐서 두 번째 칸에 있는 잔에 가득 차고 그것이 차면 세 번째 칸에 있는 잔들이 가득 차고 또 그것이 차면 네 번째 칸에 있는 잔에 흘러넘치는 광경을 볼 수 있습니다. 이것이 바로 무엇입니까? '충만' 이라는 것입니다. 충만한 삶이 바로 이것입니다.

한 사람의 심령 속에서 터져나온 생명의 삶이 이제는 넘치고 넘쳐 교회로 그 사명이 이어져야 한다는 것입니다. 교회는 조금은 아름다워야 된다고 생각합니다. 그러나 저는 우리 교회 전체를 아름답게 꾸밀 마음은 없습니다. 그러나 꼭 만들고 싶은 것이 한 가지 있는데, 바로 분수대입니다. 분수대는 제가 꼭 하나 만들려고 합니다. 시원함이 느껴지는 분수대를 만들고 싶습니다. '교회' 하면 물이 떠올라야 합니다. 맨 꼭대기는 어린아이 배에서, 곧 배꼽에서 물이 터져나오게 했으면 제일 좋겠습니다. 물이 막 튀어나오고, 그 다음에 그 물이 차면 그 밑으로 넘치고 넘쳐서 맨 밑에는 세계지도가 있는 것입니다.

"우리 교회로부터 넘쳐 흐르는 물을 통해 세계를 가득 채우리라."

얼마나 큰 의미가 있습니까? 어린아이들이 '아, 우리 속에서 물이 흘러 넘쳐 나와야 되는구나. 생수가 흘러넘쳐야 되는구나' 하고 생각하게 될 것입니다. 이것이 우리 교회의 상징이 될 수 있을 것입니다. 교회는 생수의 강물이 흘러넘치는 곳이 되어야 합니다.

에스겔서 47장의 환상이 무엇입니까? 성전 문지방에서 물이 흘러넘칩니다. 그래서 가서 재보았더니 처음에는 발목까지 차고, 그 다음에는 무릎까지 차고, 그 다음에는 허리까지 차고, 나중에는 헤엄칠 정도의 물이 되었습니다. 이것이 무슨 뜻입니까? 교회의 사명이 바로 이것이 되어야 한다는 것입니다. 교회에서는 물이 흘러넘쳐 나와야 되고, 그 물이 닿는 곳마다 영혼들이 살아나야 한다는 말씀입니다. 그 물이 어디까지 흘러갑니까? 사해바다까지 흘러갑니다. 사해에는 물고기가 없습니다. 그러나 이 생수로 인해 사해바다에 물고기가 뛰놀게 된다는 것입니다.

굉장히 상징적인 의미가 있지 않습니까? 우리 한국교회도 마찬가지입니다. 이 생수의 강이 흘러나서 우리 주변에 있는 많은 영혼들을 살릴 수 있는 생수의 근원이 되는 교회가 되기 바랍니다.

교회가 살아야 사회가 산다

이 사회를 구하기 위한 근거가 어디서부터 시작됩니까? 사회구원을 위한 선교 문제에서부터 시작되어야 합니까? 아닙니다. 교회갱신에서 시작되어야 합니다. 교회가 살아야만 사회가 삽니다. 교회에 생명력이 충만해지면 사회가 살아날 수 있습니다. 우리가 이것을 붙들지 않으면 엉뚱한 싸움을 벌입니다. 교회 문제에 대해, 예배에 대해서는 도외시해버리고 사회운동을 한다고 외치는 것은 다 공언(空言)에 불과합니다. 절대로 다 치유될 수 없습니다. 그것으로 해결될 수 없습니다.

지금 미국에서는 동성연애와 낙태 지지 운동이 급속도로 퍼져가고 있다고 합니다. 특별히 '낙태 지지 운동'은 낙태를 합법화시키자는 것으로 사회적으로 많은 논란의 대상이 되고 있는 중입니다. 그런데 찰스 콜슨이라는 사람이 이 낙태 지지 운동을 반대하는 운동을 일으켜서 실제로 성공하게 되었습니다. 이 찰스 콜슨이 인터뷰를 하게 되었습니다.

"당신이 하는 싸움이 성공을 거두었군요. 참 축하드립니다. 낙태 지지 운동과 맞서서 성공을 거두었으니 말입니다."

그런데 이 찰스 콜슨이라는 사람이 이렇게 이야기했습니다.

"지금 이 싸움의 승리는 승리의 반쪽도 되지 않습니다. 문제는 이 사회운동이 아니라 영혼의 문제입니다."

정답 아닙니까? 사회운동으로 낙태 지지 운동에 반대하긴 했지만, 근본적인 문제는 무엇입니까? 그것은 사회운동으로 해결될 게 아니라 영혼이 치유받기 전에는 해결될 수 없는 문제라는 뜻입니다. 바로 영혼의 문제라는 것입니다.

그러므로 교회에서 이 생수가 흘러나와 사회로 흘러넘치게 될 때, 사회 구원이 이뤄질 수 있습니다. 지금 우리 한국사회를 볼 때 어떻습니까? 교회가 생수의 근원으로서의 사명을 감당하지 못하니까 교회의 이 사명을 대신하는 단체들이 나오기 시작했습니다. 그 대표적인 운동이 기도원 운동입니다. 교회에서 생수를 주지 않으니까 답답한 심령들이 다 어디로 갔습니까? 북한산, 삼각산에 올라가서 부르짖지 않습니까? 답답하다는 것입니다. 교회에서 예배를 드려도 영혼의 충족이 없습니다. 그래서 산꼭대기에 올라가서 소나무 붙잡고 방언받겠다고 "랄랄랄라" 하고 내려오는 것 아닙니까? 그 이유가 무엇입니까? 답답하기 때문입니다. 목마르기 때문입니다.

또 하나는 무엇입니까? 선교단체 운동입니다. 선교단체 운동을 통해서 지금까지 마음껏 기도하지 못했던 사람들이 기도하고, 말씀을 체계적으로 배우지 못했던 사람들이 말씀을 체계적으로 배우고, 교회의 사명인 복음 증거 사역을 할 수 있게 해줌으로써 이런 갈증들을 해소시켜주었습니다.

그런데 이 기도원 운동이라든지 선교단체 운동이라는 것은 약수터일 뿐입니다. 목마른 사람이 가서 물 떠다가 홀짝홀짝 마시는 약수터입니다. 하나님께서 원하시는 것이 무엇입니까? 졸졸 나오는 약수터가 아니라 생수의 강이 넘치게 흐르는 것입니다. 세상이라는 사막 가운데로 생수가 흘러야 되는 것입니다. 그러므로 항상 한 시대의 영광은 교회에 있다는 것을 우리는 믿어야 합니다. 하나님께서는 기도원, 선교단체가 아니라 교회에 영광을 다 주셨습니다. 그래서 교회가 그토록 중요한 것입니다.

그래서 제가 다른 교회에 갈 때마다 강조하는 것이 이런 것입니다. 서울 시내에 젊은이들이 100명 이상 모이는 교회가 300교회 이상 되면 서울 시내가 뒤집힌다고 말합니다. 그 운동이 필요합니다. 교회가 건강해져야 한국교회에 소망이 있고, 한국사회가 소망이 있습니다. 그러므로 교회 살리는 운동에 힘을 다하고, 교회를 위해서 기도하는 하나님의 백성이 되기 바랍니다. 그래서 우리 한국사회에 생명의 강들이 여기저기서 흘러넘쳐 많은 영혼들을 살리는 그러한 축복이 임하기 바랍니다.

부흥의 비밀은 없다

20세기의 가장 큰 부흥은 웨일즈 지방의 부흥이었습니다. 웨일즈의 부흥이 얼마나 엄청난 부흥이었는지 웨일즈에 사는 모든 사람들이 회개했습니다. 1907년 평양에서 일어난 대부흥보다 2, 3년 먼저 일어났습니다. 웨일즈에 대부흥이 일어났는데, 그때의 기록들을 보면 놀랄 만한 일들이 많았습니다. 철공소에 있던 사람들이 철공소에서 훔쳐가는 철 조각들이 있지 않습니까? 교인들의 집에 가도 교회 찬양집이 몇 권씩 있는 것을 볼 수 있습니다. 마찬가지로 하나둘씩 집어갔던 철조각들을, 회개하면서 다 들고 왔다고 합니다. 그렇게 모인 철을 놓아둘 데가 없어서 창고를 세우는 일이 벌어졌다는 것입니다.

또 하나 놀랄 만한 일은 웨일즈에 있던 극장들이 문을 다 닫게 되었다는 겁니다. 또 술집들이 다 폐업하게 되었습니다. 그래서 그 당시에 유명한 이야기가 있습니다. 웨일즈의 부흥으로 사람들도 은혜를 받았지만 당나귀가 더 은혜를 받았다고 합니다. 왜 그런 줄 아십니까?

옛날에는 사람들이 당나귀를 데리고 다니면서 때렸습니다. 부부싸움을 하거나 상관한테 욕을 먹으면 당나귀에게 분풀이를 할 만큼, 그야말로 동네북이 되었던 것이 당나귀입니다. 그런데 은혜받고 나니까 당나귀를 때리는 일이 없어지더라는 것입니다. 당나귀를 쓰다듬어주면서 축복기도 해주고 안수기도 해주고 별 일이 다 벌어지더라는 것입니다. 왜 그랬습니까? 은혜받으니까 동물까지도 은혜의 자리에 동참하게 되었다는 것입니다. 이런 대단한 부흥이 웨일즈의 부흥이었습니다.

당시 웨일즈의 부흥을 인도했던 이반 로버트라는 사람이 있었습니다. 이 이반 로버트는 집회를 인도하다가 많은 사람들에게 간증을 시키곤 했습니다.

"오늘 은혜받은 사람들 있으면 나와서 이야기해보십시오."

그랬더니 한 사람이 나와서 이렇게 이야기합니다.

"저는 사실 웨일즈 사람이 아닙니다. 미국에서 건너왔습니다. 제가 여기 온 이유는 이것입니다. 웨일즈 부흥의 비밀을 파악하기 위해서 왔습니다. 도대체 당신들이 부흥하는 이유가 무엇인지, 그 비밀을 알기 위해서 왔습니다."

그럴 때 이반 로버트가 이렇게 말했다고 합니다.

"비밀은 없습니다. 구하십시오. 그러면 주실 것입니다."

이것이 마지막 결론이었습니다.

비밀은 없습니다.

"구하라 그러면 주실 것이요."

우리에게 왜 성령의 능력이 없습니까? 이 말씀처럼 구하십시오. 비밀이 아닙니다. 우리가 하나님 앞에서 능력을 얻고 세상을 정복하는 것은 절대 비밀이 아닙니다. 하나님께서 이미 우리에게 주신 능력입니다. 구하면 주실 것입니다. 부족함이 있습니까? 구하십시오. 구하는 그대로 하나님께서 넘치도록 채워주실 것입니다. 실질적으로 우리가 하나님 앞에 구한 만큼 얻을 수 있습니다. 우리는 한국교회가 살아나게 해달라고 기도했습니다. 기도한 지 얼마 되지 않아 젊은이들이 살아나고 있는 것을 직접 우리 눈으로 보았습니다.

그러므로 세상에서 제일 수지맞는 장사가 바로 이 기도입니다. 하나님 앞에서 우리에게 주신 가장 큰 비밀 병기가 무엇입니까? 바로 기도입니다. 마귀가 대항할 수 없는 공격이 무엇입니까? 기도로써 공격하는 것입니다. 그러므로 하나님 앞에 기도함으로 말미암아 이 세상 역사의 판도를 바꾸고, 하나님의 큰 부흥의 물결을 일으키는 하나님의 거룩한 백성이 되기 바랍니다.

ID 153 패스워드

패스워드1. 삼위일체 하나님을 만나는 예배가 참예배다.

하나님께 드리는 영광과 경배, 그리고 위로부터 내려오는 능력과 은혜를 받는 체험이 있는 예배가 참예배다. 예수님의 임재를 체험하고 속사람이 변화받는 예배, 성령님이 생수의 강같이 흘러 우리에게 능력이 임하는 예배, 하나님의 기쁨이 넘치는 예배가 참예배다.

패스워드2. 성도의 삶은 생수가 넘쳐흐르는 삶이다.

성도는 애써 짜내는 인생이 아니라 넘치는 인생, 충만한 삶을 살아야 한다. 기도도 표준량만 하지 않고 넘치게 해야 한다. 찬송도 한두 곡으로 끝나는 것이 아니라 넘치도록 드려야 한다. 그럴 때 하나님의 능력이 나타나 주변을 변화시키게 된다. 은혜받은 자만이 넘치게 할 수 있다.

패스워드3. 사회구원은 교회갱신에서부터 출발되어야 한다.

교회에 생명력이 충만해지면 사회가 살아날 수 있다. 교회 내의 문제나 예배에 대해서는 도외시한 채 사회운동을 한다고 외치는 것은 공언에 불과하다. 모든 사회문제의 뿌리는 영혼의 문제다. 사회를 치유하는 능력은 오직 복음의 회복에 있다.

코람데오(Coram Deo) 자기점검

1. 쌍방향 커뮤니케이션이 이뤄지는 예배가 좋은 예배다. 당신은 예배에서 선포된 말씀을 잊지 않고 삶속에서 그대로 실행하고 있는가?

2. 지나치게 사랑하지 않으면 충분히 사랑하는 것이 아니다. 당신은 예수께 미친 사람 같다는 말을 한 번이라도 들어본 적이 있는가?

3. 복음은 가시적인 데모로 일하지 않고 자신이 죽는 것으로 일한다. 당신은 밖의 잔가지들을 일일이 좇아다니며 비판하는 데 능숙해지기보다 뿌리부터 먼저 든든히 바로세워야 한다는 사실을 숙지하고 있는가?

5부 죄에서 해방되는 믿음

153 건물을 지을 때도 옆집의 일조권을 침해하면 건축허가가 나오지 않습니다. 그 정도로 일조권이 중요합니다. 그런데 우리는 육적인 일조권은 중요하게 생각하면서도 영적인 일조권은 중요하게 생각지 않습니다. 항상 하나님 앞에 예배드릴 수 있는 곳, 항상 하나님 앞에 기도할 수 있는 곳, 항상 하나님 앞에 마음껏 찬송할 수 있는 곳이 영적 일조권이 좋은 장소입니다.

21장

죄를 가지고 장난치지 말라

5부 죄에서 해방되는 믿음

요 8:1-11

우리가 하나님 앞에서 은혜를 받는다는 것은 다른 것이 아닙니다. 내 눈 속에 있는 들보를 발견하는 것입니다. 그래서 우리가 다른 사람들의 죄악을 바라볼 때 '아, 내가 저 사람보다 더 많은 죄를 지었지', 다른 사람의 불순종을 보면서 '나도 과거에 저렇게 하나님을 떠나서 불순종했지' 이렇게 고백하는 것이 진정으로 은혜받은 사람의 모습입니다.

예수님의 외침

본문 말씀은 굉장히 유명한 말씀입니다. 그래서 예수를 믿지 않는 사람들도 익히 잘 알고 있는 내용입니다. 왜냐하면 예수께서 당면한 딜레마를 번득이는 지혜로 해결하시는 내용이기 때문입니다. 그래서 솔로몬의 재판 사건과 가이사에게 세금을 바칠 것인가 말 것인가의 문제와 아울러서 성경의 지혜를 예시할 때 빠지지 않고 등장하는 본문 가운데 하나입니다. 이 본문이 우리에게 보여주고자 하는 핵심이 무엇입니까? 예수님의 아이큐가 대단하다는 것을 보여주는 것입니까? 예수님은 이 정도 머리를 가지고 있으니까 믿을 만하다고 주장하는 본문입니까? 그런 것이 아닙니다. 세상 사람의 지혜도 만만치 않습니다. 세상 사람들의 지혜를 보여주는 대표적인 예가 있습니다.

프랑스에 루이 11세라는 왕이 있었습니다. 이 왕이 프랑스에 있는 모든 점쟁이들을 모아다가 죽이라는 명령을 내렸습니다. 그런 와중에 한 점쟁이에게 조롱하면서 묻습니다.

"네가 죽기 전에 너의 운명을 스스로 점쳐봐라. 어디 맞나 틀리나 두고 보자."

그랬더니 그 점쟁이가 한참 점을 보는 척하더니 "폐하, 점괘가 나왔습니다. 저의 운명은 폐하보다 사흘 일찍 죽는 것입니다"라고 점괘를 말했습니다. 이 점쟁이가 죽었겠습니까, 살았겠습니까? 이 점쟁이는 살았습니다. 왜 그렇습니까? 아무리 굉장한 왕이라고 할지라도 그 점쟁이가 죽고 난 다음 사흘 있다가 자기도 죽는다는 이야기를 들으니까 왠지 불안해서 죽이지 못했던 것입니다. 이 정도면 세상 사람의 지혜도 대단한 것입니다. 그러므로 본문(요 8:1-11)이 말씀하는 것은 예수님의 머리가 좋다는 것을 보여주는 데 목적이 있지 않습니다. 우리를 향한 외침, 그 외침을 귀기울여 듣고 깨달으라는 것입니다.

예수님 당시에 서기관들과 바리새인들과 대제사장들이 있었습니다. 이들은 예수를 죽이려고 혈안이 되어 있었습니다. 특별히 대제사장 가야바는 "한 사람이 죽어서 온 백성이 편할 수 있다면 죽이는 것이 더 낫다"는 말을 하면서 예수를 죽이려고 했습니다. 요한복음 7장에 보니까 대제사장이 하속들을 보내어서 예수를 잡으려고 하는 장면이 나옵니다. 그런데 보낸 하속들이 그분의 권위와 말씀 앞에 굴복하고 오히려 그분을 칭찬합니다.

"하속들이 대답하되 그 사람의 말하는 것처럼 말한 사람은 이때까지 없었나이다 하니"(46절).

그 말을 듣고 바리새인들이 무엇이라고 합니까?

"바리새인들이 대답하되 너희도 미혹되었느냐"(47절).

당시 예수님의 인기는 절정이었습니다. 그리고 많은 사람들이 예수께 동조했습니다. 따라서 공개적인 체포의 방법으로는 예수를 잡을 수 없다는 결론에 이르게 되었습니다. 그래서 이 서기관들과 바리새인과 대제사장들은 특별한 계략을 꾸미기 시작했습니다.

마귀의 영감

악한 마귀는 우리에게 정면으로 공격을 하다가 그것이 실패하게 되면 우회전략을 씁니다. 함정을 팝니다. 예루살렘교회에 처음으로 핍박을 가합니다. 핍박을 가하다가 안 되니까 아나니아와 삽비라를 통해서 범죄하게 만들고, 그것도 안 되니까 헬라파 과부와 히브리파 과부 간에 다툼을 일으켜서 교회를 무너뜨리려고 합니다. 이것이 마귀가 사용하는 방법입니다.

핍박이 안 통하면 평탄을 통해, 나태를 통해 무너지게 만듭니다. 마귀는 온갖 지혜를 다 동원해서 성도를 무너뜨리게 하는 것을 목적으로 일하고 있습니다. 마귀가 성도를 무너뜨리려고 할 때 자기 하수인들에게 때로는 마귀의 영감(靈感)을 줍니다. 마귀의 지혜를 줍니다. 마귀의 능력을 줍니다. 마귀가 주는 영감도 대단한 것입니다. 사탄을 찬양하는 노래를 만든 사람들을 보면 이 마귀로부터 영감을 받아 작곡한다는 것을 알 수 있습니다.

어떤 사람의 수필을 보니까 자기가 한 달 동안에 노래 수십 곡을 작곡했다고 합니다. 그런데 그는 마약을 복용하면 영감이 떠오르고 이상하게 가슴이 뜨거워진다고 합니다. 그래서 앉은 자리에서 악상이 떠올라 쓰기 시작한다고 합니다. 그러면 그 노래가 마귀를 찬양하는 노래가 되는 것입니다. 그리고 많은 사람이 열광하는 노래가 된다는 것입니다. 성령의 영감도 있지만, 마귀의 영감도 있습니다.

또한 마귀는 악한 일들을 위해서 지혜를 줄 때가 있습니다. '악한 지혜가 때로는 선한 지혜보다 크다' 는 생각이 들 때가 있습니다. 사기치는 사람이나 도둑질하는 사람들의 지혜를 보면 혀를 내두를 정도입니다. 그래서 악한 지혜를 가지고 있는 악한 사람들은 아무리 튼튼하게 금고를 만들어도 못 여는 금고가 없습니다. 대단한 지혜입니다. 경찰이 금고를 열려고 하면 못 여는데, 도둑은 자유자재로 연다는 것입니다. 왜 그렇습니까?

악한 지혜가 더 강하기 때문입니다. 범죄심리학자들이 범죄자들의 아이큐를 조사했더니 아이큐 150을 넘는 사람들이 많았다고 합니다.

또한 마귀는 이 악한 일을 행하기 위해서 부지런함과 체력을 줍니다. 선한 일을 위해서 밤새는 일은 드물지만, 죄 짓기 위해서는 밤을 새는 일이 비일비재하다는 사실입니다. 특별히 도박을 하는 사람들을 보면 며칠 밤을 새우고도 끄떡없습니다. 녹용 먹지 않고서도 사나흘을 버틸 수 있습니다. 마귀가 주는 능력입니다.

이 모든 일들을 살펴보면 마귀가 주는 영감과 지혜와 체력이 굉장하다는 사실을 깨닫게 됩니다.

생명을 죽이는 말씀

본문에 나타난 사람들의 계략을 보면 역시 마귀가 주는 지혜는 대단합니다. 감탄이 절로 나옵니다. 현장에서 간음한 여인을 예수께 데리고 옵니다. 그러고 난 다음에 5절을 보니까 "모세는 율법에 이러한 여자를 돌로 치라 명하였거니와 선생은 어떻게 말하겠나이까" 하며 진퇴양난의 질문을 던집니다.

"돌로 치라"고 하면 어떤 문제가 생깁니까? 예수께서 "일흔 번씩 일곱 번이라도 용서하라"고 말씀하고 다니셨는데, 이 말씀에 모순되는 자가당착에 빠져버리게 됩니다. 또한 당시 로마법은 사형의 구형과 집행은 로마 당국만 할 수 있도록 해두었습니다. 그러므로 예수님이 그 여자를 죽이라고 말하면 로마법을 어기는 것이 됩니다. 만약에 예수님이 죽이라고 말씀한다면 로마에 고소할 근거를 얻게 되는 셈입니다. 그래서 죽이라고 말할 수도 없습니다.

또 반대로 예수님이 "돌로 치지 말라"고 한다면 어떤 일이 벌어집니까? 모세의 율법을 어겼다고 해서 출교당할 수도 있습니다. 당시에 율법을 어기면 출교당할 수 있었습니다. 출교라는 것이 무엇입니까? 이스라엘의 교제권에서 끊어버린다는 뜻입니다. 그러므로 "치지 말라" 고도 못하고, "치라" 고도 못하는 기막힌 함정에 예수를 몰아넣은 것입니다. 이것이 마귀의 지혜입니다.

많은 학자들은 이 상황이 우연히 이루어진 상황이 아니라고 말합니다. 제사장들이 꾸며낸 상황일 가능성이 크다고 이야기합니다. 왜 그렇습니까? 이스라엘 백성에게는 몇 가지 없는 것들이 있었습니다. 대표적인 것이 무엇인가 하면, 이스라엘에는 창녀가 없습니다. 돈 받고 몸을 파는 여자가 없습니다. 발견 즉시 돌에 맞아 죽기 때문입니다. 지금도 이스라엘에는 절대로 돈을 받고 몸을 파는 여자는 없다고 합니다. 그리고 간음하는 여인이 있으면 지금도 가문에서 쫓아버립니다. 그리고 또 하나 무당이 없습니다. 무당이 있으면 돌로 쳐죽였습니다.

이렇게 두 가지가 없었습니다. 게다가 엄격한 바리새파가 지배하는 사회였기 때문에 그렇게 호락호락 간음할 수 있는 개방적인 사회도 아니었습니다. 그런데 이 여인은 간음을 하다가 현장에서 잡혔다고 합니다. 들키기 쉬운 장소에서 간음했을 리 만무한데, 이 여인은 간음하다 들켰고 더욱이 예수께서 성전에서 말씀을 증거하고 있는 그 시간에 맞추어서 데리고 올 수도 있었습니다.

'뭔가 조금 이상하다' 하는 미심쩍은 마음이 듭니다. 또 간음은 여자 혼자 하는 것이 아닙니다. 그런데 남자는 없습니다. 남자는 도망쳐버렸는지 못 잡고, 여자만 잡아왔습니다. 이것도 이상합니다. 그래서 성경학자들은 이것을 '음모' 라고 생각합니다.

다시 말해서 제사장이 어떤 유대인 제비족을 고용하여 '네가 어느 시간에 어느 여자와 간음하는 현장에 있어라. 그러면 우리가 덮쳐서 그 여자를 잡아다가 예수를 한번 곤욕스럽게 만들겠다' 고 하여 사전에 각본을 짠 음모였을 거라는 말입니다. 이렇게 생각하는 것이 많은 사람들의 추측입니다.

여기서 우리는 반드시 짚고 넘어가야 할 것이 있습니다. 우리가 가지고 있는 복음이 무엇인가 하는 문제입니다. 인간에게 율법을 주신 목적이 무엇인가 하는 문제입니다. 왜 우리에게 율법을 주셨습니까? 사람을 살리라고 준 것입니다. 그런데 이 바리새인과 서기관들은 하나님의 말씀을 가지고 사람을 살리기보다 죽이는 데 사용했습니다. 하나님께서 수술용 칼을 주셨는데, 이 바리새인들은 하나님께서 주신 수술용 칼을 가지고 사람을 찔러 죽이는 데 사용했습니다. 그래서 이 율법을 가지고 예수를 죽이려고 합니다. 율법을 가지고 이 간음한 여인을 죽이려고 합니다. 잘못된 것입니다.

세상의 방주

우리 주변에도 하나님의 말씀을, 사람을 살리는 데 사용하지 않고 죽이는 데 사용하는 사람이 있습니다. 자기가 예수를 잘 믿는다고 말합니다. 자기가 대단한 사람이라고 이야기합니다. 그리고 자기 집안은 뼈대 있는 집안이라고 자랑합니다. 말씀을 받은 가문이라고 말합니다. 그런데 그 사람 옆에서 구원받은 사람은 한 명도 없습니다. 그러면서 밤낮으로 다니면서 누구를 정죄하고, 누구를 찌르고, 누구를 죄인이라고 하고, 누구를 폭로하고 다니는 것은 하나님 자녀의 모습이 아니라 바리새인의 모습입니다.

그러므로 어떤 교회가 건강한 모습인지 아닌지는 전도의 영(靈)이 임했는지 아닌지를 통해서 알 수 있습니다. 하나님께서 우리 교회에 말씀을 주신 이유는 많은 영혼들을 불쌍히 여기고, 그 말씀을 통해서 살리라는 것입니다. 그 말씀을 통해서 우리가 얼마나 정당한 사람인가, 저들은 얼마나 악한 사람인가를 증거하는 데 사용하라는 것이 아닙니다. 그러므로 우리는 하나님께서 우리에게 주신 말씀을 통해서 영혼을 살리고, 우리에게 주신 기도의 능력을 통해서 영혼을 살리고, 모든 열심과 눈물로 영혼을 살려야 할 것입니다.

저는 특별히 우리 한국교회에 대해 한 가지 꿈이 있습니다. 한국교회가 세상에서 포기한 사람들을 복음으로 살리는 교회가 되었으면 좋겠습니다. 마약에 빠진 사람들, 악한 음악에 탐닉한 사람들, 향락에 빠진 사람들을 가슴에 품고 하나님의 말씀으로 그들을 거두어들이는 교회가 되었으면 좋겠습니다.

예수께서 이것을 원하시고 이것을 위해서 오셨습니다. 예수께서 이 땅에 온 이유를 스스로 밝히실 때 무엇이라고 하십니까?

"인자(人子)의 온 것은 잃어버린 자를 찾아 구원하려 함이니라"(눅 19:10).

우리도 마찬가지입니다. 왜 하나님께서 우리를 세상에 보내셨습니까? 세상에 잃어버린 자들을 찾아 구원케 하기 위해서 우리를 부르셨습니다. 이것을 기억하시고, 우리 주변에 있는 많은 불쌍한 죄인들을 정죄의 대상이 아니라 구원의 대상으로 삼아 말씀으로 건져낼 수 있기 바랍니다.

지독한 죄인

예수께서는 적대자들이 이런 질문을 할 때 손가락으로 땅에 글을 쓰셨습니다.

"예수께서 몸을 굽히사 손가락으로 땅에 쓰시니"(6절).

이것은 예수께서 글을 쓰셨다는 유일한 기록입니다. 예수님이 글자를 알았습니까, 몰랐습니까? 알았지요. 예수님이 글을 아셨다는 것을 밝혀주는 구절이 성경에 두 군데 나와 있습니다. 이 구절 말고 또 다른 하나는 성전에 들어가서 이사야서를 읽었다는 대목입니다. 예수님은 글을 읽을 줄 아셨습니다. 그래서 땅바닥에 글을 쓰셨습니다. 이렇게 예수님은 글을 읽을 줄도 아셨고, 쓸 줄도 아셨습니다.

그런데 여기서 궁금하게 생각되는 것은 '도대체 예수께서 땅바닥에 무슨 글을 쓰셨을까?' 하는 것입니다. "오늘 비가 오는데 우산은 가지고 왔니?"라고 쓰셨을까요? "이제 날씨가 많이 더워졌구나"라고 쓰셨을까요?

예수님이 무엇을 쓰셨는지에 대한 단서는 헬라어 단어를 보면 알 수 있습니다. '땅에 쓰다'는 뜻의 헬라어는 '카테그라펜'입니다. '카타'라는 것은 영어로 하면 '어게인스트'(against)입니다. '그라펜'은 '글을 쓰다'입니다. 그러니까 '대항하여 썼다'는 뜻입니다. 낙서한 것이 아니라 쟁론을 벌이려고 대항하여 글을 썼다는 것입니다. 그래서 초대 교부(敎父)들은 전통적으로 예수께서 죄 목록을 썼다고 이해합니다. 그래서 십계명에 나와 있는 모든 목록 중에서 "간음하지 말라, 살인하지 말라, 도적질하지 말라, 거짓 증거하지 말라"는 조항들을 나열했다고 추측합니다.

7절을 보니까 그런 글을 쓰시고 있음에도 불구하고 옆에 있는 많은 사람들이 계속해서 "묻기를 마지 아니하는지라"고 했습니다. 왜 예수님이 글을 쓰시는데도 계속해서 떠들었습니까? 이유는 무식해서 그렇습니다. 글을 몰랐기 때문입니다. 지금은 까막눈이 드물지만 예수님 당시만 해도 식자층이 아니면 글을 몰랐습니다. 요한복음 7장 15절에 보면 예수께서 성전에서 가르치시니까 놀라면서 사람들이 이렇게 말합니다.

"유대인들이 기이히 여겨 가로되 이 사람은 배우지 아니하였거늘 어떻게 글을 아느냐 하니."

제가 어렸을 때만 해도 우리 동네에서 글을 모르는 사람들이 많았습니다. 그래서 나이 사오십 되신 분들을 모아놓고 한글을 가르치는 전문학원이 있었습니다. 그때는 문맹자들이 너무 많았기 때문입니다. 젊은 사람들 가운데서도 한글을 못 읽는 사람들이 있고, 교회에서도 성경을 못 읽는 사람들이 많아서 한글을 가르쳐주는 모임이 있었습니다. 국민 대부분이 글을 깨치게 된 것은 최근의 일입니다. 그러니 예수님 당시에는 글을 아는 사람들이 정말 소수였습니다.

세상에서 제일 무서운 사람들이 누구라고 합니까? 책을 딱 한 권 읽은 사람이라고 하지요. 왜 그렇습니까? 책을 딱 한 권 읽고 그 책 안에 있는 내용만 진리인 줄 알고 그것만 외칩니다. 대화가 되지 않습니다. 지금 이 사람들이 그랬습니다. 글도 모르고 자기 자신만 의인인 줄 알고 "간음한 여인은 죽여야 된다"는 조항만 붙들고 무식하게 달려드는 것입니다.

그래서 예수님이 어떻게 말씀하십니까? 7절을 보니까 "너희 중에 죄 없는 자가 먼저 돌로 치라"고 말씀하신 다음에 또 엎드려서 땅에 글을 쓰십니다. 그러니까 아마도 옆에 있던 글을 아는 사람이 그 글을 읽어주었던 것 같습니다.

"저희가 이 말씀을 듣고 양심의 가책을 받아 어른으로 시작하여 젊은 이까지 하나씩 하나씩 나가고 오직 예수와 그 가운데 섰는 여자만 남았더라"(9절).

왜 처음에 글을 썼을 때는 안 가더니 두 번째 글을 쓰고 있을 때 전부 돌아갔을까요? 도대체 예수께서는 두 번째에 무슨 내용을 쓰셨을까요? 이런 것들에 대해서 추측하게 만듭니다. 그런데 많은 신학자들이 이렇게 생각합니다. 두 번째 썼던 것들은 아마도 그 자리에 모여 있는 자들의 개인적인 죄들을 쓰시지 않았겠는가 하는 겁니다. 그래서 어떤 사람들이 "저 여인을 죽여야 된다, 돌로 쳐야 한다" 그러니까 "누구누구는 어제 슈퍼 가서 비누 한 장 훔쳐 왔지" 하고 써놓습니다. '어떻게 알았을까?' 하며 부끄러워서 도망쳐버립니다. 또 경건한 척하는 사람을 가리켜서 이렇게 쓰셨습니다.

"아무개, 너는 어제께 밥 먹고도 금식했다고 속였지. 이 완악한 자야!"

그러니까 '어떻게 알았지? 밥 먹은 것도 다 보셨네' 하면서 가버립니다. 또 어떤 사람은 날마다 잘난 척하는 바리새인입니다.

"너는 십일조를 떼어먹고도 온전한 십일조를 드렸다고 속였지."

겁이 나서 도망칩니다.

"아무개, 너는 옆집 여자를 보고 음욕을 품었지."

"아무개, 너는 바람을 피웠지."

이런 이야기를 계속 쓰기 시작합니다. 그랬더니 자기 죄가 폭로되는 것들을 바라보고, 그 자리에 있을 수가 없어서 하나씩 떠난 것입니다. 하나씩 하나씩 떠난 이유가 무엇이었겠습니까? 하나씩 하나씩 죄목을 써나가니까 하나씩 떠났지, 그냥 한꺼번에 썼으면 한꺼번에 다 떠났겠지요. 하나씩 하나씩 떠났다고 이야기를 합니다.

이것은 무엇을 말합니까? 간음한 여인만 죄인이 아니라 다 똑같이 죄인이라는 것입니다. 우리 한 사람 한 사람이 모두 다 하나님 앞에 죄인이라는 것입니다. 성경은 이것을 우리에게 보여주고 있습니다. 그러므로 하나님의 말씀을 제일 먼저 들어야 할 사람은 바로 '나'라는 사실입니다. 하나님의 말씀을 듣고 회개하는 자리로 나아가야 할 자신이 오히려 다른 사람을 정죄한다는 것은 자기 주제를 모르기 때문입니다. 그래서 하나님의 영광을 목도한 모든 사람들은 다 자기 때문에 부르짖었습니다. 이사야가 하나님의 영광을 바라보면서 무엇이라고 했습니까?

"화로다 나여 망하게 되었도다."

죄인인 자신이 하나님을 봤다고 하지 않습니까? 누가복음 5장에 보면 베드로도 예수님의 영광과 능력을 보고 난 다음에 "주님, 나를 떠나십시오. 나는 죄인입니다"라고 고백하지 않습니까? 사도행전 2장을 보니까 베드로의 설교를 듣고 예루살렘의 백성들이 회개합니다. 그러면서 무엇이라고 합니까?

"형제들아 우리가 어찌할꼬?"

거지의 심정

설교를 듣고 난 다음에 예배당을 나가면서 "은혜 많이 받았습니다"

하고 말하는 사람은 어떤 의미에서는 은혜를 많이 받은 사람이 아닙니다. 진짜 은혜를 받은 사람은 다른 사람에게 신경을 쓸 시간이 없습니다. 자신의 죄에 대해서 몸부림을 칩니다. '내가 어떻게 하나님 앞에 설 수 있을 것인가?' 하는 것을 놓고 하나님 앞에 울부짖게 됩니다. 지금 본문이 뜻하는 바가 무엇입니까? 딴 사람을 보지 말라는 것입니다. 자신이 하나님 앞에서 그렇게 지독한 죄인이라는 것입니다. 자기 스스로가 하나님 앞에서 자복하기 원해야 한다는 것입니다. 마태복음 7장 5절입니다.

"외식하는 자여 먼저 네 눈 속에서 들보를 빼어라 그후에야 밝히 보고 형제의 눈 속에서 티를 빼리라."

우리가 하나님 앞에서 은혜를 받는다는 것은 다른 것이 아닙니다. 내 눈 속에 있는 들보를 발견하는 것입니다. 그래서 우리가 다른 사람들의 죄악을 바라볼 때 '아, 내가 저 사람보다 더 많은 죄를 지었지', 다른 사람의 불순종을 보면서 '나도 과거에 저렇게 하나님을 떠나서 불순종했지' 이렇게 고백하는 것이 진정으로 은혜받은 사람의 모습입니다. 그리하여 우리의 죄악을 다 발견하게 되면 필연적으로 돌멩이를 들고 자기 자신을 치게 되어 있습니다.

"하나님, 내가 이 돌에 맞아야 될 사람입니다."

그럴 때 예수께서 어떻게 하십니까? 그분이 우리에게 인자하게 다가오셔서 "얘야, 들고 있는 돌을 내려놓아라. 내가 너를 위하여 죽었노라. 나도 너를 정죄치 아니하노라"고 말씀해주십니다. 그러므로 돌을 들고 자기를 향해서 내려치기를 다짐하는 사람이 되기 바랍니다. 십자가를 바라봄으로써 이미 내 죄값이 다 치러진 것을 깨닫고, 하나님의 은혜에 감격하는 그런 성도가 되기 바랍니다.

이것이 성도의 삶입니다. 그래서 어떤 목사님은 우리가 전도하는 것을 '거지의 심정'에 비유합니다. 한 거지가 여러 날 굶다가 어떤 집에 들어가서 배가 터지도록 얻어먹었습니다. 그러고 난 다음에 밖으로 나가보니까 자기 같은 거지가 있습니다. 그 거지에게 무엇이라고 이야기합니까? "저 집에 가면 먹을 것이 많이 있다. 저 집에 가면 마실 것이 많이 있다"고 말한다는 것입니다. 그래서 그리로 끌고간다는 것입니다. 이것이 전도라는 것입니다. 내가 부자이기 때문에 내 것을 나누어주는 것이 아니라 나도 똑같은 죄인이고 똑같은 거지였다는 것입니다.

"나도 굶어죽을 뻔했다. 그런데 예수께 갔더니 먹을 것을 주시고 마실 것을 주시더라. 너도 나처럼 가서 먹었으면 좋겠다."

이것이 바로 전도입니다. 하나님 앞에서 우리 스스로가 거지임을 깨닫고, 죄인임을 깨닫고, 죽어가는 많은 영혼들을 주께로 이끌 수 있기를 바랍니다. 우리가 이것을 위해서 부르심을 받았다는 것을 기억하고, 우리 가족과 친척과 친구들 가운데 있는 또 다른 영적 거지들에게 주님을 소개하기 바랍니다.

지긋지긋한 죄

사죄의 감격을 누린 자는 다시는 이전처럼 죄를 범할 수가 없습니다. 왜 그렇습니까? 그 아픔이 크기 때문입니다. 성경은 회개를 '토설'이라고 말씀합니다. 시편 32편 3절을 보니까 "내가 토설치 아니할 때에 종일 신음하므로 내 뼈가 쇠하였도다"고 하였습니다. 토설의 고통이 무언지 아십니까? 임신하면 입덧이라는 것을 하지요. 여자들이 임신해서 입덧을 할 때 보면 굉장히 괴로워합니다. 하루에도 몇 번씩, 먹으면 토하고 먹으면 토하곤 합니다. 그것이 괴로우면서 구토하는 것을 취미로 여기는 사람이 있겠습니까? 없습니다. 죄가 그렇다는 것입니다.

죄에 대한 회개는 고통을 수반합니다. 그래서 사람들이 회개할 때 보면 얼굴도 그렇고 온 몸이 일그러집니다. 사람들이 회개 기도할 때 보면 땀을 뻘뻘 흘립니다. 왜 그렇습니까? 죄에 대한 토설이 쉬운 것이 아니기 때문에 그렇습니다. 그것은 고통입니다. 우리 영혼을 난도질하는 것입니다. 그러므로 진정으로 회개한 사람들은 죄가 지긋지긋합니다. 죄로 또 다시 돌이킬 마음이 없습니다. 그래서 이제는 두려워서 죄 근처에도 못 갑니다. 그런데 진정한 회개가 없는 사람은 입술로 고백하고 또 범죄하고 입술로 고백하고 또 범죄하는 것입니다. 이것은 진정한 회개의 모습이 아닙니다. 죄는 우리를 망하게 만듭니다.

저의 대학 친구 중에 지금도 제가 가슴 아프게 생각하는 친구가 있습니다. 공부를 잘했습니다. 일류 대학 법대에 들어갈 만큼 굉장히 공부를 잘했습니다. 그런데 이 친구가 대학에 들어가고 나서 범죄의 길로 들어갑니다. 만날 술 마시고 놀다가 결국 위에 구멍이 났습니다. 최근까지 제가 마지막으로 들은 소식에 따르면 지금까지도 취직을 못하고, 집에 누워서 미음을 먹고 있다고 합니다. 그 친구 어머니와 제 어머니가 친구 사이인데 지금도 만나면 눈물을 흘리며 이렇게 말합니다.

"내 자식을 진짜로 일류로 키웠는데, 결국에는 죄가 저렇게 만들었다."

그 어머니한테 죄에 대해서 어떻게 생각하는지 물어보니까 지긋지긋하다고 이야기합니다. 다시는 들으려고 하지도 않습니다. 원수같이 여깁니다.

제가 알고 있는 알코올 중독자가 있습니다. 만나면 부들부들 떱니다. 똑바로 쳐다보지 못합니다. 똑똑한 사람인데, 항상 고개를 숙이고 있고, 사람이 내성적으로 되어버렸습니다. 왜 그렇습니까? 술을 마시지 않으면 자기 힘으로는 버틸 수가 없습니다. 자기 자신도 스스로를 안타까워합니다. 그 알코올 중독자 가족에게 물어보세요.

"술에 대해서 어떻게 생각하십니까?"

진저리를 칠 것입니다. 모든 술 공장을 다 때려부수는 것이 소원이라고 하는 사람도 있습니다. 그래서 진짜로 맥주 공장에 가서 몽둥이를 휘두른 사람도 있잖아요. 죄는 우리를 죽이는 것입니다. 지긋지긋한 것입니다.

제가 알고 있는 한 집사님이 계십니다. 딸이 좀 단정치 못해서 매일 가출을 합니다. 뒷골목을 전전하다가 아버지가 누구인지도 모르는 아이를 임신했습니다. 그리고 애를 낳았습니다. 사생아를 낳은 것이지요. 산부인과에서 그 아이를 안고 나오면서 그 어머니가 웁니다. "아이를 어떻게 해야 되나?" 하며 울면서 탄식합니다.

"죄가 내 딸을 망치고 우리 집안을 망쳤다."

죄는 우리가 가지고 장난칠 수 있는 것이 아닙니다. 죄는 우리의 원수입니다. 죄가 우리 가정을 망하게 하고, 우리 영혼을 망하게 하고, 우리 사회를 파멸시킵니다. 그러므로 예수께서 우리에게 말씀하신 것이 무엇입니까? 죄를 가지고 장난치지 말라는 것입니다. 아직도 범죄하면서 '이 정도의 죄는 즐길 수 있는 것이야' 하고 생각하는 분이 있습니까? 죄의 굴레에 빠져서 파멸될 인생이 될 것을 기억하시고, 철저히 회개하시고, 다시는 죄악의 길로 가지 않는 성도가 되기 바랍니다.

예수님은 이 모든 사람들을 다 물리치고 난 다음에 간음한 여인에게 이렇게 말씀하십니다.

"나도 너를 정죄하지 아니하노니 가서 다시는 죄를 범치 말라 하시니라"(11절).

하나님은 우리를 죄짓는 불의의 병기가 아니라 하나님의 일들을 감당하는 의(義)의 병기로 부르셨습니다. 범죄함으로 말미암아 쓰러져서 고통하는 심령이 아니라, 십자가의 보혈로 죄악의 모든 세력들을 물리치고 성령충만한 가운데 하나님께서 우리에게 맡겨주신 사명들을 잘 감당하는 성도가 되기 바랍니다.

ID153 패스워드

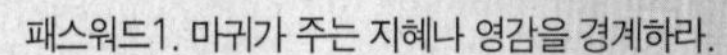

패스워드1. 마귀가 주는 지혜나 영감을 경계하라.

악한 마귀는 성도를 정면으로 공격하다가 실패하면 우회전략을 쓴다. 핍박을 일으켜 성도를 무너뜨리려다가 안 되면 다툼을 일으키거나 평탄함, 나태함 같은 무기로 유혹한다. 죄는 우리가 가지고 장난칠 수 있는 노리개가 아니다. 마귀를 대적하라. 그러면 피하여 도망갈 것이다.

패스워드2. 말씀을 주신 목적은 사람을 살리는 데 있다.

예수를 잘 믿는다고 하면서 자기자랑만 일삼고, 다른 사람을 정죄하는 데 익숙한 자는 하나님의 자녀가 아닌 바리새인의 모습으로 사는 자이다. 하나님의 말씀으로 자기를 증명하는 데 사용하기보다 잃어버린 죄인들, 세상이 포기한 죄인들을 살리는 데 사용해야 한다.

패스워드3. 말씀을 가장 먼저 들어야 할 사람은 바로 자기 자신이다.

설교 말씀에서 진짜로 은혜 받은 사람은 "은혜 많이 받았습니다"라고 말하지 않는다. 다른 사람에게 신경쓸 겨를이 없기 때문이다. 다만 자신의 죄를 놓고 회개의 몸부림을 친다. 자기 눈 속의 들보를 먼저 보는 것이 은혜를 받는다는 말의 의미다.

코람데오(Coram Deo) 자기점검

1. 사탄을 대적하는 가장 좋은 방법은 말씀과 기도로 성령충만케 되는 것이다. 당신은 순간순간 사탄이 틈타려는 것을 막기 위해 어떤 비책을 준비해놓고 있는가?

2. 하나님의 말씀은 악한 의도, 어리석은 동기를 품는 자에게는 늘 '이현령비현령'이었다. 당신은 하나님의 말씀을 자신있게 함부로 오용하여 이단에 빠지거나 미쳐버린 자들을 본 적이 없는가?

3. "은혜 많이 받았다"는 말은 "기도하겠다"고 해놓고 쉬 잊어버리는 경우와 똑같이 진지하고 깊은 성찰이 결여된 표현이다. 정말 멋진 사람에게는 멋지다는 말을 하지 않는다. 당신은 받은 은혜의 무게와 혀의 운동량이 반비례한다는 사실을 아는가?

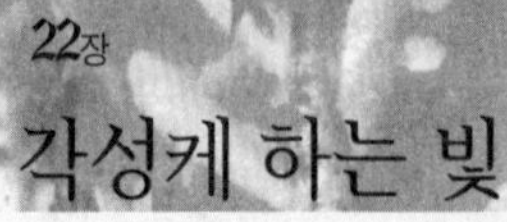

22장

각성케 하는 빛

5부 죄에서 해방되는 믿음

요 8:12-30

우리도 온전한 판단을 내리는 참된 지혜를 가진 사람이 되기 위해 예수님의 빛 가운데 있어야 합니다. 예수님의 빛 가운데서 판단하면 성공의 기준점이 달라집니다. 예수님의 빛 가운데서 판단하면 부유함의 기준점이 달라집니다. 스스로 자신의 행동이 상당히 지혜롭다고 생각하는 사람도 예수님의 빛을 비춰보면 너무나도 어리석은 경우가 많습니다.

천국에서 봅시다

실화인지 지어낸 이야기인지는 몰라도 이런 이야기를 들은 적이 있습니다. 어떤 분이 세상을 떠나 장례식을 하게 되었습니다. 하관식을 하려고 친지들이 장지를 향해서 가고 있었습니다. 그런데 갑자기 버스 스피커에서 돌아가신 분의 목소리가 흘러나오는 것이었습니다. 많은 사람들이 경악했습니다. 이것이 어찌된 일인가 싶어 깜짝 놀라 귀를 기울여 그 내용을 들었습니다. 그 스피커에서 흘러나온 내용은 이렇습니다.

"여러분, 안녕하십니까? 나의 장례식에 오신 것을 환영합니다. 사람은 이렇게 한 번씩은 다 죽게 되어 있지요. 나도 죽음을 맞이하면서 후회되는 일, 그리고 아쉬운 일도 많았습니다. 그런데 그러한 모든 일들을 되새겨보니까 다 헛된 것이었습니다. 인생에서 제일 중요한 것은 믿음입니다. 나는 지금 예수님을 믿어 천국으로 갑니다. 여러분들도 부디 예수를 잘 믿으셔서 천국에서 모두 만나게 되기 바랍니다."

이렇게 말하고 난 다음에 심지어 농담까지도 한마디 건네는 것이었습니다.

"한 가지 노파심에서 하는 말인데, 장지에서 주는 밥, 공짜라고 너무 많이 먹어 배탈나지 마십시오. 그리고 내 죽마고우인 이 집사, 나하고 장지에 갈 때마다 음식을 꼬불쳤는데 오늘은 제발 그런 짓 하지 마시오. 그럼 나중에 천국에서 봅시다."

그러면서 '껄껄껄' 웃는 것으로 끝이 났습니다.

사실은 이 분이 돌아가시기 직전에 장지에 가는 사람들에게 틀어주라고 녹음했던 내용이었습니다. 이 이야기를 듣고 많은 사람들이 충격을 받았고 또 그때의 전도 메시지를 잊지 못해서 많은 사람들이 예수를 믿게 되었다고 합니다. 왜 이런 일이 벌어졌습니까? 똑같은 내용의 말과 똑같은 행동이라고 해도 상황에 따라서 그 호소력이 달라진다는 것입니다. 말이라는 것은 그 배경과 상황이 중요합니다. 장지로 가는 차 안에서 죽은 사람의 목소리를 듣는다는 것은 살아있는 사람이 옆에서 이야기하는 것과는 다른 의미로 다가옵니다. 상황과 배경과 말의 관계는 긴밀한 연관성이 있습니다.

성령의 탁월한 지혜

요한복음 7장과 8장은 그 배경이 초막절입니다. 초막절에는 두 가지 큰 행사를 치르게 됩니다.

첫째로, 물긷는 행사입니다.

초막절에 예루살렘에 모인 많은 백성들은 실로암 못에 가서 물 그릇에 물을 담아다가 번제단 아래 쏟아붓는 의식을 가집니다. 이스라엘 백성들이 광야를 지나갈 때 므리바 반석에서 샘물이 터져나온 것을 기념하는 의식입니다. 이스라엘 백성의 회개와 기쁨을 상징하는 의식이기도 합니다. 예수께서는 초막절을 맞아 이 물긷는 의식이 행해질 때 그들 가운데 서서 이렇게 말씀하십니다.

"누구든지 목마르거든 내게로 와서 마시라 나를 믿는 자는 성경에 이름과 같이 그 배에서 생수의 강이 흘러나리라"(요 7:37, 38).

물 긷는 의식이 있을 때 생수에 관한 말씀을 증거했습니다. 그랬더니 많은 사람들이 '예수님이 참된 생수구나' 하는 깊은 깨달음을 얻게 되었다는 것입니다. 상황을 이용한 예수님의 말씀이었습니다.

둘째로, 불놀이행사입니다.

성전 뜰에 커다란 촛대를 달아놓고 제사장과 바리새인과 사두개인 등 종교 지도자들이 그 가운데서 춤추며 노는 행사가 있습니다. 그리고 백성들은 빙 둘러앉아서 그 불놀이를 구경합니다. 무슨 뜻입니까? 광야에서 이스라엘 백성들을 불기둥으로 인도했던 하나님의 인도하심을 찬미하는 의식입니다. 이 불놀이 행사가 진행되고 있을 때 거기서 예수님은 요한복음 8장 12절 말씀을 하셨습니다.

"나는 세상의 빛이니 나를 따르는 자는 어두움에 다니지 아니하고 생명의 빛을 얻으리라."

그러니까 불놀이를 하는 행사에서 예수님이 자신을 가리켜 진짜 빛이라고 상황에 적절한 말씀을 하실 때 그 말씀이 힘있게 백성들에게 증거되었습니다.

제가 어떤 기도원에 갔더니 생수가 나오는 생수대 앞에 이런 말씀이 씌어 있는 것을 보았습니다.

"이 물을 먹는 자마다 다시 목마르려니와 내가 주는 물을 먹는 자는 영원히 목마르지 아니하리니 나의 주는 물은 그 속에서 영생하도록 솟아나는 샘물이 되리라."

보통 때는 가슴에 와닿지 않았는데, 요한복음 4장 13, 14절의 말씀을, 생수를 마시면서 읽게 되니까 의미가 다르게 다가오는 것입니다.

'아, 이렇게 맑은 생수를 먹는다 할지라도 또 목마르게 되지. 그러나 진정으로 내 영혼의 생수가 되신 예수께 나오면 영원히 목마르지 않게 될 것이다.'

물 한 잔을 마시면서 예수님을 깊이 생각하게 된다는 사실입니다. 그러므로 하나님 앞에서 기도할 때 우리의 상황에 적절한 하나님의 말씀을 증거할 수 있는 지혜를 달라고 간구하는 사람이 되기 바랍니다.

그래서 성령충만할 때는 이런 일들이 벌어진다고 합니다.

"그 시에 너희에게 주시는 그 말을 하라 말하는 이는 너희가 아니요 성령이시니라"(막 13:11).

시의적절한 말씀을 증거할 수 있는 능력을 성령께서 주신다고 약속하고 있습니다. 그러므로 우리가 복음을 증거할 때, 또 우리 주변에 있는 많은 영혼들을 주께로 이끌 때마다, 성령께서 주시는 지혜를 가지고 시의적절하게 상황에 맞는 말씀으로 영혼들을 많이 살리는 성도가 되기 바랍니다.

영적 어둠의 결과

예수께서 요한복음 전체를 통해서 모두 일곱 번 "나는 무엇이다" 하는 말씀을 하십니다. 본문에서는 예수께서 "나는 세상의 빛이다"라고 말씀하십니다. 참빛이라고 선언하는 것으로 말씀을 시작하셨습니다. 예수님만이 우리의 참빛입니다. 그러므로 예수님이 계시지 않으면 어둠의 어리석음 가운데 빠질 수밖에 없습니다.

지금은 아프리카에 있는 사람들이 많이 굶어 죽어가고 있지만, 10년 전만 해도 굶어 죽는 사람들은 인도에 제일 많았습니다. 인도의 캘커타는 인구의 절반이 거지라고 합니다. 그 정도로 많은 사람들이 굶주리고 있습니다. 그런데 이 캘커타의 거리를 가보면 자동차보다 많은 것이 소입니다. 소가 길거리에 누워 있기도 합니다. 그 도시의 소가 인구수만큼 된다고 합니다. 그 많은 소를 잡아 먹으면 배불리 먹을 수 있을 텐데, 그것을 먹지 않고 소를 두고도 굶어 죽는다는 것입니다. 왜 그렇습니까? 종교적인 어둠이 사람들을 이렇게 어리석게 만들었습니다.

멀리 갈 것도 없습니다. 우리나라도 마찬가지입니다. 겉으로는 똑똑해 보이지만, 이 종교적인 어둠에 빠지게 되면 이상한 짓을 합니다. 최첨단 인공위성인 무궁화 위성을 처음 발사하던 때의 일입니다. 남미(南美)에 있는 프랑스령 가이아나에서 위성을 발사하게 됐습니다.

그때 우리나라 과학자들이 가지고 갔던 것이 있습니다. 바로 돼지머리입니다. 물론 가이아나에서도 돼지머리를 구입할 수 있겠지요. 하지만 거기에 있는 돼지머리로 고사지내면 부정탄다고 국내에서 돼지머리를 확보하여 그것도 냉동도 하지 않고 가이아나로 공수한 적이 있었습니다. 냉동하면 부정탄다고 잡자마자 비행기에 실어서 남미의 가이아나까지 공수했습니다. 그 돼지머리를 올려놓고 절을 했습니다.

요즘에는 인공위성을 발사하는 일이 많기 때문에 그 발사 장면을 취재하는 기자들이 거의 없습니다. 그런데 발사하기 직전에 돼지머리를 갖다 놓고 절하는 모습이 하도 신기하니까 외신에는 돼지머리 놓고 절하는 장면만 나왔습니다. 전세계적인 망신입니다. 이런 어리석은 일들을 과학자들이 자행하고 있습니다. 그러면서도 이 일이 얼마나 어리석은 일인 줄 모릅니다. 왜 그렇습니까? 빛이 없으니까 이런 일들을 자행하더라는 것입니다.

제가 전에 사역하던 교회에 명문 대학을 나온 자매 한 명이 있었습니다. 그는 예수님을 믿은 지 얼마 되지 않았습니다. 그런데 그 자매가 와서 상담을 요청합니다. 무슨 문제인가 하면 어떤 형제하고 결혼을 하려고 하는데, 그 부모님이 반대를 한다는 것입니다. "왜 반대를 하느냐?"고 물었더니 궁합이 맞지 않아서 반대한다는 것입니다. 그래서 그 자매와 형제가 어떤 일을 벌였느냐 하면 부모님 몰래 점쟁이를 찾아가서 돈을 주었다고 합니다. 궁합이 좋다고 이야기해달라고 말입니다. 점쟁이가 얼마나 돈을 밝혔는지 돈을 받고는 궁합이 좋다고 이야기해주었던 모양입니다. 그러고 난 다음에 이 자매가 저를 찾아와서는 양심에 가책을 느낀답니다.

"목사님, 제가 범죄했습니다."

저는 점쟁이를 찾아간 것이 잘못이었다고 고백할 줄로 알았는데, 그것이 아니었습니다. 부모님을 속였다는 것이었습니다.

"부모님을 속이는 이런 죄인이 어디 있습니까?"

그때 제가 호통을 쳤습니다.

"부모님을 속인 죄가 백 분의 일의 작은 죄라고 한다면, 하나님 앞에서 점치는 사람을 찾아다니고 무당을 찾아다니는 것은 엄청나게 큰 죄이다. 구약성경을 보면 점치는 자와 무당은 다 죽이라고 했다. 점치는 것과 무당을 찾아가는 것은 영적인 간음죄라고 했다."

이것이 잘못된 줄을 모른다는 것입니다. 왜 그렇습니까? 영혼의 빛이 없으니까 어리석은 일만 행합니다. 예수님의 참된 빛이 없는 사람들을 보면 처음부터 끝까지 어리석은 일들만 행합니다. 도저히 상식으로는 이해할 수 없는 일들을 자행합니다. 그러므로 우리는 사람들이 이 어둠에서 벗어나도록 복음을 증거해야 합니다.

휘황찬란한 가짜 빛

사람들은 예수님이 참빛인 것을 깨닫지 못할 때, 어둠 가운데 빠져 있기도 하고 또 가짜 빛을 진짜 빛이라고 말하기도 합니다.

16세기 이후에 사람들은 이성(理性)이 참된 빛이라고 이야기했습니다.

"사람들에게 이성의 각성을 주기만 하면 그 이성으로 말미암아 사람들이 밝은 곳으로 나아오게 될 것이다."

그래서 이런 사조를 '계몽주의'라고 합니다. '계몽'을 영어로 'enlightenment'(빛을 비춤)라고 합니다. 몰상식한 사람들에게 이성의 각성을 주기만 하면 밝은 곳으로 나아오게 될 것이라는 뜻입니다. 이성이 빛이라고 가르쳤습니다.

그런데 역사를 보면 어떠한 일들이 벌어집니까? 이 이성의 이름으로 엄청나게 많은 죄악들을 범하게 됩니다. 히틀러가 유태인 6백만 명을 학살했다는 것은 잘 알려진 사실 아닙니까? 그런데 히틀러가 광기로 유태인을 학살한 것이 아닙니다. 이성의 이름으로 유태인을 학살한 것입니다. 당시 히틀러를 유혹했던 것은 우생학 이론입니다.

"우성의 인종이 있고 열성의 인종이 있다."

그런 열성 우성의 법칙들이 당시 유럽 생물학계를 지배했습니다. 심지어 인문학계까지도 이 영향을 받을 정도로 이 우생학이 모든 학문에 영향을 끼쳤습니다. 히틀러가 무엇에 감명을 받았겠습니까? 게르만 민족은 우성인종이라는 것입니다. 이스라엘은 열성인종이라는 것입니다. "인류를 발전시키기 위해서는 이 열성 인자를 죽이는 것이 나의 사명이다" 하고서 유태인들을 학살한 것입니다. 그래서 결국 이런 우생학과 역사학의 배경을 가지고 생사람 6백만 명을 학살하는 사건이 벌어지게 되었습니다.

2차 세계대전 이전에 일본은 아시아 유일의 '이성(理性) 국가'라고 자부했습니다. 그래서 대동아 공영권을 이야기하면서 "일본이 먼저 깨었으니까 나머지 잠자는 민족들을 깨워야 한다"는 모토를 가지고 각국을 침략했습니다. 그런 다음에 그들이 무엇을 주장했습니까?

"우리의 앞선 이성으로 인류의 유익을 위해서 약물을 개발해야 된다."

약물 개발 명분 아래 인간을 생체실험으로 사용했습니다.

몇 년 전에 많은 화제를 뿌렸던 일본군 731부대의 마루타에 얽힌 일화들이 바로 일본이 이성의 이름으로 행했던 범죄입니다. 그래서 어떤 분은 이렇게 말했습니다.

"하나님이 없는 이성은 무서운 살인 무기이다."

하나님 없는 이성을 가지고 있는 사람은 어떤 일을 저지를지 모르는 무시무시한 사람입니다.

하나님 없이 지식만 발달하게 되면 이런 일들이 벌어지게 됩니다. 무시무시합니다. 그런데 참된 예수님의 빛이 들어가면 우리에게 온전하게 유익을 주는 부흥을 경험하게 됩니다. 그래서 예수님의 복음이 들어가고 예수님의 빛이 들어갈 때는 부흥이 일어나고 문화가 발전합니다.

영국의 원주민인 앵글로색슨족은 원래 스칸디나비아 반도에서 내려온 야만인이었습니다. 옷도 입지 않고 오랜 세월을 살았던 사람들이었습니다. 그런데 그 사람들에게 복음이 들어가니까 어떻게 되었습니까? 신사의 나라가 되었고, 19세기 빅토리아 시대에는 '해가 지지 않는 나라' 라는 칭호를 얻게 되었습니다.

유럽 전체 민족들 가운데 독일 민족은 제일 가난한 민족이었고 또 수탈의 역사를 가지고 있었습니다. 인물이 나지 않았습니다. 그런데 마르틴 루터가 독일어로 성경을 번역하고 난 이후에 유럽의 모든 인물들은 독일에서 다 나오게 되었습니다. 음악이 독일에서 나오게 되었고, 역사나 법학, 철학을 공부하는 사람은 독일어를 알지 못하고는 연구를 할 수 없을 정도로 모든 학문의 기반들이 다 독일에서 솟아나오게 되었습니다. 참된 복음의 빛이 비춰지게 되니까 진정한 각성이 일어나게 되었고, 자기들의 능력과 자기들이 가야 할 방향을 알게 되었습니다.

그러므로 우리도 참된 빛을 찾아감으로써 어리석음과 어둠에 빠져 있는 것이 아니라 소망으로 인도함을 받는 하나님의 백성이 되어야 할 것입니다.

빛의 영향

빛은 우리에게 어떤 유익을 줍니까? 두 가지로 생각해보겠습니다.

첫째로, 빛은 우리에게 생명을 줍니다.

이 세상의 모든 생명은 빛을 통해서 생명력을 얻습니다. 식물의 광합성이라든지 동물의 생명 활동도 빛이 없으면 그 모든 활동이 중단됩니다. 그러므로 생명 활동은 빛으로부터 출발합니다. 빛은 우리 생명을 없애는 모든 곰팡이들을 멸균하는 그런 능력이 있습니다. 심지어 햇빛을 너무 오랫동안 보지 않으면 우리 눈동자 속에도 곰팡이가 생긴다고 합니다. 그리고 햇빛이 없으면 우울증이 생긴다고 합니다.

의학적으로도 이런 이야기를 합니다. 우리가 햇빛을 많이 보지 못하면 우리 몸 속 호르몬 중에 멜라톤이라는 호르몬이 거의 만들어지지 않는다고 합니다. 그래서 멜라톤이 없으면 사람을 착 가라앉게 만드는 수면 작용이 생기고, 우울증이 생기는 것입니다. 그래서 우울증에 빠진 사람들의 특징이 무엇인 줄 아십니까? 절대 집 밖으로 나오려 하지 않습니다. 이불을 뒤집어쓰고 햇빛을 안 보려고 합니다. 그런 식으로 오래 있다가보면 자기도 모르게 우울증에 걸리게 됩니다.

반면에 우울증을 해결하는 방법이 무엇입니까? 밝은 빛이 들어오는 곳에 병동을 차려놓고 아침부터 저녁까지 계속해서 햇빛을 쬐도록 합니다. 그러면 우리 몸 속에 멜라톤이 많이 생성됨으로써 우울증이 치료됩니다.

영적인 문제도 마찬가지입니다. 영혼의 햇빛 되신 예수님을 떠나면 생명도 죽을 뿐만 아니라 우리 속에 있는 참된 생명의 근원들이 다 죽게 되어 있습니다. 그래서 우리가 우울증에 빠지게 되고, 죽음에 이르게 되고, 참된 능력을 잃어버리는 그런 안타까운 모습으로 전락하게 됩니다.

"우리가 다 수건을 벗은 얼굴로 거울을 보는 것같이 주의 영광을 보매 저와 같은 형상으로 화하여 영광으로 영광에 이르니 곧 주의 영으로 말미암음이니라"(고후 3:18).

주님의 영광의 빛을 보아야만 우리에게 생명력이 있게 되고, 주님의 영광의 빛을 보아야만 우리 가운데 다시금 능력이 나타나게 됩니다. 그러므로 매순간 예수님의 빛을 받음으로 말미암아 생명력이 충만해지기 바랍니다.

둘째로, 빛은 우리에게 판단력을 줍니다.

아무리 아름다운 옷을 입고 있다고 할지라도 빛이 비취지 않으면, 그 옷이 좋은 것인지 나쁜 것인지 알 수가 없습니다. 빛이라는 것은 무엇입니까? 빛 자체가 중요할 뿐만 아니라 빛을 통해서 또 다른 것을 판단할 수 있는 정확한 판단력을 얻습니다. 그러므로 예수님의 빛이 있어야만 온전한 판단이 가능합니다.

유물론의 어둠 속에서 인간을 보면 인간이 어떻게 보입니까? 동물과 다를 것이 없습니다. 인간이나 동물이나 똑같습니다. 그러므로 유물론의 어둠 가운데 빠져 있으면 사람들을 막 학살하게 되어 있습니다. 그래서 스탈린이 2천만 명을 학살했고, 캄보디아에 공산정권이 들어섰을 때, 3백만 명을 학살했습니다.

반면에 예수 그리스도의 빛으로 인간을 보니까 인간이 무엇입니까? 하나님의 형상입니다. 야고보서 3장 9절을 보니까 "이것으로 우리가 주 아버지를 찬송하고 또 이것으로 하나님의 형상대로 지음을 받은 사람을 저주하나니"라고 했습니다. 이 예수 그리스도의 빛으로 사람을 보니까 사람이 하나님의 형상입니다. 사람은 하나님의 형상이기 때문에 함부로 대할 수가 없습니다.

성도는 어떤 존재입니까? 예수께서 피 흘려 사실 정도로 대단한 존재입니다. 그러므로 예수를 믿는 자만이 진정으로 인간의 가치를 알 수 있고, 인간을 존중할 수 있는 그런 은혜를 받습니다.

복음이 먼저 들어갔던 영국이나 미국, 유럽의 나라들을 보면, 우리가 그들보다 도덕적으로 뒤떨어져 있다는 것을 깨닫게 됩니다. 어린아이들을 입양할 때 우리 한국 사람들이 입양아를 택하는 기준은, 첫째, 아이가 예뻐야 되고, 둘째 키가 커야 되고, 또 중요한 것은 남자여야 한다는 것입니다. 그런데 서구는 입양아들 상당수가 정신박약아이거나 신체장애자들입니다. 그러나 국내에는 이런 아이들을 입양하는 예가 거의 없다고 합니다.

이런 정박아나 신체장애자들을 입양해가는 사람들은 거의 서구의 기독교 문화권 사람들입니다. 그들이 정신박약아나 지체장애자들을 입양할 수 있는 원동력이 어디에 있습니까? 만약에 유물론의 어둠 가운데 본다고 한다면, 이 아이들은 가치 없는 생명입니다. 그런데 구미의 그리스도인들은 그들을 어떤 존재로 봅니까? 하나님의 형상으로 봅니다. 예수께서 피 흘려서 사신 귀중한 존재로 여기는 것입니다. 그러니까 정신박약아도 품을 수 있고, 지체장애아도 품을 수 있습니다. 예수님의 빛이 들어갈 때 인간을 보는 관점이 이렇게 달라집니다.

그러므로 우리도 온전한 판단을 내리는 참된 지혜를 가진 사람이 되기 위해 예수님의 빛 가운데 있어야 합니다. 예수님의 빛 가운데서 판단하면 성공의 기준점이 달라집니다. 예수님의 빛 가운데서 판단하면 부유함의 기준점이 달라집니다. 스스로 자신의 행동이 상당히 지혜롭다고 생각하는 사람도 예수님의 빛을 비춰보면 너무나도 어리석은 경우가 많습니다. 돈밖에 모르고 출세밖에 모르다가 망한 자들이 얼마나 많은지 모릅니다. "인생이 칠십이요 강건하면 팔십이라"고 하는데, 그 짧은 인생을, 헛된 것을 얻으러 나아가는 하루살이 인생으로 살아가고 있다는 것을 모르고 있습니다.

예수님의 빛을 가지고 참된 가치를 볼 줄 아는 지혜의 눈들이 열리기 바랍니다.

'예수를 따른다'는 것의 의미

요한복음 8장 12절 하반절을 보니까 "나를 따르는 자들은 어두움에 다니지 아니하고 생명의 빛을 얻으리라"고 했습니다. 여기서 '예수를 따른다'는 말의 의미를 세 가지로 나눠 살펴보도록 하겠습니다.

첫째로, 예수님 안에 머무른다는 뜻입니다.

우리가 TV를 본다든지 라디오를 들을 때, 주파수를 맞추기 위해서 안테나를 세웁니다. 그것과 마찬가지로 우리가 주님의 은혜 가운데 놓이기 위해서는 주파수를 주님께로 맞추어야 합니다. 주님의 빛 가운데 놓이도록 우리의 발버둥이 있어야 한다는 것입니다. 예수님의 빛 가운데 놓이기 위한 우리들의 노력이 무엇입니까? 항상 예배하는 자리에 있고, 찬송하고, 기도하고 주님만을 바라보아야 한다는 것입니다.

우리가 건물을 지을 때, 남향 집이 좋다고 하고 햇볕이 잘 드는 집이 좋다고 합니다. 왜 그렇습니까? 그래야 건강해지고, 그래야 집에 곰팡이도 안 생기고, 환풍도 잘 되기 때문입니다. 그래서 일조량이 중요합니다. 건물을 지을 때도 옆집의 일조권을 침해하면 건축허가가 나오지 않습니다. 그 정도로 일조권이 중요합니다. 그런데 우리는 육적인 일조권은 중요하게 생각하면서도 영적인 일조권은 중요하게 생각지 않습니다. 항상 하나님 앞에 예배드릴 수 있는 곳, 항상 하나님 앞에 기도할 수 있는 곳, 항상 하나님 앞에 마음껏 찬송할 수 있는 곳이 영적 일조권이 좋은 장소입니다.

우리가 건물을 지을 때 일조권을 생각하면서 건물을 짓는 것과 마찬가지로 우리 영혼도 그렇게 해야 합니다. 날마다 영혼의 햇빛 되신 예수께 나아올 수 있도록 우리 삶의 모든 것들을 조정하고 그러한 환경을 만들기 위해 애쓰는 것이 참된 지혜입니다. 예수님을 따르는 것이 무엇입니까?

"늘 내 육체와 내 가족들을 예수님의 빛 가운데 두겠습니다. 주님 안에 머무르겠습니다."

이런 결심이라는 것입니다. 우리 가족 가운데 죽어가는 사람이 있습니까? 친구 가운데 죽어가는 사람이 있습니까? 주님의 빛 가운데 그 영혼을 데리고 나오시기 바랍니다. 그러면 다시금 소생함을 얻는 복을 받게 됩니다.

둘째로, 예수님이 우리의 인도자가 된다는 뜻입니다.

시편 119편 105절에 보니까 "주의 말씀은 내 발에 등이요 내 길에 빛이니이다"라고 했습니다. 하나님의 말씀이 우리의 빛이라는 것은 바로 말씀이 나를 인도한다는 뜻입니다. 밤에 비행기가 공항에 착륙할 때 공항 활주로에 유도등이 쫙 켜집니다. 불이 켜지면 기장은 그 유도등을 따라서 착륙을 합니다. 빛이 무엇입니까? 우리의 길을 인도하는 것입니다.

미국이 자랑하는 대통령 가운데 에이브러험 링컨이 있습니다. 링컨은 여섯 살이 되기 전에 어머니가 돌아가셨습니다. 어머니가 돌아가시면서 링컨에게 성경책을 주면서 이렇게 말했습니다.

"내 생각이 날 때마다 이 성경을 읽어라. 이 성경이 엄마의 음성이라고 생각하고 늘 이 성경 말씀에 순종하라."

나중에 어떤 일이 일어났습니까? 그 성경 말씀을 어머니의 음성같이 들었던 링컨은 시대를 움직이는 역사의 주인공이 되었습니다. 하나님이 인도자가 되셨기 때문입니다.

어떤 사람이 저한테 와서 이렇게 묻습니다.

"어떻게 목회를 하면 잘합니까?"

답은 명확합니다.

"목회를 잘하는 목사님을 모방하는 것도 필요하지만, 하나님의 말씀대로 하면 됩니다."

하나님이 어떻게 하기를 원하십니까? 세상에서 살아갈 때 100퍼센트 승리하는 비결이 있습니다. 하나님이 기뻐하시는 일만 하면 됩니다. 그러면 100퍼센트 승리합니다. 반대로 100퍼센트 망하는 길이 있습니다. 잠시 승리하는 것 같아보이고 잠시 열매를 거두는 것 같아보이지만, 100퍼센트 망하는 길은 하나님이 원치 않는 일만 골라 하는 것입니다. 곧 무너지게 될 것입니다.

그러므로 참된 지혜란 무엇입니까? 우리 하나님을 기쁘시게 하는 일, 하나님의 뜻이 무엇인지 깨닫고 그 말씀대로만 순종하는 것입니다. 그러면 견고한 반석 위에 세운 아름다운 집이 될 것입니다. 하나님의 말씀을 삶의 인도자로 삼고, 주님의 말씀대로 따라가는 하나님의 백성이 되기 바랍니다.

셋째로, 예수님이 우리에게 가치를 더해준다는 뜻입니다.

아무리 아름다운 색깔의 옷을 입어도 빛이 비취지 않으면 그 색깔은 아무 소용이 없습니다. 그래서 물건을 팔 때도 보면 밝은 조명을 막 비춰주지 않습니까? 빛 자체가 상품의 가치를 드러내주는 능력이 있기 때문입니다. 우리 각자에게는 하나님께로부터 받은 지혜와 능력, 재력이 있습니다. 우리는 이것을 한마디로 달란트라고 합니다. 그런데 이 달란트는 그냥 놔두면 가치가 없습니다. 이 달란트 위에 주님의 빛이 비춰져야 비로소 하나님 앞에서 크게 쓰임받을 수 있습니다.

다윗은 물맷돌을 잘 던졌습니다. 그런데 그 물맷돌을 잘 던지는 능력에 주님의 빛이 비취니까 골리앗을 때려잡는 그러한 권능의 물맷돌이 되었습니다. 주님의 빛이 이렇게 중요합니다. 어린 소년이 보리떡 다섯 개와 물고기 두 마리를 들고 예수께로 왔습니다. 자기의 작은 것을 주님께 갖고 왔습니다. 주님께서 그 위에 축사하셨습니다. 예수님의 빛이 그 위에 비춰졌습니다. 어떤 일이 벌어집니까? 5천 명이 먹고도 열두 바구니가 남는 큰 이적이 일어났습니다. 예수님의 빛 가운데 나오는 사람들은 반드시 5천 명 이상이 먹고도 남을 수 있는 풍성함을 누리게 됩니다.

그런데 성경을 보니까 부자의 종류에도 두 가지가 있습니다. 하나는 하나님의 복을 받아서 5천 명이 먹을 수 있는 떡을 가지고 있는데, 그 떡을 혼자 가지고 있는 부자가 있습니다. 그리고 다른 하나는 하나님의 은혜를 많이 받아서 5천 명이 먹는 떡을 가지고 5천 명에게 나누어주는 부자가 있습니다.

어떤 부자가 되기를 원합니까? 저는 한국교회가 오병이어를 가지고 한량없는 복을 받아서 5천 명에게 먹을 것을 나누어주는 부자가 되기를 원합니다. 우리 한국교회가 혼자서 '부자' 라고 외치는 교회가 아니라 주변에 있는 많은 굶주린 자들에게 먹을 것을 나누어주는 복의 기관이 되기를 원합니다. 이것이 우리의 사명입니다.

하나님께서 우리에게 빛을 비추어주시면 엄청난 능력이 나타납니다. 그래서 내가 얼마나 부자가 되었는지, 내가 얼마나 부유해졌는지, 내가 얼마나 높아졌는지 자랑하는 모습이 아니라 나를 통해서 5천 명을 먹이는 사람이 되기 바랍니다.

선교란 무엇입니까? 우리가 받은 바 복을 나누어주는 오병이어의 사건입니다. 많은 사람들에게 은혜를 나누어주고 많은 영혼들을 거두어들이는 일들을 위해 나아가는 것이 선교입니다. 그래서 우리는 절대로 5천 명분의 떡을 가진 부자라고 자랑할 것이 아니라 많은 영혼들에게 그 떡을 나누어주는 성도가 되어야 할 것입니다.

ID 153 패스워드

패스워드1. 영혼의 빛이 없으면 참빛을 깨닫지 못한다.

일류과학자들이 돼지머리 고사를 지내는 이유는 진리의 빛을 모르기 때문이다. 예수님이 참빛임을 모르는 이들은 어둠 가운데 빠져 가짜 빛을 진짜 빛으로 오인한다. 역사상 이성의 이름으로 저질러진 죄악들은 하나님 없는 이성이 얼마나 무서운 살인무기로 변할 수 있는가를 보여준다.

패스워드2. 빛이 없으면 눈동자 속에도 곰팡이가 생긴다.

식물의 광합성이나 동물의 생명활동은 모두 빛을 통해 이뤄진다. 빛은 우리 생명을 위협하는 곰팡이들을 멸균하는 능력이 있다. 영혼의 햇빛 되신 예수님을 떠나면 생명이 죽는다. 주님의 영광의 빛을 보아야만 우리에게 생명력이 공급되고 올바른 분별력이 생긴다.

패스워드3. 영적 일조권을 중시하라.

예수를 따른다는 것은 우리가 늘 주님 안에 머무른다는 뜻이다. 항상 예배하는 자리에 있고, 찬송하고 기도하는 자리에 있다는 뜻이다. 또한 예수님이 우리에게 가치를 더해준다는 뜻이다. 우리가 받은 달란트 위에 주님의 빛이 비춰져야 쓰임받는다.

코람데오(Coram Deo) 자기점검

1. "존귀에 처하나 깨닫지 못하는 사람은 멸망하는 짐승 같도다"(시 49:20). 당신의 이성은 믿음 안에서 거듭났는가?

2. 독일의 대문호 괴테는 "빛을, 조금만 더 빛을!"이란 말을 유언으로 남기고 죽었다. 당신은 바로 내일일지도 모를 생의 마지막 순간에 남길 말을 미리 예비해놓고 사는가?

3. 성령충만은 곧 말씀충만이다. 말씀대로 삶의 방향을 지시받고 일일이 제어받는 것이야말로 가장 큰 행복인 것을 아는가?

23장

가장 좋은 것은 아직 오지 않았다

5부 죄에서 해방되는 믿음

요 9:1-12

미래 지향적인 시각을 가지고 있는 사람들은 했던 것을 또 하는 사람이 아닙니다. 내가 전혀 해보지 못했던 일들, 내가 감당하지 못했던 큰일도 두려워하지 않습니다. 미래를 정복하는 하나님의 능력이 우리에게 있기 때문입니다. 그래서 시간이 가면 갈수록 더 큰일을 합니다. 그래서 점점 더 성장하는 인생이 됩니다.

어리석은 인생

사람은 세상을 사는 동안 여러 가지 질문을 하면서 살아갑니다. 그리고 사람이 무엇을 질문하는가에 따라 그 사람의 수준과 그 사람의 가치관을 알 수 있습니다. 지혜롭다고 하는 헬라인들은 만물의 근원 곧 '아르케' 에 대한 질문을 했습니다. 그래서 어떤 철학자는 만물의 근원이 물이라고 말했습니다. 또 불이라고 한 철학자도 있었고, 원자라고 말한 철학자도 있었습니다. 맞는 말이든 틀린 말이든 그 질문의 수준만은 대단하다고 말할 수 있을 것입니다. 이 질문 때문에 서양 철학이 나왔고, 이 질문 때문에 서양의 자연과학이 나오게 되었습니다.

반면에 미련한 사람은 항상 '무엇을 먹을까?' , '무엇을 입을까?' 라는 질문을 하면서 살아갑니다. 얼마나 어리석게 인생을 살아가는 사람입니까? 이런 어리석은 인생을 보여주는 아주 재미있는 이야기가 있습니다. 얼마 전에 어떤 목사님의 설교에서 들은 이야기입니다.

지금부터 20년 전만 해도 우리나라에 수세식 화장실보다는 재래식 화장실이 많았습니다. 이 분의 소원도 하루 빨리 돈 벌어서 수세식 화장실이 있는 집으로 이사가는 것이었습니다. 그래서 열심히 돈을 벌었습니다. 곧 자기 소원대로 수세식 화장실이 있는 집으로 이사를 갔습니다. 어느 날 친척집에 갔더니 친척집은 아파트라서 화장실이 집 안에 있는 겁니다. 그것을 보니까 참 부러웠습니다. '겨울에 추울 때 화장실이 집 안에 있으면 얼마나 좋을까?' 하고 생각했습니다. 그래서 또 열심히 돈을 벌어서 집 안에 화장실이 있는 아파트로 이사를 갔습니다. 한동안 만족스럽게 잘 살았습니다. 시간이 흐르고 아이들이 자라자 아침에 화장실 쓰는 것이 문제가 되었습니다. 순서를 기다리느라 줄을 서야 되고, "머리 빨리 감아라"는 등 고함이 서로 오가고 싸움이 벌어집니다. 어느 날 친구 집에 갔더니 그 집에는 화장실이 두 개가 있습니다.

'더 열심히 돈 벌어서 화장실이 두 개 있는 집에서 살아봐야지.'

그래서 수년 동안 열심히 돈을 벌어서 화장실이 두 개 있는 집으로 드디어 이사를 갔습니다. 그리고 "다 이루었다"라고 했습니다. 그 다음 해에 죽었습니다. 이 사람은 평생 무슨 일을 하다가 죽은 것입니까? 평생 화장실 바꾸는 일을 하다가 죽은 사람입니다. 그렇지요? 실제로 우리도 이런 일을 하면서 살아가는 사람일 수 있다는 것입니다. 한편으로는 참 미련하기도 하고 또 한편으로는 굉장히 불쌍한 인생입니다.

인과응보적 사고의 한계

예수님과 제자 일행이 길을 가던 중에 나면서부터 소경인 사람을 만나게 되었습니다. 그 모습을 보면서 제자들이 예수께 질문합니다.

"랍비여 이 사람이 소경으로 난 것이 뉘 죄로 인함이오니이까 자기오니이까 그 부모오니이까"(2절).

보통 질문 속에는 묻는 사람의 수준과 그 사람의 가치관이 담겨 있습니다. 제자들의 이 질문 속에는 어떤 전제가 깔려 있습니다. 그 전제가 무엇입니까? 그 사람이 소경이 된 것은 죄 때문이라는 것입니다.

당시에 이스라엘 사람들은 인간이 당하는 모든 고난은 죄 때문이라는 생각을 가지고 있었습니다. 욥기를 보면 욥의 친구인 엘리바스가 가졌던 생각이 바로 인과응보(因果應報)였습니다. 그래서 이스라엘 백성들은 문둥병 환자를 볼 때 불쌍히 여기지 않았습니다. 동정하지 않았습니다. 오히려 정죄했습니다.

"얼마나 큰 죄를 지었으면 문둥병에 걸리느냐?"

오히려 핍박했습니다. 가난한 사람들을 무시했습니다.

"얼마나 큰 죄를 지었으면 사람이 저렇게 가난하게 될 수 있느냐? 저렇게 지지리도 못 사느냐?"

그래서 오히려 가난한 사람을 멸시하고 부자를 존경했습니다. 현재의 모든 모습들은 과거에 뿌리를 두고 있다는 생각 때문입니다. 다시 말하면 '현재는 과거의 침전물이다' 하는 생각입니다.

우리도 그렇지 않습니까? 현재의 모든 모습들을 과거에서 찾으려고 합니다. 그래서 원인을 찾다가 '지금 고난당하는 것은 과거의 악업 때문이야', '지금 잘되는 것은 과거의 공덕 때문이야' 라고 생각합니다. 이렇게 원인을 찾다가 찾다가 못 찾으면 무엇이라고 합니까?

'전생에 죄가 많아서….'

이런 식으로 생각을 회피해버립니다. 그러므로 윤회적 사고라는 것은 과거 지향적인 사고의 결정체입니다.

성경은 이런 생각을 율법주의라고 말합니다. 율법주의는 모든 원인을 과거에서 찾기 때문에 하나님의 은혜와 하나님의 능력이 들어설 자리가 전혀 없습니다. 그러므로 모든 과거 지향적인 사고는 이름을 무엇이라고 붙이든지간에 내용에 있어서는 반드시 결정론으로 흐르고 숙명론으로 흐르게 되어 있습니다. 그래서 무엇인가를 조금 이루고 나면 교만해지고, 이루지 못하고 환난 가운데 빠지면 절망하게 됩니다.

그런데 이런 결정론이나 운명론은 "모든 고난의 근거는 죄다" 하는 논리를 내세웁니다. 그런데 실제로 인간이 살아갈 때 일어나는 일을 보면 그 반대의 명제로 나타나는 때가 많습니다. "모든 고난의 근거가 죄다"라는 말을 뒤집으면 무슨 뜻입니까? 모든 형통의 근거는 선(善)이라는 것입니다. '내가 형통한 근거가 무엇이냐? 그래도 내가 괜찮게 살았기 때문이다. 내가 의인이기 때문이다. 내가 똑똑하고 하나님 앞에 인정을 받았기 때문이다. 그러기에 이 정도로 형통함을 누릴 수 있는 것이다' 하는 생각입니다.

이런 생각을 가졌던 사람들이 당시의 바리새인들이었습니다. 좋은 집안에 태어났습니다. 학식이 있었습니다. 부자였습니다. 모든 면에서 평탄했습니다. 그것으로 하나님이 자기를 인정했다는 의(義)의 근거로 삼았습니다. 이것은 잘못된 것입니다. 어느 날 부자 청년이 예수님을 찾아왔습니다. 그리고 당돌하게 이렇게 소리칩니다.

"나는 어려서부터 지금까지 모든 율법을 지켰나이다."

얼마나 겁없는 주장입니까? 그런데 이 청년이 이렇게 말할 수 있는 이유가 있었습니다. 아마도 이 청년이 가난했다고 하면 이렇게 말하지 못했을 것입니다. 부자이기 때문에 이렇게 말할 수 있었습니다. 자신을 한번 보라는 것입니다. 자신이 이렇게 젊은 나이에 이미 부자인 것을 보면 자기가 의인이 아니냐는 것입니다.

"하나님께서 나를 인정했다. 나는 어려서부터 율법을 지켰던 당당한 사람이다."

이런 식으로 나오게 된 것입니다.

부자가 교회에 오는 이유

축복만을 강조하는 교회가 있습니다. 그 교회를 대상으로 교회 구성원을 분석한 논문이 있었습니다. 그 논문을 보니까 우리의 상상을 초월하는 이야기가 몇 가지 있었습니다.

기복 신앙을 중심으로 하는 교회를 다니는 사람 가운데 부자가 많겠습니까, 가난한 사람이 많겠습니까? 우리가 얼른 생각하면 가난한 사람들이 많을 것 같지요. 가난한 사람이 와서 복받고 부자 되기를 원할 것이라고 생각합니다. 그런데 그 논문의 분석을 보니까 그렇지 않았습니다. 그 교회에는 부자가 압도적으로 많았습니다. 저는 그것을 보고 화가 났습니다. '그 정도면 되지 또 얼마나 돈을 벌겠다고 기복 신앙에 매달리나…' 하는 생각을 했습니다.

그 논문을 보니까 그 교회에 모이는 사람들의 심리 상태를 명확하게 분석해놓았습니다. "예수 믿으면 부자가 되고 복 받는다"는 말을 듣고 제일 기뻐할 사람이 누구겠습니까? 부자입니까, 가난한 사람입니까? 부자라는 것입니다. 왜 그렇습니까? 모든 부자가 다 그런 것은 아니지만 돈을 벌기 위해서는 깨끗한 방법만 사용하지 않습니다. 어느 때는 부정한 방법도 썼을 것이고, 어느 때는 사기도 쳤을 것이고, 폭리도 취하고 투기도 했을 것입니다. 웬만큼 양심이 마비되지 않은 사람이라면 죄의식이 있습니다. 마음에 부담감이 있습니다. 마음이 떳떳하지 않습니다.

그런데 어느 날 교회에 가서 설교를 들어보니까 부자가 된 것이 하나님의 복이라고 말합니다.

"어찌하든지간에 여러분들이 부자가 된 것은 하나님께서 복 주신 결과입니다. 하나님이 여러분을 인정해주신 표입니다. 우리 모두 하나님의 이런 복과 인정을 받아야 합니다."

다시 말해서 회개를 통해 안도감을 주는 것이 아니라 이런 방식으로 안도감을 주었습니다. 이런 엉터리가 어디에 있습니까? 이런 것을 메시지라며 증거하고 있었습니다. 그래서 무슨 이야기를 합니까?

"어떤 교회에 가서 어떤 목사님의 설교를 듣기만 하면 마음이 평안해져요. 마음이 불안하다가도 그 목사님의 말씀만 들으면 평안해지고 떳떳해지고 당당해져요."

이것은 잘못된 것입니다. 잘못된 메시지를 통한 잘못된 안도감에 대해서 선지자 예레미야가 준열하게 책망했습니다. "평안하다, 평안하다" 한다고 해서 평안해지는 것이 아닙니다. 우리의 평안은 어디서 와야 합니까? 회개를 통해 와야 합니다. 하나님의 말씀 앞에 우리 자신이 깨지는 방법을 통해서 오는 평안이 진정한 평안이지 귀에 솔깃한 말을 통해서 오는 것은 평안이 아닙니다.

"평안하다 평안하다고 할지라도 마지막에 하나님의 징계가 있다."

예레미야 선지자의 이 외침을 들어야 합니다.

혹시 우리 가운데서도 자기 자신의 믿음을 주변의 환경을 통해 확인하려는 사람이 있지 않습니까? 어떤 사람이 자신을 스스로 괜찮은 사람이라고 생각합니다.

'나는 재수도 안 하고 대학에 단번에 붙었고, 가정도 평안하고, 건강하고, 게다가 하나님께서 미모까지 주셨다. 그러므로 나는 하나님의 택한 백성임에 틀림없다.'

이렇게 생각하는 사람이 있습니다. 잘못된 것입니다. 일류대학에 들어간 사람은 의인이고, 재수하는 사람은 죄인입니까? 그렇지 않습니다. 형통한 악인이 있고 고난받는 의인이 있습니다. 그러므로 적어도 성도는 과거에 뿌리를 두고 현재를 평가하는 잘못된 시각을 가져서는 안 됩니다. 성경에서는 전혀 그런 시각을 용납하지 않는다는 것을 명심해야 합니다.

현재의 고난은 미래의 소망

예수께서 제자들의 질문에 대해 이렇게 대답하십니다.

"이 사람이나 그 부모가 죄를 범한 것이 아니라 그에게서 하나님의 하시는 일을 나타내고자 하심이니라"(3절).

고난의 목적이 무엇이라고요? 왜 소경이 되었다고요?

"하나님의 하시고자 하는 일을 나타내고자 하심이니라."

하나님이 하시는 일을 나타낸다는 것은 무슨 의미입니까? 그 사람의 고난이 과거적인 것이 아니라 미래적인 것이라는 뜻입니다. 오늘의 고통의 원인이 과거에 있는 것이 아니라 미래에 있다는 뜻입니다. 현재의 고난이 과거의 업보가 아니라 미래를 위한 소망의 씨앗이라고 선언하고 있습니다. 이것이 바로 기독교와 타종교의 차이점입니다.

예를 한번 들어보겠습니다. 한 고학생이 밤을 새워가며 일하면서 열심히 공부를 합니다. 이것이 그 사람의 죄의 결과입니까? 아닙니다. 어디까지나 미래를 위한 것입니다. 열심히 공부해서 성공하고자 주경야독하는 것입니다. 그 사람의 현재의 고난은 미래를 위한 것입니다. 이것이 성경의 시각입니다.

어떤 학생이 시험 때마다 새벽 2, 3시까지 열심히 공부를 합니다. 전생에 죄가 많아서 그렇습니까? 아닙니다. 미래에 승리하기 위해서 열심히 공부하는 것입니다. 좋은 인재와 일꾼이 되기 위해서 부지런히 시간을 투자하는 것입니다. 이것이 바로 미래적인 시각입니다.

여자가 해산의 고통을 당하는 것이 과거에 죄가 많아서 그렇습니까? 아닙니다. 미래의 생명을 위한 진통입니다. 그래서 애 낳지 못하는 여자들이 애 낳는 것을 부러워하지 않습니까? 애 낳지 못하는 여자에게 이렇게 말하는 사람이 있습니까?

"참 당신은 팔자도 좋습니다. 애도 안 낳고 고통도 안 당하고…."

오히려 소리를 질러대는 진통이 12시간, 24시간씩 지속되더라도 애 낳기를 원합니다. 왜 그렇습니까? 그 고통 다음에 내 귀한 아들과 딸이 생기기 때문입니다. 이것은 미래를 위한 의미 있는 고통인 것입니다.

그러면 이 소경이 왜 소경이 되었습니까? "과거 때문이 아니라 미래를 위한 것이다"라는 것이 예수님의 대답입니다. 하나님의 일을 나타내고자 소경이 되었다는 것입니다. 하나님께 영광을 돌리기 위해 소경이 되었다는 것입니다. 미래에 하나님께 영광을 돌리기 위한 한 가지 방법이었다는 것이 바로 성경적인 시각입니다.

오늘보다 나은 내일

그리스도의 복음이 들어가면 사람들의 사고(思考)의 틀이 바뀌게 됩니다. 과거 지향적인 믿음에서 미래 지향적인 믿음으로 바뀌게 됩니다. 수세기 동안 죄인들을 가두는 곳을 형무소라고 불렀습니다. 이 형무소라는 말 자체가 무슨 뜻이 있습니까? '죄의 대가를 치르는 곳'이라는 뜻이 있지요. 인과응보의 개념이 있습니다. 죄인은 고통을 당해야 한다는 것입니다. 이것이 형무소의 개념입니다.

그런데 19세기 영국에 복음의 열풍이 불어닥쳤습니다. 그러자 사람들의 시각이 변화되었습니다. 그때 엘리자베스 프라이라는 여자가 전면에 나서 '형무소'를 '교도소'로 바꾸는 운동을 벌였습니다. 형무소라는 개념과 교도소라는 개념은 하늘과 땅 차이입니다. 교도소는 무엇입니까? 응징이 목적이 아니라 변화가 목적입니다. 다시 말해서 죄의 대가를 치르는 것이 목적인 형무소와는 달리 교도해서 새 사람으로 만들겠다는 것이 교도소의 개념입니다. 완전히 다른 것이지요.

"과거의 대가를 치르는 곳이 아니라 미래의 인간을 만들기 위한 곳이 교도소이다."

이것이 바로 성경의 시각이요, 하나님의 시각입니다. 그래서 우리 성도에게 믿음의 말씀이 들어가면 시각이 이렇게 변하게 됩니다. 똑같이 고난을 당하고 똑같은 일을 당해도 해석하는 방법이 다르고, 태도가 다르고, 미래를 대하는 방법이 달라집니다.

히브리서 12장 8절을 보면 "징계는 다 받는 것이거늘 너희에게 없으면 사생자요 참아들이 아니니라"는 말씀이 나옵니다. 그러니까 징계 자체도 과거에 대한 처벌이 아니라 미래의 영광스런 모습을 위한 훈련이라는 뜻입니다. 미래가 있으니까 징계도 의미가 있다는 것입니다. 욥기 23장 10절을 보니까 "그가 나를 단련하신 후에는 내가 정금같이 나오리라"는 말씀이 나옵니다. 강조점은 단련에 있는 것이 아니라 정금에 있습니다. 왜 현재에 단련을 합니까? 미래에 정금같이 만들기 위한 것입니다. 성경은 전부 다 미래 지향입니다.

그러므로 예수 믿는 사람들은 내일이 오늘보다 낫다고 믿습니다. 그리고 모레가 오늘보다 훨씬 낫다고 믿습니다. 하나님께서 우리 앞에 엄청나게 많은 일을 준비하고 계시다는 것을 믿습니다. 그래서 절망하지 않습니다. 당신도 이런 미래 지향적인, 성경이 말하는 참된 믿음을 갖는 하나님의 백성이 되기 바랍니다.

미래 지향적인 삶의 자세

미래 지향적인 사람들은 어떤 자세로 세상을 살아갑니까? 세 가지로 살펴보겠습니다.

첫째로, 아무리 큰 고난이 온다고 할지라도 낙심치 않고 소망을 가지고 살아갑니다.

로마서 8장 28절을 보면 "우리가 알거니와 하나님을 사랑하는 자 곧 그 뜻대로 부르심을 입은 자들에게는 모든 것이 합력하여 선을 이루느니라"고 하였습니다. 현실이 끝이 아니라 현실은 미래를 향해서 나아가는 디딤돌이라는 것입니다. 가장 좋은 것은 아직 오지 않았다는 것입니다. "현재의 고난은 미래를 위한 자산이다"라는 것이 성도의 시각입니다. 그리하여 현재의 고난중에도 낙심치 않고 소망 가운데서 미래를 바라보게 됩니다

고난의 문제를 생각할 때마다 생각나는 사람이 있습니다. 토스카니니

라는 사람입니다. 이 토스카니니는 저명한 오케스트라 지휘자입니다. 그런데 토스카니니가 유명한 이유는 그가 악보를 보지 않고 모두 외워서 지휘하기 때문입니다. 토스카니니는 선천적으로 눈이 나쁜 사람이었다고 합니다. 이 토스카니니는 제1바이올린 주자였는데, 눈이 나빠 악보를 제대로 볼 수 없어서 다 외웠습니다. 그런데 자신의 연주 시점을 알아야 하기 때문에 자기 악보만 외운 것이 아니라 남의 악보까지 다 외웠습니다.

어느 날 공연을 하는데, 폭우 때문에 지휘자가 오지 못했습니다. 누구라도 대신 지휘를 해야 하는데, 단원 중에서 전체 악보를 다 알고 있는 사람은 토스카니니밖에 없었습니다. 그래서 그가 대신해서 지휘를 하게 되었습니다. 그런데 지휘를 기막힐 정도로 잘했습니다. 악보도 안 쳐다보고 자신의 해석으로 완벽하게 지휘를 했습니다. 모든 사람이 다 놀랐습니다. 그래서 그 날로 그 상임지휘자 대신 토스카니니가 상임지휘자가 되었습니다. 그 다음부터 승승장구하는 인생이 되었습니다.

현재의 고난이 미래를 위대하게 만들었습니다. 오늘의 핸디캡이 미래의 영웅을 만들었던 것입니다. 이것이 바로 성도의 시각입니다. 오늘의 고통을 내일의 자산으로 삼아야 합니다.

둘째로, 과거의 경험에 머물지 않습니다.

과거의 감옥에 갇혀 있지 마시기 바랍니다. 과거에 못했던 것을 이제는 할 수 있습니다. 과거에 모르던 것을 이제는 알 수 있습니다. 왜 그렇습니까? 내게 능력 주시는 자 안에서 내가 모든 것을 할 수 있기 때문입니다. 그래서 미래 지향적인 시각을 가지고 있는 사람들은 했던 것을 또 하는 사람이 아닙니다. 자신이 전혀 해보지 못했던 일들, 자신이 감당하지 못했던 큰일도 두려워하지 않습니다. 미래를 정복하는 하나님의 능력이 우리에게 있기 때문입니다. 그래서 시간이 가면 갈수록 더 큰일을 합니다. 점점 더 성장하는 인생이 됩니다. 이것이 성도의 모습입니다.

맨 처음으로 새로 난 길을 가는 자들, 영적인 개척자가 되는 것이 바로 성도의 모습입니다. 그래서 미래 지향적인 사람과 과거 지향적인 사람은 비교하는 것이 다릅니다. 미래 지향적인 믿음의 사람들은 과거와 비교하지 않고 미래와 비교합니다. 하나님의 약속과 비교를 합니다. 예를 들어서 우리 교회도 그럴 수가 있습니다.

"과거에 우리 교회가 한 100명 정도 모이는 교회였는데, 이제는 300명 이상이 모이는 부흥하는 교회다."

이렇게 말할 수도 있습니다. 그렇지만 이것은 성도의 시각이 아닙니다. 올바른 사고가 아닙니다. 과거하고 비교하는 것이 아니라는 겁니다.

"지금 우리가 이 정도의 모습이지만 금년 말에는 500명이 될 것이고 내년에는 1,000명이 될 것이고, 그 다음에는 수없이 많은 정예군들이 나와서 이 한국 땅과 세계를 변화시키게 될 것이다. 하나님께서 우리에게 약속을 주셨다. 그 약속과 현재를 비교하며 날마다 날마다 전진해 나가는 인생이 될 것이다."

과거와 비교하는 것이 아니라 미래와 비교하는 하나님의 백성이 되기 바랍니다.

개인의 믿음도 마찬가지입니다.

"내가 연초에는 술 먹고 담배 피우고 막가는 인생이었는데, 지금은 은혜를 받아 선량한 사람이 되었다."

이것도 좋은 시각이 아닙니다.

"지금 현재의 모습은 이 정도다. 그러나 점점 더 푯대를 향하여 나아가고 성장해서 나중에는 모든 사람이 본받는 성도가 될 것이다. 내 이름 앞에 세인트(Saint)라는 이름이 붙을 것이다. 거룩한 백성이 될 것이다."

여기까지 나아가면서 그것을 목표로 두는 인생, 그것이 바로 미래 지향적인 하나님의 백성의 인생입니다. 그러므로 우리는 과거가 아니라 하나님의 약속 곧 미래에 있는 모든 것들을 바라보고 나아가야 할 것입니다.

"그러므로 너희가 그리스도와 함께 다시 살리심을 받았으면 위엣것을 찾으라 거기는 그리스도께서 하나님 우편에 앉아 계시느니라"(골 3:1).

이것이 바로 성도의 삶입니다.

셋째로, 순종합니다.

미래를 바라보는 사람의 현재의 모습은 순종입니다. 예수께서 여러 이적들을 행하셨는데, 요한복음 9장에 나오는 이적이 가장 어려운 이적입니다. 예수님이 어떻게 고치셨지요? 진흙에다 침을 발라서 이겼다고 합니다. 그러니까 침이 좀 많았겠습니까? 그것을 눈에다 발랐습니다. 그리고는 가서 씻으라고 합니다. 우리 같으면 순종할 수 있겠습니까? 참 이상한 방법이지요. 예를 들어서 손을 그 눈에 대고 안수기도를 한다면 그럴 듯하지요. 그것이 아니라고 한다면 말씀으로 소경에게 "명하노니 눈을 떠라" 해서 딱 뜨면 기적적이지 않겠습니까?

그런데 본문에서는 도대체가 순종하기 좀 거북한 방법으로 예수께서 병자를 고치십니다. 그런데 그 소경이 어떻게 합니까? 믿고 순종했습니다. 그랬더니 눈을 뜨게 되었다는 것입니다. 중요한 것이 이것입니다. 왜 우리의 삶 가운데 이적이 나타나지 않습니까? 이것 따지고 저것 따지고 순종하지 않기 때문입니다. 결국 하나님의 교회는 교인 숫자가 문제가 아닙니다. 말씀 그대로 순종하는 사람 백 명만 나오면 세상을 뒤집어엎습니다. 말씀이라고 하면 목숨을 걸고 그대로 하는 사람이 나오면, 만 명이 못할 일도 그 한 사람을 통해서 할 수 있습니다. 문제는 무엇입니까? 순종하지 않는다는 것입니다.

제가 얼마 전 참 인상적인 일을 겪은 적이 있습니다. 어떤 선교단체에

협동 간사로 있는 우리 교회 청년이 한 명 있었습니다. 그 선교단체에서 월요일부터 수련회가 있기 때문에 주일에 떠나겠다고 저한테 이야기를 합니다. 그래서 제가 그 문제를 놓고 심각하게 도전을 했습니다.

"내가 볼 때 그렇게 주일에 가서 준비하는 것은 옳지 않다."

그래서 주일성수에 대한 문제를 놓고 이야기를 했습니다. 그 근거를 대기 위해 처음에는 성경을 들고, 그리고 웨스트민스터 신앙고백서에서 안식일에 관한 부분을 읽어주고, 또 우리 장로교 헌법을 읽어주었습니다. 쭉 설명한 뒤 "이런 것이 성도의 마땅한 도리이다"라고 권했더니 그 간사가 하나님의 말씀이 그렇다는 이야기를 듣고 두말없이 순종하는 것을 보았습니다. 그것을 보면서 '야, 이 사람은 미래가 있는 사람이다. 이 사람은 크게 될 사람이다'라는 것을 느꼈습니다. 말씀이 그렇다고 하니까 그냥 "아멘" 해버립니다. 더 논의할 것이 없습니다.

웨스트민스터 신앙고백서를 작성할 때, 거기에 참여한 사람들의 전체적인 자세가 "하나님의 말씀이 지지하지 않으면 아무도 자신의 사사로운 견해를 말할 수 없다"는 것이었습니다. 그러나 하나님의 말씀이 그렇다고 말하면 누구든지 반박할 수 없었습니다. 이것이 중요한 원리 아니겠습니까? 하나님의 말씀이라면 "아멘" 하고 나가는 그런 사람들은 장래에 엄청나게 큰일을 할 수 있는 하나님의 종이 될 수 있습니다.

시리아의 군대장관 나아만이 있었습니다. 문둥병에 걸렸습니다. 엘리사에게 가서 고쳐달라고 하니까 만나기를 거절하고, 낫고 싶으면 요단강에 가서 일곱 번 목욕을 하라고 했습니다. 나아만이 언제 고침을 받았습니까? 그대로 순종했을 때입니다. 의심을 버리고 순종하니까 문둥병이 나아서 어린아이 살결같이 되었습니다. 우리는 하나님의 말씀에 전폭적으로 순종하는 성도가 되어야 할 것입니다.

예수님을 수십 년 동안 믿는다고 해도 "듣고 난 다음에 차차 생각해보지요"라고 말하는 사람은 아무 일도 못 이룹니다. 하나님께서는 그런 사람을 통해 일하시지 않습니다. 듣는 것에 머무는 것이 아니라 듣고 난 다음 믿음으로 순종할 때 그 사람을 통해서 이적이 나타납니다. 그러므로 미래의 땅이 우리에게 있습니다. 그러나 누가 그 미래의 땅을 차지합니까? 바로 지금 순종하는 자입니다.

ID

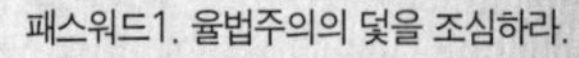

패스워드1. 율법주의의 덫을 조심하라.

율법주의는 인과응보 사상과 비슷하다. 율법주의는 모든 원인을 과거에서 찾는다. 그래서 하나님의 은혜와 능력이 들어설 자리가 없다. 과거에 뿌리를 두고 현재를 평가하는 시각은 필연적으로 결정론이나 숙명론에 기울어진다. 무언가 조금 이루면 교만해지고, 못 이루면 쉬 절망하게 된다.

패스워드2. 오늘 받는 고난의 원인은 미래에 있다.

현재의 고난은 과거의 업보가 아니라 미래를 위한 소망의 씨앗이다. 여자가 해산의 고통을 당하는 것은 과거에 죄가 많아서가 아니다. 미래의 생명을 위한 진통이다. 성도가 당하는 오늘의 고통은 하나님이 하시는 일을 나타내고, 하나님께 영광을 돌리기 위한 것이다.

패스워드3. 성도에게는 언제나 내일이 오늘보다 낫다.

현재의 고난은 미래를 위한 자산이다. 그러므로 성도는 고난중에도 낙망치 않는다. 현재의 고난이 미래를 위대하게 만든다. 과거의 감옥에 갇혀 있지 말라. 성도는 오늘을 과거와 비교하지 않고 미래와, 하나님의 약속과 비교하는 사람이다.

코람데오 (Coram Deo) 자기점검

1. 율법은 선하나 율법주의는 은혜의 율법을 그르치게 한다. 은혜는 방종과 달리 율법의 경계보다 더 큰 사랑의 굴레다. 당신은 예수님이 율법을 폐하러 온 것이 아니라 완전케 하려 오신 것(마 5:17)을 아는가?

2. 모든 고난의 목적은 미래의 개선이다. 명백한 잘못에 대한 징계마저도 더 나은 미래를 위한 따듯한 권계의 메시지가 있다. 당신은 소망중에 즐거워하며 환난중에 참으며 기도에 항상 힘쓰고(롬 12:12) 있는가?

3. 미래는 오늘의 한 순간 한 순간으로만 채워갈 수 있는 영원한 미답지다. 소망은 그 천로역정의 유일한 닻이다. 당신은 매순간 변함없이 하나님의 약속을 바라보고 있는가?

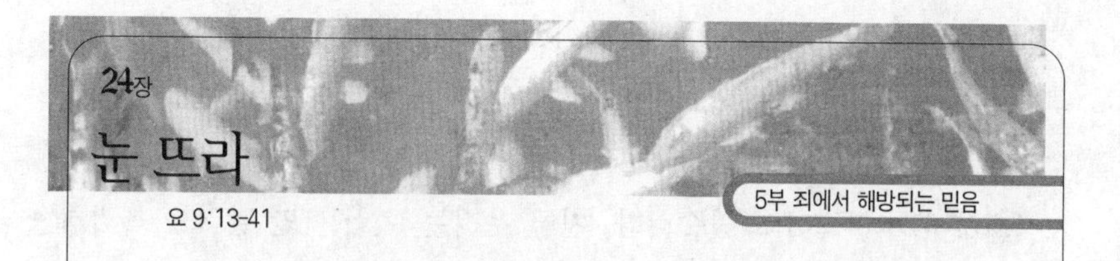

요 9:13-41

우리가 세상에서 거지같이 살려고 하면 눈 뜰 필요 없습니다. 여전히 소경으로 살면 더 많은 동전을 얻을 수 있습니다. 이것이 세상을 살아가는 방법입니다. 그러나 우리가 눈 뜬 다음에도 여전히 거지 노릇 한다는 것은 하나님의 뜻이 아닙니다. 이제 우리의 삶의 목적이 바뀌었습니다.

게토의 기독교

어떤 사회나 국가 조직이라 하더라도 개혁하지 않으면 망하게 되어 있습니다. 19세기 말은 세계적인 격동기였습니다. 변화에 적응하지 못하면 세계 사회에서 낙오자가 되고 변화를 잘 이루어내면 세계 열강이 될 수 있는 그런 위험과 기회가 공존하는 시기였습니다. 그런데 일본은 발 빠르게 '메이지 유신'이라는 개혁을 이루어냈습니다. 그래서 열강에 속하게 되었습니다. 반면에 우리나라는 안타깝게도 잠자고 있었습니다. 세계 정세에 안목이 없었던 대원군은 쇄국정책을 고수했고, 수구 세력들은 자기 이권 지키기에만 급급했습니다. 결국 개혁은 실패했고, 그 결과 나라까지 빼앗기는 수모를 당하게 되었습니다. 개혁하지 않으면 망하게 된다는 것을 보여주는 뼈아픈 경험이었습니다.

IMF 경제난도 국가 전반에서 개혁을 추진하지 않았기 때문에 생긴 것입니다. 다른 나라의 예를 들어보아도 개혁하지 않으면 망한다는 것은 진리입니다. 6 · 25를 겪었던 1950년대 초 우리나라의 국민소득은

60달러였습니다. 그때 우리를 돕기 위해 파병한 16개국 중의 한 나라인 필리핀은 국민소득이 800달러였습니다. 우리보다 13배 내지 14배 정도 잘사는 나라였습니다. 그런데 그후에 어떻게 되었습니까? 개혁에 실패하여 후진국이 되었습니다. 지금 우리는 GNP 1만 달러를 육박하는 반면 필리핀은 아직도 1,000불 수준에 머무르고 있습니다. 개혁하지 않으면 망합니다.

남미(南美)의 아르헨티나의 경우도 마찬가지입니다. 1차 세계대전이 끝날 때쯤인 1919년에 아르헨티나는 세계 10대 부국(富國) 중의 하나였습니다. 그리고 1945년 2차 세계대전이 끝날 즈음 아르헨티나는 전세계에서 가장 많은 금과 가장 많은 현찰을 보유하고 있는 나라였습니다. 그런데 개혁에 실패한 후 지금은 최장기 경기침체를 기록하며 세계적인 외채국이 되었습니다. 마라도나로 인해 유명해진 축구 하나를 빼놓고는 앞선 것이 하나도 없는 후진국이 되었습니다.

반면에 기독교가 어떤 사회에 들어갔을 때 나타나는 사회적인 현상은 개혁이요 혁신입니다. 기독교가 들어가는 곳은 과거의 모든 철옹성을 다 깨버리는 능력이 있습니다. 기독교가 들어가는 곳마다 소동이 일어납니다. 사도행전 17장을 보면 바울과 그의 동료가 데살로니가에 이르렀습니다. 그때 그곳 사람들이 바울과 그 무리를 일컬어 “천하를 어지럽게 하는 사람들”이라고 했습니다. 원문을 보니까 “세상을 뒤집어엎는 사람들”로 표현되었습니다. 기독교가 들어가는 곳에는 천하를 뒤집어엎는 일들이 벌어지게 된다는 것입니다.

원래 로마사회는 노예제 사회였습니다. 그래서 로마시만 해도 자유민보다 노예가 더 많은 도시였습니다. 기독교는 드러내놓고 처음부터 노예제도 철폐를 주장하지 않았습니다. 그런데 복음이 품고 있는 개혁적인 요소 때문에 복음이 들어가니까 더 이상 로마는 노예가 존재할 수 없는 사회가 되었습니다. 결국 복음이 들어간 지 300년이 되지 않아서 노예제

사회였던 로마는 무너져내리게 되었습니다. 왜 그렇습니까? 복음 안에 개혁적인 내용들이 숨겨져 있기 때문입니다.

무지막지하기로 소문난 오랑캐 민족이 게르만 민족입니다. 잔혹하고 무자비하기로 악명 높은 보복 문화가 보편화되어 있던 그러한 민족이었습니다. 그런데 그들에게 복음이 들어갔습니다. 그랬더니 그 게르만 민족의 인성이 바뀌었습니다. 신사의 나라가 되었습니다. 하나님께 예배하는 자들이 되었습니다. 문명이 꽃피기 시작했습니다. 결국 복음과 함께 게르만 민족이 변화되었습니다. 나중에는 무너졌던 로마제국을 게르만 민족이 다시 세웁니다. 신성로마제국이라는 이름으로 다시 세우게 됩니다. 왜 이런 일들이 벌어집니까? 복음 속에 개혁적인 성격이 숨겨져 있기 때문입니다. 그러므로 참복음은 현실의 부패를 결코 용납하지 않습니다. 복음 자체의 목적이 변화에 있기 때문입니다.

개혁적인 복음

로마서 12장 2절을 보면 "너희는 이 세대를 본받지 말고 오직 마음을 새롭게 함으로 변화를 받아 하나님의 선하시고 기뻐하시고 온전하신 뜻이 무엇인지 분별하도록 하라"고 하였습니다. 여기서 '변화를 받아'라는 말씀이 복음의 핵심입니다. 복음은 변화시키는 힘이 있습니다. 복음은 인간을 변화시키고, 사회를 변화시키고, 국가를 변화시킵니다.

항상 변화가 목적이라는 것을 배운 유태인 출신의 칼 마르크스가 있습니다. 당시에 변화되지 않는 교회와 사회의 답답함을 보았습니다. 그의 유대교적인 성장 배경 가운데서 그 시대의 형편이 너무 답답함을 보고 이렇게 외치기 시작했습니다.

"지금까지의 철학은 세계를 해석만 해왔다. 그러나 지금부터의 철학은 세계를 변화시켜야 한다."

이렇게 주장하면서 공산주의 운동을 시작했습니다. 복음의 개혁적 성향이 퇴색될 때 공산주의가 일어나게 되어 있습니다. 소련이 그랬고, 동유럽이 그랬고, 쿠바가 그랬고, 심지어 중국까지도 그랬습니다. 복음이 약화되고 복음의 본질이 사라지면 부패가 만연하게 됩니다. 변화되지 않으면 전통과 습관과 자기의 경험에 머무르게 되어 결국은 썩게 되고, 무너지게 되는 것입니다. 종교개혁 당시 중세가 그러한 시대였고, 십자가를 떠났던 19세기 유럽의 상황이 바로 그러한 시대였습니다.

그러면 언제 개혁이 시작됩니까? 항상 새로운 말씀이 공급되고 예수 그리스도의 신선한 피가 공급되면 살아나기 시작하고 개혁이 시작되었습니다. 에스라 시대가 그랬습니다. 이스라엘의 신앙이 다 무너졌고, 성벽이 무너지고, 이스라엘 백성들의 모든 율법이 다 무너졌습니다. 그럴 때 에스라가 나와서 했던 개혁의 본질이 무엇이었습니까? 말씀으로 돌아가자는 것이었습니다. 말씀의 부흥이 일어났습니다. 말씀의 부흥이 일어나니까 이스라엘의 인성이 깨어나게 되고, 믿음이 깨어나게 되고, 다시금 국가가 재건되는 역사가 일어났습니다. 요시야 시대의 재건도 마찬가지입니다. 말씀을 새롭게 발견하고 난 다음에 참된 말씀이 증거되니까 그때부터 개혁이 일어나게 되었습니다.

개혁을 외치고 있는 한국의 현상황에서 우리 그리스도인들의 사명이 무엇입니까? 이 사회를 구원하기 위해서는 어떻게 해야 합니까? 복음이 들어가야 되고, 예수가 들어가야 됩니다. 국가와 사회와 교회의 개혁을 위해서는 복음이 선포되어야 하고, 예수 그리스도의 피가 흘러야 합니다.

삼일교회가 기회 있을 때마다 복음을 들고 제주도를 향해서, 대만을 향해서, 또 캠퍼스를 향해서 나아가는 이유가 무엇입니까? 개혁하자는 것입니다. 개혁은 구호로 되는 것이 아니라 예수의 피가 흐를 때 가능합니다. 복음이 증거될 때에 모든 것이 밑으로부터 변화가 있게 됩니다. 한국 그리스도인들이 국가적인 부정 사건이 터질 때마다 연루되는 까닭이 무엇입니까? 한국교회가 이렇게 무기력하게 된 까닭이 무엇입니까? 교회가 전하는 말씀의 껍데기는 복음인데, 내용은 복음이 아니기 때문입니다. 진정으로 이 사회를 생명이 있게 만들고, 이 사회가 소망이 있게 만들기 위해서는 예수 그리스도의 십자가 보혈을 타협없이 증거해야만 합니다.

에스라는 에스라서 7장 10절에서 이렇게 결심했습니다.

"에스라가 여호와의 율법을 연구하여 준행하며 율례와 규례를 이스라엘에게 가르치기로 결심하였었더라."

단 한 구절밖에 안 되는 이 결심이 이스라엘의 개혁을 이루었습니다. 우리도 똑같이 하나님의 말씀을 연구하기로 결심해야 합니다. 그리고 우리부터 이 말씀을 준행하기로 결심해야 합니다. 이 말씀을 그대로 가르치고 지키기로 결심할 때, 비로소 하나님의 능력의 역사가 나타나게 될 것입니다. 이 사명을 우리가 감당해야 할 것입니다.

복음만이 할 수 있는 일

요한복음 9장은 예수께서 소경을 고치신 사건입니다. 우리는 예수님이 이 소경을 고치신 사건에서 크게 세 가지 주제를 살펴보려고 합니다.

첫째, 기독교의 본질이 무엇인가 하는 문제입니다.

둘째, 개혁적인 그리스도인이 세상에 나아갈 때 세상에서 어떠한 대우를 받을 것인가 하는 문제입니다.

셋째, 세상의 개혁을 위해서 부르심을 입은 성도의 자세는 어떠해야 하는가 하는 것입니다.

첫째, 기독교의 본질은 사람을 바꾸는 운동입니다. 사람을 고치는 능력이 기독교에서 말하는 개혁입니다. 우리가 본문에서 예수님이 소경을 고치는 사건을 통해 제일 먼저 확인하게 되는 것이 이것입니다. 복음은 능력입니다. 복음은 모든 것을 변화시키는 능력이 있습니다. 복음의 능력을 잘 묘사한 것이 마태복음 11장 5절 말씀입니다.

"소경이 보며 앉은뱅이가 걸으며 문둥이가 깨끗함을 받으며 귀머거리가 들으며 죽은 자가 살아나며 가난한 자에게 복음이 전파된다 하라."

복음이 들어가면 사람들이 고침받는다는 뜻입니다. 또한 로마서 1장 16절을 보니까 "내가 복음을 부끄러워하지 아니하노니 이 복음은 모든 믿는 자에게 구원을 주시는 하나님의 능력이 됨이라 첫째는 유대인에게요 또한 헬라인에게로다"라고 했습니다.

인간의 정상적인 방법과 인간의 정상적인 능력을 가지고 소경이 볼 수 있습니까? 불가능합니다. 인간의 정상적인 방법과 인간의 정상적인 능력을 가지고 앉은뱅이가 걸을 수 있습니까? 불가능한 일입니다. 인간의 정상적인 능력과 정상적인 방법을 통해서 죄인이 구원받을 수 있습니까? 없습니다. 인간이 모든 것을 다 할 수 있는 것 같아보이지만 실제로 우리 삶에서 결정적으로 중요한 것들에 대해서는 속수무책입니다.

그런데 그 부분에서 영향력을 미치고, 그 부분에서 생명력을 주는 것이 무엇입니까? 복음입니다. 다시 말해서 복음만이 할 수 있는 일이 있다는 것이 성령의 선포입니다. 구원과 영생은 복음만이 줄 수 있습니다. 또 우리의 온전함, 건강, 생명을 세상이 줄 수 있습니까? 없습니다. 오직 복음만이, 세상의 떡이 아니라 세상에 내려오신 참떡 되신 예수님만이 이것을 줄 수 있습니다.

얼마 전에 우리는 매스컴의 보도를 통해 충격을 받았습니다. 열한 살 난 여자 어린이가 동네 사람들 14명에 의해서 윤간을 당했습니다. 이런 일이 문명사회에서 이루어질 수 있는 것입니까? 그러나 우리 사회에서 이런 일들이 벌어지고 있습니다. 제정신이 아닌 사회입니다.

또 중국에서는 길 가는 여자를 어떤 남자가 성폭행했습니다. 그런데 충격적인 것은 주변에 40여 명의 남자들이 있었는데도 구경만 하고 있었다는 것입니다. 그중의 한 명은 삭개오처럼 나무 꼭대기에 올라가서 그 광경을 잘 보았다고 합니다. 이것이 중국 사회입니다. 중국 당국이 지금 충격을 받고 있다고 합니다. 이것은 도저히 인간 사회에서는 있을 수 없는 일입니다.

또 미국에서 이런 일도 일어났습니다. 어떤 스무살 난 청년이 17명을 죽였습니다. 붙잡아서 왜 그런 일을 했느냐고 물어보았더니 대답이 어처구니없습니다. 심심해서 죽였다는 것입니다. 이것은 결코 정상적인 인성을 가진 사람들이 사는 정상적인 사회가 아닙니다. 완전히 병든 사회요 완전히 무너진 사회입니다.

왜 이렇게 되었습니까? 복음이 들어가 있지 않기 때문입니다. 복음이 들어가지 않으면 아무리 많은 물질이 있고, 아무리 많은 것을 누린다 할지라도 정신나간 사회가 되고 결코 건전한 사회가 될 수 없습니다. 그런데 이런 부분을 치유할 수 있는 것이 바로 복음입니다.

그러므로 하나님의 백성들은 교회만이 할 수 있는 일, 복음만이 할 수 있는 생명을 살리는 일에 집중합니다. 물론 교회가 구제를 해야 합니다. 교육도 해야 합니다. 예배당 건축도 해야 합니다. 그러나 이것은 복음의 본질이 아니라 부수적인 사역입니다. 하나님의 교회가 결코 놓치지 않고 생명을 걸고 뛰어야 할 것은 생명을 변화시키고 생명을 살리는 일입니다. 열정을 가지고 구령 사업에 힘을 다하는 교회가 되어야 합니다. 이것이 바로 교회의 사명이요, 교회가 나아가야 할 목표입니다.

눈 뜬 자가 당하는 핍박

둘째, 복음을 가지고 있는 성도들에 대한 세상의 대우는 어떤 것인가 하는 것입니다.

날 때부터 소경인 사람이 있습니다. 그런데 기적적으로 눈을 뜨게 되었습니다. 광명한 세상을 보게 되었습니다. 이러한 놀라운 상황이 벌어졌다고 하면 주변 사람들이 어떠한 반응을 보여야 마땅합니까? 기뻐해야지요. 이유 여하를 막론하고 축하해야 할 일이 아닙니까? 잔치를 벌려야 하지 않습니까? 그런데 본문을 보니까 잔치 대신에 시비가 벌어졌습니다.

"바리새인 중에 혹은 말하되 이 사람이 안식일을 지키지 아나하니 하나님께로서 온 자가 아니라 하며 혹은 말하되 죄인으로서 어떻게 이러한 표적을 행하겠느냐 하여 피차 쟁론이 되었더니"(16절).

이 바리새인들은 기뻐하기는커녕 쟁론을 벌였습니다. 그런 다음에 이 눈을 뜬 소경을 핍박하는 자리에까지 나아갑니다.

"네가 온전히 죄 가운데서 나서 우리를 가르치느냐 하고 이에 쫓아내어 보내니라"(34절).

이 구절의 말미에 나오는 '쫓아내어 보내니라' 하는 말은 '있는 자리에서 나가라'는 뜻이 아닙니다. 원문을 보면 '출교'입니다. 다시 말해서 이스라엘의 공동체에서 쫓아내는 그러한 일이 벌어지게 되었다는 것입니다.

이 소경에 한번 초점을 맞추어봅시다. 이 소경이 소경으로 있었을 때는 어떤 점에서는 평탄했습니다. 구걸하면서도 정상적으로 인생을 살아갔습니다. 그런데 예수님의 능력으로 말미암아 눈이 떠졌습니다. 어떤 일이 벌어졌습니까? 어려움이 닥치게 되었습니다. 그때부터 형통함은 다 사라지고 세상의 핍박이 시작되었습니다.

이것은 우리에게 무엇을 말해주고 있습니까? 성도도 마찬가지라는 것입니다. 세상에서 눈 감은 상태로, 구원받지 못한 상태로 나아갈 때에는 그럭저럭 살아갈 수 있습니다. 그러나 우리가 눈 뜬 상태가 되면서부터, 예수 그리스도의 피 묻은 십자가로 말미암아 구원받은 그때부터 세상의 오해와 핍박이 기다리고 있다는 것입니다. 왜 그렇습니까? 세상은 결코 올바로 살아가는 사람들을 용납하지 않기 때문입니다. 가끔 어리석은 신자들은 이렇게 말합니다.

"내가 괜히 예수 믿어서 이런 어려움을 당한다. 내가 괜히 예수 믿어서 이러한 고통 속에 빠져 있다."

이상하게도 예수를 믿는 사람들이 시대를 이끌어가기보다는 오히려 그 시대의 영향을 많이 받는 것을 보게 됩니다.

눈 뜬 자의 사명

지금 우리 한국사회는 어떻습니까? IMF 위기를 벗어난 듯하자 사람들의 관심사는 온통 레저에 빠져 있습니다.

"어떻게 하면 즐길 수 있을까? 어떻게 하면 편안하게 살 수 있을까?"

사회 풍조가 지금 다 이런 식으로 흘러가고 있습니다. 사회 풍조가 그런 것은 이해가 됩니다. 그런데 성도들조차도 예수를 편안하고 쉽게 믿으려고 합니다. 이것은 우리를 죽이는 일입니다. 믿음의 본질은 결코 이것이 아닙니다. 그래서 어떤 일이 벌어집니까? 큰 교회를 사모합니다. 자기가 교회에 왔는지 안 왔는지 간섭하지 않기를 원합니다. 최소한도로 믿어서 구원만 받고 세상을 즐기겠다는 것입니다. 믿음의 본질을 떠난 아주 잘못된 태도입니다.

예수를 믿는다는 게 무엇입니까? 우리의 눈이 떠졌다는 것뿐만 아니라 이제는 우리의 목적이 바뀌었다는 뜻입니다. 소경이 눈 뜨기 이전에 가지고 있던 직업이 무엇이었습니까? 구걸하는 자였습니다. 거지였습니다. 눈 뜬 거지가 돈 많이 벌겠습니까, 눈 감은 거지가 돈 많이 벌겠습니까? 눈먼 거지가 더 많이 법니다. 우리가 세상에서 거지같이 살려고 하면 눈 뜰 필요 없습니다. 여전히 소경으로 살면 더 많은 동전을 얻을 수 있습니다. 이것이 세상을 살아가는 방법입니다. 그러나 우리가 눈 뜬 다음에도 여전히 거지 노릇 한다는 것은 하나님의 뜻이 아닙니다. 이제 우리의 삶의 목적이 바뀌었습니다.

눈 뜬 자들에게 요구하는 것이 무엇입니까? 세상을 정복하는 것입니다. 창세기 1장 28절을 보면 "하나님이 그들에게 복을 주시며 그들에게 이르시되 생육하고 번성하여 땅에 충만하라, 땅을 정복하라, 바다의 고기와 공중의 새와 땅에 움직이는 모든 생물을 다스리라 하시니라"고 하였습니다. 성도가 이 세상을 사는 목적은 땅을 정복하는 것이요, 모든 생물을 다스리는 것입니다. 이것이 주님의 백성들의 사명입니다. 복음으로 변화받고, 눈 뜬 백성들에게는 구걸이 아니라 하나님나라 확장의 사명이 있습니다. 세상을 변화시키고 세상을 정복하는 것이 사명이라는 것을 깨닫고, 죽도록 충성하는 성도가 되어야 할 것입니다.

그러므로 예수 믿는 사람들은 복음이 들어갔기 때문에 배불리 먹는다고 해서 만족할 수 없습니다. 좋은 집에 산다고 만족할 수 없습니다. 높은 지위에 올라갔다고 만족할 수 없습니다. 왜 그렇습니까? 우리의 사명이 세상의 정복이고 세상의 변화입니다. 그리하여 세상의 자리 때문이 아니라 나를 통해서 하나님의 능력이 나타나고, 나로 말미암아 세상이 변화된다는 것 때문에 만족할 수 있고 감사할 수 있고 감격할 수 있는 것입니다. 당신의 삶의 목적이 변화되는 복이 있기 바랍니다.

이 세상을 개혁하는 성도의 자세

셋째, 성도가 세상을 정복하는 존재라고 했는데, 이 세상을 정복하며 살아가는 성도의 자세가 어떠해야 하는가입니다. 그 자세를 세 가지로 살펴보겠습니다. 본문에 나오는 등장인물들 가운데 세 부류의 인물이 있습니다. 그 세 부류의 인물을 통해서 성도의 자세를 한번 점검해보려고 합니다.

첫째로, 마음속에 사랑이 있어야 합니다.

본문에서 바리새인은 소경이 눈을 떴다는 소식을 들었을 때 기뻐하지 않고 "왜 안식일에 고쳤느냐?"고 시비를 겁니다. 바리새인들은 이론이 앞서는 사람이었습니다. 철저한 논리가 있지만 사랑이 결여되어 있는 사람입니다. 이론만 있고 공의만 있고 사랑이 없는 것은 사회를 죽이는 것입니다.

서울지하철 같은 공공 노조에서 노동쟁의를 할 때, 준법투쟁을 벌이는 것을 가끔 볼 수 있습니다. '준법투쟁', 얼마나 말이 이상합니까? 법을 지키는 데 어떻게 투쟁이 될 수 있으며, 법을 지키는 행위 자체가 어떻게 특정집단의 이익을 위한 투쟁 수단으로 사용될 수 있습니까? 그런데 사람들은 법령이나 규칙 등의 내용을 필요 이상으로 준수하면서까지 원칙대로만 해야 한다고 주장합니다. 30초 동안만 전철 출입문을 연다고 하면 딱 30초만 문 열고 출발해버립니다. 사람이 출입구에 끼이든 말든 상관치 않는다는 것입니다. 이렇게 사랑이 없이 원리 원칙만 지키겠다고 하면 사람을 죽이는 결과를 초래할 수 있습니다.

우리가 한동안 공무원들에 대해 불만을 품었던 까닭이 무엇입니까? 이렇게 원칙만 고수한다는 것입니다. 원칙만 있고 여유가 없고 사랑이 없습니다. 애민(愛民) 정신이 없습니다. 그러면 국민을 죽이는 것이 될 수 있습니다. 바리새인이 그랬습니다. 이론은 있는데, 그 안에 사랑이 없습니다. 이론에만 매달리고 사랑이 없으면 그것보다 메마른 인격이 없습니다.

그러므로 우리 성도에게 무엇이 있어야 합니까? 사랑이 있어야 합니다. 세상에 존재하는 모든 이론은 어차피 불완전한 것입니다. 아무리 완벽한 이론이 나온다 할지라도 반론이 있을 수 있습니다. 그러므로 이론보다 큰 것이 사랑이요, 형식보다 중요한 것이 정신입니다. 이 사랑과 이론 중에서 어느 것이 더 중요하고 어느 것이 더 크게 역사하느냐 하는 것을 보려면, 젊은이들이 사랑하는 것을 보면 됩니다.

삼일교회는 젊은이들이 많기 때문에 젊은이들이 결혼 문제로 저와 상담하는 경우가 많습니다. 그런데 결국 이론이 문제가 아니라 사랑이 문제라는 것을 알게 됩니다. 어떤 자매가 어떤 형제를 사랑했습니다. 덮어놓고 사랑하니까 이제는 그 형제의 모든 점이 다 좋은 것입니다. 그 자매가 사랑하는 남자는 키가 큰 형제였습니다. 그랬더니 키가 커서 좋다고 합니다. 말이 되지요. 똑똑한 형제였습니다. 똑똑해서 좋다고 합니다. 말이 되지요. 공부 잘해서 좋대요. 말이 되지요. 그런데 안타까운 것은 그 형제가 그 자매를 사랑하지 않습니다. 그래서 지금까지도 가슴앓이를 하고 있습니다.

그런데 정작 그 형제는 다른 자매를 좋아합니다. 문제는 이 자매는 그 형제를 싫어한다는 것입니다. 한 자매가 좋아한 형제와, 그 형제가 좋아하는 자매가 싫어하는 사람은 같은 형제입니다. 이 자매는 다른 자매가 좋아했던 그 형제의 장점들 때문에 오히려 싫다고 합니다. 키가 커서 싫다고 합니다. 싱거워서 싫다고 합니다. 그 다음에 무엇이라고 이야기하는 줄 아십니까? 똑똑하고 너무 잘난 척해서 싫다고 합니다. 자기는 겸손한 남자가 좋다고 합니다. 또 이 자매는 그 형제가 너무 공부밖에 모르는 사람이어서 싫다는 것입니다. 자기는 세상도 알고 여유도 있는 남자를 원한다는 것입니다.

결국 좋아하는 마음이 있으니까 그 형제가 가지고 있는 모든 것들이 다 좋았습니다. 반대로 싫어하니까 그 형제가 가지고 있는 모든 장점들이 다 단점으로 보였다는 것입니다. 무슨 뜻입니까? 마음이 중요하다는 것입니다. 그러므로 세상을 변화시키는 것은 이론이 아니라 사랑하는 마음입니다.

왜 느헤미야가 이스라엘 백성들을 개혁하고 변화시킬 수 있었겠습니까? 이스라엘 백성들을 사랑했기 때문입니다. 느헤미야서 1장 4, 5절을 보니까 "내가 이 말을 듣고 앉아서 울고 수일 동안 슬퍼하며 하늘의 하나님 앞에 금식하며 기도하여"라는 기사가 나옵니다. 느헤미야는 이스라엘 백성들을 사랑했기 때문에 이스라엘 백성들을 놓고 기도했습니다. 금식하고 통곡했습니다. 결국은 이론이 아니라 이러한 사랑으로 이스라엘 백성성들을 구출하게 되었습니다. 다니엘도 그 백성을 사랑하는 마음으로 금식하며 베옷을 입고 기도할 때, 이스라엘이 바벨론 포로에서 해방되어 조국으로 귀환하는 역사가 일어났습니다.

우리 사회가 지금 혼돈 가운데로 빠졌습니다. 질서를 잃어가고 있고, 도덕이 땅에 추락했습니다. 우리가 세상을 향해서 해야 할 일이 무엇입니까? 비난입니까? 정죄입니까? 아닙니다. 이 세상을 품고 울고 통곡하는 눈물이 있어야 합니다. 교회가 언제 이 세상을 놓고 울어봤습니까? 정말 느헤미야의 통곡이 있었습니까? 우리가 다니엘과 마찬가지로 금식하며 베옷을 입고 기도하는 모습이 있었습니까? 그것이 없었다면 모든 정죄는 세상을 향한 것이 아니라 우리를 향한 것이 되어야 합니다. 예수님이 "예루살렘아! 예루살렘아!" 하면서 눈물로 예루살렘을 위해서 기도했던 것과 마찬가지로 이 민족과 이 사회를 위해서 기도하는 참된 개혁자가 되기 바랍니다.

둘째로, 영적인 싸움을 벌여야 합니다.

본문에서 소경의 아비의 태도를 살펴봅시다.

"이는 너희 말에 소경으로 났다 하는 너희 아들이냐 그러면 지금은 어떻게 되어 보느냐 그 부모가 대답하여 가로되 이가 우리 아들인 것과 소경으로 난 것을 아나이다 그러나 지금 어떻게 되어 보는지 또는 누가 그 눈을 뜨게 하였는지 우리는 알지 못하나이다 저에게 물어보시오 저가 장성하였으니 자기 일을 말하리이다 그 부모가 이렇게 말한 것은 이미 유대인들이 누구든지 예수를 그리스도로 시인하는 자는 출교하기로 결의하였으므로 저희를 무서워함이러라"(19-22절).

지금 이 눈 뜬 소경의 부모는 예수께서 능력으로 자기 아들의 눈을 뜨게 했다는 것을 알았습니다. 그렇지만 눈치가 빨라서 예수의 능력을 인정하면 출교당한다는 것도 알고 있었습니다. 그래서 두려워 대답을 회피하는 것입니다.

우리가 진리를 알고 있다고 해서 세상을 변화시키는 것이 아닙니다. 진리와 동시에 용기가 있어야 합니다. 이 진리를 담대히 말하고 이 진리와 함께 생명을 걸 수 있는 용기가 있지 않고는 세상을 변화시킬 수 없습니다. 우리가 세상을 살아갈 때 사실상 제일 두려운 것은 고립의 공포입니다. 사회에서 소외되고 가정에서 내몰리고 동료에게 따돌림을 당하는 것만큼 두려운 일이 없습니다.

실제로 청소년들이 말씀을 떠나서 잘못된 일을 할 때 보면 이렇게 이야기하는 경우가 많습니다.

"친구들에게 왕따당하는 것이 두려워서…."

어떤 분은 예수를 믿으면 더 이상 제사를 드리지 않아서 가족들로부터 버림받을까봐 두렵더라고 합니다. 믿는 사람이 술자리에 가서 장단 맞춰주는 이유가 무엇입니까? 사회에서 낙오되는 것이 두려워서 그렇다는 것입니다.

그런데 믿음이라는 것은 무엇입니까? 내가 예수 그리스도의 생명의 말씀을 듣고 믿었다는 것은 이 세상의 체제와 정면으로 맞붙어 싸우겠다는 결심입니다. 그것을 위해서 우리가 부르심을 입었습니다. 디모데전서 6장 11, 12절을 보니까 "오직 너 하나님의 사람아 이것들을 피하고 의(義)와 경건과 믿음과 사랑과 인내와 온유를 좇으며 믿음의 선한 싸움을 싸우라 영생을 위하라 이를 위하여 네가 부르심을 입었고 많은 증인 앞에서 선한 증거를 증거하였도다"라고 하였습니다.

성도의 삶의 본질이 무엇입니까? 믿음의 선한 싸움을 싸우는 것입니다. 이것을 위해서 우리가 부르심을 입었습니다. 우리가 진정 예수 그리스도의 십자가의 피로 말미암아 구원받은 하나님의 백성이라면 우리의 본분은 싸우는 것입니다. 세상은 골리앗입니다.

"너는 칼과 창과 단창으로 내게 오거니와 나는 만군의 여호와의 이름으로 네게 가노라"고 외친 다윗처럼 전투의 기백이 있어야 합니다. 그래서 물맷돌 다섯 개로 골리앗과 싸워 큰 승리를 거두는 이것이 바로 성도의 본분입니다. 그러므로 영적인 싸움을 피하지 않고 그 싸움에서 승리하는 성도가 되기 바랍니다.

셋째로, 하나님의 말씀으로 의식화되어야 합니다.

운동권에서 쓰는 용어 중에서 하나가 '의식화'입니다. 그런데 성도들도 의식화되는 것이 필요합니다. 본문에서 소경은 사람들이 아무리 많은 공격을 해온다 하더라도 넘어지지 않습니다. 왜 그렇습니까? 체험적인 신앙이 있기 때문입니다. 자기 자신에게 일어난 사건이기 때문에 호락호락하지 않습니다. 그래서 체험적인 신앙은 무서운 것입니다. 예수의 대적들이 예수를 죄인이라고 공박할 때, 그 소경이 무엇이라고 대답합니까?

"대답하되 그가 죄인인지 내가 알지 못하나 한 가지 아는 것은 내가 소경으로 있다가 지금 보는 그것이니이다"(25절).

이 소경에게는 뒤로 물러서지 않고 자기 신앙을 고백하는 담대함이 있었습니다. 이것이 체험적인 신앙의 강점입니다. 체험이 있는 사람은 웬만해서는 양보하지 않고 굳건하게 서 있을 수 있습니다.

그런데 문제는 체험만 가지고는 1년도 갈 수 없다는 것입니다. 체험만 가지고는 금방 무너지게 됩니다. 제가 아는 분 중에 이런 분이 있습니다. 하나님 앞에 기도하여 죽을병에서 고침받은 분이 있습니다. 암에 걸린 분이었는데, 간절히 기도함으로 암이 나았습니다. 완벽하게 치유함을 받았습니다.

기도의 능력으로 암을 고친 분이 죽을 때까지라도 주를 부인할 수 없지 않겠습니까? 없을 거라고 생각되지요. 그런데 그 분은 죽을 때 예수님을 부인하고 죽었습니다. 병을 고치고 난 다음에 교회에 나오지도 않았고, 마지막에는 오히려 주님을 부인하고 죽었습니다. 저는 이해할 수가 없었습니다.

'어떻게 하나님의 그 큰 능력을 체험하고 난 다음에도 그렇게 살다 죽을 수가 있는가?

그런데 우리의 체험이라는 것은 참 묘합니다. 처음에는 뜨거움을 가지고 시작됩니다. 그런데 시간이 지나면 의심이 옵니다.

'내가 나으려니까 나은 거야', '내가 약을 써서 나은 것이지 기도로써 나은 것이 아니야', '의지력이 강해서 내가 병마와 싸워 이긴 것이야', '암이 아니었을지도 몰라', '의사가 오진했을지도 몰라.'

이런 식으로 자꾸만 의심해서 믿음을 버리는 자리에까지 나아가더라는 것입니다. 체험만 가지고 있으면 요동하는 믿음이 됩니다. 금방 넘어져버립니다.

신학화의 3단계

우리에게는 자신의 체험을 말씀으로 보완하는 의식화 작업이 필요합니다. 이것을 신학적인 용어로 '신학화'라고 말합니다. 자기의 신앙을 신학화하는 과정들이 필요합니다. 내 삶속에서 벌어지는 일들을 말씀을 통해서 설명할 수 있어야 합니다. 그러면 흔들리지 않습니다. 신학화에는 3단계의 과정이 있습니다.

첫째, 의식화입니다. 하나님의 말씀을 통해서 내 삶의 모든 문제를 체계화시키는 것입니다. 의식화를 잘하기 위해서 하나님의 말씀을 공부해야 합니다. 웨스트민스터 신앙고백서 같은 것들을 연구해야 하고, 또 성경을 차례대로 공부해야 합니다. 열심히 말씀을 연구해야만 흔들리지 않는 성도가 될 수 있습니다.

둘째, 조직화입니다. 의식화한 성도들을 하나로 모아가는 과정이 필요합니다. 우리가 교회에서 보통 말하는 것으로는 "소속이 되어간다", "소속한다"는 것입니다. 다시 말해서 장년들 같으면 구역 조직에 들어가는 것, 대학생 · 청년들 같으면 팀별 조직에 들어가서 믿음의 동료들과 함께 신앙생활을 하는 것이 조직화입니다. 이 조직화의 과정이 없이 예배 한 번 드리는 것으로 끝나면 절대로 힘이 될 수 없습니다.

보통 말씀만 증거하는 전통적인 교회는 의식화 과정까지는 잘 되어 있습니다. 그 다음에 제자훈련을 시키거나 구역 조직이 잘된 교회들은 조직화까지는 잘 되어 있습니다. 그런데 여기서 머무르면 안 되고 그 다음의 셋째 단계가 필요합니다.

셋째, 동원화입니다. 요즘 젊은이들 사이에서 많이 쓰는 단어가 있습니다. '모빌라이제이션'(mobilization)이라는 단어입니다. 이 '동원'이란 말은 우리가 쉽게 쓰는 말로는 '파송'입니다. 민족과 역사의 현장에 하나님의 일꾼들을 투입하는 것, 이 '동원화'의 과정이 꼭 필요합니다. 아무리 의식화가 잘 되어 있고 조직화가 잘 되어 있다 하더라도 현장에 나가지 않으면 역사할 수 없습니다. 아무리 부뚜막에 소금이 많다 할지라도 국에 집어넣지 않으면 짠맛을 낼 수 없는 것과 같습니다. 그러므로 하나님의 백성들에게는 현장으로 투입되는 이런 동원화의 과정이 필요합니다.

일전에 대형 선교집회의 총무를 맡으셨던 분과 깊은 대화를 나눈 적이 있습니다. 그 집회를 통해서 수천 명의 젊은이들이 선교사로 헌신하였다고 합니다. 이것은 의식화가 되어 있고 조직화가 되어 있다는 말입니다. 헌신자의 명단까지도 다 작성되어 있다는 것입니다. 그런데 그 집회가 끝나고 1년쯤 지난 뒤 실제로 선교지에 파송된 사람은 열 명이 채 되지 않는다는 것입니다. 이유는 무엇입니까? 파송할 수 있는 교회가 없다는 것입니다. 파송할 기관이 없다는 것입니다. 헌신했는데 실제로 나아갈 데가 없다는 것입니다. 얼마나 무력합니까? 그것은 힘이 없다는 것입니다. 그러므로 교회가 참으로 능력있게 되려면 제자들을 현장에 직접 파송하는 이 '동원화'에 힘을 기울여야 합니다.

그래서 삼일교회가 될 수 있으면 모든 힘을 다 동원해서 많은 성도들을 현장에 보내려고 하는 이유도 여기에 있습니다. 현장에 가야만 하나님의 능력의 역사가 나타나게 됩니다. 그러므로 열심히 말씀을 연구해서 의식화하고 각 팀과 조직에 들어가서 말씀으로 잘 양육받아서 그 조직의 능력을 가지고 현장으로 나아가는 동원화의 역사가 나타나야 합니다. 이러한 세 가지 단계를 온전하게 이루게 된다면 지옥의 대문을 뒤흔들고, 민족의 역사를 뒤바꾸고, 수많은 사람들을 하나님께로 이끌 수 있는 역사(役事)가 일어날 것입니다. 이것을 위해서 날마다 매진하고 기도하고 헌신하는 성도가 되기 바랍니다.

ID 153 패스워드

패스워드1. 복음은 변화를 일으키는 혁명적인 힘이 있다.

기독교가 어떤 사회에 들어갔을 때 나타나는 사회적인 현상은 개혁이요 혁신이다. 복음은 과거의 모든 철옹성을 다 깨버리는 능력이 있다. 로마사회에 복음이 들어가자 결국 노예제도가 폐지되었다. 복음은 드러내놓고 개혁을 주장하진 않지만, 들어가는 곳마다 뿌리로부터 변혁이 일어나게 한다.

패스워드2. 기독교의 본질은 사람을 바꾸는 것이다.

복음이 들어가면 사람들이 고침을 받는다. 인간이 모든 것을 다 할 수 있는 것처럼 보이지만 실제로 우리 삶에서 결정적으로 중요한 것들에 대해서는 속수무책이다. 복음만이 죄인을 구원하고, 생명을 가져다준다. 하나님의 백성들은 교회만이 할 수 있는 일, 복음만이 할 수 있는 일에 집중해야 한다.

패스워드3. 복음은 역사의 현장에 삶의 열매로 드러나야 한다.

구원받은 자에게는 세상을 개혁해야 하는 사명이 주어진다. 이 사명을 감당하기 위해서는 원칙만을 내세우지 않는 사랑의 마음, 담대히 비진리와 맞서는 영적 싸움, 말씀으로 철저히 의식화되어 역사의 현장에 나아가는 헌신이 필요하다.

코람데오(Coram Deo) 자기점검

1. 예수님의 말씀을 액면 그대로 따른다면 너무 과격해보여 오해를 살 만큼 복음은 급진적이다. 당신은 복음을 도덕적 교훈의 하나로 받아들이는가, 아니면 전체 삶의 최종권위로 받아들이는가?

2. 복음의 정체성이 흐트러지면 세상의 희망이 사라진다. 당신은 하나님을 아는 자만이 감당할 수 있는 일을 얼마나 실행하고 있는가?

3. 복음의 운동권이 세상의 운동권이 추진하는 주도면밀한 의식화 훈련의 절반만 따라가도 세상을 요동케 할 수 있을 것이다. 당신은 의식뿐 아니라 무의식에서까지도 하나님의 말씀에 반응할 만큼 일상의 삶이 복음으로 무장되어 있는가?

규 · 장 · 수 · 칙

1. 기도로 기획하고 기도로 제작한다.
2. 오직 그리스도의 성품을 사모하는 독자가 원하고 필요로 하는 책만을 출판한다.
3. 한 활자 한 문장에 온 정성을 쏟는다.
4. 성실과 정확을 생명으로 삼고 일한다.
5. 긍정적이며 적극적인 신앙과 신행일치에의 안내자의 사명을 다한다.
6. 충고와 조언을 항상 감사로 경청한다.
7. 지상목표는 문서선교에 있다.

하나님을 사랑하는 자 곧 그 뜻대로 부르심을 입은 자들에게는
모든 것이 合力하여 善을 이루느니라(롬 8:28)

153(I)

2000. 10. 5. 초판발행／2000. 11. 5. 2쇄발행

지은이 : 전 병 욱／펴낸이 : 여 운 학／펴낸곳 : 규장문화사

137-893 서울시 서초구 양재2동 205번지 ☎ 578-0003 (*fax*)578-7332 등록 1978.8.14. 제1-22

E-mail : kyujang@kyujang.com(규장 홈페이지 www.kyujang.com)

값 12,000원

ISBN 89-7046-799-8-03230

규장은 문서를 통해 복음전파와 신앙교육에 주력하는 국제적 출판사들의 협의체인 복음주의출판협회(E.C.P.A:Evangelical Christian Publishers Association)의 출판정신에 동참하는 회원(Associate Member)입니다.